Glendale Library, Arts & Culture Dept.
D1093677

La aventura sin fin

T. S. ELIOT

La aventura sin fin

Edición de
Andreu Jaume

Traducción de
Juan Antonio Montiel

Lumen
palabra en el tiempo

Primera edición: noviembre de 2011

Printed in Spain – Impreso en España

ISBN: 978-84-264-1920-0
Depósito legal: B-31.851-2011

Compuesto en Fotocomposición 2000, S. A.
Impreso en Litografía Siagsa
c/ Joaquín Vayreda, 19
08911 Badalona

Encuadernado en Baró Siglo XXI

H 419200

La aventura sin fin

Prólogo

El rey del bosque

Che'n la mente m'è fitta, e or m'accora
La cara e buona imagine paterna
Di voi, quando nel mondo ad ora ad ora

M'insegnavate come l'uom s'eterna:
E quant'io l'abbia in grado, mentre io vivo,
Convien che nella mia lengua si scerna.[1]

DANTE, *Inferno*, XV, vv. 84-87

He left me, with a kind of a valediction,
And faded on the blowing of the horn.[2]

T. S. ELIOT, «Little Gidding», *Four Quartets*

En varias ocasiones y siempre con el mismo énfasis, el crítico norteamericano Harold Bloom ha declarado que al empezar su carrera se propuso combatir las ideas estéticas de T. S. Eliot, el Sumo Pontífice bajo cuya autoridad se promulgaban entonces —era en la década de 1950— todas las leyes literarias de corte formalista

1. 'En mi mente siempre quedó fija / vuestra cara y gentil imagen paterna / cuando en el mundo hora tras hora / me enseñabais cómo se hace el hombre eterno / y cuánto os lo agradezco, mientras viva / quiero que en mi lengua se diga.'
2. 'Me dejó, con una especie de despedida / y se esfumó al son de la sirena.'

que inspiraron al *new cristicism*, la escuela dominante en la crítica anglosajona desde los años treinta.[3] Es verdad que tras la severa y recurrente impugnación de Bloom se trasluce una condena, en primer lugar, del temprano antisemitismo de Eliot, pero al mismo tiempo esa inicial declaración de hostilidades supone sobre todo un acto de desagravio a la tradición que Eliot, con intenciones políticas muy deliberadas, había marginado o despreciado a lo largo de su trayectoria crítica, en especial aquella representada por Milton y los románticos, aunque también —y este es un aspecto que habrá que matizar con mucho tiento— por Shakespeare, a quien, como es sabido, Bloom sitúa en el trono de un canon donde antes Eliot había coronado a otro poeta.

El juicio de Bloom, de todos modos, aunque constituya el lícito proceso de rebeldía agónica que se produce siempre en el albor de una nueva generación y que el propio T. S. Eliot protagonizó en su hora, adolece de cierta superficialidad y obvia el estatuto constituyente de la crítica de Eliot: su absoluta sumisión a su proyecto poético. Cuando Eliot, bajo su convincente disfraz de crítico imparcial y calvinista, condenaba, sobre todo en sus comienzos, a tal o cual autor o desviaba el curso de determinada corriente subterránea, estaba en secreto, como reconocería sin ambages al final dc su vida —y como ocurre siempre que un gran poeta es también un excelente crítico— abonando el terreno en el que él y sus amigos iban a plantar su propia cosecha.[4] Para Eliot, la crítica fue un instrumento literario y político primordial, el lecho de

3. Véase por ejemplo su libro más reciente, Harold Bloom, *The Anatomy of Influence*, New Haven, Yale University Press, 2011.

4. Véase al respecto en este volumen el ensayo «Criticar al crítico», pp. 491-517.

Procusto en el que tumbó a la tradición occidental para confeccionar el traje talar de su poesía.

Los ensayos recopilados en este volumen —ordenados según un criterio cronológico— describen con detalle el itinerario crítico de su autor a lo largo de más de cuarenta años, desde 1919 hasta 1961, desde una juventud brillante, provocadora y algo atrabiliaria hasta la serena lucidez de una senectud en apariencia más humilde. Se ha intentado divulgar una parte del pensamiento crítico de Eliot no tan reconocido como sus primeras y más polémicas intervenciones, aquellas con las que aun hoy se le identifica y que conforman, desde hace ya muchas décadas, uno de los *topos* más frecuentados y sobados por la industria académica. El eco de la violenta irrupción del poeta en el panorama de la crítica inglesa le persiguió a lo largo de toda su vida y ha nimbado al fin su posteridad, quizá injustamente.

Cuando en 1914, T. S. Eliot decidió, contraviniendo las órdenes paternas, establecerse en Londres, renunciar a su futuro académico en Harvard, casarse con su primera mujer y dedicarse a la poesía, el campo de la crítica inglesa era, a ojos de un joven poeta ya muy culto, cosmopolita y curtido en el simbolismo, una especie de apolillado salón eduardiano donde unos señores de irreprochable buen gusto paladeaban versos y prosas con el mismo fin con que degustaban su copa de brandy. Eliot, de la mano de Ezra Pound, que era entonces su mentor y cuyo lugar como principal poeta y crítico de su generación acabaría por usurpar, se propuso alterar la paz decimonónica de ese salón, soliviantar a sus socios y fundar otro club. Muy pronto, empezó a publicar reseñas y artículos en los periódicos y revistas del momento —la mayoría de los cuales siguen hoy en día dispersos y a la espera de una rigurosa edición—, en los que importó ideas de París, se apropió de algunas extravagancias de Pound, acuñó sus primeros desacatos y, sobre todo, se esforzó en derribar el edificio de lugares comunes, ingenuas bondades y presupuestos que se habían enquistado en la literatura inglesa desde el romanticismo hasta sus días. En primer lugar, la actitud combativa de Eliot responde a una reacción contra los victorianos —y sus herederos eduardianos y georgianos—, a quienes acusaba de una complacencia algo miope en sus propios mitos y, en resumidas cuentas, de un asfixiante provincianismo. En sus primeros ensayos —bastante de eso hay en los que conforman la primera parte de esta edición— se percibe claramente la viva irritación que le produce la actitud de muchos periodistas y eruditos del momento, muy pagados de sí mismos, siempre dispuestos a publicitarse a costa de la obra juzgada, deslumbrados por la grandeza —la única categoría que reconocían— de los grandes autores, a quienes profesaban una idolatría acrítica, sordos a cualquier tradición que no fuera la propia. Muchas de las incipientes salidas de tono de Eliot hay que leerlas a la luz del momento en que fueron concebidas. Una de las más sonadas —y que increíblemente enerva aún a Harold Bloom— es aquella formulada en «Hamlet y sus problemas» (1919), donde, sin que le temblara la voz, dijo que la principal tragedia de Shakespeare era, fundamentalmente, «un fracaso artístico», una afirmación que sin duda fue hecha más para escandalizar a aquellos señores del salón que para convencer.[5]

5. El ensayo no está incluido en este volumen, pero hay traducción castellana del mismo en T. S. Eliot, *El bosque sagrado*, San Lorenzo de El Escorial, Langre, 2004.

De esa primera época como crítico, surgió el libro ensayístico más programático y calculado de cuantos publicó, *El bosque sagrado* (1920), indisociable de la composición de *La tierra baldía* (1922), el poema que le catapultó al puesto de mando de la vanguardia poética del siglo XX. Aunque en principio parece una mera compilación de las reseñas que había escrito hasta entonces, aquel libro fundacional fue cuidadosamente ordenado y reelaborado para la ocasión, hasta el punto que constituyó el sustrato de toda su obra, desde *Prufrock y otras observaciones* (1917) hasta *Cuatro cuartetos* (1943). Están ahí esbozadas las líneas maestras de su programa: los isabelinos menores, el interés por la poesía dramática, la incomodidad con Shakespeare, el simbolismo francés o Dante. Al mismo tiempo, en esas páginas, Eliot definió su sistema crítico, basado en una lectura muy apegada al texto —el *close reading* que inspiraría a la escuela del *new criticism*—, enemiga de las generalidades y explicaciones biográficas, que no da nada por sentado y donde postula una nueva teoría de la tradición como un organismo vivo y mutante, un monstruo al que trata de someter para hacerse un hueco en el laberinto. De ese modo, Eliot se erigió en el crítico más exhaustivo de su generación, dispuesto a convertir el ejercicio de la crítica en un juicio sumarísimo del que nadie, ni sus inmediatos predecesores ni sus más remotos ancestros, podría librarse.

En este sentido, pues, hay que leer *El bosque sagrado* como una cuidada operación de derrocamiento del poder que el poeta se encontró en funciones a su llegada a Londres, ya fuera la interpretación romántica de Shakespeare o la crítica de Walter Pater, Swinburne, Matthew Arnold o Edmund Gosse, todos ellos creadores a la par que críticos, como el propio Eliot. Quizá sea Arnold el predecesor contra el que más se ensañó, por su lectura del romanticismo y por lo que consideraba cierta cortedad de miras, una pobreza de ideas propia de un inspector escolar que de ningún modo podía ser, como lo era entonces, la autoridad competente y contra el que había que confabularse —contra él y contra todo lo que representaba.[6]

En la enigmática elección del título de esa primera obra crítica se cifra precisamente la conjura, pues el bosque sagrado no es otro que el paisaje lacustre a los pies del pueblo de Nemi, cerca de Roma, donde se abre la gruta consagrada a Diana, un santuario en el que crece un vigoroso árbol junto al que puede vislumbrarse a veces una figura en penumbra con una espada en descanso, el sacerdote que custodia la cueva y que no hace sino esperar al hombre que habrá de asesinarle para sustituirle en el ministerio, como él mismo asesinó antes a su predecesor para convertirse en rey del bosque, un extraño mito —injertado con la leyenda de Orestes y el descenso de Eneas al reino de los muertos— que recreó Turner con la cegadora luz de su paleta en un famoso cuadro descrito por James Frazer en las primeras páginas de *La rama dorada*, su insondable investigación en torno a ese regicidio ritual, sin parangón en la mitología clásica, que le llevó a explorar las más hondas raíces de la magia y la religión en todas las épocas y en todas las culturas y que Eliot quiso evocar también en su primera aparición pública ante la escena londinense, como descarada parábola de su

6. Véase el ensayo que le dedicó en *The Use of Poetry and the Use of Criticism*, Londres, Faber & Faber, 1933. (Hay traducción castellana de Jaime Gil de Biedma: T. S. Eliot, *Función de la poesía, función de la crítica*, Barcelona, Tusquets, 1999.)

combate a muerte con la tradición, su alianza con la espiritualidad y su conversación con las sombras.

La estrategia de Eliot tuvo un éxito inmediato, pues muy pronto fue reconocido, tanto en Inglaterra como en Estados Unidos, como el crítico más importante de su generación.[7] La publicación en 1922 de *La tierra baldía* provocó el seísmo poético de mayor magnitud de la época y constituyó a su vez la puesta en práctica de los supuestos apuntados en *El bosque sagrado*, libro tras el que siguió publicando importantes ensayos en los que ahondó en unas obsesiones poéticas que, como se verá en la selección que conforma este libro, evidencian una coherencia a lo largo del tiempo que corre paralela a una cohesión en su poesía que no siempre se ha reconocido. Muchos especialistas y aficionados suelen inclinar inequívocamente la balanza de sus preferencias a favor o bien del primer Eliot —el que va de *Prufrock* a *La tierra baldía*— o bien del último, el de los *Cuatro cuartetos*. Y si en punto a gustos no hay nada que decir, críticamente la oposición resulta algo pueril, además de inútil.

Los ensayos reunidos en *La aventura sin fin* demuestran que las indagaciones de Eliot, aunque matizadas y atemperadas con los años y aun a pesar de las convulsiones biográficas de su autor, fueron siempre las mismas y responden a una única búsqueda que culminó en *Cuatro cuartetos*, una investigación que puede sintetizarse en dos campos magnéticos: en un extremo el pulso entabla-

7. El crítico norteamericano Edmund Wilson consideraba que Eliot era el crítico más importante de su generación en su artículo «T. S. Eliot and the Church of England» («T. S. Eliot y la Iglesia de Inglaterra»; *The New Republic*, 24 de abril de 1929).

do con Shakespeare, Milton, los románticos y, ya en el novecientos, con Yeats, y en el otro la incorporación de los simbolistas, la vindicación de los metafísicos y la entronización de Dante. Y quizá todo ello se pueda cifrar en una sola y simple cuestión: encontrar una forma poética adecuada a su tiempo.

Hemos comentado cómo el sistema crítico de Eliot se atiene sobre todo a cuestiones de detalle, en detrimento de generalidades de cariz biográfico o psicológico. Y es que cuando Eliot examina a un autor busca en primer lugar ejemplos de cómo el poeta resolvió determinado aspecto formal. De ahí que en muchos de los ensayos de este volumen se detenga sobre todo a elucidar cómo, por ejemplo, John Donne o Andrew Marvell multiplican hasta la extenuación una metáfora, usan un vocablo concreto o imitan a un maestro de una manera inesperada y original. La preocupación crítica de Eliot es eminentemente técnica; no en vano dijo alguna vez que la composición poética es un mero ejercicio de puntuación —otra de sus memorables y coleccionables provocaciones. Y la técnica poética es, antes que nada —y sobre todo en el caso de Eliot—, un problema métrico, del que fue consciente desde muy joven.[8]

La primera época de la poesía y de la crítica de Eliot puede entenderse como un esfuerzo por tratar de escapar de la influencia inevitablemente hegemónica de Shakespeare. La relación de Eliot con el dramaturgo ha sido a mi juicio muy distorsionada, por culpa sobre todo de la excesiva relevancia que se le ha dado a esa temprana insolencia que es «Hamlet y sus problemas». Si se leen atentamente los ensayos reunidos en el presente libro, se verá cómo la

8. Uno de sus primeros ensayos versó sobre cuestiones métricas: «Reflections on *vers libre*» («Reflexiones en torno al verso libre», 1917).

sombra de Shakespeare acecha por todas partes sin que en ningún momento llene la página, como si quisiera ahuyentar a su espectro pero sin perderlo del todo de vista.

La poesía que a lo largo de todo su trayecto interesó siempre a Eliot es de naturaleza evidentemente dramática. Por ello, mucho antes de dedicarse al teatro, se adentró febrilmente en los autores isabelinos y jacobinos, aunque también, en menor medida, en los carolinos. Cuando digo que Eliot trató de huir de Shakespeare, me refiero sobre todo a que intentó hallar una alternativa al uso que el autor de *El rey Lear* hizo del metro característico de la época, lo que en el siglo XIX se llamó «pentámetro yámbico» y que Milton, en *El paraíso perdido*, terminaría por extenuar.[9] Para tratar de entender a un Shakespeare que siempre se le escapaba y que nunca llegó a domesticar del mismo modo en que pudo, muy a su manera, hacerse suyos a Dante o a Donne, Eliot no encontró otro camino que rastrear el terreno que rodea al dramaturgo, es decir, examinar muy de cerca a sus precursores y a sus seguidores, para ver si de ese modo podía obtener algún rédito de esa grandeza abrasadora. Astutamente, Eliot intuyó muy pronto que un joven poeta puede aprender mucho de los poetas menores que merodean en torno a un genio. Dos de los ensayos que abren esta antología, «Christopher Marlowe» y «Cuatro dramaturgos isabelinos» reflejan en buena medida la labor de zapa que en los años veinte hizo Eliot al respecto. Marlowe siempre fue para Eliot un autor de temperamento más afín que Shakespeare. Graduado en

9. El pentámetro yámbico es un metro de cinco acentos en sílaba par, en su definición más estricta. En castellano se suele equiparar al endecasílabo, aunque no sea exactamente lo mismo.

Cambridge, muy versado en los clásicos, familiarizado con cuestiones teológicas y definitivamente *high brow*, podía dialogar con su obra con mayor complicidad. Su temprana muerte y el estado todavía incipiente en que dejó su obra, le permitieron además juzgarle con cierto paternalismo, a la vez que olfateaba en su métrica las influencias que había ejercido en el joven de Avon, el proceso artístico tras el que había dejado en su punto afinado el instrumento que Shakespeare tocaría con insoportable virtuosismo.

Del mismo modo, los isabelinos y jacobinos posteriores le interesaron como infelices herederos de una figura imbatible. Observar cómo un puñado de afanados dramaturgos se entretuvo tratando de construir algo en la tierra quemada que había dejado Shakespeare le divirtió y le ilustró en muchas cuestiones técnicas. De John Webster, por ejemplo, valoró la ductilidad con que manejó el pentámetro yámbico, en sus manos un metro más libre y variable que en Shakespeare —en quien, por cierto, ya es considerablemente variable. De hecho, si se analiza la métrica de los primeros poemas de Eliot, «La canción de amor de J. Alfred Prufrock», por ejemplo, o incluso *La tierra baldía*, se oirá a menudo la voz de los isabelinos y jacobinos menores en boca de una imaginería nueva que también trata de zafarse, como aquellos en el siglo XVII, de la música de Shakespeare.

La metabolización de esos dramaturgos no hubiera sido posible, de todos modos, sin el descubrimiento de unos autores que supusieron para Eliot el primer deslumbramiento poético y su influencia más perceptible en la primera fase de su obra: los simbolistas. Aquí, de nuevo, Eliot, más que de Baudelaire y Mallarmé, supo sacar provecho de dos poetas menores que habían brotado a la sombra del árbol central: Jules Laforgue y Tristan Corbière. Su descubrimiento en 1908, gracias a la lectura del libro de Arthur Symons, *El movimiento simbolista en literatura*, revolucionó su concepción de la poesía y le abrió las ventanas a un paisaje visual y musical que animó su propia ruptura formal. El simbolismo fue para Eliot el necesario revulsivo contra la calma complaciente de la literatura victoriana, hasta el extremo de que para él el siglo XIX transcurrió siempre en Francia.

El simbolismo, además, le ayudó a releer la tradición en lengua propia, fue una especie de lente de aumento que le permitió apropiarse de los isabelinos menores e incluso de los metafísicos y de Dante. En una conferencia pronunciada en 1933 en la Universidad de Baltimore, Eliot se explayó por primera y única vez al respecto en los siguientes términos:

> Quizá, de entre todos los críticos, sea yo el menos cualificado para juzgarles, pues soy consciente de que la primera vez que di con estos poetas franceses, hará unos veintitrés años, experimenté tal deslumbramiento personal que apenas puedo explicarlo. Me sentí por primera vez en contacto con una tradición y sentí que, para entendernos, por primera vez obtenía el respaldo de los muertos y que al mismo tiempo tenía algo que decir que podía ser nuevo y relevante. Dudo que, sin los nombres que he mencionado —Baudelaire, Corbière, Verlaine, Laforgue, Mallarmé, Rimbaud— pudiera haber escrito poesía alguna vez. Sin ellos, los isabelinos me hubieran resultado demasiado remotos y estrafalarios, y Shakespeare y Dante demasiado remotos y grandes para ayudarme.[10]

10. T. S. Eliot, «The Turnbull Lectures», *The Varieties of Metaphysical Poetry* (*Las variedades de la poesía metafísica*; Londres, Faber & Faber, 1993, p. 287).

A estas alturas, cuesta hacerse una idea del impacto que causó en el mundo anglosajón un poema como «La canción de amor de J. Alfred Prufrock», en cuyos primeros versos, si no se funda la poesía moderna anglosajona —como simplonamente nos viene diciendo el tesinando— como mínimo se instaura una nueva escuela poética, es decir, una nueva dicción y una nueva imaginería deudoras de esa extraña aleación entre simbolistas e isabelinos:

Let us go then, you and I,
When the evening is spread against the sky
Like a patient etherised upon a table.[11]

Probablemente ningún otro primer poema desde Baudelaire haya suscitado a partes iguales tanto escándalo y admiración. En cualquier caso, lo que aquí nos interesa es que los simbolistas despertaron en Eliot la conciencia de una pérdida y la ilusión de que él podía restaurarla.

El lector podrá comprobar en estos ensayos que una de las virtudes de Eliot como crítico estriba en la facilidad para sintetizar conceptos problemáticos en definiciones memorables, a veces incluso demasiado memorables y simplificadoras —a juzgar por el éxito que han tenido entre la clientela universitaria a lo largo de todo el novecientos. De entre todas esas expresiones —«correlato objetivo» o «imaginación auditiva» son algunas de las más populares— quizá la más relevante y sustanciosa, tanto para su obra

11. T. S. Eliot, «The Love Song of J. Alfred Prufrock», en *Prufrock and other observations* (*Prufrock y otras observaciones*, 1917). 'Vamos pues, tú y yo / cuando el anochecer se derrama sobre el cielo / como un enfermo anestesiado sobre la camilla.'

como para su vida, sea «disociación de la sensibilidad», acuñada en el ensayo «Los poetas metafísicos», incluido en este libro.[12] Eliot diagnostica ahí lo que a su juicio representa el principio de la decadencia de la poesía inglesa cuando dice que, en el siglo XVII, se produjo una disociación de la sensibilidad de la que la literatura inglesa nunca se había recuperado. La capacidad para fundir sentimiento y pensamiento en que habían destacado los poetas metafísicos —John Donne, Richard Crashaw, George Herbert, Andrew Marvell— se agotaba ahí para dar paso a una sensibilidad más cruda, más racional y en definitiva menos espiritual en la obra de Dryden y Milton, poetas que abrieron las puertas a la asepsia del siglo XVIII y luego a la confusión del romanticismo.

Eliot sitúa el punto cero de la tradición inglesa en el Renacimiento inglés, más concretamente en la transición entre los siglos XVI y XVII, su principal campo de investigación y venero de su propia poesía. Durante mucho tiempo, entre las décadas de 1920 y 1930, entretuvo la idea de escribir un estudio pormenorizado de ese periodo que iba a titularse *La escuela de Donne* y que finalmente no acometió. El libro, además, iba a formar parte de una trilogía bajo el título genérico de *La desintegración del intelecto*, cuyos restantes volúmenes serían *El drama isabelino* y *Los hijos de Ben*, sobre el desarrollo del humanismo. El esquema, a falta de esos ensayos, nos basta para imaginar el cuaderno de bitácora que manejaba Eliot en su lenta travesía poética, tras la publicación de *La tierra baldía.*

La recuperación de los metafísicos, significó también, por parte de Eliot, una censura tácita a los románticos, cuya reacción contra los impuestos de la Ilustración juzgó siempre —pero con

12. Véase en este volumen el ensayo «Los poetas metafísicos», pp. 73-93.

más intolerancia en sus primeros tiempos— una algarabía caótica y excesivamente sentimental, opuesta a la matizada cultura de sentimientos que tanto apreciaba en el grupo de Donne. El rechazo al romanticismo tiene, de todos modos, implicaciones más profundas y complejas. En Harvard, Eliot había sido discípulo de Irving Babbitt, quien, junto con Paul Elmer More, fundó un movimiento efímero llamado «Nuevo Humanismo» que postulaba un regreso a la ética de la Antigüedad y una censura del naturalismo y el relativismo de Rousseau y su influencia en el romanticismo, así como una condena del materialismo contemporáneo y una reafirmación en los valores conservadores y universales, una teoría que causó una honda y perdurable impresión en el joven Eliot y que fue asumiendo y matizando a lo largo de su vida.

Para Eliot, el romanticismo significaba sobre todo individualismo y culto a la personalidad, justo lo contrario de lo que buscaba en su obra: sentido de la comunidad tradicional e invisibilidad personal. En otro de sus momentos críticos más jaleados, perteneciente al célebre ensayo «Tradición y talento individual» (1919), Eliot, con la mira puesta en los románticos, había afirmado: «La poesía no consiste en dar rienda suelta a la emociones sino en huir de la emoción; no es una expresión de personalidad sino una huida de la personalidad. Pero naturalmente solo quienes poseen personalidad y emociones saben lo que significa huir de ellas».[13] De ahí también su interés por la poesía dramática, por la máscara y el disfraz que tan bien supo emplear en *La tierra baldía*.

La reacción contra el romanticismo hay que vincularla también con la evolución personal de Eliot hacia una espiritualidad

13. *El bosque sagrado*, *op. cit.*, p. 239.

cada vez más ortodoxa. Acabamos de comentar cómo el poeta detecta una disociación de la sensibilidad en el XVII que para él es síntoma del momento y la manera en que la poesía religiosa empieza a secarse para alumbrar, en el romanticismo, una trascendencia laica que nunca pudo tomarse en serio. El acendramiento de las preocupaciones religiosas en su vida y en su obra le llevó a buscar cada vez con más insistencia un referente poderoso en torno al cual poder orbitar. Los metafísicos, en ese sentido, le ayudaron en un primer momento, pero incluso en su lectura de esa escuela se nota el síndrome de abstinencia, pues del inicial entusiasmo por John Donne o Andrew Marvell fue poco a poco rebuscando en otros poetas más fervientemente religiosos —y menores, otra vez— como Richard Crashaw y, sobre todo, George Herbert, quizá el poeta inglés que más cerca sintió.

La consagración pública que T. S. Eliot experimentó tras la publicación de la *La tierra baldía* se consolidó a lo largo de la década. En 1925 dejó su empleo en el Lloyd's Bank y entró a formar parte de la editorial Faber & Gwyer, casi enseguida Faber & Faber, en la que fue principalmente editor de la colección de poesía —uno de los catálogos más impresionantes del siglo XX— y a cuyo nombre quedó ya asociado para siempre. En su madurez, Eliot sería conocido en el mundillo literario londinense como «el Papa de Russell Square», en alusión a la plaza en la que se hallaba la sede de la editorial y donde uno podía cruzarse con su «rígido rostro imperial», en palabras del crítico Cyril Connolly.[14] Al mismo tiempo, Eliot,

14. En la necrológica que publicó del poeta en enero de 1965. Véase Cyril Connolly, *Obra selecta*, Barcelona, Lumen, 2005, p. 721.

en su vida privada, vivía un auténtico calvario con su primera mujer, Vivien High-Wood, mentalmente desequilibrada y de la que se separaría en 1933. Una parte de la íntima desolación que sopla en *La tierra baldía* es un trasunto de la sordidez de ese matrimonio, cuyo fracaso le abocaría a una radical metamorfosis personal y espiritual. En 1927 decidió bautizarse en la Iglesia anglicana —concretamente en la High Church, su rama anglocatólica— y convertirse en súbdito británico.[15] En el prólogo a una recopilación de ensayos que publicó en aquella época, *Para Lancelot Andrewes* (1928), se declaró, en otra de sus más recordadas sentencias, «clasicista en literatura, monárquico en política y anglocatólico en religión», que en realidad no suponía más que una actualización del pensamiento del ultracatólico escritor francés Charles Maurras, que tanto había admirado en su juventud.

La conversión implicó también una ruptura con algunos aspectos —religiosos, claro— de la concepción del humanismo de Babbitt en que se había formado, pero sobre todo escenificó la fractura definitiva con su Estados Unidos natal, país del que se había ido alejando inexorablemente desde que en 1914 decidiera no cumplir con el destino académico que sus padres le habían preparado en Harvard. Ello afectó de alguna manera a su obra crítica, pues el distanciamiento trajo consigo una llamativa indiferencia hacia la literatura de su país, de la que habló muy poco. Es una lástima que nos privara de su juicio sobre Walt Whitman o sobre Emily Dickinson, como curiosa resulta la educada distancia con

15. La Iglesia anglicana tiene tres ramas: la High Church, la corriente anglocatólica, la Broad Church, la rama más liberal y tolerante con los diversos credos, y finalmente la Low Church, la facción más protestante e independiente de Roma.

que trató al único poeta norteamericano que puede hacerle sombra, Wallace Stevens, quien, en justa correspondencia, le brindó el mismo trato.

En la comunión con la fe anglicana, Eliot estaba además deshaciendo el camino andado por sus antepasados. En 1669, Andrew Eliot había partido de East Coker, en el condado inglés de Somerset, hacia Massachusetts, como uno de tantos puritanos que huían entonces de los estertores de la Guerra Civil inglesa, descontentos con la intoxicación papista de la religión de su país. Desde entonces, los Eliot formaron parte de la élite intelectual y religiosa que colonizó Nueva Inglaterra. A lo largo del XIX, ya en Saint Louis (Missouri), la ciudad natal de poeta, los Eliot, muy pagados de su aristocracia de espíritu, se vieron poco a poco desplazados socialmente por una nueva oligarquía empresarial que les estancó en el aislamiento anacrónico en el que T. S. Eliot nacería —y que explica en parte las razones de su conversión, así como antes su aquiescencia con los principios del movimiento de Babbitt. La «restauración de la sensibilidad» conforma para Eliot un proyecto a la vez estético y personal. La rehabilitación de los metafísicos es indisociable de su bautizo y, a su vez, todo ello es inseparable de la coronación de Dante como epicentro de su canon.

Eliot dijo alguna vez que solo un extranjero puede realmente *convertirse* en europeo. Como antes Henry James, el autor de *Cuatro cuartetos* hace de su progresivo acercamiento al corazón de Europa —de una idea de Europa— una profesión de vida, un ejercicio de expiación personal que culminará cuando, en 1944 y en plena Segunda Guerra Mundial, con Europa en ruinas, defienda en el ensayo «¿Qué es un clásico?» a Virgilio como único clásico posible, quizá como un último gesto de vanguardia.[16] En su caso, el abrazo de la nueva fe implica a un tiempo el regreso a Inglaterra y el intento de que la poesía inglesa se incardine en una tradición supranacional y de raigambre europea, es decir, grecolatina. Lo que a partir de la segunda mitad de la década de 1920 busca Eliot en sus ensayos y en su poesía es una unidad perdida en la que filosofía, religión y poesía habían formado en el siglo XIII una cifra universal, opuesta a lo que él juzgaba como el individualismo provinciano del romanticismo. En Dante encontró Eliot la fuente originaria de ese río perdido con el que quería irrigar su propia poesía. En una carta de 1925, dos años antes de su conversión, le comentaba al crítico Herbert Read sus principales intuiciones al respecto:

Estoy seguro de una cosa, sin embargo, y es que tomando las cosas «como son», los siglos XII y XIII ofrecen la mejor —y quizá la única— disciplina que uno puede imponerse en estos momentos. Si solo sirviera como estimulante analógico para la mente y la imaginación ya sería suficiente. Y si podemos añadirla, en nuestra educación, a nuestro conocimiento de Grecia, entonces nos ofrecerá un segundo punto de orientación, un modelo de perfección con que dirigir y ensanchar, sin perjuicio, nuestros propósitos.

Ese es de hecho el asunto de mis conferencias sobre Donne etc. que quisiera enseñarte a mi regreso. En síntesis, la idea es esta: tomar el siglo XIII —en su forma literaria, Dante— como mi *point de repère* para tratar luego la historia como la historia de la desintegración de esa unidad, desintegración inevitable debido al incremento de conocimiento y la consiguiente dispersión de atención que a su vez trajo con-

16. Véase en este volumen el ensayo «¿Qué es un clásico?», pp. 361-390.

sigo muchos rasgos inconvenientes. Desintegración que, cuando el mundo ha cristalizado en otro momento y en otro orden, puede ser visto como una forma de gestación, pero que ahora el historiador, que no profetiza, debe considerar parte de la historia de la corrupción. O lo que es lo mismo, considerar y analizar la poesía del siglo XVII desde el punto de vista de la del XIII.[17]

Eliot empezaba así a vislumbrar las tres ramas de su árbol genealógico: Dante en el siglo XIII, los metafísicos en el XVII y los simbolistas en el XIX, los tres grandes momentos de la poesía metafísica, al que secretamente quería añadir una más: el de su propia obra en el siglo XX.

«Dante» (1929) es en esta selección —y en la obra crítica de T. S. Eliot en su conjunto— el centro en torno al cual orbitan todos los demás ensayos. En el de Florencia quiso situar la cúspide de su canon y la suprema autoridad que no había encontrado entre los autores de su propia lengua. El sistema filosófico y teológico de Dante le sirvió como espejo de la estructura teórica con que quiso revestir su obra más tardía. Eliot prestó mucha atención al credo del que un poeta se alimentaba y siempre condenó los experimentos, tanto en el pasado como en su propia época, con los que se había intentado sustituir la filosofía o la religión por la poesía, en vez de hacer uso de las opciones que la cultura de uno le ponía al alcance, con independencia de las creencias reales del individuo, que críticamente le traían sin cuidado. Los reproches a Blake y a Yates en los ensayos que les dedica en este volumen tienen que ver

17. *The Letters of T. S. Eliot. Volume. 2. 1923-1925* (*Las cartas de T. S. Eliot. Volumen 2. 1923-1925*; Londres, Faber & Faber, 2009, pp. 797-798).

precisamente con eso.[18] En su propio caso, la íntima satisfacción que le producía el juego entre la ambición artística de Dante y el armazón doctrinal con que construyó su obra responde a un proceso de identificación con esa armonía entre pensamiento, sentimiento y estilo que a sus ojos se había disuelto en el siglo XVII y que en su obra se propuso restaurar, pero teniendo muy en cuenta que en esa restauración tendrían que verse las costuras, es decir, que también había que incorporar la historia de la mutilación, convirtiendo así su obra en la más poderosa expresión de su tiempo.

La elección de Dante como centro de su constelación le facilitó de algún modo la marginación de Shakespeare —o quizá incluso el exorcismo de su ubicua presencia. Parte de la incomodidad que siempre le causó el dramaturgo estriba precisamente en que no entendió de dónde surgía, no veía a qué circunscripción filosófica o religiosa pertenecía. Le inquietaba sondear en su obra una profunda pulsión espiritual que no sabía explicarse y, de la misma manera, le turbaba constatar un nihilismo cuyos orígenes nunca detectó claramente. Reconoció a Montaigne —sin ser ni mucho menos el primero— como una de sus más que probables influencias, algo que quizá arroje otra luz a su distanciamiento, sobre todo si tenemos presente que para Eliot fue Pascal el filósofo de la modernidad.[19]

Por debajo de estas consideraciones, la comparación entre Dante y Shakespeare le procuró una serie de lecciones técnicas. Ya hemos comentado la cuestión de la métrica, pero hay más.

18. Véanse en este volumen los ensayos «William Blake», pp. 63-72, y «Yeats», pp. 313-333.

19. Véase T. S. Eliot, «Pascal» en *Selected Essays* (*Ensayos selectos*; Londres, Faber & Faber, 1932. Reed. 1999).

Shakespeare segrega una abundancia y una intensidad muy difíciles de aislar y asimilar, mientras que Dante, en cambio, le ofrece una disciplina con la que corregir muchos de los excesos naturales de su propia lengua. La *Divina comedia* —y en menor medida la *Vita nuova*— le sirvieron en este sentido como cura de austeridad. La concisión del lenguaje dantesco le ayudó a afinar su propia voz, de la misma manera que el estudio de la prosa litúrgica de los padres de la Iglesia anglicana, como los sermones de Lancelot Andrewes, secaron su estilo y lo prepararon para hablar con sobriedad de cuestiones abstractas.[20]

Por otra parte, la mayor riqueza que Eliot obtuvo de la obra de Dante tiene que ver con la imaginería, con el sistema visual, extraordinariamente intenso a fuer de preciso. Buena parte de su estudio está dedicado a analizar el uso de las imágenes y la modulación de las mismas a lo largo de los tres estadios del poema, de la construcción de los símiles, de la ausencia de metáforas por estar todo el poema engastado en una gran metáfora, de la descripción de la luz en el *Paradiso* o del origen y naturaleza de las *visiones* en la literatura del doscientos y el trescientos, un análisis que se tradujo al fin en una mayor concreción y alegría visual en su obra, sobre todo en los *Cuatro cuartetos*.

Cuando Eliot adoptó la *Divina comedia* como gran poema de la mitología católica y tapiz de su propia cosmogonía, el enfrentamiento con Milton estaba servido de antemano. Aparte de una cuestión técnica, relacionada con el poderío con que Milton agotó las posibilidades del *blank verse* —el verso blanco posterior a Shakespeare—, dejándolo inservible para varias generaciones y di-

20. Véase en este volumen el ensayo «Lancelot Andrewes», pp. 133-152.

ficultando el relevo durante un par de siglos, Eliot condenó en primer lugar la artificiosidad de la lengua de Milton, muy alejada del idioma de su tiempo y por tanto una categoría estilística opuesta a lo que siempre había buscado él en poesía: una métrica del habla contemporánea. En el primer ensayo que le dedicó, mucho más severo que el segundo —el que se incluye en este volumen—, denunció también, con bastante crueldad por cierto, la ceguera poética de Milton, su incapacidad para construir espacios y generar imágenes, absorto en la música verbal. En el segundo ensayo, sin embargo, matizó considerablemente su juicio y casi se reconcilió con él, pero sin dejar de reprobarle.

Quizá valga la pena arriesgar otra interpretación acerca de esa aversión. Eliot siempre dijo que compartía con Samuel Johnson la antipatía hacia la persona de Milton, es de suponer que por su ideología política, tan comprometida en la época de la Guerra Civil inglesa a favor de los puritanos, el Parlamento y en contra del rey. No hay duda de que Eliot veía en *El paraíso perdido* el gran poema protestante, en oposición a la *Divina comedia*, pero su personal antipatía se remonta a mi entender a la actitud pública de Milton, quien además de sus conocidos poemas escribió numerosos panfletos y tratados sobre política y sociedad en el fragor de la breve república que siguió a la decapitación de Carlos I.[21] La más importante de esas obras es sin duda la *Areopagitica*, en defensa de la libertad de prensa y los derechos civiles, que años más tarde, lo mismo que *El paraíso perdido*, ejercería una profunda influencia en los padres de la Revolución norteamericana. Si recordamos el

21. Véase al respecto en este ensayo la nota 6 del ensayo «Milton», pp. 391-418.

distanciamiento progresivo y radical de Eliot de su país natal y el desplazamiento que sufrió su familia debido al auge de la burguesía mercantil y dirigente, quizá podamos entender mejor el contencioso que Eliot tuvo durante toda su vida con Milton, epítome de esa disociación de la sensibilidad que llevó a sus antepasados a abandonar Inglaterra y cuya restauración el descendiente de Andrew Eliot quiso protagonizar con su regreso a Inglaterra y su bautizo en la Iglesia anglocatólica, gobernada por el heredero del trono que Milton había lesionado.

El ensayo sobre Dante, además de pieza cardinal de esta selección, funciona como bisagra entre las dos épocas de la obra crítica de Eliot. Como hemos visto, la primera se caracteriza por un espíritu combativo y arrogante, muy ambicioso. En la segunda, ya más calmado y seguro de sí mismo, se dedicó a afianzar sus logros y a enseñar poco a poco sus cartas, mientras se dejaba convertir en un clásico en vida.

Eliot decidió separarse de su mujer durante su primer viaje desde 1915 a Estados Unidos, en 1933. Fue un regreso triunfal para dar las prestigiosas conferencias Charles Eliot Norton en la Universidad de Harvard, en cuyo departamento de filosofía había dejado vacante su destino como profesor, más de quince años atrás. De esas conferencias salió otro de sus libros de ensayo más notables, *Función de la poesía, función de la crítica* (1933), donde enjuiciaba todo el pensamiento crítico formulado por los poetas que le habían antecedido en la tarea. Para entonces, Eliot ya era una celebridad, y como tal se le recibió en su tierra.

A su regreso, ya separado de Vivien, se decidió a purgar toda su vida pasada y a perfeccionar su *vita nuova* como miembro de la

Iglesia anglicana y súbdito de la corona británica. Se trasladó a vivir a la residencia para clérigos de la parroquia de Saint Stephen's, en Gloucester Road, donde oraba cada madrugada antes de tomar el metro hacia las oficinas de Faber en Russell Square y donde fue por mucho tiempo *warden*, una especie de administrador que gestionaba sobre todo los beneficios obtenidos con el cepillo. Vivió entre sotanas hasta que en 1946 su amigo John Hayward, notable erudito y bibliófilo, confinado a una silla de ruedas por una distrofia muscular, le invitó a compartir su piso, que no abandonó hasta que en 1957 se casó con su secretaria, Valérie Fletcher, hoy aún Mrs. T. S. Eliot.

Durante esos años, Eliot se alejó progresivamente de la poesía. En 1930 había publicado su última obra de envergadura, *Miércoles de ceniza*, un poema híbrido donde parecía buscar otra voz sin conseguir desprenderse del todo de su propia sombra juvenil. A mediados de los años treinta, su interés se había concentrado sobre todo en el teatro, que, según hemos comprobado, siempre le había atraído. La primera experiencia en el género tuvo lugar cuando se le encargó que escribiera los coros para un apropósito teatral titulado *La roca* (1934). Y poco antes había hecho un experimento en el fragmento para escena *Sweeney agonistes* (1932), de sarcásticos ecos miltonianos. Pero la gran oportunidad le llegó cuando el obispo de Winchester le encargó una obra para ser representada en la catedral de Canterbury. Eliot eligió la historia, muy popular en Inglaterra, del mártir Thomas Becket y escribió *Asesinato en la catedral* (1935), su primera obra teatral íntegra.

En su mayoría, los ensayos de la segunda parte de esta selección hablan de esa dedicación al teatro y del descubrimiento de una nueva forma poética que se le impuso como por sorpresa durante sus ejercicios dramáticos. La obligación de tener que escribir verso coral para *La roca* propició, según cuenta en el ensayo «Las tres voces de la poesía», la destilación de una nueva voz —la segunda según su personal clasificación— con la que arengar a una audiencia. Ese nuevo timbre se afianzó durante la composición de *Asesinato en la catedral*, uno de cuyos fragmentos descartados le sirvió para componer el movimiento inicial y encantador de «Burnt Norton», el primero de los *Cuatro cuartetos*. Cuando creía que ya se había secado definitivamente su vena poética, se encontró de pronto con una segunda vida artística en la que pudo invertir todos los beneficios de su trabajo crítico y poético. En primer lugar, su interés de siempre por la poesía dramática encontró en el nuevo poema su verdadera consumación, al ser los cuartetos poemas de inspiración teatral pero sin estar destinados a la escena, lo que le permitió orquestar un contrapunto entre lírica, monólogo dramático y poesía meditativa que de hecho ya latía en muchos de sus primeros poemas, como «La canción de amor de J. Alfred Prufrock». Luego encontró también la ocasión para exhibir todo el bagaje técnico que había acumulado tras muchos años de estudio y práctica. En los cuartetos, ensayó una nueva métrica, ahora sí plenamente emancipada de la dicción yámbica, hecha de acentos variables —con un bastidor de tetrámetros— y cuyo ritmo trocaico se anuncia ya en el preludio:

Time present and time past
Are both perhaps present in time future,
And time future contained in time past.
If all time is eternally present
All time is unredeemable.

What might have been is an abstraction
Remaining a perpetual possibility
Only in a world of speculation.[22]

Esa nueva forma poética es fruto además de su contumaz determinación por hacer posible un teatro moderno en verso. Como comenta en el ensayo «Poesía y drama», ese fue su principal reto durante muchos años, conseguir que la poesía volviera a ser capaz de representar el habla contemporánea. No es este el lugar para discutir si consiguió sus propósitos en las más que irregulares obras posteriores a *Asesinato en la catedral*, lo que importa ahora es que el esfuerzo alumbró uno de los grandes poemas del siglo.

Además de inventar una métrica específica para su poema, Eliot se dio el lujo de demostrar su dominio técnico merced al uso o adaptación de metros clásicos y en ocasiones tan enrevesados como la sextina, que logra convertir en una forma nueva y fresca en el segundo movimiento de «The Dry Salvages», o la *terza rima* dantesca, en el momento culminante del último cuarteto y, como veremos, de toda su carrera.

El alma dramática de los cuartetos le permitió también llevar hasta las últimas consecuencias su teoría de la invisibilidad del sujeto poético y al mismo tiempo volcar toda su intimidad en las capas freáticas del poema. Los *Cuatro cuartetos* no habrían existido sin el regreso de Eliot a Estados Unidos en 1932 ni tampoco sin la

22. «Burnt Norton», *Cuatro cuartetos*. 'El pasado y el presente quizá / estén presentes en el tiempo futuro / y el futuro contenido en el pasado. / Si el tiempo todo está siempre presente / el tiempo es irredimible. / Puede ser que haya habido una abstracción / que continúe siendo posible, / pero solo en el mundo de la especulación.' Traducción de Juan Antonio Montiel.

traumática experiencia de su primer matrimonio. De hecho, el poema representa la sutura de una doble escisión, intelectual y moral. Eliot logra ensamblar en su poema experiencia, sentimiento y pensamiento, hilvanar historia íntima, ejercicio espiritual, personal especulación filosófica, crónica familiar y relato político, todo ello sumido a su vez en un engranaje donde visión, música y meditación encuentran un equilibrio perfecto. En el encuentro con sus antepasados, en el punto intemporal del tiempo, ahora y en Inglaterra, obra al fin la verdadera «asociación de la sensibilidad».

En los últimos ensayos de esta selección, el tono de Eliot se hace, como hemos comentado, cada vez más sereno. La concesión en 1948 del Premio Nobel de Literatura significó la culminación de su ingreso en el Olimpo. Y el celo con que, en sus primeros trabajos, custodiaba la intimidad de su poesía, fue poco a poco cediendo a la amable franqueza que encontramos en «Lo que Dante significa para mí» (1950) o «Criticar al crítico» (1961), una disculpa con justificación por los exabruptos de juventud, en especial los dedicados a Shakespeare.

En «Lo que Dante significa para mí», habló por primera vez más como poeta que como crítico y reveló algunos de sus secretos de cocina, sobre todo en lo que respecta a la adaptación de la métrica de la *Divina comedia* que hizo en el segundo movimiento de «Little Gidding», el último de los cuartetos —sin duda el momento más álgido y asombroso de toda su obra—, pero, como siempre, se calló muchas otras cosas.

Eliot dijo alguna vez que parte de la emoción que experimentamos al leer poesía reside en el hecho de captar algo que no iba dirigido a nosotros. Cuando trabajaba ímprobamente en «Little Gidding», el poema en el que más escollos técnicos tuvo que sortear, le comentó a su amigo John Hayward —cuyas intervenciones en *Cuatro cuartetos* fueron casi tan decisivas como las de Ezra Pound en *La tierra baldía*— que creía que el defecto de todo el poema consistía en la carencia de una vaga reminiscencia personal, nunca explicitada, pero que iluminara la superficie desde las zonas abisales. En todos los cuartetos, pero singularmente en el último, Eliot perfeccionó su concepción de la invisibilidad poética al tiempo que se apostaba entero tras cada uno de los versos. Se podría decir que la investigación crítica de toda su vida desembocó en esa última pieza de cámara.

En mayo de 1936, T. S. Eliot visitó la capilla de Little Gidding, en Cambridgeshire, donde, en 1625, Nicholas Ferrar había fundado una comunidad religiosa seglar que el rey Carlos I visitó en 1645, tras su derrota en la Guerra Civil. Al poeta le causaron una honda impresión las lápidas borrosas de Ferrar y su familia y los ecos de las convulsiones espirituales y políticas del siglo que había estudiado durante toda su vida y donde se hundían sus raíces familiares y poéticas. Ferrar, además, había sido el albacea de la obra de George Herbert, que según veíamos al principio fue, entre los metafísicos, el poeta que Eliot más cerca sintió y al que más releyó en sus últimos años. «Little Gidding» se eleva así como síntesis y cifra de los restantes cuartetos, cuyos motivos principales —la comunión divina, la intersección entre lo temporal y lo intemporal, la meditación sobre una espiritualidad ecuménica, el viaje de ida y vuelta de sus ancestros desde Inglaterra a América, la frustración de su intimidad— se reúnen e intensifican para representar una sobrecogedora *conversation piece* con los muertos.

El espacio dramático del poema es a la vez la Inglaterra del XVII y el Londres de la Segunda Guerra Mundial. Durante los meses más crudos del conflicto, cuando la aviación nazi sometió a los ingleses a un bombardeo sin tregua —el llamado *Blitz,* que tuvo lugar entre septiembre de 1940 y mayo de 1941—, Eliot sirvió como vigilante nocturno de incendios en la azotea de las oficinas de Faber, en Russell Square. Las visiones espectrales de la ciudad encendida y humeante le sirvieron como telón de fondo para el poema del cuarto elemento, el fuego —«Burnt Norton» es el poema del aire, «East Coker» de la tierra y «The Dry Salvages» del agua, según suele admitirse—, un fuego a la vez real y espiritual, el fuego de la Segunda Guerra y de la Guerra Civil inglesa, el fuego de la destrucción y el de la purificación.

Sin duda, el pasaje cumbre del poema está en la segunda parte del segundo movimiento, cuando, tras el breve interludio lírico, Eliot nos describe un encuentro en una desahuciada calle londinense, en las fronteras del amanecer, con «cierto maestro difunto», con quien mantiene una última conversación. El propio Eliot reconoció que en esa figura podía identificarse a W. B. Yeats, que había muerto un año antes de que se empezara el poema, en 1939. La relación entre Yeats y Eliot fue siempre muy tensa y respondió al típico esquema edípico entre viejo maestro y joven promesa, hecho de admiración, envidia, insolencia y cierta sofisticada mezquindad de la que solo son capaces los grandes poetas. Cuando Eliot se estableció en Londres en 1914, Pound, que se había trasladado a Inglaterra para conocer a Yeats, de quien acabó siendo secretario, les presentó y trató en vano de que simpatizaran. A Eliot le molestaba mucho la espiritualidad excéntrica de Yeats, su pasión por el ocultismo y su debilidad por el folclore. Y por su parte, a Yeats le irritaba el esnobismo de Eliot, esa fría profesionalidad con que hablaba del oficio y sus maneras de atildado oficinista de la City. Eliot sabía que Yeats era un gran poeta, probablemente el mejor poeta de la generación anterior y, como tal, no podía sino tomar distancias con él y guardarse de su influencia. Sin embargo, la coincidencia en el interés por el verso dramático y la evolución de Yeats, en su vejez, hacia una poesía más seca y descarnada, rebajó la tensión y terminó por acercarles. La verdadera reconciliación, de todos modos, solo tendría lugar póstumamente y en la poesía.

Para escenificar ese reencuentro, Eliot eligió rendir un arriesgado homenaje a Dante del que salió gloriosamente invicto. Como suma y destilación de toda una vida entregada a la lectura, la memorización y la exégesis de la *Divina comedia*, construyó esa parte del poema con una adaptación, muy libre e inspirada, de la *terza rima*. Aquí, además, la depuración y concreción de su lengua poética alcanzó el punto justo de sobriedad y mesura, siendo todo el pasaje esencialmente dantesco sin caer nunca en el pastiche, incorporando a su estilo, ya plenamente consolidado, el aliento y la claridad de la *Comedia*.

Como modelo del pasaje, Eliot tomó prestada además una secuencia concreta de la obra de Dante, el episodio en que el poeta se encuentra, en el canto XV del *Inferno*, a su maestro Brunetto Latini, uno de los momentos más emocionantes de todo el poema y que había obsesionado a Eliot desde que lo leyera por primera vez a principios de siglo. Este detalle, muy calculado por parte de Eliot, permite aventurarnos en una interpretación más ambiciosa de «Little Gidding». Quizá Yeats, pese a las explicaciones del propio Eliot —y ya hemos visto cómo el pudoroso poeta a menudo esconde más de lo que muestra—, no sea el único «maestro difunto» con que se encuentra en esa desierta madrugada.

En el ensayo «Poesía y drama» (1951), Eliot comenta con detalle la escena inicial de *Hamlet*, cuando el espectro del difunto rey se aparece a Horacio y a Marcelo, a su juicio una de las mejores escenas iniciales jamás escritas, afirmación que de algún modo disculpa sus juveniles improperios en «Hamlet y sus problemas».[23] Eliot analiza ahí la pericia con que Shakespeare logra hacer gran poesía dramática con un lenguaje conciso y transparente, lo mismo que él había tratado de conseguir con su versión de la *terza rima*. Al mismo tiempo, la escena inicial de *Hamlet* ocurre también «in the uncertain hour before the morning», en los confines de la noche, antes de las primeras luces, cuando los espíritus ultrajados hacen una última ronda antes de volver a su morada.[24] Y más aún: el último verso del movimiento de Eliot, «and faded on the blowing of the horn», es de hecho una apropiación del verso con que Marcelo describe el desvanecimiento del espectro: «it faded on the crowing of the cock».[25] Para complicar más las cosas, en el siguiente movimiento, al hablar de los muertos pasados y presentes, de los que murieron en la Guerra Civil inglesa y los que estaban entonces muriendo en la guerra europea, Eliot menciona a un «rey al anochecer» y a «uno que murió ciego y sereno», sin duda Carlos I y Milton, a quien por cierto ya había parafraseado al principio del tercer movimiento de «East Coker», en otro ejer-

23. Véase en este volumen el ensayo «Poesía y drama», pp. 437-465.

24. «in the uncertain hour before the morning» ('en la incierta hora que antecede al amanecer'), primer verso de la segunda parte del segundo movimiento de «Little Gidding».

25. «... and faded on the blowing of the horn» ('y se esfumó al son de la sirena'), último verso de «Little Gidding». «... it faded on the crowing of the cock» ('con el canto del gallo se ha esfumado'), *Hamlet*, I, I.

cicio postrero de desagravio. Así, con ese gesto último de despedida al «espectro familiar», Eliot rinde tributo no solo a Yeats, cuyas imágenes de fuego y danza en «Navegando hacia Bizancio» parpadean al final, sino también a Shakespeare, cuya larga y difícil relación se resuelve al fin en un abrazo, a Milton, reconocido por fin como maestro, y a la historia intelectual y política del siglo XVII que había nutrido todo su proyecto crítico y poético, todo sublimado en forma de fantasma paterno que se aleja en una calle desfigurada del Londres bélico. De este modo, la lectura de «Little Gidding» se transforma en una prodigiosa meditación sobre su propio combate a muerte con la tradición y en la gran lección de los maestros antiguos: mostrar cómo el hombre se hace eterno, en la lengua propia y bajo el signo del propio tiempo.

El cuerpo ensayístico resumido en *La aventura sin fin* demuestra que T. S. Eliot fue uno de los críticos más ambiciosos y estimulantes del siglo XX. Quizá, como crítico de poesía, no haya tenido rival. Su concepción extremadamente jerárquica de la literatura, con la poesía en la cúspide, hace además que su dedicación se nos aparezca hoy mucho más remota de lo que es en realidad. La poesía ha ido desapareciendo de las preocupaciones críticas hasta quedar arrinconada en una especialización ensimismada con la que se ha truncado su articulación con la sociedad. Desde finales de la Segunda Guerra Mundial hasta nuestros días, la crítica, en líneas generales, se ha especializado exclusivamente en narrativa, lo que supone por su parte un inevitable provincianismo, ya que obliga a limitarse temporalmente a unos pocos siglos, desde el XVII hasta la actualidad. El empobrecimiento resulta desolador si el análisis se centra en nuestro país, donde no solo está desapareciendo la crítica de poesía, sino la crítica en sí misma, sustituida por la publicidad y la alianza con las leyes del mercado. La lectura de los ensayos de Eliot quizá ayude a tomar conciencia de la deserción que la crítica ha llevado a cabo en nuestros días y, en especial, de la absoluta desatención que la poesía está sufriendo, con consecuencias que van mucho más allá de la pervivencia del género.

No es casual que los mejores críticos entre los poetas de la tradición hispánica en el siglo XX se hayan visto fuertemente influidos por Eliot en algún momento de sus carreras. Tanto Luis Cernuda, que escribía su prosa envarado por la presencia insomne de Eliot, como José Ángel Valente y Jaime Gil de Biedma, finos críticos además de excelentes poetas, tuvieron a Eliot como juez mental, estos dos últimos sobre todo en su época de formación. Y en Latinoamérica, quizá sea Octavio Paz el poeta cuya ambición crítica y poética más se pueda comparar con la aspiración universal de Eliot. Lo que queda de todo ello es ya muy poco. La poesía española parece no haberse recuperado del simplista enfrentamiento entre poesía de la experiencia y poesía del silencio, una división que ha enfrentado artificiosamente a dos poetas, Gil de Biedma y Valente, que comparten muchas más cosas de lo que los supuestos herederos de uno y otro están dispuestos a admitir. Es verdad que hay mucha más ambición, calidad y riesgo en lo que han hecho algunos de los poetas asociados a la escuela del silencio que en la retórica hueca en que ha degenerado la mal llamada poesía de la experiencia, que para colmo se ha convertido en la poesía oficial y omnipresente de nuestro país, pero no es menos cierto que cuando se habla más de escuelas que de poetas es que algo no funciona.

Que una sociedad decida prescindir de la poesía implica, en primer lugar, un desprendimiento del lenguaje. Y de ningún modo quisiera dar a entender la típica jeremiada por la degradación de la lengua o de lo que comúnmente se entiende por lenguaje poético y elevado, tan solo me refiero a que la marginación de la poesía denota la falta de atención por la lengua y el habla que produce el hombre en un determinado momento de su historia. Como si de pronto fuéramos sordos a nuestra propia voz. La poesía es anterior incluso a la invención de la escritura y es por tanto consustancial al nacimiento de la humanidad —ya dijo el propio Eliot que la poesía empieza con un golpe de tambor en la selva. Prescindir o acabar con esa manifestación del espíritu —la canción de la especie— quizá sea el síntoma de una transformación mucho más honda y que ya no tiene nada que ver con la literatura.

Volver a Eliot, más de cuarenta años después de su muerte, supone experimentar de nuevo el escalofrío del tiempo a través de la experiencia poética. A pesar de sus limitaciones y caprichosas afirmaciones, de sus a veces irritantes y gratuitos circunloquios, de sus quisquillosos *buts, perhaps and ifs*, a pesar de la embarazosa ingenuidad de muchas de sus reflexiones sociales y religiosas, su obra sigue siendo la mejor prueba de que, efectivamente, la poesía fue y puede ser aún «la aventura sin fin», tal y como la define al final del ensayo «La música de la poesía», a propósito precisamente de la responsabilidad del poeta con el lenguaje de su tiempo y parafraseando a su vez, no por casualidad, a un político, pues, como hemos visto, su estrategia crítica respondió a un minucioso programa con el que se propuso encontrar el camino que le llevara al claro del bosque sagrado, donde se abre la gruta de

Diana, observar desde fuera al rey, estudiar sus movimientos y deducir sus debilidades para luego entrar en la cueva y asestarle el golpe mortal que retumba en las páginas que siguen y que le aupó finalmente a la dignidad. Y ahora ya su cansado fantasma nos saluda entre las sombras.

ANDREU JAUME

Barcelona, julio de 2011

Sobre esta edición

La obra crítica de T. S. Eliot —e incluso se podría decir simplemente la obra de T. S. Eliot— está todavía a la espera de una edición completa y rigurosa en su lengua original. Desde que el poeta murió en 1965, se han ido reeditando las recopilaciones que él mismo hizo de sus ensayos, conferencias, artículos, prólogos y reseñas sin apenas modificaciones y sin ninguna labor de edición. La anunciada edición en siete volúmenes de su prosa completa que Faber & Faber prepara, al cuidado de Ronald Shuchard, todavía, a fecha de impresión del presente volumen, no ha empezado a ver la luz. Emprender en castellano una edición anotada de sus principales ensayos es, pues, una tarea compleja y arriesgada, ya que no hay un modelo ni una autoridad a los que atenerse y muchos son los problemas por resolver.

La selección se ha hecho a partir de tres títulos: *Ensayos selectos* (1932), *Sobre poesía y poetas* (1957) y *Criticar al crítico* (1965), dejando de lado su ensayística social en libros como *Notas para la definición de una cultura* o *La idea de una sociedad cristiana.* Se ha intentado dar a conocer la parte menos conocida de los ensayos canónicos de Eliot, proponiendo una lectura diacrónica de su crítica literaria. Por ello se han marginado dos libros importantes, *El bosque sagrado* (1920) —aunque dos de los ensayos aquí incluidos, «William Blake» y «Christopher Marlowe» se publicaron por primera vez ahí— y *Función de la poesía, función de la crítica* (1933), que es un libro difícil de desmontar, por su naturaleza programática. Ambos títulos, además, cuentan con estupendas traducciones al castellano, como se especifica en la bibliografía final del autor.

El criterio que ha informado la selección y anotación ha buscado en todo momento mostrar el itinerario crítico y poético de T. S. Eliot desde 1919 hasta 1961. En la anotación se ha intentado iluminar todo aquello que pudiera resultar de difícil comprensión para el lector español poco familiarizado con el mundo personal e intelectual de Eliot, así como con la literatura inglesa menos divulgada entre nosotros. Se han anotado también las numerosas citas y alusiones diseminadas en el texto, en ocasiones inexactas citas de memoria del autor que, en la medida de lo posible, se han intentado reparar.

Era costumbre del poeta hablar a menudo cifradamente de su propia obra y de su vida. En ese sentido, se ha llamado la atención del lector sobre esas cuestiones, que sin duda ayudan a completar el desarrollo poético e intelectual del autor.

Los títulos de poemas y obras citados se han dejado en inglés cuando su conocimiento es escaso o nulo en la tradición española. Se han dejado en castellano los títulos incontestablemente conocidos, como *El rey Lear* o *El paraíso perdido*. Por ello, algunas veces, en el mismo ensayo, el lector se encontrará con algunos títulos en inglés y otros en castellano. En cualquier caso, la anotación siempre ofrece información detallada sobre las obras citadas.

A la hora de referenciar obras en inglés citadas en el texto, se ha dado en nota el original y, entre paréntesis, la traducción del título seguida del pie de imprenta de la edición original.

Las escasas notas del autor se indican con asterisco. El resto son notas del editor, salvo algunas del traductor que se especifican en cada caso.

Para no sobresaturar la anotación al pie, las referencias a las diversas procedencias de los textos y a su historia editorial se dan al final en una nota específica, al igual que toda la información acerca de las traducciones de poemas y versos utilizadas. Se han traducido todos los versos y poemas citados en inglés. En cambio, se han dejando en original todas las citas en otras lenguas, con traducción al pie. En el caso de «Dante» se ha dejado la traducción en página, bajo el original, por las numerosas citas que vertebran el ensayo y para no distraer excesivamente al lector con llamadas al pie.

Todas las referencias a la obra de Eliot se dan al pie en castellano. Para la información sobre su edición original se incluye también al final un apartado con la bibliografía del poeta, así como un listado de las principales traducciones que ha conocido en castellano.

Las referencias a las diversas procedencias de los textos y a su historia editorial se dan también al final en una nota específica. Finalmente, el lector podrá completar la necesaria información biográfica para la comprensión cabal de la evolución de Eliot en una cronología del poeta.

Quisiera expresar mi agradecimiento a todas las personas que han hecho posible esta edición. A Lisa Baker, de Faber & Faber. A Claudio López de Lamadrid. A Luis Izquierdo y a Jordi Llovet.

A Félix de Azúa. A Alexandre Font Jaume, maestro en asuntos relativos al mundo clásico. A Ignacio Echevarría, por su extraordinario conocimiento del oficio y por su inestimable generosidad. A Eva Garrido y Álex Oliver. A Gonzalo Torné. A Juan Antonio Montiel, por su excelente labor como traductor, no solo de los ensayos, sino de muchos de los poemas citados. También por su impagable colaboración en la anotación, concepción y desarrollo de esta edición. Y por supuesto a Mónica Carmona.

A. J.

Christopher Marlowe

Acerca de Marlowe, Swinburne observa que «el padre de la tragedia inglesa y el creador del verso blanco inglés fue también, por tanto, el maestro y el guía de Shakespeare».[1] En la frase hay dos supuestos y dos conclusiones equivocadas. Kyd, tanto como Marlowe, está legitimado para el primero de esos títulos; Surrey tiene aún más méritos para el segundo de ellos; y Shakespeare no tuvo por guía y maestro a uno solo de sus predecesores o contemporáneos.[2] El juicio menos cuestionable es el de que Marlo-

1. Si bien por «verso blanco», en inglés *blank verse*, se entiende estrictamente verso contado pero no rimado, lo cierto es que en la tradición anglosajona la denominación remite inmediatamente al metro de los isabelinos —a Shakespeare sobre todo—, es decir, al pentámetro yámbico —que se suele equiparar al endecasílabo castellano—, introducido en Inglaterra por el poeta renacentista sir Thomas Wyatt (1503-1542), traductor de Petrarca y creador de la variante anglosajona del soneto que Shakespeare perfeccionaría. T. S. Eliot dedicó a la evolución del pentámetro yámbico en la poesía inglesa una atención obsesiva y consideraba a Marlowe el afinador primordial de ese metro, precedente imprescindible para la posterior eclosión de Shakespeare.

2. Thomas Kyd (1558-1594) es, junto con Marlowe, uno de los dramaturgos isabelinos más tempranos. Su obra más conocida, *The Spanish Tragedy* (*La tragedia española*, 1592), fue una de las más exitosas de la época y constituye para muchos un claro antecedente de *Hamlet*. T. S. Eliot lo consideraba un buen dra-

we ejerció una poderosa influencia en el teatro posterior —aun sin ser él mismo un dramaturgo de la talla de Kyd—, que introdujo muchas tonalidades nuevas en el verso blanco e inauguró el proceso de disociación que llevó a ese verso cada vez más lejos de los ritmos de la poesía rimada y que, cuando Shakespeare tomó prestada alguna cosa de Marlowe —lo que ocurrió con frecuencia en sus comienzos—, hizo siempre algo inferior o sencillamente distinto.

El estudio comparado de la versificación inglesa en sus distintos periodos constituye un largo tratado de historia por escribir.[3] De hecho, hacer un estudio pormenorizado únicamente del verso blanco supondría llegar a interesantes conclusiones. Demostraría, a mi juicio, que, en vida de Shakespeare, el verso blanco se desarrolló con más fuerza, se convirtió en el vehículo de una sensibilidad más variada e intensa que la que se haya podido expresar desde entonces y que, tras la elevación de la Muralla China de Milton, no solo ha sufrido una parálisis sino incluso un retroceso.[4] Por

---

maturgo. *La tierra baldía*, por cierto, se cierra con unos versos de *La tragedia española*. ¶ Por su parte, Surrey es Henry Howard, conde de Surrey (*c*. 1517-1547), poeta de fino oído y producción modesta que ayudó, como Wyatt, a consolidar el soneto anglosajón y que a su vez inventó, según todos los preceptistas, el verso blanco inglés, en su traducción de los libros II y IV de la *Eneida*, publicada hacia 1554.

3. Quizá el mejor libro que se ha escrito sobre el asunto sea *Shakespeare's Metrical Art* de George T. Wright (*El arte métrico de Shakespeare*; Berkeley, University of California Press, 1988), que, aunque muy centrado en Shakespeare, trata de iluminar la compleja y apasionante historia de la métrica inglesa.

4. T. S. Eliot consideraba que Milton había dejado exhausto el pentámetro yámbico, sobre todo en *El paraíso perdido*, de cuya hegemónica influencia trató de zafarse denodadamente. Véase en este volumen el prólogo, «El rey del bosque», pp. 9-43.

ejemplo, el verso blanco de Tennyson —un consumado maestro de la forma en determinadas aplicaciones— es más rudimentario —pero no más «tosco» o técnicamente menos perfecto— que el de media docena de contemporáneos de Shakespeare —más rudimentario en tanto que menos capaz de expresar emociones complejas, sutiles y sorprendentes.

Cualquier escritor que haya empleado el verso blanco de manera perdurable habrá producido, sin duda, tonalidades específicas que solo en sus poemas y no en los de otros pueden encontrarse, algo que deberíamos tener en cuenta cuando hablamos de «influencias» y «deudas». Shakespeare es «universal» porque tiene más tonalidades personales que ningún otro, pero todas, sin embargo, son obra de un solo hombre: nadie puede ser más de una persona. Pudo haber seis escritores como Shakespeare a la vez sin que hubiera el menor conflicto entre ellos. Y afirmar que Shakespeare dio cuenta de la práctica totalidad de las emociones humanas, implicando que dejó muy pocas a disposición de los otros, supone un malentendido radical con respecto del arte y de los artistas, un malentendido que, aun rechazándolo explícitamente, puede llevarnos a obviar el esfuerzo de atención necesario para descubrir las propiedades específicas de los poemas de los contemporáneos de Shakespeare. El desarrollo del verso blanco puede compararse al análisis de ese sorprendente producto industrial: el alquitrán de madera. Los poemas de Marlowe son uno de sus primeros derivados, pero poseen propiedades que no se repiten en ninguno de los versos blancos analíticos o sintéticos descubiertos poco después.

Quizá sea apropiado hablar de «vicios estilísticos» de la época de Marlowe y Shakespeare, pero es probable que ni uno solo de esos «vicios» haya sido compartido por todos los escritores de la época. Al menos, es pertinente recalcar que la «retórica» de Marlowe no es —o cuando menos no lo es característicamente— la retórica de Shakespeare; que lo que en Marlowe es solo una mera pomposidad insolente, en Shakespeare es más propiamente un vicio de estilo, una torturada y perversa ingenuidad de las imágenes que, en vez de concentrarla, disipa la imaginación y que se debía quizá, cuando menos en parte, a influencias de las que Marlowe se mantuvo a salvo. Enseguida descubrimos que el defecto de Marlowe se fue atenuando gradualmente e incluso terminó por convertirse en virtud, lo que resulta casi milagroso. Y descubrimos que este poeta de imaginación torrencial supo reconocer muchos de sus mejores pasajes —y los de un par de poetas más—, para luego atesorarlos y reproducirlos más de una vez, casi siempre mejorándolos en el proceso.

Vale la pena observar con atención algunas de estas distintas versiones, porque indican, a despecho de la opinión común, que Marlowe fue un trabajador aplicado y consciente. J. M. Robertson ha señalado la curiosa apropiación por parte de Marlowe de un pasaje de Spenser.[5] Aquí, en Spenser, en *La reina de las hadas*:

5. Edmund Spenser (1552-1599), hoy en día muy poco leído, es uno de los poetas primordiales de la época isabelina, autor del inacabado poema épico *The Faerie Queene* (*La reina de las hadas*, 1596), escrito a mayor gloria de la reina Isabel I, a quien está dedicado, y del protestantismo. El fragmento que a continuación cita T. S. Eliot pertenece al libro I, VII, 31. ¶ J. M. Robertson (1856-1933), periodista, político y escritor escocés, cuyo libro *The Problem of Hamlet* (*El problema de Hamlet*, 1919) T. S. Eliot comentó en su ensayo «Hamlet y sus problemas», 1919. La crítica de Robertson moldeó en cierta medida las opiniones tempranas de Eliot sobre Shakespeare.

Como un almendro, solo
en la cima del verde Selinis,
de flores galanas exquisitamente rodeado
cuyos tiernos mechones tiemblan
con cada soplo que el alto cielo espira.[6]

Y en Marlowe, *Tamerlán*:

Y será como un almendro,
alto en la cima del majestuoso
y siempre verde Selino, primorosamente adornado
con flores más blancas que la frente de Herycina
y cuyos tiernos capullos temblarán de continuo
a cada leve céfiro que del cielo emane.[7]

El ejemplo resulta interesante no solamente porque demuestra que el talento de Marlowe, como el de la mayoría de los poetas, es en parte sintético, sino porque parece facilitar la clave de ciertos efectos «líricos» presentes en *Tamerlán* que no se encuentran en ninguna obra de Marlowe ni, a mi entender, en ningún otro sitio. Por ejemplo, el elogio de Zenócrata:

6. La extraña presencia de estos mechones de cabello se explica en el contexto del poema de Spenser: se trata de una descripción de la presencia del rey Arturo: «Upon the top of all, his lofty crest— / A bunch of hairs discolour'd diversly, / With sprinkled pearl and gold full richly drest— / Did shake, and seem'd to dance for jollity. / Like to an almond tree y-mounted high…», 'Y por encima de todo, su altiva cresta: / un manojo de pelo distintamente coloreado, / de perlas esparcido y de oro suntuosamente ataviado, / se agitaba y parecía danzar lleno de goce. / Como un almendro, solo…'. *(N. del T.)*

7. Marlowe, *Tamerlán*, parte II, IV, VII.

Acudan los ángeles a las murallas del cielo
cual centinelas que adviertan a las almas inmortales
que deben acoger a la divina Zenócrata.[8]

No tiene el pulso de Spenser, pero su influencia está sin duda presente. No se había producido verso blanco de verdadera calidad antes de Marlowe, pero sí teníamos el precedente inmediato de la poderosa presencia de este maestro de la melodía, y la combinación produjo resultados irrepetibles. Dudo que pueda sostenerse que Peele tuviera influencia alguna en esos versos.[9]

El citado pasaje de Spenser tiene un interés ulterior. Como puede verse, el cuarto verso:

… *con flores más blancas que la frente de Herycina*

es una contribución de Marlowe. Compárese con estos otros versos suyos:

Así luce mi amor, sombreando sus sienes…

… *semejantes a la sombra de las pirámides…*[10]

y con su versión final, que es también la mejor:

8. *Ibidem,* parte II, II, IV.

9. George Peele (1558-1597) fue uno de los llamados *University Wits* —poetas y dramaturgos isabelinos formados en Oxford y Cambridge— que, con Marlowe a la cabeza, ensayaron un teatro culto que constituyó el cimiento sobre el que Shakespeare edificaría su obra.

10. Marlowe, *Tamerlán,* parte I, V.

Sombreando más bellamente sus despejadas frentes
que los blancos pechos de la diosa del amor.[11]

y compárese el conjunto nuevamente con Spenser (*La reina de las hadas*):

Muchas gracias bajo sus párpados reposan
a la sombra de su clara frente[12]

un pasaje que, como indica el mismo Robertson, Spenser utilizó en otros tres lugares.

Esta economía es frecuente en Marlowe. En *Tamerlán* se hace presente mediante una forma de monotonía, a través, especialmente, de un uso fácil de nombres resonantes (por ejemplo, la recurrencia de «Caspia» o «Caspio» con el mismo efecto tonal), una práctica en la que Milton siguió a Marlowe, pero que este último desarrolló más que nadie. De nuevo,

Zenócrata, más amable que el amor de Júpiter,
más brillante que la argentina Rhodope[13]

encuentra más tarde un paralelo en

Zenócrata, la más bella doncella que jamás existió,
más gentil que las perlas y las piedras preciosas.[14]

11. Marlowe, *Doctor Fausto,* I, I.
12. Edmund Spenser, *La reina de las hadas*, libro II, canto III.
13. Marlowe, *Tamerlán*, parte I, I, II.
14. *Ibidem,* parte I, III, III.

Un verso que Marlowe remodela con enorme acierto:

... y colguemos en el firmamento negras flámulas[15]

se transforma en

... ved, ved cómo corre la sangre de Cristo por el firmamento.[16]

Los logros métricos de *Tamerlán* son principalmente dos: Marlowe introduce en el verso blanco la melodía de Spenser y consigue una mayor fuerza motriz reforzando la frase por encima del verso. Las frases largas y rápidas, que fluyen de un verso a otro, como en los famosos soliloquios «Naturaleza compuesta de cuatro elementos» y «¿Qué es, pues, la belleza, dijo mi sufrimiento?», indiscutiblemente alejan el verso blanco del pareado rimado y de la nota elegíaca e incluso pastoral de Surrey, a los que Tennyson volvería más tarde.[17] Si se contrastan estos dos soliloquios con los poemas del más grande contemporáneo de Marlowe, Kyd —en modo alguno un versificador despreciable—, puede verse la importancia de la innovación:

El primero buscó refugio y, siendo expulsado,
fue muerto en Southwark, camino

15. *Ibidem,* parte II, V, III.

16. Marlowe, *Doctor Fausto*, V, II.

17. Aquí T. S. Eliot cita probablemente de memoria, pues el primer monólogo al que se refiere empieza con el verso «Nature, that framed us of four elements», es decir, 'La naturaleza, que nos dotó de cuatro elementos'. La cita pertenece a *Tamerlán,* parte I, II, VI. La segunda cita, que es por el contrario *verbatim,* pertenece también a *Tamerlán,* parte I, V, I.

de Greenwich, donde vive el lord Protector,
a Black Will lo quemaron, en Flushing, sobre un escenario,
y a Green lo colgaron en Osbridge de Kent...[18]

que no es en realidad inferior a

Así que los cuatro aceptaron
vivir en la misma casa; y al paso
de los años, Mary se casó otra vez,
pero Dora siguió sola hasta su muerte.[19]

En *Fausto*, Marlowe va aún más lejos: en el último soliloquio rompe el verso para ganar en intensidad y, en los diálogos entre Fausto y el diablo, desarrolla un importante y novedoso tono conversacional. *Eduardo II* nunca ha dejado de concitar atención: resulta más adecuado, en tan poco espacio, poner énfasis en dos obras, una de las cuales ha sido mal entendida y la otra menospreciada. Me refiero a *El judío de Malta* y a *Dido, reina de Cartago*. De la primera se ha dicho siempre que el final —e incluso los dos últimos actos— es indigno de los tres primeros. Si uno toma *El judío de Malta* no como una tragedia —o como una «tragedia de sangre»— sino como una farsa, entonces el último acto deviene inteligible.[20]

18. Aquí T. S. Eliot atribuye estos versos de *Arden de Febersham*, V, III, a Thomas Kyd, pero la autoría de la obra es todavía dudosa. En 1770 un editor la atribuyó incluso a Shakespeare, algo totalmente descartado luego. Hoy en día algunos expertos ven en ella la mano de un imitador de Kyd.

19. Alfred Tennyson, «Dora».

20. La llamada «tragedia de sangre» en el teatro isabelino es una variante de la *revenge tragedy* o «tragedia de venganza», de notable influjo senequista, muy popular en la época. Shakespeare elevó el género a su máxima expresión en *Hamlet*.

Y si prestamos buen oído al verso descubrimos que Marlowe desarrolla un tono acorde con la farsa, quizá incluso el más poderoso y maduro de sus tonos. He dicho farsa pero, teniendo en cuenta el endeble humor de nuestra época, el nombre resulta inapropiado: se trata de la farsa que corresponde al viejo humor inglés, el humor cómico, terriblemente serio e incluso salvaje: un humor que exhaló su último suspiro con el genio decadente de Dickens. No tiene nada en común con J. M. Barrie, el capitán Bairnsfather o *Punch*.[21] Es el humor de la muy seria (aunque muy diferente) *Volpone*.[22]

> *Vacíate primero de estos sentimientos:*
> *amor, compasión, vana fe y sanguinario miedo;*
> *nada jamás te conmueva, no tengas piedad ...*
> *En cuanto a mí, salgo a rondar por las noches,*
> *y mato hombres que gimen al pie de las murallas,*
> *o ando por ahí envenenando los pozos.*[23]

y las últimas palabras de Barrabás completan esta prodigiosa caricatura:

21. T. S. Eliot se refiere al capitán Bruce Bairnsfather, humorista gráfico, conocido sobre todo por su personaje Old Bill, muy popular durante la Primera Guerra Mundial. *Punch*, la revista de humor creada en 1841, fue el epítome del clásico humor británico.

22. *Volpone or the Fox* (*Volpone o el zorro*, 1606) es una de las comedias más perdurables de Ben Jonson (*c.* 1572-1637), amigo y rival de Shakespeare, que preconizó un teatro alejado de las especulaciones filosóficas e históricas de Marlowe y los *University Wits*, más atento a las preocupaciones y el habla de la sociedad contemporánea.

23. Marlowe, *El judío de Malta*, II, II.

Mas ahora comienza el extremo calor
a aguijonearme con insufribles dolores:
¡Muere, vida! ¡Vuela, alma! ¡Voz, maldice y muere![24]

Se trata de algo que Shakespeare no pudo ni quiso hacer.

Dido parece una obra un tanto apresurada, quizá escrita por encargo, con la *Eneida* sobre la mesa. Pero incluso aquí hay algún progreso. La recreación del saqueo de Troya está concebida según ese nuevo estilo de Marlowe, un estilo que asegura sus énfasis asomándose al borde de la caricatura en el momento preciso:

Cansados luego de años de guerra, los griegos
dicen llorando: «Déjanos ir en nuestras naves,
no caerá Troya, ¿por qué hemos de quedarnos? ...

La tropa había alcanzado las murallas
y entró por una brecha en las calles,
y reunidos con el resto, gritaban: «¡Matadles!» ...

Y tras él, su banda de mirmidones,
con bolas de fuego en las zarpas asesinas ...

Al fin, los soldados la asieron por los talones,
y entre alaridos la hicieron girar por los aires ...

Vimos a Casandra, que yacía en las calles ...[25]

24. *Ibidem*, V, IV.
25. Marlowe, *Dido, reina de Cartago*, II, I.

Esto no es ni Virgilio ni Shakespeare: es puro Marlowe. Comparando el parlamento completo con el sueño de Clarence en *Ricardo III*, uno puede hacerse una idea de la diferencia entre Marlowe y Shakespeare:

> *... ¿Qué castigo por perjurio*
> *puede esta sombría monarquía ofrecer al falso Clarence?*[26]

Ahí, por otra parte, puede verse lo que el estilo de Marlowe es incapaz de lograr: la frase posee una concisión casi clásica, verdaderamente dantesca. De nuevo, como es habitual en los dramaturgos isabelinos, hay versos en Marlowe, con independencia de los muchos que Shakespeare adaptó, que pudieron haber sido escritos por cualquiera de los dos:

> *Si piensas quedarte,*
> *ven a mis brazos, que están abiertos;*
> *si no, aléjate, y haré lo mismo yo;*
> *porque si tienes fuerzas para decir adiós,*
> *fuerzas no tengo para retenerte*[27]

Pero la dirección que el verso de Marlowe pudo haber emprendido, si no hubiera «muerto maldiciendo», habría sido bastante distinta a la shakespeariana: parecida a aquella poesía intensa, se-

26. Se trata de una cita del monólogo en el que el duque de Clarence relata el sueño donde se prefigura su muerte: *Ricardo III*, I, IV.

27. Marlowe, *Dido*, V, II.

ria e indudablemente grande que, como cierta pintura y escultura, obtiene sus efectos a través de algo no muy distinto de la caricatura.[28]

[1919]

28. Cuando este ensayo se recopiló por primera vez en *El bosque sagrado*, T. S. Eliot lo encabezó con un epígrafe que rezaba: «Marloe was stabd with a dagger and dyed swearing» ('Marlowe fue apuñalado con una daga y murió maldiciendo'), que desapareció en la primera recopilación de sus *Ensayos selectos*. La cita, reproducida con ortografía del XVII —y que no está referenciada, según acostumbraba el poeta—, hace alusión a la leyenda de la muerte de Marlowe, cuando apenas contaba veintinueve años, en una taberna de Deptford. No se sabe a ciencia cierta si el joven dramaturgo fue víctima de una reyerta tabernaria por una discusión sobre la cuenta o si se trató de un crimen de Estado ordenado por sir Francis Walsingham, uno de los políticos más relevantes de la corte de Isabel I y para quien Marlowe había trabajado como espía. Lo único que en verdad se sabe es que fue asesinado de un dagazo en el ojo derecho. La cita que reproduce T. S. Eliot fue encontrada por John Payne Collier (1789-1883) como nota al margen, datada en 1640, en un ejemplar de *Hero y Leandro*, donde también se apuntaban otras especulaciones en torno a la vida de Marlowe, que, a juzgar por la fecha, parecían en principio muy iluminadoras. El problema reside en la reputación del turbio Collier, especialista en teatro isabelino, a quien la euforia que le produjo el descubrimiento de algunos documentos relevantes sobre la vida de Shakespeare en los primeros tiempos de su dedicación, le llevó, quién sabe si movido por la frustración de no haber encontrado nada más, a inventarse hallazgos, datos o incluso manuscritos y ganarse para siempre la fama de falsificador profesional y erudito farsante. Hay que tomar, pues, esta cita con mucha cautela: quizá por ello el propio Eliot la eliminó en la segunda edición de su ensayo.

William Blake

I

Si uno acompaña la mente de Blake por las diversas etapas de su desarrollo poético es imposible considerarlo un ingenuo o un loco, una mascota exótica para ultracultos. Su extrañeza entonces se evapora, su peculiaridad resulta ser la de toda gran poesía: algo que se puede encontrar —aunque no siempre— en Homero y Esquilo, en Dante y en Villon; profundo y escondido en la obra de Shakespeare y, de otra manera, en Montaigne y Spinoza. No es más que una peculiar sinceridad que, en un mundo demasiado asustado para ser sincero, resulta particularmente terrorífica. Se trata de una cualidad contra la que el mundo entero conspira, por incómoda. La poesía de Blake encierra la incomodidad de la gran poesía. Nada que se pueda llamar morboso, anormal o perverso, nada que pueda servir como ejemplo de la enfermedad de una época o de una moda tiene esa cualidad, solo las cosas que, por cierta extraordinaria labor de simplificación, exhiben la esencial enfermedad o fortaleza del alma humana. Y esa sinceridad nunca se produce sin grandes logros técnicos.[1] La pregunta acerca de

1. A pesar de que no se suele citar como una de sus principales influencias, la capacidad técnica de Blake acompañó a T. S. Eliot a lo largo de toda su obra. Cuan-

Blake el hombre es la pregunta sobre las circunstancias que hicieron posible la sinceridad de su obra, y sobre las que por otra parte definieron sus limitaciones. Entre las condiciones favorables probablemente se cuenten estas dos: que, habiéndose dedicado tempranamente a un trabajo artesanal, no se vio impelido a adquirir más educación literaria que la que le plació o a adquirirla por un motivo distinto a su mero deseo. Y la otra que, siendo un humilde grabador, no tuvo nunca la oportunidad de hacer carrera periodístico-social.[2]

No hubo, por decirlo de alguna manera, nada que lo distrajera o nada que corrompiera sus intereses: ni exigencias de padres o esposa, ni las servidumbres de la sociedad, ni tentaciones de éxito; no necesitó imitarse, ni a sí mismo ni a cualquier otro. A estas circunstancias se debe su inocencia, y no a su supuesta inspiración y espontaneidad natural. Sus poemas tempranos muestran lo que se espera de un joven de gran talento: un inmenso poder de asimilación. Esos poemas tempranos no son, como se suele asumir, rudimentarios intentos por conseguir algo que excede la capacidad juvenil; se trata más bien, ya que hablamos de un joven verdaderamente prometedor, de maduros y logrados intentos por hacer algo modesto. Así pues, en el caso de Blake, los poemas tempranos son técnicamente admirables y su originali-

---

do empezaba a concebir los *Cuatro cuartetos*, le comentó a su amigo John Hayward que trataba en vano de zafarse de su influencia, pues lo consideraba un maestro del verso largo, despegado de la tradición yámbica, en cierto sentido precursor de la ruptura formal que él mismo llevaría a cabo en las primeras décadas del siglo XX.

2. Blake fue un notable grabador de inspiración gótica e ilustró la mayoría de sus propios libros.

dad radica en un ritmo esporádico. La métrica de *Eduardo III* merece ser estudiada; sin embargo, su afección a ciertos isabelinos sorprende menos que su afinidad con las mejores obras de su propio siglo.[3] Es muy parecido a Collins, muy dieciochesco.[4] El poema «En la umbría frente de Ida» es sin duda una obra del siglo XVIII: la dinámica, el peso, la sintaxis, la elección de las palabras:

> *¡Las lánguidas cuerdas apenas vibran!*
> *¡El sonido se fuerza, pocas son las notas!*[5]

es esto contemporáneo de Gray y Collins, la poesía de una lengua que se ha sometido a la disciplina de la prosa.[6] Hasta los veinte años, Blake es decididamente tradicional.

Así pues, los inicios de Blake como poeta son tan normales

3. T. S. Eliot se refiere a una obra temprana de Blake, de hecho un fragmento teatral titulado *King Edward the Third* (*El rey Eduardo III*), publicado en su primer libro de poemas *Poetical Sketches* (1783), de notable influencia shakespeariana. Hay que notar aquí el interés que siempre mostró Eliot por los intentos dramáticos de los poetas posteriores a Shakespeare, cual era su caso, ya en 1920, cuando aún faltaban quince años para que se dedicara al teatro.

4. William Collins (1721-1779), irregular, escaso y lunático poeta dieciochesco, autor de unos pocos poemas inspirados como «Ode to the Evening» («Oda al atardecer»).

5. El poema de Blake al que se refiere T. S. Eliot se titula en realidad «To the Muses» («A las musas») y pertenece a *Poetical Sketches*. El verso que cita como título es el primero del poema y los dos siguientes cierran la última estrofa.

6. Thomas Gray (1716-1771) fue otro notable poeta del XVIII, amigo de Horace Walpole, autor de una célebre «Elegy Written in a Country Churchyard» («Elegía escrita en un cementerio rural») y a quien Wordsworth y Coleridge detestaban.

como los de Shakespeare, y el método de composición de sus obras maduras, idéntico al de muchos otros poetas. Toma una idea —una sensación, una imagen—, la desarrolla por adición o expansión, modifica los versos a menudo y con frecuencia vacila a la hora de tomar una decisión final.* La idea, por supuesto, simplemente llega, pero luego se somete a una prolongada manipulación. En la primera fase, Blake se ocupa de la belleza verbal; en la segunda, asoma el aparente ingenuo —la madurez intelectual, en realidad—. Solo cuando las ideas devienen automáticas, más libres, menos manipuladas, empezamos a sospechar de su origen, a pensar que han surgido de una fuente poco profunda.

Las *Canciones de inocencia y de experiencia* y los poemas del manuscrito Rossetti son obra de un hombre profundamente interesado en las emociones humanas, de las que además demuestra un hondo conocimiento.[7] Las emociones se muestran ahí de una forma extraordinariamente simplificada y abstracta que ilustra la

* No entiendo cómo, sin estar calificado para ello, el señor Berger se atreve a decir en su *William Blake: mysticisme et poésie* que «son respect pour l'esprit qui soufflait en lui et qui dictait ses paroles l'empêchait de les corriger jamais» ['su respeto por el espíritu que alentaba en él, y que dictaba sus palabras, le impedía corregirlos nunca']. En su edición de Blake, publicada por Oxford, el doctor Samson nos da a entender que el propio poeta consideraba que su escritura era en gran parte automática, pero enseguida observa que «un meticuloso trabajo de composición se hace evidente a cada momento en los borradores ... modificación tras modificación, reorganización tras reorganización, en supresiones, adiciones e inversiones...».

7. Una parte de la obra de Blake se denomina a veces «del manuscrito Rossetti» por encontrarse en una libreta de Blake que el también poeta y pintor prerrafaelita Dante Gabriel Rossetti (1828-1882) adquirió en 1847. Rossetti fue uno de los primeros victorianos en reivindicar a Blake, a quien consideró un precursor de su movimiento estético.

eterna lucha entre arte y educación, la batalla del literato contra el continuo deterioro de la lengua.

Es importante que el artista esté bien formado en su propio arte, pero, más que ayudar a esta formación, los procesos ordinarios de la sociedad, que constituyen la educación del común, la dificultan, pues estos procesos consisten sobre todo en la adquisición de ideas impersonales que oscurecen lo que realmente somos y sentimos, lo que realmente deseamos y lo que en realidad despierta nuestro interés. Por supuesto, lo que resulta dañino no son los conocimientos que de hecho adquirimos, sino el conformismo que la mera acumulación de información nos impone. Tennyson es un buen ejemplo de un poeta casi enteramente atrapado en la opinión, casi enteramente disuelto en su entorno. Blake, por el contrario, sabía qué cosas le interesaban y así da cuenta solo de lo esencial, solo de aquello de lo que es posible dar cuenta en realidad y que no precisa explicación. Y justo porque no sucumbía a la distracción o al miedo, porque no le preocupaba más que la exactitud de sus afirmaciones, fue capaz de comprender. Estaba desnudo y vio al hombre desnudo, desde el centro de su propio prisma. No hubo, para él, razón alguna que hiciera a Swedenborg más absurdo que Locke.[8] Aceptó a Swedenborg y eventualmente lo rechazó, atendiendo solo a sus propias razones. Se aproximó a todas las cosas con la mente libre de opiniones al uso. No tenía ningún aire de superioridad. Y eso lo hace temible.

8. T. S. Eliot contrapone aquí al visionario y angélico filósofo sueco Emanuel Swedenborg (1688-1772), que influyó considerablemente en Blake, y al filósofo empírico John Locke (1632-1704).

II

Por otra parte, si nada hubo que lo distrajera de su sinceridad, tuvo en cambio que enfrentarse a los peligros del despojamiento. Su filosofía, lo mismo que sus visiones, su mundo interior y su técnica, era solo suya. Y en consecuencia, tendía a darle mayor importancia de lo que un artista debería: eso lo convierte en un excéntrico y lo aproxima a lo informe.

> *Pero sobre todo escucho por las calles, a medianoche,*
> *a la joven ramera que con maldiciones*
> *destruye las lágrimas del recién nacido*
> *mientras carga de plagas el carro fúnebre nupcial*[9]

es la visión desnuda,

> *El amor no busca complacerse a sí mismo*
> *ni por sí tiene tentación alguna*
> *sin embargo a otro da sosiego*
> *y construye un cielo en la desesperación del infierno*[10]

es la observación desnuda; y *Las bodas del Cielo y el Infierno* constituye la filosofía desnuda, expuesta. Sin embargo, los ocasionales matrimonios entre poesía y filosofía en Blake no siempre son felices.

9. William Blake, «London» («Londres»).
10. William Blake, «The Clod and the Pebble» («El terrón y el guijarro»).

Quien quiera hacer el bien a los demás deberá hacérselo en las
[Partículas Diminutas.
El Bien General es la excusa del sinvergüenza, del hipócrita y del
[adulador,
porque el Arte y la Ciencia no pueden existir sino en partículas
[diminutamente organizadas.[11]

Uno siente que la forma no ha sido correctamente escogida. La filosofía que Dante y Lucrecio tomaban en préstamo quizá no fuera tan interesante, pero al cabo resultó menos dañina para la forma de sus poemas. Blake no poseía el don, fundamentalmente mediterráneo, de la forma que se aprovecha del préstamo; si Dante tomó en préstamo su teoría del alma, Blake se ve en la necesidad de crear una filosofía al tiempo que una poesía. Una parecida tendencia a lo informe entorpecía sus habilidades como dibujante. El defecto resulta, desde luego, más evidente en los poemas largos, o bien en los poemas en los que la estructura tiene una importancia mayor. Es imposible crear un poema largo sin adoptar un punto de vista más impersonal o sin dividirlo en distintas voces. La debilidad de los poemas largos de Blake no radica en que sean demasiado visionarios, demasiado alejados del mundo, sino en que Blake no observa lo suficiente porque está demasiado ocupado con sus ideas.[12]

11. William Blake, *Jerusalem, The Emanation of the Giant Albion* (*Jerusalén, la emanación del gigante Albión*).

12. En todo este párrafo, T. S. Eliot habla sin decirlo de su propia obra. Hay que tener en cuenta que *La tierra baldía* se empezó a concebir muy poco tiempo después de la fecha en que este ensayo fue escrito, en 1920. En este sentido, la crítica que hace a los poemas largos de Blake parece hecha pensando en

La filosofía de Blake (y quizá también la de Samuel Butler) inspira el mismo respeto que un mueble de bricolaje: admiramos a quien es capaz de construir algo con todas esas piezas dispersas por el suelo.[13] Inglaterra ha producido un buen número de esos habilidosos emuladores de Robinson Crusoe, pero no estamos, en realidad, suficientemente alejados del continente o de nuestro propio pasado para privarnos de los avances de la cultura que en verdad deseamos.

Podemos especular, por pura diversión, si habría sido beneficioso para el norte de Europa —y para Gran Bretaña en particular— tener una historia religiosa más compacta. Las divinidades locales de Italia no fueron exterminadas del todo por el cristianismo y no fueron reducidas a gnomos, como pasó con nuestros *trolls* y *pixies*, lo que quizá, junto a las grandes deidades sajonas, no constituyó una pérdida importante, pero sin duda creó un vacío difícil de llenar y nuestra mitología se empobreció aún más como consecuencia del divorcio de Roma. Las regiones celestiales e infernales de Milton son casas enormes, pero mal amuebladas y llenas de conversación densa. Y lo más nota-

---

los problemas técnicos —particularmente la polifonía— a los que se enfrentaría durante la elaboración de ese poema. Y por otro lado, la reflexión en torno a filosofía y poesía parece anunciar la génesis de *Cuatro cuartetos.*

13. Samuel Butler (1835-1902) fue un novelista y erudito victoriano, muy polémico en su época, que anticipó en muchos de sus escritos las investigaciones psicoanalíticas. Sus obras más conocidas son *Erewhon* (1872), una sátira utópica, y la novela póstuma *The Way of All Flesh* (*El destino de la carne*, 1903), crítica de la hipocresía victoriana. Cuando T. S. Eliot se refiere aquí a la filosofía de Butler seguramente está pensando en los incomprendidos intentos del escritor por formular una teoría alternativa a las dos tendencias hegemónicas de su época: el darwinismo y la ortodoxia anglicana.

ble de la mitología puritana es su escasez. Por lo que respecta a los territorios sobrenaturales de Blake, lo mismo que a las supuestas ideas que allí habitan, no podemos evitar hablar de cierta mezquindad cultural. Ilustran la extravagancia, la excentricidad que con frecuencia afecta a los escritores que no pertenecen a la tradición latina y que un crítico como Arnold debería haber impugnado.[14] Y nada de eso es esencial para la inspiración de Blake.

Blake estaba dotado de una especial capacidad de comprensión de la naturaleza humana, de un notable y original sentido del idioma —y de su música— y estaba además tocado con el don de la visión alucinada. Habría sido mejor para él que estas dotes estuvieran bajo el control de cierto respeto por la razón impersonal, por el sentido común, por la objetividad de la ciencia. Un andamiaje de ideas aceptadas por la tradición lo habría prevenido de regodearse en su propia filosofía para concentrar su atención en los problemas poéticos: eso era lo que requería su genio y de lo que tristemente careció. Confusión de pensamiento, emoción y visión es lo que encontramos en obras como *Así habló Zaratustra*, y no es precisamente una virtud latina. Uno de los motivos por los que Dante es un clásico, mientras que Blake es solo un poeta de genio, es precisamente la concentración resultante de un apropiado andamiaje mitológico, teológico y filosófico. Quizá el error no pueda achacarse al propio Blake, sino a un entorno que no fue capaz de proveer lo que un poeta como él necesitaba. Quizá las

14. Matthew Arnold (1822-1888), poeta y, sobre todo, crítico victoriano por excelencia, a quien T. S. Eliot se opuso frontalmente, como dejó claro en el ensayo que le dedicó en su libro *Función de la poesía, función de la crítica.*

circunstancias lo obligaron a esa fabricación, quizá el poeta necesitaba del filósofo y el mitólogo; en todo caso, es muy probable que el consciente Blake no haya tenido conciencia de las razones últimas.

[1920]

Los poetas metafísicos

Al recopilar estos poemas de la obra de una generación más frecuentemente citada que leída y más frecuentemente leída que provechosamente estudiada, el profesor Grierson ha prestado un servicio notable.[1] Ciertamente, el lector encontrará en esta selección muchos poemas ya recogidos en otras antologías, al tiempo que descubrirá otros, como los de Aurelian Townshend o los de lord Herbert de Cherbury.[2] Pero la función de una antología como

1. T. S. Eliot se refiere a la antología comentada que sir Herbert Grierson (1866-1960), una de las máximas autoridades en la poesía del XVII en general y en Donne en particular, había publicado aquel mismo año: *The Metaphysical Lyrics and Poems of the Seventeenth Century* (*Las canciones y poemas metafísicos del siglo XVII*; Oxford, Clarendon Press, 1921). Para mayor información, véase en este volumen el apéndice sobre la procedencia de los textos, p. 522.

2. Edward Herbert (1583-1648) era entonces uno de los metafísicos menos conocidos, a quien Grierson rescató del olvido. Herbert, hermano mayor de otro poeta, favorito de T. S. Eliot, George Herbert, fue un destacado personaje de la corte de Carlos I, siendo protagonista de varias aventuras militares y diplomáticas. En 1629 fue nombrado lord Herbert de Cherbury, nombre por el que desde entonces se le conoce en la historia de la literatura. Escribió, además de poesía, obras históricas y filosóficas. Entre sus poemas más recordados se encuentran «Elegy over a Tomb» («Elegía ante una tumba») y «The Thought» («El pensamiento»). Poco se sabe de Aurelian Townshend (*c*. 1582-*c*. 1642), acompañante de lord Herbert en sus viajes europeos gracias a su condición de políglota. Perte-

esta no es la de la admirable edición de los poetas carolinos del profesor Saintsbury, ni la del *Oxford Book of English Verse.*[3] El libro de Grierson es en sí mismo una obra crítica —a la vez que una provocación de orden crítico— y, en nuestra opinión, ha acertado al incluir tantos poemas de Donne, fácilmente accesibles (aunque no en demasiadas ediciones), como pruebas en el juicio de la «poesía metafísica». El apelativo se ha empleado durante mucho tiempo lo mismo como una injuria que como una etiqueta de regusto ameno y pintoresco. La cuestión es si los así llamados metafísicos conformaron una escuela (hoy en día hablaríamos de un «movimiento») y hasta qué punto esa supuesta escuela o movimiento constituye una digresión de la corriente principal.

No solo es extremadamente difícil definir la poesía metafísica, sino también decidir qué poetas la practican y en qué poemas. La

---

neciente a la generación de Ben Jonson —a los llamados *cavalier poets* por su apoyo a Carlos I durante la Guerra Civil—, es autor de una obra escasa y fragmentaria, en su mayoría poemas ligeros pero musicalmente apreciables como «A Dialogue Betwixt Time and a Pilgrim» («Diálogo entre el tiempo y un peregrino») o «Pure Simple Love» («Puro y simple amor»).

3. George Saintsbury (1845-1933) fue un notabilísimo estudioso de las literaturas inglesa y francesa, profesor de retórica y literatura en Edimburgo, donde empezó a trabajar en su monumental antología de los poetas carolinos: *Minor Poets of the Caroline Period* (*Poetas menores del periodo carolino*; publicada en tres volúmenes, Oxford, Clarendon Press, 1903-1921) y que despertó el interés de T. S. Eliot por los metafísicos. En la literatura y la historia británicas, se llama «edad carolina» a la que tuvo lugar bajo el reinado de Carlos I (1625-1649). Algunos de los poetas menores que T. S. Eliot conoció gracias al trabajo de Saintsbury son Henry King, obispo de Chichester (1592-1669), Thomas Stanley (1625-1678) y William Chamberlayne (1619-1679). ¶ El *Oxford Book of English Verse, 1250-1900* (*Libro de Oxford de verso inglés*, Arthur Quiller-Couch, ed.; Oxford, Oxford University Press, 1900) es una de las antologías poéticas más populares de Inglaterra.

poesía de Donne (de quien Marvell y el obispo King, más que el resto de los autores, estuvieron muy cerca) es tardoisabelina, y su sensibilidad muy cercana a la de Chapman.[4] La poesía «cortés» deriva de Jonson —quien se permitió toda clase de préstamos del latín— y expira en el siguiente siglo con el sentimiento y donaire de Prior.[5] Finalmente, nos topamos con la poesía devocional de Herbert, Vaughan y Crashaw (evocada mucho después por Christina Rossetti y Francis Thomson); Crashaw, en ocasiones más profundo y menos sectario que el resto, tiene cualidades que, más que al periodo isabelino, nos remiten a los primitivos italianos. Es difícil encontrar un uso preciso de la metáfora, el símil u otra figura retórica que sea común a todos estos poetas y al mismo tiempo suficientemente importante como elemento estilístico para singularizarlos como grupo. Donne —y a menudo también Cowley— utiliza un recurso que en algunas ocasiones se considera típicamente «metafísico»: el despliegue (en contraste con la condensación) de una figura discursiva hasta los últimos confines a los que la inventiva puede llevarla. Así, Cowley desarrolla la tópica comparación del mundo con un tablero de ajedrez a lo largo de extensas estrofas («Al destino») y Donne, con más gracia, en «Una despedida», juega con la

4. Henry King, obispo de Chichester (1592-1669), es, como se ha adelantado en la nota anterior, uno de los poetas carolinos menores, autor, principalmente, de un poema memorable sobre la muerte de su esposa, «The Exequy» («Las exequias»), que T. S. Eliot comenta más adelante. ¶ George Chapman (*c.* 1559-1634), poeta y dramaturgo, contemporáneo de Shakespeare y recordado sobre todo por su —todavía hoy— popular traducción de los poemas homéricos.

5. Matthew Prior (1664-1721), versátil y prolífico poeta, considerablemente influyente a principios del siglo XVIII. Se le recuerda sobre todo por sus poemas largos y filosóficos, como «Alma, or The Progress of the Mind» ('Alma o el progreso de la mente').

comparación entre dos amantes y los brazos de un compás. Sea como fuere, por doquier encontramos, en vez de la mera explicación del contenido de una comparación, un desarrollo a través de rápidas asociaciones que requiere una considerable agilidad por parte del lector.[6]

6. En este párrafo, T. S. Eliot cita a varios poetas a los que dedicó especial atención. En primer lugar, habla de la poesía devocional de los llamados *sacred poets* ('poetas sagrados'), que, si bien no constituyen un movimiento ni un grupo, se asocian habitualmente por haber cultivado todos ellos una poesía religiosa. ¶ George Herbert (1593-1633), de familia noble, no encontró su lugar en el mundo hasta el final de su vida, cuando decidió consagrarse a la Iglesia anglicana, donde fue ordenado sacerdote en 1630, solo tres años antes de morir. Su madre, lady Magdalen Herbert, fue una mujer de fuerte temperamento, gusto refinado y excepcional encanto, protectora de eruditos y poetas —a quienes recibía con regularidad en su casa de Oxford, una especie de salón literario de la época—, entre ellos John Donne, que tanta influencia ejercería en su hijo. Donne le dedicó a lady Herbert uno de sus poemas más bellos «The Autumnal» («La otoñal»). Otro de los amigos mayores de Herbert fue el obispo Lancelot Andrewes, notable erudito y una de las figuras más relevantes de la Iglesia anglicana, muy admirado por T. S. Eliot. Desde su lecho de muerte, Herbert envió a su amigo Nicholas Ferrar su obra reunida bajo el título *The Temple, Sacred Poems and Private Ejaculations* (*El templo, poemas sagrados y jaculatorias privadas*, 1633). El detalle, en lo que respecta a T. S. Eliot, no es menor, pues Ferrar fue un personaje relevante de la Inglaterra carolina. En 1625 fundó con su familia una comunidad religiosa seglar en Little Gidding (Cambridgeshire) en la que trató de armonizar la vida espiritual, artesanal y familiar y que el rey Carlos I visitó tras su derrota en Narston Moore y Nesby (1645) durante la Guerra Civil inglesa. T. S. Eliot visitó Little Gidding en mayo de 1936 y el lugar y su historia le darían título e inspiración al último de los *Cuatro cuartetos*. Herbert, como se ha dicho, fue uno de los poetas predilectos de T. S. Eliot; de hecho, uno de sus últimos trabajos críticos estuvo dedicado a él: una conferencia publicada en forma de opúsculo, *George Herbert*, The British Council, 1962. T. S. Eliot dejó escrito que en su funeral se leyera un himno de Herbert, deseo que cumplió el actor Alec Guinness en el *memorial service*, la ceremonia fúnebre en honor del poeta que tuvo lugar en enero de 1965. ¶ Richard Crashaw (1612-1649) debe su vocación poética y religiosa a santa Tere-

Un hábil dibujante en una esfera
siguiendo sus modelos va a trazar
una Europa y un África y un Asia,
y a hacer de aquella nada todo el mundo.
Otro tanto sucede en cada lágrima
que derramas, un mundo, un universo
acaba por surgir a imagen tuya,
hasta que al fin tu llanto que se mezcla
con el mío copioso anega el mundo
y disuelve mi cielo a fuerza de agua.[7]

---

sa, por la que sentía una intensa devoción y a la que dedicó el poema «Hymn to the Name and Honour of the Admirable Saint Teresa» ('Himno al nombre y honor de la admirable santa Teresa'). Crashaw estuvo también relacionado con Nicholas Ferrar y Little Gidding, que frecuentó de niño y donde una de las matriarcas de la comunidad, Mary Collet, se convirtió en algo así como su madre espiritual. Fue profesor en Cambridge, de donde fue expulsado por sus simpatías católicas. Durante la Guerra Civil inglesa, Crashaw escapó a Francia y se convirtió finalmente al catolicismo. Influido también por Góngora y Marino, T. S. Eliot le dedicó un breve ensayo, incluido en *Para Lancelot Andrewes*, donde concluía: «Crashaw es bastante único en su peculiar tipo de grandeza. Es único entre los poetas metafísicos de Inglaterra, que fueron primordialmente ingleses, mientras que Crashaw es principalmente europeo», T. S. Eliot, «A Note on Richard Crashaw», en *For Lancelot Andrewes* (*Para Lancelot Andrewes*; Londres, Faber & Faber, 1970, p. 98). ¶ Siguiendo la estela de Herbert, Henry Vaughan (1622-1695) reunió su poesía bajo el título de *Silex Scintillans or Sacred Poems and Private Ejaculations* (*Silex Scintillans o poemas sagrados y jaculatorias privadas*, 1655), donde destacan poemas como «The Timber» («El leño») o «The Night» («La noche»). ¶ Más adelante, T. S. Eliot cita a Abraham Cowley (1618-1667), amigo de Crashaw, médico, erudito, partidario de la causa del rey Carlos I durante la Revolución y poeta muy reverenciado en su época.

7. Se trata de la segunda estrofa del poema de Donne «A Valediction: of Weeping» ('Una despedida: del llanto').

Encontramos aquí, cuando menos, un par de conexiones que no están implícitas en la primera figura, pero que el poeta fuerza: del globo terráqueo del geógrafo a la lágrima y de la lágrima al diluvio. Por otro lado, algunos de los efectos más acertados y característicos se obtienen a través de palabras cortas y contrastes súbitos:

en torno al hueso
un brazalete de cabello rubio[8]

donde el efecto más potente se consigue por el repentino contraste de asociaciones de «cabello rubio» y de «hueso». Este tobogán de imágenes y asociaciones multiplicadas es una forma de expresión característica de algunos de los dramaturgos de la época que Donne conocía: por no hablar de Shakespeare, es frecuente en Middleton, Webster y Tourneur, y es una de las fuentes de la vitalidad del lenguaje de todos ellos.[9]

Johnson, que al parecer acuñó el término «poetas metafísicos» teniendo en mente sobre todo a Donne, a Cleveland y a Cowley, afirma que en el caso de todos estos poetas «las ideas más heterogéneas se enyugan con violencia».[10] La fuerza de la impugnación recae en la conjunción fallida, en el hecho de que, con frecuencia,

8. John Donne, «The Relic» («La reliquia»).

9. Sobre estos autores, véase en este volumen el ensayo «Cuatro dramaturgos isabelinos», pp. 119-132.

10. Aunque el término «metafísico» aplicado a la poesía ya se usaba a mediados del XVII, el doctor Samuel Johnson (1709-1784) fue el primero en acuñar la expresión «poetas metafísicos» —en el capítulo dedicado a Cowley en *Vidas de los poetas*, 1781— como una categoría crítica, en su caso algo despectiva, como queriendo dar a entender que se trataba de una poesía decadente y de mal gusto.

las ideas sean uncidas pero no articuladas. Si nos propusiéramos juzgar los estilos poéticos por sus excesos, habría, solo en Cleveland, suficientes ejemplos para justificar la condena de Johnson.[11] Sin embargo, cierto grado de heterogeneidad en el material que la mente del poeta reúne es omnipresente en la poesía. Para ilustrar este hecho, no es preciso que seleccionemos un verso como:

Notre âme est un trois-mâts cherchant son Icarie,[12]

dado que podemos encontrarlo ejemplificado en algunos de los mejores versos del propio Johnson en «La vanidad de los deseos humanos»:

El fin de su caída fue una costa despoblada,
una fortaleza nimia y una mano incierta,
dejó un nombre ante el que el mundo se arredraba,
para orientar una moral, o aderezar una leyenda...[13]

donde el efecto se debe al contraste de ideas, diferente en grado pero idéntico en principio, a aquel que Johnson suavemente reprendió. Y en uno de los más bellos poemas de la época (un poema que no podía haberse escrito más que entonces), «Las exequias», del obispo King, la comparación ampliada se usa con absoluto

11. John Cleveland (1613-1658), poeta carolino, autor de una vasta obra de sátira política.

12. 'Nuestra alma es un bergantín en busca de su Icaria', Baudelaire, «Le Voyage» («El viaje»), parte II.

13. Samuel Johnson, «The Vanity of Human Wishes» («La vanidad de los deseos humanos»).

acierto: la idea y el símil se funden en el pasaje en el que el obispo ilustra, acudiendo a la figura del viaje, su impaciencia por volver a ver a su esposa muerta:

Espérame allí, porque, sin falta,
habré de encontrarte en ese Valle hueco.
Ya estoy en mi camino,
y voy detrás de ti con la presteza
que me da el deseo o mi congoja.
Cada minuto es un corto grado,
y cada hora un paso hacia ti.
Acudo por las noches al descanso,
a la mañana, luego de ocho horas de viaje,
levántome más cerca del Oeste de mi Vida
que al exhalar el sueño su viento que adormece.
...
¡Pero escucha! Mi pulso como un suave tambor
toca mi acercamiento, te dice que ya voy.
Y no importa lo lenta que mi marcha sea,
me sentaré al final junto a ti.[14]

(En los últimos versos hay una sensación de terror a la que más tarde acudiría a menudo uno de los admiradores del obispo King: Edgar Allan Poe.) Y de nuevo, quizá podríamos simplemente tomar algunas cuartetas de la oda de lord Herbert, que nos parece que podrían reconocerse de inmediato como pertenecientes a la escuela metafísica:

14. Henry King, «The Exequy» («Las exequias»).

Así, cuando hayamos de irnos
para ya no ser más ni tú, ni yo,
cual compartido misterio,
hemos de ser ambos, y sin embargo uno.

Esto dijo, alzando la vista,
y los ojos, que su hermosura coronaban,
brillaron como dos astros que, habiendo caído,
miran de nuevo al cielo, buscando su lugar.

Y cuando una paz silenciosa
e inmóvil aferró su encalmado sentido
habríase pensado que un influjo
el arrobado espíritu de esos ojos poseyó.[15]

No hay nada en estos versos (con la posible excepción de las estrellas, un símil en principio incomprensible, pero bello y justificado) que se ajuste a las observaciones generales sobre los poetas metafísicos que Johnson hiciera en su ensayo sobre Cowley. Buena parte del efecto que produce estriba en la riqueza de asociación a un tiempo prestada e inducida por la palabra «encalmado». De todos modos, el significado es nítido, y el lenguaje, sencillo y ele-

15. Edward, lord Herbert of Cherbury, «An Ode upon a Question Moved, Whether Love should Continue for Ever» ('Una oda sobre la cuestión pospuesta sobre si el amor debe durar para siempre'). «Encalmado» —*becalmed*, en inglés— alude a la falta de viento en el mar y, por tanto, a la inmovilidad de los barcos, lo que da sentido al uso posterior de «influjo», 'el flujo de la marea'. A pesar de que, en inglés moderno, *influence* haya perdido esa connotación, ese era su sentido original, puesto que proviene del latín *influere*, 'fluir'.

gante. Hay que señalar que el lenguaje de estos poetas es, usualmente, simple y puro. En los poemas de George Herbert, esa simplicidad se lleva al extremo: una simplicidad, por cierto, emulada sin éxito por numerosos poetas modernos. Por el contrario, la estructura de las oraciones está con frecuencia lejos de ser simple, algo que no es un vicio, sino más bien el resultado de la fidelidad al sentido y a la sensibilidad. El efecto, cuando se alcanza, es mucho menos artificial que el de las odas de Gray.[16] Y esa fidelidad, al tiempo que varía las reflexiones y sentimientos, aporta variedad musical. Dudo que, en el siglo XVIII, puedan encontrarse dos poemas nominalmente del mismo metro y sin embargo tan disímiles como «Coy Mistress», de Marvell, y «Saint Teresa», de Crashaw: uno produce un efecto de enorme dinamismo gracias al uso de sílabas cortas y el otro de solemnidad eclesiástica mediante el uso de sílabas largas:[17]

Amor, tú eres el único señor absoluto
de la vida y la muerte.[18]

Si un crítico tan perspicaz y lúcido (aunque tan limitado) como Johnson no consiguió definir la poesía metafísica a partir de sus yerros, vale la pena inquirir si no acertaríamos más aplicando el

16. Para información sobre Thomas Gray, véase en este volumen la nota 6, p. 65, del ensayo «William Blake».

17. El poema de Andrew Marvell se titula en realidad «To his Coy Mistress» ('A su recatada amante') y el de Crashaw, «A Hymn to the Name and Honour of the Admirable Saint Teresa» ('Himno al nombre y honor de la admirable santa Teresa').

18. Se trata del primer verso y el hemistiquio del segundo del 'Himno a santa Teresa' de Crashaw.

método contrario: asumiendo que los poetas del siglo XVII —hasta la Revolución—[19] constituyeron una prolongación normal y natural de la época precedente y, sin prejuzgarles demasiado con el adjetivo «metafísicos», considerar si sus méritos no fueron algo permanentemente valioso que, si bien desapareció más tarde, no debería haber desaparecido. Johnson, quizá por casualidad, atinó a señalar una de sus peculiaridades al observar que «sus tentativas fueron siempre analíticas». En cambio, no habría compartido la idea de que, tras la disociación, volvieron a ensamblar el material en una nueva unidad.

Es verdad que la poesía dramática de los isabelinos tardíos y de los primeros jacobinos evidencia cierto grado de desarrollo en la sensibilidad que no se encuentra en la prosa de entonces, por muy buena que sea a menudo. Si exceptuamos a Marlowe, hombre de prodigiosa inteligencia, parece cuando menos una teoría plausible decir que aquellos dramaturgos estuvieron directa o indirectamente influidos por Montaigne. Aunque también exceptuemos a Jonson y Chapman, no podemos dejar de notar que fueron notables eruditos que notablemente incorporaron su erudición a su sensibilidad: su modo de sentir se vio directa y novedosamente alterado por sus reflexiones y lecturas. En Chapman, sobre todo, hay una aprehensión directamente sensual del pensamiento o una recreación del pensamiento por medio del sentimiento, que es idéntica a la que encontramos en Donne:

19. Se refiere a la Revolución inglesa (1642-1689), que comienza con el final del reinado de Carlos I de Inglaterra, incluye una breve república y el protectorado de Oliver Cromwell y finaliza con la llamada Revolución Gloriosa, que destituye a Jacobo II.

... en esto solo, toda la disciplina
de maneras y de hombría se contiene:
que el hombre se una al Universo
en su vaivén, y se haga (acorde en todo)
uno con la totalidad y como ella gire,
en vez de arrancar al todo su mísera parte,
y devolverlo a la estrechez y a la nada, al desear
que el Universo entero se sujete, en él,
a uno de sus desechos.

Considerar, en cambio, a la gran Necesidad.[20]

Comparemos lo anterior con un pasaje moderno:

No, al empezar la lucha en sus entrañas
comienza a valer algo. Dios se inclina
en la altura, Satán le está mirando
desde abajo a sus pies, tiran de él
que está en medio, y el alma se despierta
y crece. ¡La batalla va a durar
tanto como su vida![21]

Quizá resulte menos apropiado, aunque muy tentador, dado que a ambos poetas les preocupa la perpetuación del amor a través de la descendencia, comparar con las estrofas arriba citadas de la oda de lord Herbert las siguientes de Tennyson:

20. George Chapman, *The Revenge of Bussy D'Ambois* (*La venganza de Bussy d'Ambois*, 1613), IV.

21. Robert Browning, «Bishop Blougram's Apology» («La apología del obispo Blougram»).

Uno paseaba entre esposa e hija,
y mesurado el paso, firme y sosegado,
de tanto en tanto grave sonreía.

Y la prudente cónyuge se reclinaba
sobre su hombro; franca, gentil, honrada,
la rosa de la feminidad lucía.

Y de su amor doble segura,
aquella niña paseaba, recatada;
sobre la senda su mirada pura.

Y aquellos tres de tal modo se unían,
que cual delante de memoriosa llama
mi gélido corazón latía.[22]

La diferencia entre estos poetas no es simplemente de grado, sino que tiene que ver con algo que ocurrió en la mentalidad inglesa entre la época de Donne y de lord Herbert de Cherbury y la época de Tennyson y Browning. Es la diferencia que media entre el poeta intelectual y el poeta reflexivo. Tennyson y Browning son poetas y piensan, pero no sienten sus pensamientos tan inmediatamente como el perfume de una rosa. Para Donne, un pensamiento era una experiencia: modificaba su sensibilidad. Cuando la mente de un poeta está adecuadamente pertrechada para el trabajo, a menudo amalgama experiencias dispares: la experiencia humana es, por lo común, caótica, irregular, fragmentaria: tan pronto uno se

22. Alfred Tennyson, «The Two Voices» («Las dos voces»).

enamora como lee a Spinoza, aunque estas experiencias no tengan nada que ver entre sí ni con el ruido de la máquina de escribir o el olor de la comida, en la mente del poeta están siempre conformando nuevas unidades.

Podríamos expresar la diferencia mediante la siguiente teoría: los poetas del siglo XVII, sucesores de los dramaturgos del XVI, poseían un mecanismo sensible capaz de devorar cualquier clase de experiencia. Son tan simples, artificiales, difíciles o fantásticos como lo fueron sus predecesores, ni más ni menos que Dante, Guido Cavalcanti, Guinicelli o Cino.[23] En el siglo XVII tuvo lugar una disociación de la sensibilidad de la que jamás nos hemos recuperado.[24] Y esa disociación, como es natural, se vio agravada por la influencia de los dos poetas más poderosos del siglo, Milton y Dryden.[25] Cada uno de ellos cumplió determinadas funciones poéticas tan extraordinariamente bien que la

23. Son los llamados *stilnovisti*, poetas del grupo de Dante, quien en el canto XXVII del *Purgatorio* reconoce a Guido Guinicelli (*c.* 1230-1276) como su padre literario. A Guido de Cavalcanti (*c.* 1255-1300) le dedicó la *Vita nuova*. Y Cino da Pistoia (*c.* 1255-1337) le dedicó varios sonetos a Dante.

24. «Disociación de la sensibilidad» es una de las fórmulas críticas de T. S. Eliot que mayor fortuna tuvo en su tiempo, al igual que las nociones de «correlato objetivo» o «imaginación auditiva». Para más información, véase el prólogo «El rey del bosque», pp. 9-43.

25. T. S. Eliot dedicó especial esfuerzo a rescatar a John Dryden (1631-1700) del olvido al que le había condenado el gusto y la crítica del XIX. Poeta y dramaturgo de la Restauración, para T. S. Eliot era, en muchos aspectos, superior a Milton. Le consideraba un virtuoso de la técnica, capaz de utilizar cualquier material, por poco poético que en principio fuera, para sus poemas. Creía que su mejor pieza teatral era *All for Love* (*Todo por el amor*, 1677) y sentía especial predilección por su elegía «To the memory of Mr. Oldham» («A la memoria del Sr. Oldham»). En un ensayo que le dedicó en 1921, incluido en *Ensayos se-*

magnitud de algunos efectos ocultó la ausencia de otros. La lengua avanzó y en ciertos aspectos se perfeccionó: los mejores poemas de Collins, Gray, Johnson e incluso Goldsmith satisfacen algunas de nuestras más puntillosas exigencias mejor que los de Donne, Marvell o King.[26] Pero mientras la lengua se refinaba, la sensibilidad se hacía más tosca. El sentir y la sensibilidad expresados en «The Country Churchyard» —por no hablar de Tennyson o de Browning— son mucho más toscos que en «Coy Mistress».[27]

El segundo efecto de la influencia de Milton y Dryden se desprende del primero y tardó por tanto más tiempo en manifestarse. La edad sentimental comenzó a principios del siglo XVIII y perduró. Los poetas se revolvieron contra lo racionalizado y lo descriptivo; pensaban y sentían impulsiva y desequilibradamente; reverberaban. En uno o dos pasajes de «El triunfo de la vida», de Shelley, y en el segundo *Hiperión* hay rastros de una lucha en favor de la unificación de sensibilidad,[28] pero Keats y Shelley murieron y Tennyson y Browning rumiaron.

---

lectos, afirmaba: «Es el sucesor de Jonson y por tanto descendiente de Marlowe. Es el antepasado de casi todo lo bueno que hay en la poesía del siglo XVIII», T. S. Eliot, «John Dryden», *Selected Essays* (*Ensayos selectos*; Londres, Faber & Faber, 1999, p. 305).

26. El novelista irlandés Oliver Goldsmith (1730-1774) perteneció al grupo de Samuel Johnson. Como poeta es conocido sobre todo por la obra *The Deserted Village* (*El pueblo fantasma*, 1770).

27. Se refiere al poema de Thomas Gray «Elegy Written in a Country Churchyard» («Elegía escrita en un cementerio rural»). Véase la nota 6, p. 65, del ensayo «William Blake».

28. El segundo *Hiperión* es *The Fall of Hyperion* (*La caída de Hiperión*) de John Keats, escrito en 1819 y publicado en 1856.

Tras esta breve exposición de una teoría demasiado escueta, quizá, para resultar convincente, deberíamos preguntarnos cuál habría sido el destino de los «metafísicos» si la corriente poética hubiera emanado directamente de ellos, del mismo modo que remontó hacia ellos. No serían, ciertamente, clasificados como metafísicos. Los posibles intereses de un poeta son innumerables; cuanto más inteligente, mejor; y si es más inteligente tendrá, con toda probabilidad, más intereses: nuestra única exigencia es que los convierta en poesía y que no se limite a meditar poéticamente sobre ellos. Cuando se incorpora a la poesía, la teoría filosófica queda establecida y el asunto de su veracidad deja de importar, al tiempo que queda probada de otro modo. Los poetas en cuestión tienen, como todos, diversos defectos, pero se entregaron a la tarea de encontrar el equivalente verbal de distintos estados mentales y sentimentales. Y ello significa tanto que fueron más maduros cuanto que se aguantan mejor que otros poetas posteriores de no menor destreza literaria.

No es condición imprescindible que los poetas se interesen por la filosofía o por cualquier otro tema. Solo podemos decir que todo indica que, en el estado presente de nuestra civilización, los poetas deben ser *difíciles*. Nuestra civilización encierra una gran complejidad y diversidad, que aprovechadas por una sensibilidad refinada, debe producir resultados diversos y complejos. El poeta ha de volverse más y más abarcador, más alusivo, más indirecto, para conseguir amoldar por la fuerza, dislocándola si es preciso, la lengua a su significado. (Un planteamiento brillante y extremo de esta perspectiva, con la cual no es imperativo identificarse, es el del señor Jean Epstein en *La Poésie d'aujourd-hui.*) Lo que obtendremos se parece mucho al concepto: será, de hecho, un método curiosamente similar al de los «poetas metafísicos», similar incluso en su empleo de palabras oscuras y fraseo simple.[29]

> *Ô géraniums diaphanes, guerroyeurs sortilèges,*
> *Sacrilèges monomanes!*
> *Emballages, dévergondages, douches! Ô pressoirs*
> *Des vendanges des grands soirs!*
> *Layettes aux abois,*
> *Thyrses au fond des bois!*
> *Transfusions, représailles,*
> *Relevailles, compresses et l'éternelle potion,*
> *Angelus! n'en pouvoir plus*
> *De débâcles nuptiales! de débâcles nuptiales!*[30]

El mismo poeta puede escribir también, simplemente:

29. T. S. Eliot habla aquí de «concepto», en inglés *conceit*, de difícil traducción: viene del italiano *concetto*, referido sobre todo a Petrarca. Al igual que el término *wit* (clásica e insatisfactoriamente traducido por 'ingenio', como se verá más adelante), el *conceit* es uno de los rasgos fundamentales de la poesía metafísica —para algunos críticos se origina incluso en los isabelinos— y consiste en la extremada elaboración metafórica de las imágenes poéticas. Nótese, por otra parte, cómo se parece lo que T. S. Eliot trata de definir aquí con lo que estaba a punto de llevar a cabo en *La tierra baldía*.

30. Jules Laforgue, «Ô géraniums diaphanes…», *Derniers vers* (*Últimos versos*, 1890). '¡Oh, geranios diáfanos, belicosos hechizos, / sacrilegios monomaníacos! / Envoltorios, / duchas, lagares de las vendimias / de las grandes noches! ¡Acorralada ropita, / Tirsos en lo profundo de los bosques! / ¡Transfusiones y represalias, misas / de parida, compresas y pócima eterna, / Ángelus! ¡No poder más de debacles nupciales, / de debacles nupciales!'

Elle est bien loin, elle pleure,
Le grand vent se lamente aussi...[31]

En muchos de sus poemas, Jules Laforgue y Tristan Corbière están más cerca de la «escuela de Donne» que cualquier poeta inglés moderno.[32] Pero hay poetas más clásicos que ellos que poseen la misma cualidad esencial de transmutar ideas en sensaciones, de transformar una observación en un estado de ánimo.

Pour l'enfant, amoureux de cartes et d'estampes,
L'univers est égal à son vaste appétit.
Ah! que le monde est grand à la clarté des lampes!
Aux yeux du souvenir que le monde est petit![33]

31. Jules Laforgue, «Sur une défunte» («Acerca de una difunta»), *Derniers vers* (*Últimos versos*, 1890). 'Ella está lejos y llora / lo mismo que el fuerte viento.'

32. Tanto Tristan Corbière (1845-1875) como, sobre todo, Jules Laforgue (1860-1887) fueron dos poetas fundacionales en la vocación de T. S. Eliot, quien los descubrió en el famoso libro del poeta y crítico francés Arthur Symons (1865-1945) *The Symbolist Movement in Literature* (*El movimiento simbolista en la literatura*, 1899), que el joven poeta leyó en la segunda edición de 1908. Corbière, autor de *Les amours jaunes* (*Los amores amarillos*, 1873), fue descubierto por Paul Verlaine, que lo incluyó en su ensayo *Los poetas malditos*, 1884. Laforgue, autor de *Les Complaintes* (*Las lamentaciones*, 1885) y *L'Imitation de Notre-Dame de la Lune* (*La imitación de Nuestra Señora de la Luna*, 1886), descubrió a T. S. Eliot una nueva dicción poética derivada del verso libre —un verso que no responde a una medida fija, aunque sí a una nueva estructura prosódica— y un uso genuino de las imágenes y las ideas, hasta el punto de considerarlo el único metafísico del XIX. Para más información, véanse el prólogo, «El rey del bosque», pp. 9-43.

33. Baudelaire, «Le Voyage» («El viaje»). 'Para el niño que adora los mapas y grabados / el universo iguala a su enorme avidez. / ¡Ah qué grande es el

En la literatura francesa, el gran maestro del siglo XVII —Racine— y el gran maestro del XIX —Baudelaire— tienen en cierto sentido más similitudes entre sí que con cualquier otro poeta. Los dos grandes maestros de la dicción son también los más grandes psicólogos, los más grandes exploradores del alma. Resulta interesante especular si no es desafortunado que dos de los más grandes maestros de la dicción inglesa, Milton y Dryden, triunfen con un deslumbrante desconocimiento del alma. Si Inglaterra hubiera continuado produciendo poetas como Milton y Dryden, quizá no importaría mucho, pero tal como están las cosas es una lástima que la poesía inglesa haya quedado de tal manera incompleta. Aquellos que objetan la «artificialidad» de Milton o Dryden nos piden en ocasiones que «busquemos en nuestros corazones y después escribamos». Pero eso no es buscar con suficiente profundidad: Racine o Donne buscaron en lugares mucho más profundos que sus corazones. Es preciso buscar en el córtex cerebral, en el sistema nervioso y en el tracto digestivo.

¿No deberíamos concluir, por tanto, que Donne, Crashaw, Vaughan, Herbert y lord Herbert, Marvell, King y el mejor Cowley pertenecen a la misma corriente de la poesía inglesa, y que sus defectos tendrían que ser condenados atendiendo a ese patrón, en vez de mimarlos con afecto de anticuario? Se les ha elogiado con frecuencia, en términos que son limitaciones implícitas, por ser «metafísicos» o «ingeniosos», «extravagantes» u «oscuros», a pesar de que, en el mejor de los casos, no poseen estos atributos ni

mundo a la luz de las velas! / ¡Qué pequeño es el mundo cuando mira el recuerdo!'

más ni menos que otros poetas serios. Por otro lado, no deberíamos rechazar la crítica de Johnson —alguien con quien resulta peligroso disentir— sin haberla comprendido a fondo, sin haber asimilado el canon del gusto johnsoniano. Al leer el celebrado pasaje de su ensayo sobre Cowley, deberíamos recordar que, cuando habla de «ingenio», claramente se refiere a algo mucho más importante de lo que la palabra significa hoy en día;[34] ante su crítica a la versificación de los «metafísicos», debemos recordar en qué estricta disciplina se había formado, y también lo magníficamente formado que estaba; debemos recordar que Johnson ataca más a los mayores infractores: Cowley y Cleveland. Sería

34. *Wit*, la palabra inglesa a la que se refiere Eliot, poseía ciertamente, en el inglés del siglo XVII, muchas connotaciones, que se han perdido hoy, al igual que su supuesto equivalente español: 'ingenio'. Sobre este asunto, Blanca y Maurice Molho escriben, en su antología de los poetas metafísicos: «*Wit* significa en inglés sutileza, ingenio, destreza. Designará también la agudeza, el juego de palabras, el *concetto* (concepto). Pero ninguna de estas expresiones abarca el alcance intelectual del *wit*, que se convierte para esas inteligencias del siglo XVII en el instrumento privilegiado del espíritu, en un puñal siempre afilado que desgarra las tinieblas de la torpeza humana», *Poetas ingleses metafísicos del siglo XVII* (Barcelona, Barral, 1970). La cita es de la reedición en Barcelona, Acantilado, 2000, p. 14. En su espléndida traducción de *Función de la poesía, función de la crítica*, publicada en Barcelona en 1955 por Seix Barral, Jaime Gil de Biedma escribía, acerca de este término, la siguiente nota: «Confieso no haber encontrado equivalente español. Una traducción lejana sería "arte de ingenio" pero, aparte de no reflejar fielmente la expresión inglesa, para emplearla aquí sería preciso insuflar en ella un sentido distinto al que tiene en Gracián. El *wit* de Dryden y los metafísicos, por otra parte, no coincide con el ingenio español barroco. Me parece que la poesía de Pedro Salinas ofrece, dentro de nuestra literatura, el tipo de ingenio más cercano al *wit*; no creo imposible que los metafísicos —concretamente Donne— ejerzan una influencia real sobre el poeta español». Jaime Gil de Biedma, nota a la traducción de T. S. Eliot, *Función de la poesía, función de la crítica*, Barcelona, Tusquets, 1999, p. 120.

provechoso —aunque tarea ingente— desechar la clasificación de Johnson (dado que no ha habido ninguna otra desde entonces) y mostrar a estos poetas en todas sus diferencias de tipo y de grado, partiendo de la música imponente de Donne hasta el tenue y agradable tintineo de Aurelian Townshend —cuyo «Diálogo entre el Tiempo y un peregrino» es una de las pocas omisiones que pueden lamentarse en la excelente antología del profesor Grierson.

[1921]

Andrew Marvell

El tricentenario del que un día fuera miembro del Parlamento por Hull no solo merece la celebración propuesta por el privilegiado municipio, sino una reflexión mínimamente seria sobre su obra.[1] Se trata de un acto de devoción, más que del intento de resucitar una reputación difunta. Marvell ha sido muy apreciado a lo largo de algunos años. Aunque sus mejores poemas no son muchos, no son solo muy conocidos —gracias sobre todo al *Golden Treasury* y al *Oxford Book of English Verse*—, sino que además gozan del favor de muchos lectores.[2] Su tumba no necesita ni rosas, ni ruda, ni

1. Además de gran poeta, Andrew Marvell (1621-1678) fue un notable personaje público a lo largo de los años más convulsos del siglo XVII inglés, especialmente durante el Protectorado de Cromwell, a quien dedicó uno de sus poemas más espectaculares, «An Horatian Ode upon Cromwell's Return from Ireland» («Oda horaciana sobre el regreso de Cromwell de Irlanda»), donde consiguió conciliar su admiración por la campaña irlandesa del lord Protector —una de las más cruentas de su carrera— con la admiración por la dignidad del rey Carlos I. Conspirador, supuesto espía, autor de panfletos políticos, padre para algunos del liberalismo, Marvell fue secretario de Milton y en 1659 entró en la Cámara de los Comunes, donde fue un combativo defensor de causas locales y nacionales. Si bien el prestigio de Marvell como poeta se había fraguado ya en su época, T. S. Eliot contribuyó de manera decisiva, con este ensayo, a su moderna revalorización.

2. El *Golden Treasury* (*Tesoro dorado*) es una antología de los mejores poe-

laureles.[3] No hay que hacer imaginaria justicia: si hay que pensar en él que sea en beneficio nuestro, no suyo. Devolverle la vida al poeta —la gran y perpetua labor de la crítica— supone en este caso extraer cuidadosamente la esencia de dos o tres poemas: si nos limitamos a esto estaremos ya en condiciones de obtener cierto preciado licor desconocido en nuestra época. Más que establecer jerarquías, la labor de la crítica estriba en segregar esas cualidades. El hecho de que, de entre todos los poemas de Marvell —que no son ciertamente muchos—, los realmente valiosos sean apenas unos cuantos, implica que las ignotas cualidades de las que hablamos muy probablemente sean de orden más literario que personal; o, mejor aún, puede que quizá correspondan a un estado de la civilización, a un tradicional modo de vida. Un poeta como Donne —o como Baudelaire o como Laforgue— puede incluso considerarse inventor de cierta postura, de un sistema de sensaciones o de principios. Donne es difícil de analizar: lo que en principio puede parecer una curiosa perspectiva personal al rato se revela como una especie de sentimiento difuso en el ambiente que le rodea. Donne y su velo —el velo y los motivos que le indujeron a llevarlo— son inseparables pero no son lo mismo. En ocasiones se diría que el siglo XVII ha agrupado y resumido en su arte toda la experiencia de la mente humana que —desde el mismo punto de vista— los siglos posteriores se han afanado, en parte, en repudiar. Sin embargo, Donne pudo haber vivido en cualquier tiempo y lu-

---

mas y canciones ingleses, editada por Thomas Palgrave en 1875 y también muy popular, como el *Oxford Book of English Verse.*

3. La ruda es una planta de la suerte, popularmente utilizada contra los espíritus malignos en la noche de San Juan.

gar, mientras que los mejores poemas de Marvell son producto de la cultura europea o, lo que es lo mismo, latina.

A partir del gran estilo desarrollado de Marlowe a Jonson (Shakespeare no se presta a ese tipo de genealogías), el siglo XVII distinguió dos cualidades, ingenio y grandilocuencia, que no son tan simples ni tan asimilables como sus nombres parecen indicar y que en la práctica tampoco resultan antitéticas: ambas son conscientes y elaboradas y quien cultiva una muy bien puede practicar la otra.[4] La poesía de Marvell, Cowley, Milton y otros es, en realidad, una mezcla de ambas cualidades en proporciones variadas. Y debemos ir con mucho cuidado a la hora de emplear tales términos en un sentido demasiado lato, porque, lo mismo que en el caso de otros términos muy difundidos con los que se maneja la crítica, su significado cambia con el tiempo y, si queremos ser precisos, debemos confiar hasta cierto punto en la educación y el buen gusto del lector.[5] El ingenio de los poetas carolinos no es el de Shakespeare, tampoco el de Dryden, gran maestro del desdén, ni el de Pope, el gran maestro del odio, ni el de Swift, el gran maestro del hastío, sino que tiene que ver con cierta cualidad común a las canciones de *Comus*, a las «Anacreónticas» de Cowley y a la «Oda horaciana» de Marvell.[6] Se trata

4. Véase al respecto la nota 34, p. 92, del ensayo «Los poetas metafísicos».

5. En una conferencia pronunciada en Cambridge en 1927, T. S. Eliot se refirió a las variedades del *wit* ('ingenio') en los siguientes términos: «Cuando hablamos del ingenio de Donne, del ingenio de Dryden, del ingenio de Swift y de nuestro propio y precioso ingenio, no estamos hablando ni de la misma cosa ni de algo distinto sino de un desarrollo gradual en distintas etapas de una misma cosa», T. S. Eliot, *The Varieties of Metaphysical Poetry* (*Las variedades de la poesía metafísica*; Ronal Shuchard, ed., Londres, Faber & Faber, 1996, p. 125).

6. *Comus. A Masque Presented at Ludlow Castle* (*Comus. Una mascarada presentada en el castillo Ludlow*, 1634) es un poema de Milton sobre la castidad. Y la

de algo que está más allá del logro técnico, del vocabulario o la sintaxis de una época: lo que provisionalmente hemos llamado ingenio es en realidad un áspero sentido común que subyace a una alada gracia lírica. No se halla ni en Shelley ni en Keats ni en Wordsworth; apenas hay un eco de ello en Landor, aún menos en Tennyson o en Browning;[7] y de entre los contemporáneos el señor Yeats es irlandés y el señor Hardy un inglés moderno, que es tanto como decir que el señor Hardy no lo tiene y que el señor Yeats está completamente fuera de esa tradición. Por otra parte, así como se da en Lafontaine, hay una buena cantidad de ello en Gautier. Y de la grandilocuencia, la explotación deliberada de las posibilidades que brinda la magnificencia del idioma de la que Milton hizo uso y abuso, también hay uso y abuso en la poesía de Baudelaire.

El ingenio es una cualidad que no estamos acostumbrados a asociar con la literatura «puritana», con Milton o con Marvell. Y sin embargo nos equivocamos; por una parte, en lo que toca a nuestro concepto de ingenio y, por otra, en lo que respecta a nuestras generalizaciones sobre los puritanos. Y si el ingenio de Dryden o el de Pope no es el único en el idioma, el resto no es meramente una diversión ligera, una nimia frivolidad, una pequeña impropiedad o un simple epigrama. Y, por otro lado, el sentido en que

---

oda horaciana de Marvell es «Oda horaciana sobre el regreso de Cromwell de Irlanda», citada en la nota 1.

7. Perteneciente a la misma generación que Thomas de Quincey, Walter Savage Landor (1775-1864) vivió buena parte de su vida en Italia y, durante la guerra de Independencia, estuvo en España, país que le inspiró su obra de teatro *Count Julian* (*El conde don Julián*, 1812). Más que como poeta, se le recuerda sobre todo como prosista, gracias a su obra *Imaginary Conversations* (*Conversaciones imaginarias*, 1824), diálogos entre personajes históricos. Dickens le caricaturizó en su novela *Casa desolada*.

un hombre como Marvell es «puritano» resulta bastante limitado.[8] Quienes se opusieron a Carlos I y apoyaron la Commonwealth no eran todos de la grey de *Zeal-of-the-land Busy* ni de la Gran Asociación Ebenezer para la Templanza.[9] Muchos de ellos eran caballeros de la época que meramente creyeron, con evidente buen juicio, que el gobierno de un Parlamento de caballeros era preferible al gobierno de un Estuardo.[10] Pese a que muchos de ellos eran, a esas alturas, liberales, difícilmente pudieron prever la reunión del té y la disidencia del disenso.[11] Siendo hombres educados

8. El puritanismo es una corriente religiosa y política, muy compleja y difícil de sintetizar, que se inicia en Inglaterra ya durante el reinado de Isabel I y que tiene que ver principalmente con las tensiones originadas entre el catolicismo y el protestantismo. Durante los siglos XVI y XVII, los puritanos buscaban purificar a la Iglesia de Inglaterra de los restos de catolicismo y papismo que todavía quedaban en muchas de sus facciones, además de ser fervientes defensores de la libertad cívica, la austeridad y la igualdad. Es interesante notar que un antepasado de Eliot, Andrew Eliot (1627-1703), zarpó, en 1669, desde East Coker, en el condado de Somerset, hacia Salem, en Massachusetts, probablemente impulsado por sus convicciones puritanas, que en Salem le llevarían a participar activamente en la famosa caza de brujas. El viaje de su antepasado inspiraría a T. S. Eliot «East Coker», el segundo de los *Cuatro cuartetos*, cuyo verso recurrente: «In my beginning is my end» ('En mi principio está mi fin') es una variante del lema de la reina María I, *Bloody Mary* (María la Sanguinaria), ferviente católica. De algún modo, Eliot deshizo el camino andado por sus ancestros, regresando a Inglaterra y convirtiéndose al anglocatolicismo de la High Church.

9. El *Zeal-of-the-land-Busy* es un puritano hipócrita que aparece en la obra de Ben Jonson *Bartholomew Fair* (*La feria de San Bartolomé*, 1614). La «Gran Asociación Ebenezer para la Templanza» aparece en *Los papeles póstumos del Club Pickwick* (1836), de Charles Dickens, como una caricatura de la degeneración de las congregaciones puritanas.

10. Véase la nota 19, p. 83, del ensayo «Los poetas metafísicos».

11. «La disidencia del disenso» fue una expresión acuñada por el político liberal y filósofo irlandés Edmund Burke (1729-1797), defensor de la indepen-

y cultos, habiendo incluso viajado, algunos de ellos estuvieron expuestos a aquel espíritu de la época que más tarde anidaría en Francia. Ese espíritu, curiosamente, se oponía a las tendencias latentes lo mismo que a las fuerzas activas en el puritanismo: esa confrontación hizo mucho daño a la poesía de Milton; Marvell, un servidor público en activo, pero también un partisano algo tibio y en menor medida un poeta, resulta menos perjudicado. Su verso sobre la estatua de Carlos II, «No hay cincel que mejore a tal rey», puede explicarse en el contexto de su crítica a la Gran Rebelión: «Los hombres... deben y debieron haber confiado en el rey».[12] De este modo, Marvell, más hombre de su tiempo que pu-

---

dencia de las colonias americanas y opositor de la Revolución francesa. En un discurso pronunciado en la Cámara de los Comunes en 1775, Burke explicó el descontento de las colonias con el gobierno británico por la evolución del puritanismo en América, donde el anglicanismo, decía, no era más que una secta residual. Y concluía: «Todo protestantismo, incluso el más frío y pasivo, es un tipo de disenso. Pero la religión que más prevalece en nuestras colonias del norte es un refinamiento del principio de resistencia: es la disidencia del disenso y el protestantismo de la religión protestante», Edmund Burke, *The Works* (*Obras*; Nueva York, Hildersheim, 1975, vol. 2, p. 123). En el siglo XIX, los «disidentes del disenso», puritanos, presbiterianos o cuáqueros, organizaban agitadas reuniones de té para discutir sus ideas, como en la «Gran Asociación Ebenezer» de Dickens, antes mencionada.

12. T. S. Eliot cita de memoria el verso de Marvell, que en el original dice exactamente «For 'tis such a king as no chisel can mend» ('Pues es un rey que ningún cincel puede retocar'). Se trata de un verso del poema «The Statue in Stock Market» («La estatua de la Bolsa de Valores»), un poema dedicado a la inauguración de una estatua ecuestre de Carlos II. Por otra parte, cuando habla de la «Gran Rebelión» se refiere a la Revolución inglesa, según el término popularizado por la *Enciclopedia Británica* en 1911. Y las frases que cita —de memoria y con errores de transcripción— pertenecen a un panfleto satírico de Marvell titulado *The Rehearsal Transposed* (*La prueba transpuesta*, publicado en dos partes, 1672, 1673).

ritano, habla más clara e inequívocamente que Milton con la voz de la literatura de su época.

Esta voz se manifiesta de una manera inusitadamente sonora en el poema «A su recatada amante», cuyo motivo es uno de los grandes tópicos de la literatura europea. Es el mismo de «Oh amada mía», «Recoged capullos de rosas» y «Ve, encantadora rosa»; y se puede encontrar en la brusca austeridad de Lucrecio y en la intensa levedad de Catulo.[13] Donde el ingenio de Marvell interviene, renovando el motivo, es en la variedad y el orden de las imágenes. En la primera de las tres estrofas, Marvell juega con una fantasía que comienza en deleite y termina en estupor.

> *Si el tiempo y el espacio nos sobrasen*
> *tu recato no fuera ningún crimen*
> ...
> *Te amaría años antes del Diluvio*
> *y podrías, si quieres, rechazarme*
> *hasta que se conviertan los judíos.*
> *Mi amor vegetativo crecería*

13. El tópico que Marvell aborda en su poema «To his Coy Mistress» ('A su recatada amante') es una reelaboración del topos latino «Collige, virgo, rosas» ('Coge, virgen, la rosa'), a su vez derivado del horaciano «Carpe diem». También hay ecos de Propercio y de Catulo, concretamente del poema V: «Vivamus, mea Lesbia, atque amemus» («Vivamos, Lesbia mía, y amemos»). ¶ Los ejemplos que T. S. Eliot cita pertenecen a los siguientes textos: «O mistress mine» ('Oh, amante mía') es de Shakespeare en *Noche de Reyes*, II, III; «Gather ye Rosebuds» ('Recoged los capullos de rosa') es el primer verso del poema de Robert Herrick (1591-1674) «To the virgins, to make much of time» ('A las vírgenes, para que cunda el tiempo') y, finalmente, «Go, lovely rose» («Ve, encantadora rosa») es un poema de Edmund Waller (1606-1687).

hasta hacerse más grande que un imperio
y también más despacio.[14]

Percibimos la velocidad, la reconcentrada sucesión de imágenes, cada una magnificando la idea original. Y cuando este proceso ha sido llevado al extremo, el poema se transforma de pronto, con esa sorpresa que, desde Homero, ha sido uno de los más importantes mecanismos del efecto poético:

Pero a mi espalda no dejo de oír
cómo va persiguiéndome el alado
carro del tiempo; y más allá se extiende
delante de nosotros el desierto
de la inconmensurable eternidad.[15]

Una civilización entera radica en estos versos:

Pallida Mors æquo pulsat pede pauperum tabernas
regumque turris.[16]

Y no solo Horacio, sino el propio Catulo:

14. Andrew Marvell, «To his Coy Mistress» ('A su recatada amante').

15. *Ibidem.* El verso 21 «But at my back I always hear» ('Pero a mi espalda no dejo de oír') fue utilizado por T. S. Eliot, casi *verbatim*, en *La tierra baldía*, en cuya segunda sección, «El sermón del fuego», quedó como «But at my back from time to time I hear» ('Pero a mi espalda de vez en cuando oigo').

16. Horacio, 'La pálida muerte golpea con el mismo pie las chozas de los pobres y las torres de los reyes', libro I, oda IV.

Nobis cum semel occidit brevis lux,
nox est perpetua una dormienda.[17]

El poema de Marvell no tiene la espléndida reverberación del latín de Catulo, pero su imagen es ciertamente más abarcadora y se adentra en honduras mayores que la de Horacio.

De haber alcanzado tales alturas, un poeta moderno muy probablemente habría concluido con una reflexión moral. Pero las tres estrofas del poema de Marvell tienen una especie de relación silogística entre ellas. Después de un fragmento que se aproxima al talante de Donne,

Entonces los gusanos probarán
tu tan bien preservada doncellez
...
Los sepulcros son bellos y discretos
pero nadie podrá abrazarte allí.

La conclusión:

Juntemos el vigor y la ternura
para formar con ellos una mezcla,
y que nuestros placeres se desgarren
con los punzantes hierros de la vida.
Así no pararemos nunca el sol,
pero haremos que siga su camino.[18]

17. 'Pero, una vez que nuestra breve luz se apague, solo nos quedará una noche eterna', Catulo, V, 4.

18. Andrew Marvell, «To his Coy Mistress» ('A su recatada amante').

Nadie pondrá en duda el ingenio del poema, pero no está de más advertir que ese ingenio constituye el *crescendo* y *diminuendo* de una escala de gran poder imaginativo. El ingenio no solo se combina con la imaginación, sino que se fusiona con ella. Podemos reconocer fácilmente una brillante inventiva en las sucesivas imágenes («mi amor vegetativo», «hasta que se conviertan los judíos»), pero no se trata de una inventiva caprichosa, como tantas veces sucede en Cowley o Cleveland: es el adorno estructural de una idea muy seria.[19] En esto es superior a la invención de «L'Allegro», «Il Penseroso» o de los poemas más ligeros y menos logrados de Keats.[20] En realidad, esta aleación de levedad y gravedad (gracias a la cual la gravedad se intensifica) es característica de la clase de ingenio que tratamos de definir. Se encuentra en

> *Le squelette était invisible*
> *Au temps heureux de l'art païen!*[21]

de Gautier, y en el dandismo de Baudelaire y Laforgue. Está en el citado poema de Catulo y en la variación de Ben Jonson:

> *¿No podemos ocultarnos de los ojos*
> *de unos cuantos pobres espías caseros?*
> *No es pecado robar del amor el fruto*
> *sino revelar el hurto,*

19. Para más información sobre Cowley y Cleveland, véase en este volumen el ensayo «Los poetas metafísicos», pp. 73-93.

20. «L'Allegro» e «Il Penseroso» son poemas de Milton.

21. Théophile Gautier, «Bûchers et tombeaux» («Hogueras y tumbas»). '¡El esqueleto era invisible / en el tiempo feliz del Arte pagano!'

ser capturado, ser visto,
estos sí son pecados bien conocidos.[22]

Está también en Propercio y en Ovidio. Es una cualidad propia de una literatura sofisticada que se propagó en las letras anglosajonas justo antes de que la mentalidad inglesa se alterara y a la que el puritanismo no podía precisamente animar.[23] Para cuando aparecen Gray y Collins, la sofisticación ya solo se conserva en el lenguaje y ha desaparecido de la sensibilidad. Gray y Collins eran auténticos maestros, pero habían perdido ese fondo de valores humanos, ese firme asidero de la experiencia humana que constituye el formidable logro de los poetas isabelinos y jacobinos.[24] Esa sabiduría, quizá cínica, aunque también tenaz —en el caso de Shakespeare sería una intimidante clarividencia— conduce hacia —y solo ahí se consuma— la comprensión religiosa, hasta el punto en que «Ainsi tout leur a craqué dans la main» de *Bouvard y Pécuchet*.[25]

La diferencia entre imaginación y fantasía, desde el punto de vista de esta poesía de la imaginación, es bastante nimia.[26] Obvia-

22. Ben Johnson, «Song: to Celia» («Canción: a Celia»), incluida luego en *Volpone*, III, VI. T. S. Eliot, seguramente citando de memoria, cambia un par de palabras: *delude* por *deceive* y *sweet theft* por *sweet sin*.

23. Sobre la «disociación de la sensibilidad» en el siglo XVII, véase en este volumen el ensayo «Los poetas metafísicos», pp. 73-93.

24. Para más información sobre Gray y Collins, véanse en este volumen las notas 6 y 4, p. 65, del ensayo «William Blake».

25. 'Todo se ha deshecho entre sus manos', en la traducción de Marga Latorre y Mónica Maragall, Barcelona, Montesinos, 1993.

26. Alusión a la clásica distinción entre imaginación y fantasía hecha por Coleridge en su *Biografía literaria*, 1817.

mente, una imagen que es inmediata e inintencionadamente ridícula es solo una fantasía. En el poema «Sobre Appleton House», Marvell cae en una de esas desaconsejables imágenes mientras describe la actitud de la casa ante su dueño:

Y bajo el peso del gran señor, suda
la casa plomiza. Mas a su paso
el dilatado corredor se inflama,
y lo cuadrangular se redondea.[27]

lo que, sin importar cuál haya sido la intención de Marvell, resulta sin duda más absurdo de lo que pretendía. Marvell cae además en el error, aún más común, de acudir a imágenes de distracción o elaboradas en exceso que nada sostienen salvo sus cuerpos contrahechos.

Levantan los húmedos salmoneros
sus grandes barcos forrados de cuero,
y los llevan como torpes zapatos
sobre las recias cabezas calzados.[28]

En la «Vida de Cowley», de Johnson, hay todo un muestrario de ese tipo dc imágenes. Pero las imágenes de «A su recatada amante» no son solo ingeniosas, sino que se ajustan a la definición de imaginación propuesta por Coleridge:

27. Se trata de uno de los poemas más famosos de Marvell, dedicado a la casa de su protector lord Fairfax: «Upon Appleton House» («Sobre Appleton House»).

28. Andrew Marvell, «Upon Appleton House» («Sobre Appleton House»), LXXXXVII.

Este poder ... se revela en el balance o reconciliación de cualidades contrarias o discordantes: de la uniformidad con la diferencia; de lo general con lo concreto, la idea con la imagen, lo individual con lo representativo, la sensación de novedad y originalidad con los objetos viejos y familiares; del estado emocional acostumbrado con un orden inusual; del juicio siempre alerta y el dominio de sí mismo con el entusiasmo y el sentimiento profundo y vehemente...[29]

El postulado de Coleridge se aplica también perfectamente a los siguientes versos, escogidos a causa de su similitud y porque ilustran la marcada cesura que Marvell suele introducir en los versos cortos:

Entran ya los trigueños segadores
y a lo lejos parecen israelitas
que el verde mar caminando transitan.[30]

Y los prados teñidos de frescura,
y la hierba de color salpicada,
como seda verde recién lavada.[31]

La brillante naranja cuelga en sombras
como lámpara de oro en verde noche.[32]

Cifrando todo el orden de las cosas
en verde pensamiento y verde sombra.[33]

29. Samuel T. Coleridge, *Biographia Literaria*, 1817.
30. Andrew Marvell, «Upon Appleton House» («Sobre Appleton House»), XLIX.
31. *Ibidem*, LXXIX.
32. Andrew Marvell, «Bermudas».
33. Andrew Marvell, «The Garden» («El jardín»).

... De haber
vivido mucho tiempo hubiera sido
todo lirios por fuera y rosas dentro.[34]

El poema del que se ha tomado esta última cita, «La ninfa y el fauno», está construido sobre una base muy ligera y resulta fácil imaginar cómo lo habrían resuelto los modernos practicantes de asuntos ligeros. Pero no es necesario descender a una contemporaneidad odiosa para descubrir la diferencia. Aquí, seis versos de «La ninfa y el fauno»:

Yo poseo un jardín con tantas rosas
y lirios que podría parecer
una exigua porción de campo abierto.
Y allí quería estar únicamente
mientras duraba la estación florida.[35]

Y aquí, cinco líneas de «La canción de la ninfa a Hilas» de *Vida y muerte de Jasón*, de William Morris:

Conozco un discreto jardín cercano
de rosas y frescos lirios colmado
donde puedo vagar si así lo quiero
la noche toda y el día entero
sin tolerar compañía de nadie.[36]

34. Andrew Marvell, «The Nymph Complaining For The Death of Her Fawn» ('Lamento de la ninfa por la muerte de su fauno').

35. *Ibidem.*

36. William Morris (1834-1896) fue uno de los más destacados miembros, junto con Dante Gabriel Rossetti y Edward Burne-Jones, de la hermandad pre-

Hasta aquí, las semejanzas son más llamativas que las diferencias, aunque quizá notemos cierto contraste entre la vaguedad de la alusión, en el último verso, a cierta persona indefinida —o forma o fantasma—, comparada con una referencia al objeto que se hace más explícita por medio de la emoción, como podemos esperar tratándose de Marvell. Sin embargo, en la última parte del poema, Morris diverge ampliamente.

Y aunque indecisa y débil,
tengo bastante resuello
para buscar en el cuello
de la muerte una entrada
a la dicha, una cara
memorable, que besé
y el mar me robó después.[37]

Aquí, la similitud, en caso de existir, sería con la última parte de «A su recatada amante». En cuanto a la diferencia, no podría ser más notoria. El efecto del encantador poema de Morris depende de la nebulosidad del sentimiento y de la vaguedad de su objeto; el efecto del de Marvell estriba en su brillante y sólida precisión. Y esta precisión no se debe al hecho de que Marvell se ocupe de emociones más toscas, simples o más carnales. La emoción de Mo-

---

rrafaelita. Aunque conocido sobre todo como pintor, diseñador y protosocialista, Morris compuso también largos poemas, entre los que destaca su épico *The Life and Death of Jason* (*Vida y muerte de Jasón*, 1867), del que T. S. Eliot cita «The Nymph's Song to Hylas» («La canción de la ninfa a Hilas»).

37. William Morris, «The Nymph's Song to Hylas» («La canción de la ninfa a Hilas»).

rris no es más refinada o espiritual: es simplemente más vaga. Si alguien duda de que la emoción más refinada y espiritual pueda ser precisa, debería estudiar el tratamiento de la escala de emociones descarnadas en el *Paraíso.* Un resultado curioso de la comparación del poema de Morris con el de Marvell es que el primero, aunque parece más serio, resulta al cabo el más ligero, mientras que «La ninfa y el fauno», de Marvell, que aparenta ser más ligero, es el más serio.

Así lloran los bálsamos heridos;
llanto como derrama el santo incienso.
Cuando murió su hermano las Helíades
vertieron llanto de ámbar igual que este.[38]

Estos versos poseen la sugestión de la verdadera poesía. Y los versos de Morris, que no son sino más que un intento de sugerencia, no sugieren nada en realidad y aun nos inclinamos a inferir que la sugestión es el aura que rodea un centro claro y brillante, que el aura no es nada en sí misma. La actitud soñadora de Morris es esencialmente algo liviano; Marvell, por su parte, toma un asunto banal como los sentimientos de una joven por su perro y lo vincula con esa inagotable y terrible nebulosa de emociones que rodea todas nuestras pasiones puntuales y prácticas al tiempo que se implica en ellas. De nuevo, Marvell hace esto en un poema que, a causa de su maquinaria formalmente pastoral, pudiera parecer fútil:

38. Andrew Marvell, «The Nymph Complaining For the Death of her Faunu» ('Lamento de la ninfa por la muerte de su fauno').

CLORINDA: *Aquí muy cerca*
la líquida campana de una fuente
en su cóncava concha tintinea.

DAMON: *Si allí se baña un alma, ¿queda limpia?*
¿O bien sacia su sed?[39]

donde descubrimos que una metáfora nos ha arrebatado, de pronto, hasta la imagen de la purificación espiritual. Aquí está, otra vez, el elemento sorpresa, como cuando Villon afirma:

Necessité fait gens mesprendre
Et faim saillir le loup des boys,[40]

la sorpresa a la que Poe atribuía la máxima importancia y también la contención y el tono sosegado que hacen posible esa sorpresa. Y en los citados versos de Marvell hay, además, un hacer familiar lo extraño y lo extraño familiar que Coleridge atribuía a la mejor poesía.

El esfuerzo de construir un mundo de ensueño, que alteró de un modo tan radical la poesía del siglo XIX —un mundo de ensueño totalmente diferente de las realidades visionarias de la *Vita nuova* o de la poesía de los contemporáneos de Dante—, es un problema al que pueden, sin duda, encontrarse muchas explicaciones; en cualquier caso, el resultado hace de un poeta de la mis-

39. Andrew Marvell, «Clorinda and Damon» («Clorinda y Damon»).
40. Villon, *Le testament* (*El testamento*). 'La necesidad hace a la gente desviarse / y hace salir de los bosques al lobo.'

ma estatura de Marvell, pero en el siglo XIX, una figura mucho más trivial, mucho menos seria. Marvell no es una personalidad más grande que William Morris, pero posee algo más sólido detrás: la vasta y penetrante influencia de Ben Jonson. Jonson jamás escribió nada más genuino que la «Oda horaciana» de Marvell, pero esta posee la misma clase de ingenio que se difundió en todas las obras isabelinas y que se concentró en la obra de Jonson. Y, como se ha dicho antes, este ingenio que permea la poesía de Marvell es más latino, más refinado que cualquier otra cosa que haya venido después. El gran peligro del verso y la prosa ingleses —que supone al mismo tiempo un mayor interés y emoción con respecto de los de Francia— es que permiten y justifican una exageración de cualidades particulares a cambio de la exclusión de otras. El ingenio de Dryden fue muy grande, lo mismo que la grandilocuencia de Milton, pero Dryden, aislando esa cualidad y convirtiéndola en gran poesía por sí misma, y Milton, llegando a prescindir enteramente de ella, quizá hayan dañado el idioma. En Dryden, el ingenio casi deviene diversión, y por tanto pierde, de algún modo, contacto con la realidad: se vuelve pura diversión, lo que jamás puede decirse del ingenio francés.

Pronunció la comadrona, tocando la dura cabeza,
su profética bendición: No seas de los que piensan ...

Una hueste numerosa de santos soñadores avanza,
de la casta antigua, entusiasta.[41]

41. Versos de la sátira política de John Dryden, *Absalom and Architophel* (*Absalón y Aquitofel*, 1681).

Esto es audaz y espléndido: pertenece a una clase de sátira al lado de la cual las sátiras de Marvell no son más que azaroso balbuceo, pero quizá es tan exagerado como:

A menudo parece que esconde su rostro,
pero inesperadamente regresa,
y a su fervoroso campeón respalda,
glorioso da fe: de dónde el luto de Gaza,
y todos esos que se unen para resistirse
a sus inexorables propósitos.[42]

¡De qué manera tan singular, la aguda y dantesca fórmula «de dónde el luto de Gaza» resalta entre las brillantes contorsiones de la frase de Milton!

Quien de sus privados jardines, donde
habitaba reservado y austero
(como si su conspiración mayor
fuera sembrar sus naranjos amargos)

pudo por industrioso valor trepar
y socavar la gran obra del Tiempo,
y los antiguos reinados
en otro molde vaciar...

ya no hallará refugio el picto
en su mente policroma,

42. Milton, *Samsom Agonistes* (*Sansón agonista*), II.

mas por aquel valor triste
bajo su manta escocesa decae.
...
Ya no hallará refugio el picto
en su mente policroma,
mas por aquel valor triste
bajo su manta escocesa decae.[43]

Encontramos aquí un equilibrio, un balance y proporción de tonos que, si bien no consigue poner a Marvell al nivel de Dryden o Milton, fuerza en nosotros una aprobación que no concedemos a esos otros poetas y nos depara un placer, por lo menos de distinta índole, de cualquiera que aquellos puedan darnos a menudo. Eso es lo que convierte a Marvell en un clásico, un clásico en el sentido en que Gray y Collins no lo son. En lo que se refiere a este último, con todo y su reconocida pureza, es comparativamente pobre en matices sentimentales que contrastar o unir.

Resulta desconcertante intentar traducir la cualidad a la que apuntaba el oscuro y anticuado término «ingenio» a la asimismo insatisfactoria nomenclatura de nuestro propio tiempo. Cowley, incluso, solo es capaz de definirlo negativamente:

Galano aparece en mil formas;
allá, simple lo vimos, y aquí está ahora:
mil espíritus, nadie sabe cómo.

43. Andrew Marvell, «An Horatian Ode upon Cromwell's Return from Ireland» («Oda horaciana sobre el regreso de Cromwell de Irlanda»).

En obra de ingenio ha de haber de todo,
aunque reunido de armonioso modo;
cual en el Arca, sin oposición ni contienda,
todos los seres vivientes aquel lugar pueblan,
o de todo las formas primitivas
(si comparamos las cosas grandes y las chicas),
que yacen, sin discordia o confusión,
en ese raro espejo de Dios.[44]

Hasta allí, Cowley ha estado acertado. Pero, aunque no busquemos ir más allá de Cowley, deberíamos, con una actitud retrospectiva, arriesgar mucho más que ansiosas generalizaciones. Con el ojo aún puesto en Marvell, podríamos afirmar que ingenio no es erudición: en ocasiones, la erudición lo ahoga, como en gran parte de la obra de Milton. Tampoco es cinismo, aunque contenía un tipo de brusquedad que la gente de buen corazón podría confundir con el cinismo. Se confunde con la erudición porque es propio de las mentes instruidas, ricas en experiencias; y se confunde con el cinismo porque implica una constante inspección y crítica de la experiencia. Conlleva, probablemente, el reconocimiento —implícito en la expresión de cualquier experiencia— de otros tipos de experiencia posibles que encontramos tan claramente en los grandes poetas, como podemos encontrarlo en Marvell. Una afirmación tan general parece conducirnos demasiado lejos de «La ninfa y el fauno» o incluso de la «Oda horaciana», pero quizá se justifique por el deseo de dar cuenta del buen gusto que le permite a Marvell encontrar con precisión el grado adecuado de seriedad

44. Abraham Cowley, «Ode: of Wit» ('Oda: sobre el ingenio').

para cada uno de los temas que trata. Ni siquiera sus errores de gusto, cuando va demasiado lejos, ponen en cuestión esta virtud: son pura vanidad, metáforas y símiles poco apropiados, pero no consisten nunca en tomar un tema demasiado en serio o demasiado a la ligera. La virtud del ingenio no es condición peculiar de los poetas menores o de los poetas menores de una época o de una escuela: es una cualidad intelectual que quizá solo se hace notoria por sí misma en la obra de los poetas menores. Es más: está ausente en la obra de Wordsworth, Shelley y Keats, en cuya poesía la crítica decimonónica se ha basado inconscientemente. En lo mejor de la poesía de estos autores, el ingenio es irrelevante:

Estás pálida por el cansancio
de escalar inmensos cielos y mirar fijamente la tierra,
errante y sin compañía
entre estrellas que nacieron en distintas épocas
y siempre cambian, como un ojo triste,
¿descubres así que ningún objeto merece tu constancia?[45]

Sin duda nos resultará muy difícil improvisar una comparación útil entre estos versos de Shelley y cualquier cosa que escribiera Marvell, pero incluso poetas posteriores, que hubieran ganado con la cualidad de Marvell, no la tenían; incluso Browning parece, de algún modo, extrañamente inmaduro a su lado. Y, hoy en día, encontramos en ocasiones auténtica ironía o sátira que carece del equilibrio interno que solía aportar el ingenio —porque son, en esencia, voces de protesta contra el sentimentalismo o la estupidez

45. Shelley, «Art thou pale for weariness» ('Estás pálida por el cansancio').

externas— , o bien encontramos poetas serios que parecen temerosos de acudir al ingenio por miedo a perder intensidad. Está claro que hemos fracasado a la hora de definir aquella cualidad que Marvell tenía, aquella virtud modesta y sin duda impersonal, que podríamos llamar ingenio, razón o incluso civismo. Sin importar el nombre que le demos o cómo definamos lo que ese nombre designa, se trata de algo preciado y necesario y aparentemente extinto y debiera bastar para preservar la reputación de Marvell. «C'était une belle âme, comme on ne fait plus à Londres.»[46]

[1921]

46. 'Era un alma bella, de las que ya no se hacen en Londres.' Quizá T. S. Eliot parafrasea aquí unos versos de la última estrofa de «Complainte du pauvre jeune homme», de Jules Laforgue: «Ils virent que c'était une belle âme, / Comme on n'en fait plus aujourd'hui!».

Cuatro dramaturgos isabelinos

Prefacio a un libro no escrito

Intentar añadir algo a la crítica que Lamb, Coleridge y Swinburne han dedicado a estos cuatro dramaturgos isabelinos, Webster, Tourneur, Middleton y Chapman, es una tarea que a estas alturas está, a mi juicio, fuera de lugar.[1] Lo que me propongo es definir e ilustrar un punto de vista distinto del de la tradición decimonónica. Existen, acerca del drama isabelino, dos posturas críticas aparentemente opuestas y deberé concentrar mis esfuerzos en tratar

1. T. S. Eliot convoca, muy conscientemente, a tres de los más importantes críticos que en el siglo XIX se ocuparon de la literatura isabelina y cuyos postulados se propuso rebatir o, como mínimo, matizar. Coleridge escribió sobre el asunto a lo largo de toda su vida en notas y ensayos que fueron recogidos en *Lectures upon Shakespeare and other Dramatists* (*Lecturas de Shakespeare y otros dramaturgos*, 1884); Charles Lamb abordó el teatro isabelino en *Specimens of English Dramatic Poets Who Lived About the Time of Shakespeare* (*Especímenes de poetas dramáticos ingleses que vivieron en tiempos de Shakespeare*, 1808) y, finalmente, Swinburne estableció el criterio victoriano dominante sobre el asunto en *Chapman: A Critical Essay* (*Chapman: un ensayo crítico*, 1875) y *The Age of Shakespeare* (*La era de Shakespeare*, 1908). ¶ Los dramaturgos isabelinos aquí estudiados han tenido muy poca difusión en español. Thomas Middleton (*c.* 1570-1627), de biografía muy borrosa, se asocia a menudo con otro dramaturgo, todavía menos conocido, William Rowley, con quien escribió una de sus obras más perdurables: *The Changeling* (*El trueque*, 1653). Esta obra pertenece al género de raíz senequista en la que todos destacaron, la «tragedia de vengan-

de demostrar que son en realidad idénticas y que una postura distinta es posible. Creo firmemente, además, que esta postura crítica alternativa no se sustenta en meros prejuicios personales, sino que es la posición que corresponde inevitablemente a nuestra época. La formulación y exposición de determinadas certezas sobre tan importante cuerpo de literatura dramática —la única expresión notable de ese género que se ha dado en Inglaterra— ha de

---

za»; véase al respecto en este volumen la nota 20, pp. 57-58, del ensayo «Christopher Marlowe». En otro ensayo, publicado en 1927 y recogido en *Ensayos selectos*, T. S. Eliot afirmaba sobre esta pieza: «En tanto esencia moral de la tragedia no es arriesgado decir que en esta obra Middleton solo ha sido superado por un único isabelino y ese es Shakespeare», *Selected Essays* (*Ensayos selectos*; Londres, Faber & Faber, 1999, p. 165). ¶ Por su parte, Cyril Tourneur (*c.* 1575-1626) y John Webster (*c.* 1580-*c.* 1625) forman una especie de pareja dramática por su sombrío talento. Nada se sabe de ellos. Tourneur ha quedado como el autor de dos «tragedias de venganza» notables como son *The Revengers Tragedie* (*La tragedia de los vengadores*, 1607) y *The Atheist's Tragedie* (*La tragedia del ateo*, 1611). Sobre Tourneur, Eliot escribió un ensayo, «Cyril Tourneur», publicado en 1930 y recogido en *Ensayos selectos*, donde afirmaba: «Tourneur sobresale en tres de las virtudes del dramaturgo: sabía cómo, a su manera, construir una trama, era astuto en su dominio de los recursos escénicos y era un maestro de la versificación y del manejo del idioma», *Selected Essays* (*Ensayos selectos*; Londres, Faber & Faber, 1999, p. 185). ¶ Webster es también, canónicamente, el autor de dos tragedias respetables: *The White Devil* (*El diablo blanco*, 1612) y *The Duchess of Malfi* (*La duquesa de Malfi*, *c.* 1614). Ecos de Webster y Middleton, por cierto, relumbran en el magma de *La tierra baldía*, como indicó el propio T. S. Eliot en las notas que añadió al poema. Eliot estudió muy detalladamente la métrica de Webster, cuya frecuente ruptura del patrón clásico del pentámetro yámbico le ayudó a modelar su propia prosodia en muchos de sus primeros poemas, como «The Love Song of Alfred J. Prufrock» («La canción de amor de Alfred J. Prufrock», 1917). ¶ Acerca de Chapman, véase en este volumen la nota 4, p. 75, del ensayo «Los poetas metafísicos». Y para más información sobre la atención de T. S. Eliot dedicada a los dramaturgos isabelinos, véase el apéndice sobre la procedencia de los textos, pp. 523-524.

ser algo más que un ejercicio de inventiva mental o de refinamiento del gusto, y debería ejercer una influencia revolucionaria en el teatro del futuro. La literatura contemporánea, lo mismo que la política, se halla en estado de confusión a causa de la cotidiana lucha por la existencia, pero ha llegado el momento de emprender una revisión de sus presupuestos. Creo que el teatro ha alcanzado un punto en el cual se impone la revolución de sus estatutos.

La postura generalmente aceptada sobre el teatro isabelino se remonta a la publicación de los *Specimens* de Charles Lamb. Al dar a conocer su selección, Lamb desató un entusiasmo por el drama poético que aún persiste, al tiempo que propició una distinción que supone, según me parece, la ruina del drama moderno: la oposición entre dramaturgia y literatura. Los *Specimens* permitieron que las obras se leyeran como poemas, descuidando su función en escena. Por ello la opinión moderna en su conjunto parece provenir de Lamb, pues la opinión moderna se funda en la aceptación de que la poesía y el drama son dos cosas distintas, combinables solo por escritores de genio excepcional. La diferencia entre la gente que prefiere el drama isabelino —a pesar de lo que se les antojan defectos dramáticos— y la gente que prefiere el teatro moderno, aun a sabiendas de que no es nunca buena poesía, no tiene la menor importancia. Porque en ambos casos se oculta la idea de que una obra de teatro puede ser buena literatura y mala obra de teatro y viceversa —o que incluso puede no ser literatura en absoluto.

Tenemos, por un lado, a Swinburne como representante de la opinión de que las obras de teatro son literatura y, por otro, al señor William Archer, que con enorme lucidez y consecuencia mantiene que una obra teatral no tiene, en ningún caso, por qué ser literatura.[2] No hay dos críticos de teatro isabelino que pudieran parecer más opuestos que Swinburne y el señor William Archer y, sin embargo, sus puntos de partida son fundamentalmente los mismos, porque la distinción entre poesía y drama, que el señor Archer explicita, está implícita en la posición de Swinburne y este, lo mismo que el señor Archer, se permite alimentar la creencia en que la diferencia entre el teatro moderno y el teatro isabelino se resume en un avance de la técnica dramática y una pérdida de la poesía.

El señor Archer consiguió, en su brillante y sugerente libro, poner en claro los muchos defectos dramáticos del teatro isabelino. Su análisis, sin embargo, está lastrado por su incapacidad a la hora de explicar por qué estos errores son tales y no simplemente el resultado de convenciones distintas. Y la razón última de su sonora victoria sobre los isabelinos es precisamente que estos comparten los mismos criterios sobre el realismo que el señor Archer postula. El gran vicio del teatro inglés, de Kyd a Galsworthy, ha sido su ilimitada vocación realista.[3] En una única obra —*Everyman*— y quizá solo en esta, encontramos una pieza de teatro que se mueve en los límites del arte;[4] desde Kyd —desde *Arden of Fe-*

2. La obra a la que se refiere es *The Old Drama and the New: An Essay in Revaluation* (*El antiguo y el nuevo drama: un ensayo revalorativo*; Londres, Heinemann, 1923), de William Archer (1856-1924), crítico teatral y periodista.

3. Aunque hoy ya casi no se lee, John Galsworthy (1867-1933) fue uno de los novelistas y dramaturgos más populares de su época. En 1932 ganó incluso el Premio Nobel de Literatura que nunca obtuvo su amigo Joseph Conrad. En su obra se dedicó a retratar a la alta burguesía inglesa a la que pertenecía.

4. Entre finales del siglo XIV y el siglo XV, en los albores de la literatura dramática, surgió, en Inglaterra y en Francia, un nuevo género teatral, llamado mora-

versham y desde *A Yorkshire Tragedy*— no ha habido manera de contener, para entendernos, el curso del espíritu en ninguno de sus tramos antes de que se desborde y desemboque en el desierto del parecido exacto con la realidad según la percibe el común.[5] El señor Archer confunde errores con convenciones; los isabelinos cometieron errores y se liaron con las convenciones. En sus piezas hay errores de congruencia, incoherencias, mal gusto y un generalizado descuido, pero su mayor desliz es el mismo que el del drama moderno: la falta de una convención. El señor Archer facilita su propia tarea destructiva, al tiempo que evita enfrentarse a la opinión popular, cuando hace una excepción con Shakespeare; pero Shakespeare, como todos sus contemporáneos, apuntaba en más de una dirección. En una obra de Esquilo no distinguimos entre pasajes que son literatura o drama: el estilo de cada enunciado de la obra posee una relación con el todo y, a causa de esta relación, es, en sí mismo, dramático. La imitación de la vida está circunscrita y las aproximaciones al habla común, lo mismo que las distancias con respecto de esta, están vinculadas entre sí y tienen efectos unas sobre otras. Es esencial que una obra de arte sea con-

---

lidad, de clara intencionalidad ejemplarizante y cuyos personajes suelen ser alegorías del mundo, la carne, el ingenio, la ciencia o los siete pecados capitales. *Everyman* (que ha sido a veces traducida en castellano como *Cadacual* o *Cada hombre*), publicada por primera vez en 1509, es una de las más antiguas conservadas. T. S. Eliot la tuvo muy en cuenta cuando decidió dedicarse al teatro en los años treinta, sobre todo para el apropósito teatral *La roca* y para la obra *Asesinato en la catedral.*

5. Como ya se comenta en la nota 18, p. 57, del ensayo «Christopher Marlowe», la atribución a Kyd que T. S. Eliot hace de *Arden of Feversham* es más que dudosa, lo mismo que *A Yorkshire Tragedy* (*Una tragedia de Yorkshire*, 1608) en tiempos atribuida incluso a Shakespeare. Ambas son ejemplos notables de la llamada «tragedia doméstica», sobre asuntos relacionados con la historia de Inglaterra.

secuente consigo misma, que el artista, ya sea consciente o inconscientemente, trace unos límites que no deberá traspasar luego: la vida real siempre es un punto de partida, pero la abstracción de la vida es condición indispensable para la creación de una obra de arte.

Tratemos de imaginar qué cariz tomaría ante nosotros el drama isabelino si existiera algo que no ha existido jamás en lengua inglesa: un drama compuesto según un esquema convencional, el de un único artista o el de una serie de dramaturgos que acudieran a una forma similar en la misma época. Y cuando hablo de convención, no me refiero necesariamente a cierta convención temática, de tratamiento, métrica, de forma concreta, a una común filosofía de la vida o a cualquier convención que haya sido usada hasta ahora. Podría tratarse, más bien, de cierta elección, estructura o distorsión temática, de una técnica novedosa, de cierta forma rítmica cualquiera, impuesta sobre el mundo de las acciones. Deberíamos asumir el punto de vista de personas acostumbradas a esta convención y que adaptan a esta la expresión de sus impulsos dramáticos. Las representaciones de la Phoenix Society pueden ser profundamente iluminadoras en este sentido, pues el drama —cuya existencia presumo— debe tener sus particulares convenciones de puesta en escena y de actuación, además de las que correspondan a la obra en sí misma.[6] Un actor en una obra isabelina

6. La Phoenix Society, fundada en 1919 por el actor y productor Allan Wade, fue decisiva, en la escena y la sociedad londinenses, a la hora de revalorizar el teatro isabelino, así como el de la época de la Restauración. T. S. Eliot siguió con especial interés las representaciones que la compañía hizo de obras de Jonson, Marlowe, Fletcher y, por supuesto, Shakespeare. En marzo de 1924, por ejemplo, asistió, en compañía de Virginia Woolf, a un montaje de *El rey Lear* he-

es siempre demasiado realista o demasiado abstracto en su ejecución, cualquiera que sea el sistema de declamación, de expresión o de movimiento que elija. La obra le traicionará para siempre. Un drama isabelino es tan distinto de una obra moderna y su representación un arte tan perdido como si fuera una tragedia de Esquilo o de Sófocles. Y en cierto sentido es aún más difícil de representar, pues es más fácil producir un efecto determinado en presencia de una sólida convención que buscar el efecto de algo que trata de encontrar a ciegas otra cosa. La dificultad de representar una obra isabelina radica en que es susceptible de ser llevada a escena de un modo exageradamente moderno o falsamente arcaico. ¿Qué hace tan ridículos los apartes que el señor Archer condena en *A Woman Killed with Kindness*? Pues que estos no respondan a una convención, sino a un subterfugio: no es Heywood quien asume que estos apartes son inaudibles, es la señora Frankford quien finge no escuchar a Wendoll.[7] Una convención no es ridícula, sino que es el subterfugio el que nos incomoda. La debilidad del drama isabelino no radica en su falta de realismo, sino en sus aspiraciones realistas; no radica en sus convenciones, sino en la falta de estas.

---

cho por la Phoenix que le impresionó considerablemente y que, a su juicio, acabó para siempre con el mito de que se trata de una obra irrepresentable. No hay duda de que el trabajo de la Phoenix Society a lo largo de los primeros años de la década de 1920 fue determinante en el despertar del interés crítico que Eliot dedicó al teatro isabelino.

7. Thomas Heywood (*c.* 1572-*c.* 1650) fue un prolífico dramaturgo isabelino, autor de más de doscientas obras, entre las que destaca, sobre todo, la que aquí cita T. S. Eliot, *A Woman Killed with Kindness* (*Una mujer dulcemente asesinada*, 1607), ejemplo de «tragedia doméstica» que gira en torno a la desgracia de una mujer y que Charles Lamb calificó como «Shakespeare en prosa».

Para conseguir que una obra de teatro isabelina logre un efecto satisfactorio en tanto que obra de arte, tendríamos que encontrar un método de actuación diferente del que corresponde al teatro social contemporáneo. Y al mismo tiempo intentar expresar todas las emociones de la vida real del modo en que estas se expresarían: el resultado podría ser algo parecido a una representación de *Agamenón* por parte de los Guitry. El efecto que producen los actores que intentan especializarse en reposiciones shakespearianas o del siglo XVII es bastante desgraciado. El actor es llamado a una tarea que no es asunto suyo y abandonado a sus propias habilidades en algo para lo que debería haber sido entrenado. Su personalidad escénica debe ser proporcionada por una personalidad real, al tiempo que se confunde con ella. Cualquiera que haya presenciado la actuación de uno de los grandes bailarines de la escuela rusa habrá observado que el hombre o mujer al que admira es un ser que solamente existe mientras dura la actuación, que se trata de una personalidad, de una llama vital que surge de ninguna parte, que desaparece en la nada y que, durante su aparición, es cabal y suficiente. Se trata de un ser convencional, un ser que existe solo por y para la obra de arte que es el ballet. Un gran actor, en el escenario, es una persona que también existe fuera del teatro y que, para representar su papel, echa mano de su propia personalidad. Un ballet es, en apariencia, algo que existe solo en el momento de la representación y que, más que una creación del coreógrafo, parece una creación del propio bailarín, pero no es del todo cierto: es un viaje de siglos hacia una forma estricta. En el ballet, solo se encomienda al bailarín la parte que corresponde propiamente al actor. No es él quien determina sus movimientos. Solo puede hacer un limitado número de movimientos, solo puede expresar un limitado nivel de emoción. No se le escoge por su personalidad. La diferencia entre un gran bailarín y uno meramente competente está en la llama vital, esa fuerza impersonal, inhumana, si se quiere, que se trasluce en cada uno de los movimientos de un gran bailarín. Así sería también si existiese una forma dramática estricta; pero en el teatro realista, un teatro que batalla arduamente para escapar de la condición de arte, el ser humano se inmiscuye. Sin el ser humano y sin su intrusión, el drama es irrepresentable. Y esto vale tanto para Shakespeare como para Henry Arthur Jones.[8] Una obra de Shakespeare y una de Henry Arthur Jones son esencialmente del mismo tipo, con la única diferencia de que Shakespeare es mucho más grande y el señor Jones mucho más habilidoso. Ambos son dramaturgos más para ser leídos que representados, porque es precisamente en ese drama que depende de la interpretación de un actor de genio donde debemos ponernos en guardia contra el actor. La diferencia estriba, desde luego, en que sin un actor de genio las obras del señor Jones no son nada, mientras que las de Shakespeare aún están por leer. Ahora bien, lo cierto es que una auténtica obra de teatro es aquella que no depende del actor para nada que no sea la actuación, del mismo modo en que un ballet depende de un bailarín que lo ejecute. Para evitar posibles malentendidos, permítaseme explicar que en ningún caso pretendo que los actores sean autómatas ni quiero decir que un actor pueda ser reemplazado por una marioneta. Un gran bailarín, cuya atención ha de concentrarse en llevar a térmi-

8. Henry Arthur Jones (1851-1929) fue un popular dramaturgo inglés de finales del XIX. A T. S. Eliot le interesaron sobre todo sus piezas en verso blanco sobre motivos religiosos, como *The Tempter* (*El tentador*, 1893), ya que de algún modo constituía un claro precedente de sus primeras obras teatrales.

no una tarea encomendada, da vida al ballet a través de sus movimientos; de la misma manera, el teatro debería depender de grandes actores convenientemente preparados. Las ventajas de la convención son tanto para el actor como para el dramaturgo. Ningún artista produce gran arte en un intento deliberado de expresar su personalidad. Expresa su personalidad indirectamente, mientras se concentra en una tarea comparable a la construcción de una máquina eficiente, al moldeo de un jarrón o a la talla de la pata de una mesa.

El arte de los isabelinos es un arte impuro. A quien objetara lo anterior, diciendo que es producto de un prejuicio, solo puedo responder que una crítica parte siempre de un punto de vista y que es menester que uno reconozca el punto de vista propio. Siempre suelo impugnar la mayoría de las representaciones de las obras de Shakespeare porque busco una relación directa con la obra de arte, de modo que espero que la representación no interrumpa ni altere esta relación más de lo que la segunda mirada a un cuadro o a un edificio modificaría las impresiones de la primera.* En otras palabras, me opongo a la interpretación. Y solo tengo por auténtica obra de arte aquella quc únicamente necesita ser completada y a la que sucesivas representaciones no pueden alterar. Es obvio que, en el caso del drama realista, uno se vuelve cada vez más dependiente de los actores. Y este es otro motivo por el cual el teatro que el señor Archer desea, en tanto que reproducción fotográfica o gramofónica de su tiempo, no podrá existir jamás. Cuan-

* Una representación de Shakespeare realmente buena, como las de las mejores producciones de The Old Vic y Sadler's Wells, puede ayudar a nuestro mejor entendimiento.

to más apegada esté una obra de teatro a la realidad, más diferirá el trabajo de un actor del de otro y más diferirán las representaciones de una generación de actores de las de la siguiente. Y también es obvio que esta reclamación supone el sacrificio de cierto tipo de interés. El personaje de una obra de teatro convencional no puede jamás ser tan real como el personaje de una obra realista cuando es representado por un gran actor que se ha apropiado del papel. Solo puedo decir que, tratándose de una forma, a cada ganancia corresponde un sacrificio.

Si examinamos los defectos que el señor Archer detecta en el drama isabelino, es posible llegar a la conclusión (antes mencionada) de que estos defectos se deben a sus tendencias, más que a aquello que por lo común llamamos sus convenciones. Quiero decir que ni una sola de las convenciones del drama isabelino, por más ridículas que nos parezcan, es esencialmente absurda. Ni los soliloquios ni los apartes ni los espectros ni el melodrama; ningún despropósito de tiempo y de lugar es en sí mismo un despropósito. Existen, sin duda, yerros de escritura, descuido y mal gusto. Un examen verso por verso de casi cualquier obra de teatro isabelina, incluidas las de Shakespeare, sería un ejercicio de lo más fructífero. Sin embargo, no son estas fallas las que socavan los cimientos. Lo que resulta fundamentalmente reprobable es que en el teatro isabelino no haya existido jamás un principio firme que permitiera establecer aquello que podía postularse como una convención y lo que no podía incluirse en ella. Lo absurdo no es el espectro, sino la aparición de un espectro en un plano en que resulta inapropiado. O la confusión de distintos tipos de espectros. Las tres brujas de *Macbeth* son un notable ejemplo de supernaturalismo correcto en medio de una multitud de espectros que, con demasiada frecuencia, son meras equivocaciones. Desde mi punto de vista constituye estrictamente un error —por más que se trate de un error disculpado por la fortuna de cada uno de los pasajes en sí mismo— que Shakespeare haya introducido en una misma obra espectros pertenecientes a categorías tan distintas como las tres hermanas y el fantasma de Banquo.* El propósito de los isabelinos era conseguir un realismo total sin renunciar a ninguna de las ventajas que, como artistas, reconocían en las convenciones que se apartaban del realismo.

Tomaremos la obra de cuatro dramaturgos isabelinos e intentaremos someterla a un análisis desde el punto de vista que he indicado.[10] Será preciso tomar en cuenta las objeciones que el señor Archer hace a cada uno de ellos e intentar establecer si el problema no reside en la confusión entre convención y realismo. Deberemos intentar, incluso, ilustrar esos errores en contraste con las convenciones. Desde luego, había distintas posturas con respecto a la forma. Hubo cierta filosofía de la vida, si puede llamarse así, basada en Séneca y otras influencias, que es posible localizar en Shakespeare lo mismo que en los demás. Se trata de una filosofía que, como observara el señor Santayana en un ensayo que pasó

* Esta parecerá una objeción tan pedante como las que Thomas Rymer hizo a *Otelo*. Rymer, sin embargo, plantea un muy buen caso.[9]

9. Thomas Rymer (1641-1713) fue un dramaturgo y crítico, recordado sobre todo por sus extravagantes reparos a Shakespeare en *The Tragedies of the Last Age* (*Las tragedias de la última época*, 1678), donde denunciaba la inobservancia, por parte de Shakespeare, de las clásicas reglas aristotélicas. Para tratar de predicar con el ejemplo, escribió un drama en verso rimado, *Edward or the English Monarch* (*Eduardo o el monarca inglés*, 1678), tan ilegible como irrepresentable.

10. Sobre este propósito incumplido, véase en este volumen el apéndice sobre la procedencia de los textos, pp. 523-524.

prácticamente inadvertido, puede resumirse en la afirmación de que Duncan está en la tumba.[11] Los mismos fundamentos filosóficos de los isabelinos, su actitud ante la vida, están llenos de anarquía, desorden, decadencia. Esta actitud corre pareja —y es en realidad una y la misma— con su ambición artística, su deseo de reunir toda clase de efectos, su resistencia a aceptar cualquier limitación y acatarla. De hecho, los isabelinos son parte de la dinámica de progreso o deterioro que culmina con sir Arthur Pinero y el actual regimiento europeo.*

* El señor Archer lo llama progreso. Probablemente a causa de ciertas predisposiciones. «Shakespeare —escribe— no estuvo al tanto de la gran idea que diferencia nuestra época de cualquiera de las anteriores: la idea de progreso.» Y admite, hablando del teatro isabelino en general, que «aquí y allá puede percibirse el brillo de ciertos sentimientos humanitarios».[12]

11. George Santayana (1863-1952), aunque nacido en España, se formó en Estados Unidos y escribió toda su obra en inglés, fundamentalmente filosófica. Fue profesor de T. S. Eliot en Harvard, entre 1907 y 1910. El libro al que Eliot se refiere es *Three Philosophical Poets* (*Tres poetas filosóficos*, 1910), donde Santayana analiza la obra de Lucrecio, Dante y Goethe. Eliot infirió que Santayana había llegado en esa obra a la misma conclusión que él con respecto a Shakespeare, en el sentido de que este no podía ser considerado un poeta filosófico por carecer de una filosofía propia o de un sistema filosófico consolidado a su alcance. ¶ «Duncan está en la tumba» es una cita *verbatim* de *Macbeth*, III, II. La cita completa dice así: «Duncan is in his grave / after life's fitful fever he sleeps well» ('Duncan está en la tumba / tras el vaivén febril de la vida descansa').

12. Arthur Wing Pinero (1859-1934) fue un actor y dramaturgo inglés, de la generación del más arriba anotado Henry Arthur Jones. Pinero escribió, al principio de su carrera, comedias muy ligeras, casi folletones escénicos. La referencia sarcástica a él y al «regimiento europeo» probablemente tiene que ver con la introducción en la escena inglesa de la obra de Henrik Ibsen, en la que tuvo un importante papel William Archer, como cotraductor de buena parte de su obra. Ibsen fue recibido con una extraordinaria hostilidad por el público inglés, pero, de algún modo, acabó por imponerse y modificar la concepción teatral de muchos autores, entre ellos Pinero, quien, a partir del descubrimiento del dra-

El caso de John Webster, y en particular de *La duquesa de Malfi* puede servir como un interesante ejemplo de un gran genio literario y dramático orientado al caos. El caso de Middleton es también interesante, puesto que su pluma produjo obras tan distintas como *The Changeling*, *Women Beware Women*, *The Roaring Girl* y *A Game at Chess*. En la única gran obra de Tourneur, la disonancia es menos evidente, pero no menos real.[13] En cuanto a Chapman, parece haber sido, en potencia, el más grande de los cuatro: su mentalidad era la más clásica y su drama el más independiente en su camino hacia una forma dramática, aunque pueda parecer el más informe e indiferente a las necesidades dramáticas. Si logramos extraer la misma conclusión, paralelamente, del examen de la filosofía isabelina, de la forma dramática y de los ritmos del verso blanco del mismo periodo tal y como los utilizaron estos grandes dramaturgos, quizá lleguemos a la convicción que nos permita entender por qué el señor Archer, opositor de los isabelinos, puede ser también, inconscientemente, su campeón último; y por qué eso mismo debe convertirlo en un fervoroso creyente en el progreso, en el ascenso del sentimiento humanitario y en la superioridad y eficiencia de los tiempos que corren.

[1924]

---

maturgo noruego, empezó a escribir obras pretendidamente más serias. T. S. Eliot contesta aquí a la idea, muy generalizada entonces —y compartida incluso por James Joyce—, de que Ibsen había hecho un teatro mucho más sólido y solvente que los isabelinos, incluido Shakespeare.

13. Sin duda se trata de *La tragedia de los vengadores*. Véase la nota 1, pp. 119-120.

Lancelot Andrewes

El reverendo padre Lancelot, obispo de Winchester, murió el 25 de septiembre de 1626. Durante su vida disfrutó de una gran reputación gracias a la excelencia de sus sermones, por su modo de gobernar su diócesis, por la habilidad con que condujo su controversia con el cardenal Belarmino y también debido al decoro y devoción de su vida privada.[1] Algunos años después de la muerte de Andrewes, lord Clarendon, en su *Historia de la rebelión*, expresó su pesar por el hecho de que Andrewes no hubiera sido elegido, en vez de Abbot, para el arzobispado de Canterbury, pues si así hubiera sido, los asuntos de Inglaterra podrían haber tomado otro

1. Este ensayo es fundamental en la trayectoria biográfica, crítica y poética de T. S. Eliot, pues supone un punto de inflexión decisivo en su vida. Fue escrito en 1926 y publicado en 1928 (véase al respecto en este volumen el apéndice de procedencia de los textos, p. 524), justo un año después de su metamorfosis inglesa, que conllevó (véase en este volumen la cronología de T. S. Eliot, p. 564) la adquisición de la nacionalidad británica y la conversión al anglicanismo. De hecho, en el prólogo al libro en el que el ensayo se incluyó, *For Lancelot Andrewes, Essays on Style and Order* (*Para Lancelot Andrewes. Ensayos sobre estilo y orden*; Londres, Faber & Gwyer, 1928), Eliot hizo su famosa y polémica declaración de principios, según la cual se proclamaba «clasicista en literatura, monárquico en política y anglocatólico en religión», un lema que, por cierto, tomó prestado del escritor católico Charles Maurras. ¶ T. S. Eliot había

rumbo.[2] Las autoridades en la historia de la Iglesia de Inglaterra aún sitúan a Andrewes en un lugar preferente, quizá el más elevado; sus *Private Prayers* no son desconocidas entre aquellos interesados en la devoción.[3] Sin embargo, para quienes leen sermones —si es que alguno hay—, como ejemplo de prosa inglesa,

---

leído con atención los sermones de Andrewes —junto a los de John Donne, Hugh Latimer y el cardenal Newman— en 1919 y, desde entonces, dedicó a esa literatura una especial atención, que se tradujo en una influencia perceptible en sus poemas de la época, especialmente en «Gerontion» y en *La tierra baldía*, influjo que llega, muy depurado pero ostensible, al tono y la formulación de *Cuatro cuartetos*. Más allá de sus creencias personales, a Eliot le interesó de esta prosa litúrgica su sobriedad y su capacidad de síntesis (véase al respecto en este ensayo la nota 19). ¶ El nombre de Lancelot Andrewes (1555-1626) no le dice nada al lector español, pero es una de las figuras cardinales de la historia de la Iglesia anglicana. Gran erudito y obispo de Winchester, fue uno de los capellanes de la reina Isabel I y, ya bajo el reinado de Jacobo I, tuvo un papel primordial en la edición y traducción de la Biblia, la llamada «versión autorizada del rey Jacobo» (1611), de la que tradujo el Pentateuco. T. S. Eliot hace alusión aquí a su polémica con el cardenal italiano Belarmino —responsable de los procesos inquisitoriales contra Giordano Bruno y Galileo— a propósito del *oath of allegiance* ('juramento de lealtad') dictado por Jacobo I contra los católicos (véase en este ensayo la nota 4), que fue severamente condenado por el Papa. Cuando el propio Jacobo I publicó una «Apology for the Oath» («Apología por el juramento»), Belarmino le atacó con vehemencia y Andrewes se encargó de dar la réplica en nombre del rey.

2. Edward Hyde, primer conde de Clarendon (1609-1674), es considerado el primer gran historiador inglés. Testigo de las convulsiones políticas del siglo XVII, crítico tanto de los partidarios del Parlamento como de los monárquicos, su obra más importante es *The History of the Rebellion and Civil Wars in England* (*Historia de la rebelión y de las guerras civiles en Inglaterra*), publicada póstumamente en 1704. ¶ George Abbot (1562-1633), arzobispo de Canterbury en 1611, participó también en la edición de la versión autorizada de la Biblia. Fue un antipapista fervoroso.

3. Las *Private Prayers* o *Private Devotions* (*Plegarias privadas* o *Devociones privadas*) de Andrewes tienen por título *Preces Privatae* y son sus oraciones ínti-

Andrewes es poco conocido. Sus sermones están demasiado bien construidos para ser inmediatamente citables, se apegan demasiado a sus asuntos como para ser entretenidos. Y aun así se cuentan entre las mejores prosas inglesas de su época, de cualquier época. Antes de intentar trasladar los restos de su reputación a su lugar de descanso final en el lúgubre cementerio de la literatura, es deseable recordar a los lectores la posición de Andrewes en la historia.

La Iglesia anglicana no es una creación del reinado de Enrique VIII o del de Eduardo VI, sino del reinado de Isabel I. La *vía media*, que representa el espíritu del anglicanismo, fue el espíritu con que Isabel condujo todos sus asuntos; última integrante de aquella humilde familia galesa, los Tudor, fue la primera y más consumada encarnación de la política inglesa.[4] El gusto o sensibilidad de Isa-

---

mas, nunca escritas para ser publicadas; de hecho, solo vieron la luz veintidós años después de su muerte, como más adelante comenta el propio T. S. Eliot. Están escritas en latín, griego y hebreo y han conocido muchas traducciones al inglés desde el siglo XVII.

4. La historia de la Iglesia anglicana es muy compleja. Nacida de la ruptura de Enrique VIII con Roma por su matrimonio con Ana Bolena, pasa por sucesivas etapas, convulsiones, luchas intestinas y pruebas de fuerza con el catolicismo romano hasta constituirse, de manera ya permanente, durante la Revolución Gloriosa de 1668, con la ascensión al trono de Guillermo de Orange. En realidad, la historia de la Iglesia anglicana puede resumirse como un esfuerzo por mantener en Inglaterra el catolicismo sin la obediencia a Roma, la «vía media» de la que habla aquí T. S. Eliot, el punto equidistante entre la ortodoxia de Roma y la Reforma de Lutero, cuyos cimientos son las dos leyes que promulgó Isabel I y con las que reformó el catolicismo británico: el Acta de Supremacía, que sitúa al monarca como gobernante supremo de la Iglesia, y el Acta de Uniformidad, que restablece la liturgia reformada de Eduardo VI, sucesor de Enrique VIII, pero manteniendo al mismo tiempo imágenes, cruces, traje talar del sacerdote y música litúrgica.

bel, desarrollados por el conocimiento intuitivo de la política adecuada para el momento y por su habilidad para escoger al hombre idóneo para conducir esa política, determinó el futuro de la Iglesia anglicana. En su persistencia por hallar un punto medio entre el papado y el presbiterio, la Iglesia de Inglaterra se erigió, con Isabel, en representante de lo mejor del espíritu inglés de la época. Llegó a reflejar no solo la personalidad de la propia reina, sino la mejor comunidad de sus súbditos de cualquier rango. Otros movimientos religiosos, con diversos grados de valía espiritual, se autoafirmaron con gran vehemencia a lo largo de los dos reinados siguientes, pero la Iglesia anglicana, al final del reinado de Isabel y tal como se desarrolló en ciertos aspectos bajo el reinado siguiente, era una obra maestra de organización eclesiástica. La misma autoridad que echó mano de Gresham, de Walsingham y de Cecil, eligió a Parker para el arzobispado de Canterbury; la misma autoridad elegiría, más tarde, a Whitgift para la misma dignidad.[5]

Para el estudioso común y corriente de la civilización, la génesis de una Iglesia es un asunto de escaso interés y, en todo caso, no debemos confundir la historia de una Iglesia con su significa-

5. T. S. Eliot cita aquí algunos de los políticos y clérigos más relevantes de la época isabelina: sir Thomas Gresham (1519-1579), comerciante y financiero, asesor económico de Eduardo VI e Isabel I; sir Francis Walsingham (1530-1590), político y diplomático, oficioso jefe del espionaje de la reina (a sus órdenes trabajó Christopher Marlowe. Véase en este volumen la nota 28, p. 61, del ensayo «Christopher Marlowe») y secretario de Estado en sustitución de William Cecil, lord Burghley (1521-1598), principal asesor de la monarca a lo largo de casi todo su reino; Matthew Parker (1504-1575), arzobispo de Canterbury y erudito, uno de los principales apoyos de Isabel I a la hora de reformar la Iglesia, lo mismo que John Whitgift (*c.* 1530-1604), también arzobispo de Canterbury y vicerrector de la Universidad de Cambridge.

do espiritual. Para el observador común, la historia de la Iglesia anglicana supone Hooker y Jeremy Taylor —y debería suponer también Andrewes—, así como George Herbert y las iglesias de Christopher Wren.[6] Y no es un error: una Iglesia debe ser juzgada por sus frutos intelectuales, por su influencia en la sensibilidad de los más sensibles y en el intelecto de los más inteligentes y debe hacerse realidad a los ojos con monumentos artísticamente valiosos. La Iglesia anglicana no posee ningún monumento literario comparable al de Dante, ni un solo monumento intelectual equiparable al de santo Tomás, tampoco un monumento devocional de la altura de san Juan de la Cruz y no tiene ningún edificio tan bello como la catedral de Módena o la basílica de San Zenón de Verona. Sin embargo, hay para quienes las iglesias de la City son tan preciadas como cualquiera de las cuatrocientas y tantas iglesias de Roma que no están en peligro de demolición. Y otros para quienes San Pablo no es menos digna que San Pedro y para quienes la poesía devocional inglesa del siglo XVII —admitiendo el único caso de conversión realmente difícil, el de Crashaw— resulta más bella que cualquiera de la época, sin importar de qué país o de qué comunidad religiosa se trate.

6. Richard Hooker (1554-1600) fue uno de los principales teólogos de la Reforma anglicana que, oponiéndose firmemente al puritanismo, formuló la vía media que acabaría por imponerse en su Iglesia. ¶ Jeremy Taylor (1613-1667) fue arzobispo de Canterbury y también uno de los principales teólogos de la Reforma. ¶ Sir Christopher Wren (1632-1723), arquitecto y científico, fue el responsable, bajo el reinado de Carlos II, de la reconstrucción de Londres tras el gran incendio de 1666. Entre otros muchos edificios, levantó cincuenta y una iglesias nuevas, como la catedral de San Pablo, donde había predicado John Donne. ¶ Sobre George Herbert y Richard Crashaw, citado más adelante, véase en este volumen la nota 6, pp. 76-77, del ensayo «Los poetas metafísicos».

El progreso intelectual y el estilo de la prosa de Hooker y Andrewes vinieron a completar la estructura de la Iglesia anglicana del mismo modo que la filosofía del siglo XIII corona la Iglesia católica. Esta afirmación no implica comparar las *Leyes de la sociedad eclesiástica* con la *Summa.*[7] El siglo XVII no fue una época donde las Iglesias se ocuparan de asuntos metafísicos. Y ninguno de los escritos de los padres de la Iglesia anglicana pertenece a la categoría de la filosofía especulativa. Sin embargo, el logro de Hooker y Andrewes fue hacer la Iglesia anglicana más digna de aprobación intelectual. Ninguna religión puede sobrevivir al juicio de la historia sin que las mejores mentes de su tiempo hayan colaborado en su construcción; si la Iglesia isabelina es digna de la época de Shakespeare y Jonson, se debe a la obra de Hooker y Andrewes.

Los escritos de ambos exhiben la misma determinación de apegarse a lo esencial, la misma conciencia de las necesidades de la época, el deseo de abordar con claridad y precisión los asuntos de importancia y la indiferencia ante lo indiferente que caracterizaron la política de Isabel. Estas características pueden perfectamente ilustrarse con el segundo libro de la *Sociedad eclesiástica* («La Iglesia de Cristo, que existía desde el principio y continuará hasta el fin»). Y tanto en Hooker como en Andrewes —este último amigo íntimo de Isaac Casaubon— encontramos, además, la misma amplitud de miras y la misma naturalidad ante el humanismo y el Renacimiento que les permitieron alternar en términos de igualdad con sus antagonistas continentales y situar su Iglesia

7. T. S. Eliot se refiere a la obra de Richard Hooker *Of the Laws of Ecclesiastical Polity* (*De las leyes de la política eclesiástica*, 1593).

por encima de la posición de una secta herética local.[8] Fueron los padres de una Iglesia nacional, pero fueron también europeos. Compárese un sermón de Andrewes con uno de otro de los maestros tempranos, Latimer.[9] No solo se trata de que Andrewes supiera griego o de que Latimer se dirigiera a un público menos cultivado o de que los sermones de Andrewes estén salpicados de alusiones y citas. Es más bien que Latimer, el predicador de Enrique VIII y Eduardo VI, es meramente un protestante, mientras que la voz de Andrewes es la de un hombre que tiene tras de sí una Iglesia visible, plenamente formada, que habla con la vieja autoridad desde la nueva cultura. Es la diferencia entre negativo y positivo: Andrewes es el primer gran predicador de la Iglesia católica anglicana.

Los sermones de Andrewes no son de fácil lectura. Están destinados solo a los lectores que pueden ponerse al nivel del asunto tratado. Las cualidades más conspicuas de su estilo son tres: ordenación —o disposición y estructura—, precisión en el uso de las palabras e intensidad pertinente. Habrá que definir esta última. Todas se explican mejor si se las compara con una prosa que es mucho más ampliamente conocida, pero a la que, en mi opinión, corresponde un nivel más bajo: la de Donne. Los sermones de Donne —o los fragmentos de sermón— son ciertamente más co-

8. Isaac Casaubon (1559-1614) fue un eminente teólogo y erudito ginebrino, asesor en materia teológica de Jacobo I.

9. Hugh Latimer (1490-1555), obispo y mártir, pasó de ser un ferviente opositor a la Reforma a erigirse en uno de sus más fervorosos defensores, hasta el punto de morir en la hoguera durante las persecuciones emprendidas por la reina María I, María Tudor, conocida como *Bloody Mary* (María la Sanguinaria), hija de Enrique VIII, cuya reforma religiosa revocó, pues era una ferviente católica.

nocidos para cientos de personas que apenas habrán oído hablar de Andrewes, y lo son precisamente por las razones por las que son inferiores a los de Andrewes. En la introducción a una admirable selección de pasajes de los sermones de Donne publicada hace unos años por la Oxford Press, el señor Logan Pearsall Smith, después de «tratar de explicar los sermones de Donne y dar cuenta de ellos de manera satisfactoria», observa:

Y así en estos, lo mismo que en sus poemas, queda algo desconcertante y enigmático que aún se escapa a nuestros últimos análisis. Cuando se leen estas añosas páginas exhortatorias y dogmáticas, el pensamiento mismo sugiere que Donne está, a menudo, diciendo algo más, algo conmovedor y personal y, sin embargo, al final incomunicable.[10]

Deberíamos reflexionar sobre el significado de la palabra «incomunicable» y detenernos a considerar si lo incomunicable no es con frecuencia lo vago y lo inmaduro; lo que la cita indica, sin embargo, es esencialmente correcto. Sobre Donne pende la som-

10. Cita del libro de Logan Pearsall Smith, *Donne's sermons, selected passages* (*Los sermones de Donne, pasajes selectos*; Oxford, Clarendon Press, 1919). Aunque nacido en Estados Unidos, Logan Pearsall Smith (1865-1946) pasó toda su vida en Inglaterra, donde se dedicó al estudio y a apadrinar a jóvenes talentos, como al crítico Cyril Connolly, quien trabajó para él como secretario. Pearsall Smith fue un fino ensayista y un notable hombre de letras. ¶ Hay que notar que las palabras de Pearsall Smith que cita aquí T. S. Eliot se parecen mucho a lo que este estuvo buscando en su propia poesía a lo largo de toda su vida. Por ejemplo, cuando estaba componiendo el último de los *Cuatro cuartetos*, en una carta del 5 de agosto de 1941, le confió a su amigo John Hayward las siguientes impresiones sobre el estado del poema: «El defecto de todo el poema, creo, es la ausencia de una vaga reminiscencia personal, nunca explicitada, por supuesto, pero capaz de dar fuerza muy por debajo de la superficie».

bra del motivo impuro, y los motivos impuros suelen contribuir al éxito fácil. Hay en él algo del predicador que cautiva —un reverendo Billy Sunday de su época—, que consigue erizar la piel, de hechicero que preside la orgía emocional.[11] Hacemos énfasis en este aspecto hasta el punto de lo grotesco. Donne poseía una mente cultivada y, sin embargo, sin menoscabar la intensidad o la profundidad de su experiencia, nos atrevemos a sugerir que esa experiencia no estaba totalmente bajo control y que Donne carecía de disciplina espiritual.

El obispo Andrewes, por el contrario, pertenece al grupo de los espirituales natos, uno

che 'n questo mondo,
contemplando, gustò di quella pace.[12]

Intelecto y sensibilidad estaban en armonía y por ello se erigían en cualidades particulares de su estilo. Quienes quieran comprobar dicha armonía harían bien en examinar, antes de proceder a los sermones, el volumen de *Preces Privatæ*. Este libro, compuesto para sus devociones privadas, se imprimió solo después de su muerte y solo unas cuantas copias manuscritas circularon en vida de él, una de ellas con el nombre de William Laud. Al parecer, lo escribió en latín y más tarde él mismo lo tradujo al griego; una parte está en hebreo. Ha sido traducido en diversas oca-

11. William Ashley, «Billy», Sunday (1862-1935), después de destacar como beisbolista, se convirtió en un famoso predicador evangélico a lo largo de las dos primeras décadas del siglo XX.

12. Dante, *Paraíso*, XXXI, 110, '... que en este bajo mundo, / contemplando, gozó de aquella paz'.

siones al inglés. La edición inglesa más reciente es la traducción de F. E. Brightman y contiene una interesante introducción (Methuen, 1903). El libro es, en su mayor parte, una combinación de textos bíblicos con otros provenientes del inmenso acervo de lecturas teológicas de Andrewes. En la introducción del doctor Brightman hay un párrafo de admirable crítica que vale la pena citar completo:

La estructura, sin embargo, no es meramente un esquema o armazón externo: la estructura interna es tan ajustada como la externa. Andrewes desarrolla una idea que tiene en mente: cada línea afirma y añade algo. No se prodiga, pero no deja nunca de avanzar; si repite, es porque la repetición posee una auténtica fuerza expresiva, si acumula, cada nueva palabra o frase representa un nuevo desarrollo, una adición sustantiva a lo que está diciendo. Hace suyo su material y con él avanza. Sus citas no son jamás decorativas ni irrelevantes, sino el material con que expresa lo que quiere decir. No hay duda de que sus ideas vienen a menudo sugeridas por cosas que toma de otros lugares, pero sufren siempre un proceso de apropiación: es suya la fuerza constructiva, el fuego que los funde. Y esta estructura interna progresiva, a menudo poética, deja huella en el exterior. Las distintas ediciones no siempre han reproducido este rasgo de las *Preces,* y quizá es imposible representar esta estructura adecuadamente en una página ordinaria; en el manuscrito, sin embargo, la intención está muy clara. Las plegarias no se disponen meramente en párrafos, sino en líneas que se adelantan o se postergan, como si se tratara de una medida que permitiera explicitar la estructura interna y los pasos y etapas del movimiento. Tanto por su forma como por su contenido, las plegarias de Andrewes podrían ser mejor descritas como himnos.

La primera parte de esta excelente pieza de crítica puede aplicarse igualmente bien a la prosa de los sermones de Andrewes. Las propias plegarias, que, como el canónigo Brightman parece insinuar, deberían tener para los anglicanos un lugar junto a los *Ejercicios* de san Ignacio y las obras de san Francisco de Sales, ilustran la devoción de Andrewes por la oración íntima (se dice que rezaba cerca de cinco horas al día) y por el ritual público que al cabo dejaría como legado a William Laud.[13] Su pasión por el orden en los asuntos religiosos se refleja en su pasión por el orden en la prosa.

Los lectores que vacilen frente a los cinco gruesos volúmenes de sermones de Andrewes en *The Library of Anglo-Catholic Theology* encontrarán más sencillo comenzar por los *Seventeen Sermons on the Nativity*, que Griffith, Farran, Okeden and Welsh publicaron por separado en un pequeño volumen de la *Ancient and Modern Library of Theological Literature* que aún puede encontrarse aquí y allá.[14] Es una ventaja adicional que todos esos sermones aborden el mismo asunto: la Encarnación. Son los sermones que dio el día de Navidad en presencia del rey Jacobo entre 1605 y 1624. Teólogo él mismo, el rey Jacobo no supuso una rémora para la erudición de Andrewes, al contrario de lo que sucedía con las audiencias más populares a las que solía dirigirse. En esos sermones, su erudición se halla al máximo nivel. Y la erudición es esencial en lo que toca a la originalidad de Andrewes.

Como he insinuado antes, el obispo Andrewes se propuso en

13. William Laud (1573-1645), discípulo de Andrewes y una de las principales figuras de la Iglesia carolina. Pronunció el sermón durante el funeral de John Donne.

14. Es el libro *Seventeen Sermons on the Nativity* (*Diecisiete sermones sobre la Navidad*, 1887).

aquellos sermones elucidar un asunto que consideraba esencial para el dogma: él mismo hizo notar que en dieciséis años no había aludido jamás al asunto de la predestinación, al que los puritanos, siguiendo a sus hermanos del continente, dieron tanta importancia. La Encarnación fue para él un dogma esencial. Y tenemos la posibilidad de comparar diecisiete desarrollos de la misma idea. Leer lo que Andrewes escribió sobre ese tema es como escuchar a un gran helenista comentar un texto de los «Analíticos posteriores»[15] alterando la puntuación, insertando o quitando una coma o un punto y coma para arrojar luz sobre un pasaje oscuro, reconcentrándose en una única palabra y comparando su uso en sus contextos próximos y en los más remotos, convirtiendo apuntes crípticos o accidentados en lúcida profundidad. Para aquellos cuyas mentes se han acostumbrado a abrevar en la imprecisa jerigonza de nuestro tiempo, en la que hay un vocabulario para todo e ideas exactas sobre nada —cuando una palabra entendida a medias, arrancada de su lugar propio por una ciencia extraña y a medio conformar como la psicología, disimula para el escritor lo mismo que para los lectores el sinsentido de un postulado, cuando todo dogma está en duda menos los dogmas de la ciencia sobre los que se habla en los periódicos, cuando el lenguaje de la teología misma, bajo la influencia del indisciplinado misticismo de la filosofía popular, tiende a convertirse en el idioma de la tergiversación—, Andrewes puede parecer verboso y pedante. Solo al sumergirnos en su prosa y seguir el trazado de su pensamiento, vemos culminar su examen de las palabras en el éxtasis del asentimiento. Andrewes toma una palabra y deriva de ella el mundo; la exprime

15. Una sección del *Organon*, de Aristóteles.

una y otra vez hasta que ha entregado todo el zumo de su significado, un zumo que nadie habría supuesto que una palabra pudiera contener. Y en este proceso se ejercitan las cualidades de ordenación y precisión que hemos mencionado.

Tomemos, casi al azar, un pasaje de Andrewes: el comentario del pasaje «Que os ha nacido hoy, en la ciudad de David, un Salvador, que es Cristo el Señor» (Lucas 2:11).[16] Cualquier pasaje que escojamos tiene que ser por fuerza arrancado con violencia de su contexto.

¿Quién es? Tres cosas dice el Ángel de este Niño. (1) Es «un Salvador»; (2) «que es Cristo»; (3) «Cristo el Señor». Tres de sus títulos, correcta y ordenadamente inferidos uno de otro por consecuencia. No podemos obviar ninguno de ellos: todos son necesarios. Nuestro método en la Tierra es empezar por lo que es mayor, en el cielo comienzan por lo que es mejor.

Primero, entonces, «un Salvador», ese es Su nombre: Jesús, *Soter*; y en ese nombre, Su gracia, *Salus*: «en todas las gentes tu saludo salvación».[17] Un nombre tal que el propio gran orador dijo de él *Soter, hoc quantum est? Ita magnum ut Latine uno verbo exprimi non possit* ('Este nombre, Salvador, es tan grande que ninguna palabra es capaz de expresar su fuerza').[18]

Pero no debemos mirar tanto el *ecce* de su grandeza, sino *gaudium*

16. En la traducción de Reina-Valera.

17. Se trata de una referencia al salmo 67:2, «so that (let) your ways may be known on earth, your saving health (or salvation) among all nations». En Reina-Valera se traduce: 'Para que sea conocido en la tierra tu camino, en todas las gentes tu salud', mientras que en Nácar-Colunga puede leerse: 'Para que se conozcan en la tierra tus caminos y tu salvación entre todas las gentes'.

18. Se refiere a Cicerón, *In Verrem*, II, 2.

lo que en él hay de goce: ese es el asunto del que hemos de hablar. Y por eso, la gente puede decir cuanto le plazca, pero con toda certeza no hay goce en el mundo comparable al del hombre que es salvo; no hay goce mayor, no hay noticia más bienvenida, para aquel que, perdido, está a punto de perecer, que saber de aquel que lo salvará. En riesgo de perecer por enfermedad, saber de aquel que le dará la salud; si es por sentencia de la ley, saber de aquel que trae el perdón que salvará su vida; si a manos de sus enemigos, saber de aquel que lo rescatará y lo pondrá a buen resguardo. No le hablemos más que de la certeza de un Salvador y serán las mejores noticias que haya escuchado jamás. Hay goce en el nombre del Salvador. E incluso para estas cosas, este Niño es también Salvador. *Post hoc facere, sed hoc non est opus Ejus* ('Esto puede hacer Él, pero no es esa su tarea'), hay un asunto ulterior: vino a traer una salvación más grande. Y quizá nada de aquello sea necesario, quizá no estemos enfermos, ni en peligro a causa de la ley o de nuestros enemigos. Quizá, incluso en caso de estarlo, soñemos con una ayuda distinta. Pero aquello a lo que Él vino es una salvación de la que todos tenemos menester, y que solo Él puede darnos. Tenemos todos, por tanto, una causa para estar alegres por el nacimiento de este Salvador.

Y entonces, después de esta sucesión de frases cortas —no hay mayor maestro de la frase corta que Andrewes— en las que vemos un esfuerzo por encontrar el sentido exacto y dar vida a ese sentido, Andrewes, suave pero eficazmente, cambia el ritmo, extendiéndose un poco más:

Cómo, no sé, pero cuando oímos sobre la salvación, u oímos hablar del Salvador, nuestra mente nos lleva sin pausa a pensar en la salvación de la carne, nuestro estado temporal, nuestra vida corpórea y no en una salvación ulterior. Pero no hay que olvidar que hay otra vida y peligros mayores y destrucción más temible que esta y sería bueno que de tanto en tanto alguien nos lo recordara. Además de carne, tenemos alma también, que es con mucho nuestra mejor parte e igualmente requiere de un Salvador: esta tiene su destrucción, de la que ha de escapar; tiene su destructor, del que ha de ser salvada: en todo esto hay que pensar. De hecho, nuestros pensamientos principales y nuestro cuidado mayor han de estar dirigidos a esto: cómo escapar de aquella cólera, cómo salvarnos de la destrucción segura a la que llevan nuestros pecados. El pecado es lo que nos destruirá.

En esta extraordinaria prosa —que en apariencia se repite y se detiene y que, sin embargo, procede siempre de la manera más deliberada y ordenada—, hay a menudo frases destellantes que nunca se borran de la memoria. En una época de aventura y experimentación lingüística, Andrewes es uno de los autores con recursos más ingeniosos para llamar la atención y estimular la memoria. Frases como «Cristo no es un gato salvaje, ¿por qué habláis de doce días?» o «El mundo en una palabra, una palabra impronunciable», no nos abandonan; y tampoco las frases en las cuales, antes de extraer todo el significado espiritual de un texto, Andrewes trae ante nosotros una presencia concreta.[19]

19. La influencia de la prosa de Andrewes en la poesía de T. S. Eliot es perceptible en distintas épocas. El fragmento que cita a continuación sobre los Magos de Oriente tiene un eco muy audible en el poema «Journey of the Magi» («El viaje de los magos»), escrito en 1927 y perteneciente a los «Poemas de Ariel». El fragmento citado más abajo, 'hagamos doblemente aceptable este tiempo, en sí mismo aceptable por nuestro aceptar', reaparecería unos años más tarde, en 1935, al principio de «Burnt Norton», el primero de los *Cuatro cuartetos*, cuyo verso 30 dice: «They there were as our guests, accepted and accepting» ('Ahí estaban como nuestros huéspedes, aceptados y aceptando'). La prosa de Andrewes se trasluce también en su obra de teatro *Asesinato en la catedral.*

Sobre los Magos venidos de Oriente:

No fue una travesía veraniega. El frío presidía aquella estación del año, justo la peor para emprender viaje, especialmente uno largo. Los caminos escarpados, el viento cortante, los días cortos, el sol remoto: *in solstitio brumali* ('la muerte misma del invierno').

Y sobre «La palabra hecha carne», otra vez:

Y añado más todavía: ¿qué carne? La carne de un niño. ¿Qué *Verbum infans*, Palabra de un infante? ¿Ser la Palabra, y no ser capaz de pronunciar palabra? ¿Cómo pudo el mal convenir esto? Esto lo dispuso Él. ¿Nacido cómo, agasajado cómo? ¿En un palacio fastuoso, cuna de marfil, grandiosos ropajes? No: su palacio, un establo; un pesebre su cuna; pobres vestidos, sus atavíos.

No dudará en triturar, declinar, jugar incluso con una palabra con tal de traerse a casa su significado:

Hagamos doblemente aceptable este tiempo, en sí mismo aceptable por nuestro aceptar, que Él acepta dejar en nuestras manos.

Podemos ahora valorar mejor qué es esto que hemos llamado intensidad pertinente, habiendo revisado suficientes pasajes de Andrewes para reconocer sus radicales diferencias con Donne.

Todo el mundo conoce el siguiente pasaje de un sermón de Donne que el señor Pearsall Smith tituló «No estoy del todo aquí»:

Estoy aquí hablándoles y sin embargo voy imaginándome, a un tiempo, en el mismo instante, lo que acaso se dirán uno a otro cuando haya terminado; y tampoco ustedes están del todo aquí: están aquí, oyéndome, y pensando sin embargo que en algún sitio han escuchado un sermón mejor sobre este mismo texto; están aquí, y sin embargo piensan que podrían estar escuchando alguna otra doctrina sobre la absoluta *Predestinación* y *Reprobación*, enunciada con más tino y más edificante para ustedes; están aquí, y recuerdan lo que estaban pensando hace solo un momento: este era el mejor momento, mientras todos los otros están en la iglesia, para hacer tal o cual visita privada, y como debían estar allí, allí están...

después de lo cual, felizmente, el señor Pearsall Smith coloca un párrafo de «Plegarias imperfectas»:

Un recuerdo de los placeres de ayer, un estremecimiento ante los peligros del mañana, una paja bajo la rodilla, un rumor en el oído, un destello en los ojos, un todo y nada, una fantasía, una quimera en mi mente, perturba mi plegaria. Así de obvio es que no hay nada, nada, en los asuntos espirituales, perfecto en este mundo.

Estas son reflexiones que Andrewes nunca hubiera hecho. En cuanto empieza un sermón, uno sabe a ciencia cierta que Andrewes está totalmente inmerso en su asunto, ajeno a cualquier otra cosa, que su emoción crece al tiempo que penetra cada vez más profundamente en el asunto, que está finalmente «solo con el Solo», con el misterio que intenta asir de un modo más y más firme. Vienen a la memoria las palabras de Arnold sobre la prédica de Newman.[20] La emoción de Andrewes es puramente contemplativa; no es personal,

20. Se refiere a este pasaje de Matthew Arnold, sobre John Henry Newman, en *Discourses in America* (*Discursos de América*, 1885): '¿Quién podía resis-

sino que emana por entero del objeto de la contemplación, al cual se adapta; las emociones de Andrewes están contenidas totalmente en su objeto y solo se explican por este. Con Donne, sin embargo, hay siempre ese algo más, el «desconcierto» al que el señor Pearsall Smith se refiere en su introducción. Donne es una «personalidad» en un sentido en el que Andrewes no lo es: sus sermones son «medios de expresión personal»: eso es lo que uno percibe. Donne busca constantemente un objeto que se adecue a sus sentimientos; Andrewes se deja absorber completamente por su objeto y por eso responde con la emoción adecuada. Andrewes tiene el *goût pour la vie spirituelle* que no es innato en Donne.

Por otro lado, sería un grave error recordar tan solo que Donne fue llamado al sacerdocio por el rey Jacobo contra su voluntad y que aceptó un estipendio porque no tenía otro modo de ganarse la vida. Donne tenía un gusto genuino lo mismo por la teología que por la emoción religiosa, pero pertenecía a esa clase de personas —de las cuales hay siempre una o dos en el mundo moderno— que buscan refugio en la religión contra los excesos de un temperamento incapaz de hallar satisfacción en ningún otro sitio. En este sentido se parece a Huysmans.

Sin embargo, Donne no es menos estimable, aunque sí más peligroso, por esa razón. De los dos, se diría que Andrewes es el más medieval, porque es el más puro y porque toda su obligación fue con la Iglesia, con la tradición. La teología satisfacía su inte-

---

tir el encanto de esa aparición espiritual, resplandeciendo en la penumbra del atardecer en la nave de St. Mary's, elevándose hacia el púlpito y, luego, con la más fascinante de las voces, rompiendo el silencio con palabras y pensamientos que eran música religiosa, sutil, dulce y afligida?'.

lecto; la oración y la liturgia, su sensibilidad. Donne es el más moderno, si sabemos usar esta palabra con exactitud, sin implicaciones de valor ni insinuaciones de ningún tipo sobre si nuestras simpatías tendrían que estar más con Donne que con Andrewes. Donne es, con mucho, el menos místico: está fundamentalmente interesado en el hombre. Es mucho menos tradicional. El pensamiento de Donne tiene, por una parte, mucho más en común con los jesuitas y, por otra, mucho más en común con los calvinistas que el de Andrewes. Donne muestra, a menudo, las consecuencias de la temprana influencia de los jesuitas sobre su pensamiento y de sus estudios posteriores sobre literatura jesuítica: en su astuto conocimiento de las debilidades del corazón humano, en su comprensión del pecado, en su habilidad para engatusar y dirigir la voluble atención humana hacia los objetos divinos y para hacer que una suerte de sonriente tolerancia presida toda amenaza de condenación. Donne solo es peligroso para aquellos que encuentran en sus sermones la indulgencia para su sensibilidad o para aquellos que, fascinados por la «personalidad» en el sentido romántico de la palabra —los que hacen de la «personalidad» un valor último—, olvidan que en la jerarquía espiritual hay niveles más altos que el de Donne. Donne tendrá siempre, sin duda, más lectores que Andrewes, a causa de que sus sermones pueden leerse en pasajes sueltos y a causa de que pueden leerlo aquellos que no tienen interés en el asunto tratado. Posee muchos más medios de llamar la atención e interpela a muchos temperamentos y mentes; entre otros, a aquellos capaces de cierta permisividad de espíritu. Andrewes no tendrá muchos lectores jamás, en ninguna generación, y no merecerá jamás la inmortalidad de las antologías. Su prosa, sin embargo, no es inferior a la de ningún otro sermón en lengua inglesa, con excepción de alguno de Newman. Y pese a no leerlo, el gran público haría bien en recordar su grandeza histórica: un lugar que no admite otro más alto en la formación de la Iglesia anglicana.

[1926]

Shakespeare y el estoicismo de Séneca

Los últimos años han atestiguado un buen número de rebrotes de Shakespeare. Tenemos al fatigado Shakespeare del señor Lytton Strachey, un jubilado anglo-indio; tenemos al Shakespeare mesiánico del señor Middleton Murry, introductor de una nueva filosofía y de un nuevo método de yoga, y al feroz Shakespeare presentado por el señor Wyndham Lewis en su interesante libro *The Lion and the Fox*: un furibundo Sansón.[1] En general, no se puede sino convenir en que estas manifestaciones resultan benéficas. En un caso tan importante como el de Shakespeare es

1. Las interpretaciones a las que T. S. Eliot se refiere son las siguientes: el ensayista y biógrafo de Bloomsbury Lytton Strachey escribió un estudio sobre las últimas obras de Shakespeare titulado «Shakespeare final period» («El periodo final de Shakespeare»), incluido en su libro *Books and Characters* (*Libros y personajes*; Londres, Chatto & Windus, 1922), donde dibujaba a un Shakespeare cansado de la vida, «medio encantado por visiones de belleza y preciosismo y medio aburrido mortalmente», de ahí la irónica calificación de T. S. Eliot. El crítico y editor John Middleton Murry publicó un estudio sobre la poesía de Keats en el periodo comprendido entre 1816 y 1820, *Keats and Shakespeare* (Londres, Oxford University Press, 1925), donde presentaba a Keats como un místico y joven Shakespeare. Por último, el pintor y escritor Wyndham Lewis, en su ensayo *The Lion and the Fox* (*El león y el zorro*; Nueva York, Harper, 1927), ofrecía un estudio sobre Shakespeare y Maquiavelo.

saludable modificar nuestras ideas de vez en cuando. El último Shakespeare convencional se ha evaporado de la escena al tiempo que una variedad de versiones menos convencionales tomaban su lugar. Tratándose de grandes como Shakespeare, es probable que jamás estemos en lo cierto y, si no podemos estarlo nunca, más nos vale variar de vez en cuando el modo de equivocarnos. Que al final la verdad se impone es algo más que dudoso y que nadie ha conseguido probar, pero es indiscutible que no hay nada más eficaz para acabar con un error que cometer uno nuevo. Que el señor Strachey, el señor Murry o el señor Lewis están más cerca de la verdad sobre Shakespeare que Rymer, Morgann, Webster o Johnson, es algo que no está claro, pero son sin duda, en este año de 1927, más simpáticos que Coleridge, Swinburne o Dowden.[2] Si no nos ofrecen al auténtico Shakespeare —caso de que exista— cuando menos nos brindan una serie de «Shakespeares» actualizados. Si la única manera de probar que Shakespeare no sentía y pensaba exactamente como la gente de

2. Sobre Thomas Rymer, véase en este volumen la nota 9, p. 130, del ensayo «Cuatro dramaturgos isabelinos». Sobre John Webster, véase en el mismo ensayo la nota 1, pp. 119-120. ¶ Maurice Morgann (1726-1802) fue un político y ensayista inglés, recordado por su defensa de Falstaff —cuya reputación consideraba injustamente embrutecida— como personaje noble y de gran valor en *An Essay on the Dramatic Character of Sir John Falstaff* (*Ensayo sobre el personaje dramático de sir John Falstaff*, 1777). ¶ El doctor Samuel Johnson, en su canónica edición de las obras de Shakespeare en ocho volúmenes, publicada en 1765, escribió un famoso prefacio que ha sido una de las aportaciones críticas más influyentes y hegemónicas a lo largo de la modernidad. ¶ El poeta y crítico Edward Dowden (1843-1913) estableció la lectura victoriana de Shakespeare en su libro *Shakespeare: A Critical Study of his Mind and Art* (*Shakespeare: estudio crítico de su mente y de su arte*, 1875), cuyas tesis, por cierto, Lytton Strachey condenó en el ensayo citado en la nota anterior.

1815, 1860 o 1880 es mostrar que sentía y pensaba tal como lo hacemos en 1927, deberíamos aceptar agradecidos esa alternativa.

Pero estos intérpretes recientes de Shakespeare sugieren algunas reflexiones sobre la crítica literaria y sus límites, sobre estética general y sobre las limitaciones del conocimiento humano.

Existe, desde luego, una buena cantidad de otras interpretaciones de Shakespeare al uso; quiero decir, interpretaciones de las *opiniones conscientes* de Shakespeare: interpretaciones de categoría, por así decirlo, que lo convierten lo mismo en un periodista *tory* que en uno liberal o en otro socialista (aunque el señor Shaw haya hecho lo suyo para prevenir a sus correligionarios de reivindicar a Shakespeare o de encontrar algo edificante en su obra); también tenemos un Shakespeare protestante, uno escéptico y quizá incluso la posibilidad de un Shakespeare anglocatólico o aun papista.[3] Mi propia y frívola opinión es que Shakespeare probablemente tuvo, en su vida privada, puntos de vista francamente distintos que sonsacamos de su extremadamente diversa obra, y que no hay en sus escritos la menor pista de cómo hubiera votado en las últimas elecciones o de cómo lo haría en las próximas. Y que estamos completamente ciegos en lo que toca a su postura ante la revisión del libro de oraciones.[4] Admito que mi propia experiencia en tan-

3. El famoso dramaturgo George Bernard Shaw, miembro de la Sociedad Fabiana, vinculada al Partido Laborista y divulgadora del socialismo en Inglaterra, era conocido por sus severas opiniones sobre Shakespeare, cuyas obras juzgaba muy poco edificantes y sobrevaloradas.

4. En 1927, año de la conversión de T. S. Eliot al anglocatolicismo, tuvo lugar en Inglaterra la moderna revisión del *Book of Common Prayer*, el libro de oraciones de la Iglesia anglicana, establecido en 1662 y que no se había revisado desde 1689.

to poeta menor puede haber contaminado mi punto de vista, ya que me he acostumbrado a que personas entusiastas y remotas atribuyan a mi obra (por llamarla de algún modo) significaciones cósmicas insospechadas por mí, a que se me informe de que algo que he pretendido decir con toda seriedad es *vers de société*, a ver mi propia biografía reconstruida a partir de ciertos pasajes que he tomado de distintos libros o que me inventé simplemente porque sonaban bien y a que se ignore la dimensión biográfica de lo que de verdad escribí a partir de una experiencia personal; así que, en consecuencia, me inclino a creer que la gente se equivoca con respecto de Shakespeare en un grado proporcional a la superioridad de Shakespeare sobre mí.[5]

Una última «acotación» personal: creo que nadie como yo tiene en tan alta estima el genio de Shakespeare como poeta y como dramaturgo; de hecho, me parece que no hay nada más grande. Y diría que lo único que me califica para atreverme a hablar de él es que no me he hecho la vana ilusión de que Shakespeare es, en lo más mínimo, parecido a mí mismo, ya sea tal como soy o como me gustaría imaginarme. Me parece que una de las principales razones para cuestionar el Shakespeare del señor Stra-

5. Tras la publicación de *La tierra baldía* en 1922, T. S. Eliot era ya el poeta y crítico más importante e influyente de su generación. Habían empezado a producirse comentarios y estudios de diversa índole, una industria que todavía no ha terminado su labor. Solo dos años más tarde, por ejemplo, Edmund Wilson, el crítico hegemónico en Estados Unidos, consideró a Eliot «quizá el más importante crítico literario en el mundo anglosajón», Edmund Wilson, «T. S. Eliot and the Church of England» («T. S. Eliot y la Iglesia de Inglaterra»; *The New Republic*, 24 de abril de 1929). ¶ *Vers de société* («verso de sociedad») es el término francés para un tipo de verso, ligero, sofisticado e ingenioso, destinado a una audiencia limitada, culta e iniciada en el asunto del poema.

chey, el del señor Murry o el del señor Lewis es el notorio parecido que cada uno tiene con el señor Strachey, el señor Murry y el señor Lewis respectivamente. No tengo una idea muy clara de cómo era Shakespeare, pero no lo imagino muy parecido al señor Strachey ni al señor Murry ni al señor Wyndham Lewis ni a mí mismo.

Se nos ha explicado a Shakespeare a través de varias influencias, como la de Montaigne o Maquiavelo. Imagino que el señor Strachey explicará a Shakespeare a través de Montaigne, aunque sea también el Montaigne del señor Strachey (dado que las figuras favoritas del señor Strachey tienen una fisonomía enormemente parecida a la suya) y no el del señor Robertson.[6] Me parece que el señor Lewis, en el muy interesante libro mencionado más arriba, ha hecho una auténtica aportación subrayando la importancia de Maquiavelo en la Inglaterra isabelina y ello pese a que su Maquiavelo no es más que el Maquiavelo del *Contre-Maquiavel* y en absoluto el Maquiavelo real, una persona que la Inglaterra isabelina era incapaz de entender, igual que la Inglaterra georgiana o cualquier otra. Creo, sin embargo, que el señor Lewis se equivoca si piensa (no estoy seguro de lo que piensa) que Shakespeare y la

6. El abogado, político y notable erudito shakespeariano J. M. Robertson (véase la nota 5, p. 52 del ensayo «Christopher Marlowe») escribió un estudio sobre la influencia de Montaigne en Shakespeare: *Montaigne and Shakespeare*, 1909. Shakespeare conoció a Montaigne gracias a la traducción de John Florio, publicada en 1603. La deuda de Shakespeare con Montaigne —la búsqueda de determinadas equivalencias en monólogos y versos concretos— ha sido y es uno de los entretenimientos más recurrentes entre los estudiosos del dramaturgo. T. S. Eliot comentó en varios ensayos —en el dedicado a Pascal de 1931 e incluido en sus *Ensayos selectos*— la relación de *Hamlet* con el capítulo de los ensayos de Montaigne titulado «Apologie de Raymond Sebond».

Inglaterra isabelina en general estaban «influidos» por el pensamiento de Maquiavelo. En mi opinión, Shakespeare y otros dramaturgos se aprovecharon de la idea popular de Maquiavelo para sus propósitos escénicos, pero aquella idea tenía tanto que ver con Maquiavelo —que era italiano y católico— como la idea que de Nietzsche tiene el señor Shaw —sea cual sea— tiene que ver con Nietzsche.[7]

Por mi parte, propongo analizar un Shakespeare bajo la influencia del estoicismo de Séneca, pero al mismo tiempo no creo que Séneca haya influido a Shakespeare. Si postulo un Shakespeare estoico —o vinculado de alguna manera con Séneca— es porque tras el Shakespeare de Montaigne (no me refiero a que Montaigne tuviera una filosofía propia) y después del Shakespeare de Maquiavelo, es inevitable que aquel se imponga. Deseo tan solo desinfectar el Shakespeare senequista antes de que aparezca. Me daría por satisfecho si, al hacerlo, pudiera prevenir su aparición.[8]

7. La influencia del concepto popular de «maquiavélico» —que también llegó adulterado a España— en la Inglaterra isabelina no procede de la lectura de *El Príncipe*, sino del panfleto del hugonote Gentillet titulado *Discours sur les moyens de bien gouverner et maintenir en bonne paix un Royaume ou autre principauté... que doit tenir un Prince: contre Nicolas Machiavel, Florentin* (*Discursos sobre los medios de bien gobernar y mantener en paz un reino u otro principado... que debe tener un príncipe: contra Nicolás Maquiavelo, florentino*, 1577), donde el autor denunciaba la matanza de San Bartolomé —el asesinato de protestantes franceses calvinistas— y acusaba a Maquiavelo de ser el instigador del odio contra la Reforma. El texto tuvo un notable predicamento y resultó muy fértil para la imaginación de los dramaturgos isabelinos, gracias a la traducción al inglés que Simon Patericke hizo en 1602.

8. La influencia de Séneca —en especial de su teatro— no solo en Shakespeare sino en toda la literatura isabelina ha sido bien documentada. Bajo la sombra del estoico, se gestó uno de los géneros predominantes de la época: la «tragedia de venganza» y su derivado, la «tragedia de sangre», algo así como el *thri-*

Procuraré ser muy preciso en lo que se refiere a mi noción de las posibles influencias de Séneca en Shakespeare: creo probable que Shakespeare leyera algunas tragedias de Séneca en la escuela, en cambio es poco probable que Shakespeare conociera la extraordinariamente gris y poco interesante prosa de Séneca, que Lodge tradujo y publicó en 1612.[9] Si Shakespeare recibió acaso alguna influencia de Séneca, fue a través de sus recuerdos escolares, mezclados y confundidos con la influencia que la tragedia de Séneca ejercía en aquella época gracias a Kyd y Peele, pero sobre todo al primero de ellos.[10] Que Shakespeare deliberadamente tomara prestado el «modo de ver la vida» de Séneca es, en cualquier caso, algo de lo que no parece haber la menor evidencia.

---

ller isabelino, muy popular entonces y que constituye el cimiento sobre el que Shakespeare construyó *Hamlet* y *El rey Lear.* En otro ensayo publicado también en 1927, titulado «Seneca in Elizabethan Translation» («Séneca en las traducciones isabelinas») y recogido en *Ensayos selectos*, T. S. Eliot afirmaba: 'Hay un punto en el que todo el mundo está de acuerdo y es apenas el único: la división en cinco actos del moderno teatro europeo se debe a Séneca. Lo que principalmente quisiera considerar es, en primer lugar, su responsabilidad en lo que se ha conocido como "tragedia de sangre", es decir, hasta qué punto Séneca es el autor de los horrores que desfiguran el drama isabelino; en segundo lugar, su responsabilidad en lo tocante a la exuberancia de la dicción isabelina; y, por último, sus influencias en el pensamiento —o lo que se entiende por ello— en el teatro de Shakespeare y sus contemporáneos. Lo primero, a mi juicio, ha sido sobrevalorado, lo segundo malinterpretado y lo tercero subestimado', *Selected Essays* (Ensayos selectos), Londres, Faber & Faber, 1999, p. 78.

9. Thomas Lodge (1558-1625) es un dramaturgo isabelino, junto a Robert Greene y Thomas Nash, uno de los *University Wits* (véase al respecto en este volumen la nota 9, p. 54, del ensayo «Christopher Marlowe»). Fue en 1614 —y no en 1612 como supone T. S. Eliot— cuando Lodge publicó su traducción de la prosa de Séneca.

10. Sobre Kyd y Peele, véanse en este volumen las notas 2, pp. 49-50, y 9, p. 54, del ensayo «Christopher Marlowe».

Con todo, en algunas de las grandes tragedias de Shakespeare, existe una nueva actitud. No es la de Séneca, pero deriva de este; es ligeramente distinta de cualquier cosa que pudiera hallarse en la tragedia francesa, en Corneille o en Racine: se trata de una actitud moderna que culmina —si es que ha culminado alguna vez— en la postura de Nietzsche. No me atrevería a decir que se trata de una «filosofía» shakespeariana, aunque mucha gente haya vivido según sus reglas; parece haber resultado, en cambio, de la instintiva capacidad que Shakespeare tenía de reconocer algo teatralmente útil: es la actitud conscientemente teatral que muchos de los héroes shakespearianos asumen en momentos de gran intensidad dramática. No es, por otra parte, exclusiva de Shakespeare, pues es también notoria en Chapman: Bussy, Clermont y Byron se resienten de lo mismo.[11] Marston —uno de los isabelinos más interesantes y menos explorados— la explota también.[12] Y Marston y Chapman fueron particularmente senequistas. Shakespeare, desde luego, la utiliza mejor que los demás y, de algún modo, la transforma en algo mucho más integrado en la naturaleza humana de sus personajes. Es menos verbal, más auténtica. Siempre he pensado que nunca he leído una

11. Acerca de Chapman, véase en este volumen la nota 4, p. 75, del ensayo «Los poetas metafísicos». Bussy, Clermont y Byron son personajes de las tragedias más importantes de Chapman: *Bussy D'Ambois* (1604), *The Conspiracy and Tragedy of Bussy, Duke of Byron* (*La conspiración y tragedia de Bussy, duque de Byron*, 1607) y *The Revenge of Bussy D'Ambois* (*La venganza de Bussy D'Ambois*, 1610).

12. John Marston (*c.* 1575-1634) es uno de los dramaturgos isabelinos menores. Empezó su carrera como notable satirista, conocido por sus pullas a Ben Jonson. En su obra más madura, denota una considerable influencia de Séneca, sobre todo en sus obras *Antonio and Mellida* y *Antonio's Revenge* (*La venganza de Antonio*), ambas de 1602. En 1604 se imprimió su obra *The Malcontent* (*El descontento*), cuyo protagonista, Malevole, se ha comparado a menudo con Hamlet.

manifestación más terrible de la fragilidad humana —de la universal fragilidad de los seres humanos— que el último gran parlamento de Otelo (ignoro si alguien ha manifestado antes este punto de vista: quizá pueda parecer subjetivo y fantástico en extremo). Normalmente se toma por lo que aparentemente dice, como expresión de la grandeza en la derrota de una naturaleza noble pero errática.

Despacio, una palabra o dos antes de iros.
He hecho algunos servicios al Estado, y lo saben:
no hablemos más de eso. Os ruego, en vuestras cartas,
cuando estos aciagos acontecimientos relatéis,
hablad de mí tal como soy. No atenuéis nada,
ni asentéis nada por malicia. Debéis hablar pues
de uno que no amó cuerdamente, sino demasiado bien;
de uno que no tenía celos fácilmente, pero, una vez puesto en ello,

se desconcertaba en extremo; de uno cuya mano,
como el vil judío, arrojó una perla
más rica que toda su tribu; de uno cuyos ojos rendidos,
aunque no habituados al ánimo acuoso,
dejan caer lágrimas tan rápido como los árboles de Arabia
su goma medicinal. Dejad asentado esto,
y decid además que en Aleppo una vez,
donde un maligno turco con turbante
pegaba a un veneciano y denigraba al Estado,
así por la garganta tomé al perro circunciso
y lo castigué —¡así![13]

13. Shakespeare, *Otelo*, V, II.

En mi opinión, lo que Otelo parece intentar con este discurso es levantarse un poco el ánimo. Está intentando evadirse de la realidad, ha dejado de pensar en Desdémona y ahora piensa en sí mismo. La humildad es la virtud más difícil de alcanzar: nada se resiste más a morir que el deseo de hablar bien de uno mismo. Otelo consigue convertirse en una figura patética adoptando una actitud estética en vez de una actitud moral, escenificándose a sí mismo en oposición a su entorno. No creo que ningún escritor haya mostrado este bovarismo —la inclinación humana a ver las cosas distintas de lo que son— más claramente que Shakespeare.

Si uno compara la muerte de muchos de los héroes de Shakespeare —no digo todos porque hay muy pocas generalizaciones aplicables a la obra completa de Shakespeare, pero sobre todo la de Otelo, Coriolano y Antonio— con la muerte de los héroes de dramaturgos como Marston y Chapman, conscientemente influidos por Séneca, encontrará importantes similitudes —excepto en que Shakespeare es más poético y más cercano a la vida.

Puede decirse que es Shakespeare —y no Séneca— quien meramente está ilustrando la naturaleza humana, consciente o inconscientemente. Pero me preocupa no tanto la influencia de Séneca sobre Shakespeare como la ilustración que Shakespeare hace de los principios estoicos de Séneca. El profesor Schoell ha mostrado recientemente cómo gran parte del senequismo de Chapman proviene directamente de Erasmo y de otras fuentes.[14] Me in-

14. Se refiere al libro de Franck L. Schoell, *Études sur l'humanisme continental en Angleterre à la fin de la Renaissance*, París, 1926.

teresa el hecho de que Séneca sea el representante literario del estoicismo romano y que el estoicismo sea un ingrediente importante del teatro isabelino. Era natural que el estoicismo reapareciera en una época como la isabelina. El estoicismo original —y en especial el estoicismo romano— era una filosofía evidentemente destinada a los esclavos: de ahí su asimilación por parte del cristianismo primitivo.

> *Un hombre, para unirse al Universo en su*
> *capital balanceo y hacerse en todo acorde...*[15]

Un hombre no se une al universo cuando puede unirse a algo mejor; quienes vivían en una próspera ciudad-Estado griega tenían cosas mejores a las que unirse, lo mismo que los cristianos. El estoicismo es el refugio del individuo ante un mundo indiferente y hostil, demasiado grande para él, el sustrato común a las muchas versiones del «darse ánimos a uno mismo».

En la Inglaterra isabelina se vivía en condiciones aparentemente muy distintas a las de la Roma imperial, pero aquel fue un periodo de disolución y caos y, en un periodo como ese, cualquier postura emocional que provea a un hombre, cuando menos en apariencia, de algo firme a qué asirse, aunque se trate de una postura del tipo «he de valérmelas por mí mismo», se asume con entusiasmo. No creo que sea necesario insistir —y está fuera de mi actual campo de investigación— cuán fácilmente, en un periodo como el isabelino, el orgullo senequista, el escepticismo de Mon-

15. George Chapman, *The Revenge of Bussy D'Ambois* (*La venganza de Bussy d'Ambois*), IV.

taigne o el cinismo maquiavélico llegaron a una especie de fusión en el individualismo isabelino.*

Ese individualismo, esa pecaminosa soberbia, fue, por supuesto, ampliamente explotada en todas sus posibilidades dramáticas, pero antes había existido otro teatro que no dependía de esa debilidad humana. No hay rastro de ella en *Polyeucte* o en *Fedra.*[16] Incluso Hamlet, después de provocar un lío considerable y ocasionar la muerte de al menos tres inocentes, muere contento consigo mismo:

> *Me muero, Horacio,*
> *vive tú; lleva rectamente*
> *noticia mía y de mi causa*
> *a los que estén dudosos.*[17]

Antonio exclama: «Aún soy Antonio», y la duquesa: «Aún soy la duquesa de Malfi»; ¿habrían dicho tal cosa si Medea no hubiese exclamado «Medea superest»?[18]

* No me refiero a la actitud de Maquiavelo, que no es cínica, sino a la de los ingleses que habían oído hablar de Maquiavelo.

16. Obras de Corneille y Racine, respectivamente.

17. Shakespeare, *Hamlet,* V, II.

18. «Aún soy Antonio» pertenece a Shakespeare, *Antonio y Cleopatra*, III, XIII, aunque T. S. Eliot cita probablemente de memoria, pues, en el original del ensayo dice «I am Antony still» donde debe decir «I am Antony yet». «Aún soy la duquesa de Malfi» («I am the Duchess of Malfi still») es cita de la obra de John Webster *La duquesa de Malfi*, IV, II. «Medea superest» ('Queda Medea') es cita de Séneca en *Medea*, I, II. Cuando la nodriza le dice a Medea que lo ha perdido todo, esta replica: «Queda Medea», declaración que más adelante se refuerza con el terrible «Medea nunc sum» ('Ahora sí soy Medea').

Mi intención no es sostener que el héroe isabelino y el de Séneca son idénticos. La influencia senequista es mucho más evidente en el teatro isabelino que en las propias obras de Séneca. La influencia de cualquier hombre es algo distinto a sí mismo. El héroe isabelino es, de este modo, mucho más estoico y senequista que el de Séneca, porque Séneca no hacía sino seguir la tradición griega, que no era estoica: desarrolló motivos familiares e imitó grandes modelos, de tal manera que la gran diferencia entre su actitud moral y la de los griegos está latente en su obra y es más aparente en las obras del Renacimiento. Y el héroe isabelino, el héroe de Shakespeare, no era invariable ni siquiera en la Inglaterra isabelina. Una excepción notable es Fausto. Marlowe —pese a su inmadurez, la mente más reflexiva y filosófica entre los dramaturgos isabelinos, Shakespeare y Chapman incluidos— fue capaz de concebir al héroe orgulloso, Tamerlán, pero también el héroe que ha alcanzado el punto de horror en que incluso el orgullo suele abandonarse. En un reciente libro sobre Marlowe, la señorita Ellis-Fermor ha explicado acertadamente esta peculiaridad de Fausto desde un punto de vista distinto del mío, pero en palabras que puedo suscribir:

Marlowe traspasa, en pos de Fausto, el límite entre la conciencia y la disolución, más allá de lo que lo hizo cualquiera de sus contemporáneos. En Shakespeare, en Webster, la muerte es una repentina escisión de la vida: sus personajes mueren sin perder jamás la conciencia de al menos una parte de lo que los rodea, influidos, incluso sostenidos, por esa conciencia y conservando su personalidad y las características que poseyeron mientras vivían... Todo esto se deja a un lado en el *Fausto* de Marlowe, que penetra en la profundidad de una mente incomunicada con el pasado, absorta en la búsqueda de su propia destrucción.[19]

Pero Marlowe, el más reflexivo, el más blasfemo (y por tanto probablemente el más cristiano) de sus contemporáneos, es siempre una excepción, aunque el más excepcional de todos, dada su inmensa superioridad, sea Shakespeare.

De todas las obras de Shakespeare, *El rey Lear* es frecuentemente considerada la más senequista en espíritu. Cunliffe, por ejemplo, la considera imbuida de un fatalismo típicamente senequista. Aquí, nuevamente, debemos distinguir entre el hombre y su influencia. Las diferencias entre el fatalismo de la tragedia griega, el de las tragedias de Séneca y el de los isabelinos se juegan en delicados matices; observándolos a distancia, descubrimos una continuidad, pero también un violento contraste. En Séneca, bajo el estoicismo romano, es perceptible la ética griega. En los isabelinos, el estoicismo romano es perceptible bajo el anarquismo renacentista. En *El rey Lear* hay muchas frases significativas, como aquellas que llamaron la atención del profesor Cunliffe, además de un tono de fatalismo senequista: *fatis agimur.*[20] Pero al mismo tiempo hay mucho más y mucho menos. Y este es el punto donde debo apartarme del señor Wyndham Lewis. El señor Lewis postu-

19. Una Ellis-Fermor, *Christopher Marlowe*, Londres, Methuen, 1927.

20. La frase completa, tal como aparece en el *Edipo* de Séneca, es «Fatis agimur: cedite fatis», es decir: 'Por los hados somos llevados: ceded a los hados', traducción de Germán Viveros en Séneca, *Tragedias II*, México, UNAM, 2001. El libro de John William Cunliffe al que se refiere es *The Influence of Seneca on Elizabethan Tragedy* (*La influencia de Seneca en la tragedia isabelina*; Londres, 1893).

la un Shakespeare que es un nihilista positivo, una fuerza intelectual ansiosa por destruir. Por mi parte, no soy capaz de ver en Shakespeare ni un deliberado escepticismo, como el de Montaigne, ni un deliberado cinismo, como el de Maquiavelo, ni tampoco una deliberada resignación, como la de Séneca. Puedo entender que Shakespeare emplea todas esas cosas con propósitos dramáticos: quizá haya más Montaigne en *Hamlet*, más Maquiavelo en *Otelo* y más Séneca en *Lear*, pero no puedo estar de acuerdo con el siguiente párrafo:

Con excepción de Chapman, Shakespeare es el único pensador entre los dramaturgos isabelinos. Lo anterior quiere decir, desde luego, que su obra contiene, además de poesía, fantasía, retórica o mesura, un desarrollo en el que explícitamente se representan procesos del intelecto que pudieron haber provisto a un filósofo como Montaigne de material para sus ensayos. Pero la cualidad última de su pensamiento —tal como se la puede sorprender mientras brota naturalmente en medio de los consumados movimientos de su arte— es, como corresponde a un hombre de su categoría, de una fuerza en ocasiones alarmante. Y, si bien no sistemática, existe ahí una fisonomía reconocible.[21]

Es esta amplia noción de «pensamiento» la que yo objetaría. Tener que emplear la misma palabra para hablar de cosas diferentes supone un problema. Decimos, de un modo vago, que Shakespeare, Dante o Lucrecio son poetas que piensan y que Swinburne es un poeta que no piensa o que incluso Tennyson es un poeta que no piensa, pero lo que en realidad queremos señalar no es una dife-

21. Wyndham Lewis, *The Lion and the Fox* (*El león y el zorro*; Nueva York, Harper, 1927).

rencia en la calidad del pensamiento, sino una diferencia en la calidad de la emoción. El poeta que «piensa» es meramente el poeta que es capaz de expresar el equivalente emocional del pensamiento, sin necesidad de que esté interesado en el pensamiento en sí. Hablamos como si el pensamiento fuera preciso y la emoción vaga. En realidad, hay emociones precisas y emociones vagas. Expresar emociones precisas requiere el mismo poderío intelectual que expresar pensamientos precisos. Sin embargo, cuando hablo de «pensar» me refiero a algo muy distinto de lo que puede encontrarse en Shakespeare. El señor Lewis, lo mismo que otros grandes campeones del Shakespeare filósofo, se esfuerza en demostrar el poderío intelectual de Shakespeare, pero fracasa a la hora de señalar cuál es el propósito de ese pensamiento, si en este existe una visión coherente de la vida o si tiene un procedimiento recomendado. «Tenemos muchas evidencias —dice el señor Lewis— de lo que Shakespeare pensaba sobre la gloria militar y los acontecimientos marciales.» ¿Es en realidad así o la realidad es que Shakespeare no pensó en absoluto? Quizá estaba ocupado, más bien, en transformar las acciones humanas en poesía.

Podría sugerir que ninguna de las obras teatrales de Shakespeare tiene un «significado», pero eso sería tan falso como decir que una obra de Shakespeare no significa nada. Toda gran poesía da la ilusión de ser una perspectiva de la vida. Cuando nos introducimos en el mundo de Homero, de Sófocles, de Virgilio, de Dante o de Shakespeare, nos sentimos inclinados a creer que aprehendemos algo que puede ser intelectualmente expresado, pero solo porque toda emoción precisa tiende a la formulación intelectual.

El ejemplo de Dante suele confundirnos. He aquí, pensamos, un poema que da cuenta de un preciso sistema intelectual; Dante posee una «filosofía», por tanto, todo poeta tan grande como Dante tiene también una filosofía propia. Dante tiene a sus espaldas el sistema tomista, al que su poema corresponde punto por punto. Por tanto, Shakespeare tiene tras de sí a Séneca, a Montaigne o a Maquiavelo; y si su obra no corresponde punto por punto con alguno de estos en particular o con cualquier combinación de ellos, es porque, aunque calladamente, Shakespeare pensó a su vez, y porque, en lo suyo, era mejor que cualquiera de aquellos pensadores. Por mi parte, no tengo razones para creer que Dante o Shakespeare tuvieran un pensamiento propio. La gente que piensa que Shakespeare fue un pensador es siempre ajena al trabajo poético y, en cambio, vinculada con el pensamiento: nos agrada suponer que los grandes hombres fueron como nosotros. La diferencia entre Shakespeare y Dante es que Dante tuvo tras de sí un sistema coherente de pensamiento, pero aquello fue cosa de suerte y, desde el punto de vista de la poesía, no pasa de ser un mero incidente. Dio la casualidad de que en la época de Dante el pensamiento era ordenado, sólido, bello y de que todo aquello se concentró en un hombre con un genio extraordinario; la poesía de Dante recibe un impulso, que en cierto sentido no merece, del hecho de que el pensamiento que tiene detrás es el de un hombre tan grande y tan maravilloso como el propio Dante: santo Tomás. El pensamiento que está detrás de Shakespeare corresponde a hombres muy inferiores al propio Shakespeare, de ahí dos errores que se alternan entre sí: primero, que dado que Shakespeare fue un poeta tan grande como Dante necesariamente debió de haber suplido, acudiendo a su propio pensamiento, la diferencia cualitativa que separa a un santo Tomás de un Montaigne, un Maquiavelo o un Séneca; y segundo, que Shakespeare es inferior a

Dante. En realidad, ni Shakespeare ni Dante tuvieron un pensamiento propio: ese no era su trabajo y el valor relativo del pensamiento común de la época de cada uno, el material que cada uno de ellos se vio obligado a usar como vehículo de su sensibilidad, no tiene la menor importancia, pues no convierte a Dante en un poeta mejor, ni significa que podemos aprender más de Dante que de Shakespeare. Ciertamente, aprendemos más de Tomás de Aquino que de Séneca, pero ese es un asunto bien distinto. Cuando Dante afirma

> *la sua voluntade è nostra pace*[22]

es gran poesía y detrás hay una gran filosofía. Cuando Shakespeare dice:

> *Somos para los dioses*
> *lo que las moscas son para los niños perversos:*
> *nos matan por deporte.*[23]

Es gran poesía, igualmente, aunque la filosofía que está detrás no sea grande. Pero lo esencial es que cada una de estas frases expresa, en perfecto lenguaje, alguna pulsión humana permanente. Desde el punto de vista emocional, la última de estas frases es tan sólida, tan cierta y tan informativa, tan útil y beneficiosa —en el sentido en que la poesía es útil y beneficiosa— como la primera.

22. El verso dice, en realidad: «E la sua voluntade è nostra pace» ('Y nuestra paz de su deseo nace'), *Paraíso*, III, v. 85.

23. Shakespeare, *El rey Lear*, IV, I.

Todo poeta empieza por sus emociones. Y por tanto no hay necesidad de escoger entre Shakespeare y Dante. Las barreras de Dante, su particular *spleen* —en ocasiones, ligeramente disimulado bajo denuncias proféticas veterotestamentarias—, su nostalgia, sus agrios lamentos ante la felicidad pretérita —o ante aquello que, una vez en el pasado, parece felicidad— y sus valerosos intentos de crear algo permanente y sagrado usando sus propios sentimientos animales como material —como en la *Vita nuova*: todo es comparable al caso de Shakespeare. Shakespeare también se afanaba —en eso consiste la vida de un poeta— en intentar transmutar sus agonías personales y privadas en algo raro y enriquecedor, en algo universal e impersonal. El encono de Dante contra Florencia o Pistoya o —qué no lo es— la turbia ola de cinismo y desilusión de Shakespeare no son sino gigantescos intentos por metamorfosear fracasos y decepciones privadas. Escribiéndose a sí mismo, el gran poeta escribe su época.* Así, Dante, sin saberlo apenas, se convierte en la voz del siglo XIII; Shakespeare, sin saberlo apenas, se convierte en el representante del final del siglo XVI, un momento culminante de la historia. Pero difícilmente puede decirse que Dante creía o que no creía en la filosofía tomista; difícilmente puede decirse que Shakespeare creía o no creía en el contradictorio y confuso escepticismo del Renacimiento. Si Shakespeare hubiera seguido, al escribir, una filosofía mejor, quizá habría escrito peor poesía: su labor consistió en expresar la máxima intensidad emocional de su tiempo tomando como base lo que pensaba su época. La poesía no es un sustituto de la filosofía, la teología o la religión, como

* Remy de Gourmont dice algo parecido, haciendo referencia a Flaubert.

el señor Lewis y el señor Murry en ocasiones parecen pensar, sino que tiene su propia función, pero, dado que esa función no es intelectual sino emocional, no puede definirse adecuadamente en términos intelectuales. Puede decirse que procura «consuelo», aunque se trata sin duda de un consuelo extraño, dado que puede provenir de escritores tan distintos como Dante y Shakespeare.

Lo que he dicho podría haberse expresado con mayor exactitud, aunque inevitablemente de un modo más extenso, en lenguaje filosófico: formaría parte de una disciplina filosófica que podría llamarse la teoría de la creencia (que no es psicología, sino filosofía o, más propiamente, fenomenología): una disciplina en la que Meinong y Husserl han realizado algunas investigaciones pioneras y que trata de los diferentes sentidos que la creencia tiene en mentes diferentes, de acuerdo con la actividad a la que estas estén orientadas. Por mi parte, no tengo claro si la creencia participa en la labor de un gran poeta, *qua* poeta. Esto es, Dante, *qua* poeta, no creyó ni descreyó de la cosmología tomista o de la teoría tomista del alma: meramente echó mano de estas o bien, entre sus impulsos emocionales originarios y cierta teoría, tuvo lugar una fusión, con propósitos poéticos. El poeta hace poesía, el metafísico hace metafísica, las abejas hacen miel, las arañas secretan sus filamentos; difícilmente podría decirse que alguno de estos agentes cree: meramente hacen.

El problema de las creencias es muy complejo y probablemente insoluble. Debemos tener en cuenta las diferencias en la calidad emocional de la creencia, no solo entre personas con distinto oficio, como el filósofo y el poeta, sino entre distintos periodos de tiempo. Los años finales del siglo XVI son una época en la que resulta particularmente difícil asociar poesía y sistemas de pensamiento o modos de ver la vida como producto de una reflexión. Mientras llevaba a cabo algunas investigaciones rutinarias sobre el «pensamiento» de Donne, descubrí que era imposible llegar a la conclusión de que Donne creía en alguna cosa, sea cual fuere. Da la impresión de que, en aquella época, el mundo estaba lleno de fragmentos de distintos sistemas y que Donne meramente recogió, como lo habría hecho una urraca, varios pedazos brillantes que llamaron su atención, para después integrarlos aquí y allá en sus versos. La señorita Ramsay, en su docto y exhaustivo estudio de las fuentes de Donne, llegó a la conclusión de que era un «pensador medieval»; por mi parte, fui incapaz de encontrar ningún «medievalismo» y ningún pensamiento, solo un vasto revoltijo de erudición incoherente de la que Donne echó mano únicamente para conseguir determinados efectos poéticos.[24] El reciente trabajo del profesor Schoell sobre las fuentes de Chapman parece mostrar a Chapman entregado a la misma tarea y, al mismo tiempo, sugiere que la «profundidad» y «oscuridad» del denso pensamiento de Chapman se deben, sobre todo, a los elevados y extensos pasajes de obras de pensadores como Ficino que incorporaba en sus poemas, arrancándolos completamente de su contexto.

24. En 1926, T. S. Eliot había impartido las llamadas conferencias Clark en el Trinity College, Cambridge, en la primera de las cuales anunciaba su propósito de discutir las tesis de Mary Paton Ramsay en su estudio *Les Doctrines médiévales chez Donne, le poète métaphysicien de l'Angleterre (1573-1631)*, Londres, Oxford University Press, 1917. Véase T. S. Eliot, *The Varieties of Metaphysical Poetry* (*Las variedades de la poesía metafísica*; Londres, Faber & Faber, 1993, p. 63 *et passim*).

Ni por un momento trato de insinuar que el método de Shakespeare fuera similar. Shakespeare fue un instrumento de transformación más fino que cualquiera de sus contemporáneos, más fino incluso que Dante. También necesitó menos trato para ser capaz de asimilar todo aquello que requería. El elemento de Séneca fue el más completamente absorbido y transmutado, puesto que era también el más difundido en el mundo de Shakespeare. El elemento de Maquiavelo es probablemente el más indirecto; el de Montaigne, el más inmediato. Se ha dicho que Shakespeare carece de unidad; del mismo modo, pienso yo, podría decirse que Shakespeare es, propiamente, la unidad: que unificó tanto como era posible todas las tendencias de un mundo que ciertamente carecía de unidad. Unidad es lo que hay en Shakespeare, pero no universalidad; nadie puede ser universal: Shakespeare no habría encontrado apenas un punto de contacto con su contemporánea santa Teresa. En mi opinión, la influencia que ejercieron las obras de Séneca, Maquiavelo y Montaigne en aquella época, significativamente a través de Shakespeare, apunta a una especie de novedosa conciencia de sí: la autoconciencia y autodramatización del héroe shakespeariano, del que Hamlet es un ejemplo entre tantos. Esto último parece marcar un hito, quizá incluso no demasiado agradable, en la historia humana; un progreso, un deterioro o un cambio. El estoicismo romano supuso, en su momento, un desarrollo de la autoconciencia; retomado por el cristianismo, se desencadenó nuevamente en la disolución del Renacimiento. Nietzsche, como he sugerido antes, es una variante tardía: su actitud es una especie de estoicismo puesto de cabeza, dado que no hay mayor diferencia entre identificarse con el universo e identificar este último con uno mismo. La influencia de Séneca sobre el teatro isabelino ha sido exhaustivamente estudiada en su aspecto formal y, en lo que respecta al préstamo y adaptación de frases y situaciones, la penetración de la sensibilidad senequista resultaría mucho más difícil de rastrear.

[1927]

Dante

I. El «Inferno»

La experiencia me ha enseñado que, a la hora de valorar la poesía, cuanto menos se sepa acerca de un poeta y su obra, antes de empezar a leerlo, mejor. Una cita, el énfasis de algún crítico, un ensayo entusiasta, bien pueden ser el accidente que lo lleve a uno a leer a determinado autor, pero una amplia recopilación de datos históricos y biográficos ha resultado siempre una barrera en mi caso. No pretendo defender la mala preparación y admito que una experiencia como esa, llevada al extremo, sería difícil de aplicar en el estudio del latín y el griego. Pero tratándose de autores del propio idioma e incluso con ciertos autores en lenguas modernas, el procedimiento es posible. En todo caso, es mejor ser acicateado a adquirir ciertos conocimientos porque uno disfruta de la poesía que suponer que uno la disfruta porque ha adquirido esos conocimientos. Me aficioné apasionadamente a cierta poesía francesa cuando aún no podía traducir correctamente ni dos versos. Con Dante, la discrepancia entre disfrute y comprensión fue aún más amplia.[1]

1. Se refiere a los poetas simbolistas franceses, que T. S. Eliot leyó en su juventud gracias al libro de Arthur Symons *The Symbolist Movement in Literature* (*El movimiento simbolista en la literatura*, 1899). Para más información, véase en este volumen la nota 32, p. 90, del ensayo «Los poetas metafísicos». ¶ Dante fue

No aconsejo a nadie posponer el estudio de la gramática italiana hasta haber leído a Dante, pero sin duda hay una gran carga de conocimiento que, hasta que uno ha leído algo de su poesía con intenso placer —es decir, con un placer tan hondo como el que uno es capaz de obtener de cualquier poema—, es absolutamente desaconsejable. Cuando digo esto, evito dos posibles extremos de la crítica: el primero, afirmar que la comprensión del proyecto, la filosofía, los significados ocultos de la poesía de Dante es esencial para poder apreciarla; el segundo, decir que nada de eso tiene importancia, que la poesía de sus poemas es algo que puede disfrutarse por sí misma, sin estudiar un marco que, si bien sirvió al autor para producir la obra, no sirve al lector a la hora de disfrutarla. Este último error es el más común y es, probablemente, la razón por la que el conocimiento que mucha gente tiene de la *Comedia* se limita al *Inferno* o incluso a unos cuantos de sus pasajes. El disfrute de la *Divina comedia* supone un proceso continuo. Si uno no obtiene nada de ella en un primer momento, probablemente no lo hará jamás; pero si en el primer esfuerzo por descifrarla percibimos, aquí y allá, algunas ráfagas de intensidad poética, solo la pereza puede matar el deseo de tener un conocimiento cada vez más profundo.

---

la gran obsesión poética de T. S. Eliot a lo largo de toda su vida. Desde su regreso a Harvard tras su primer viaje europeo en 1911 (véase al final de este volumen la cronología de T. S. Eliot, p. 562), el poeta empezó a llevar siempre consigo una edición de la *Divina comedia* y a memorizar —aun sin dominar la lengua— largos pasajes. La influencia del Alighieri es muy perceptible en toda su obra poética, desde *Prufrock* hasta los *Cuatro cuartetos*, con especial nitidez en la estructura y la concepción de *La tierra baldía*. Para más información al respecto, véanse en este volumen el prólogo, «El rey del bosque», pp. 9-43.

Lo sorprendente de la poesía de Dante es que, en cierto sentido, resulta extremadamente fácil de leer. Es una prueba (una prueba positiva y que quizá no sea siempre válida negativamente) de que la poesía genuina es capaz de comunicar aun antes de ser entendida. Un conocimiento más amplio podría confirmar la impresión: yo mismo descubrí en su momento, con Dante y con otros poetas mayores que escriben en lenguas que no dominaba, que en tal impresión no hay nada descabellado. No se debía, digamos, a la incomprensión de un pasaje, a que leyera algo que no estaba ahí o a la eventual evocación de mi propio pasado. Era una impresión novedosa para mí y, a mi modo de ver, daba objetiva cuenta de la «emoción poética». Estoy en condiciones de aportar razones detalladas para esa experiencia que tuve en la primera lectura de Dante y de por qué digo que resulta fácil de leer. No pretendo decir que Dante escriba en un italiano muy simple, porque no es así; o que el contenido de sus poemas sea simple o que se exprese siempre con sencillez. A menudo se expresa con tal fuerza sintética que la elucidación de tres versos requiere de un párrafo y las alusiones que entraña, una página de comentarios. Lo que tengo en mente es que Dante es, en un sentido que habrá que precisar (puesto que la palabra dice muy poco en sí misma), el más universal de los poetas en lenguas modernas. Eso no significa que sea «el más grande» o el más abarcador: hay más variedad y detalle en Shakespeare. El idioma italiano —y especialmente el italiano de la época de Dante— gana mucho al ser producto del latín, una lengua universal. Hay mucho más de local en los idiomas en los que Shakespeare y Racine se vieron obligados a expresarse; lo que en absoluto implica que el inglés y el francés sean inferiores al italiano en tanto vehículos poéticos. Sin embargo, en cuanto a expresión poética, el italiano vernáculo de finales de la Edad Media estaba aún muy cerca del latín como expresión literaria, debido a que aquellos que, como Dante, lo emplearon, habían recibido formación filosófica —y acerca de otros temas abstractos— en latín medieval. Y el latín medieval es un idioma sumamente refinado: en él se escribieron buena prosa y buena poesía y tenía, además, las características de un esperanto altamente desarrollado y literario. Cuando uno lee filosofía moderna en inglés, francés, alemán o italiano, enseguida nota ciertas diferencias nacionales o raciales: las lenguas modernas tienden a hacer divergir el pensamiento abstracto (las matemáticas son ahora el único idioma universal); en cambio, el latín medieval tendía a concentrarse en aquello que el pensamiento de hombres de distintas razas podía tener en común. Algo del carácter de este idioma universal me parece inherente a la lengua florentina de Dante. Y su localización (lengua «florentina») no hace sino enfatizar esa universalidad, puesto que trasciende la moderna división de nacionalidades. Para disfrutar cualquier poema en francés o alemán, creo que se necesita cierta simpatía por la mentalidad francesa o alemana; Dante, aunque italiano y patriota, es en primer lugar europeo.

Esta diferencia, que es una de las razones por las que Dante es «fácil de leer», puede comentarse con ejemplos más detallados. El estilo de Dante tiene una lucidez peculiar: una lucidez poética, distinta de una lucidez intelectual. Puede que el pensamiento sea oscuro, pero la palabra es lúcida o mejor aún: translúcida. En la poesía inglesa, las palabras tienen una especie de opacidad que forma parte de su belleza. No pretendo decir que la belleza de la poesía inglesa radique en la mera «belleza verbal», más bien que las palabras, en tanto fruto de una civilización particular, producen ciertas asociaciones y que los grupos de palabras asociadas producen determinadas asociaciones a su vez, lo que implica una especie de autoconciencia local. Y lo mismo sirve para otras lenguas modernas. El italiano de Dante, aunque en esencia el italiano de hoy en día, no es una lengua moderna en ese sentido. La cultura de Dante no correspondía a un país europeo, sino a Europa. Desde luego, soy consciente de que Dante comparte con otros grandes poetas de épocas anteriores a la Reforma y al Renacimiento, notablemente Chaucer y Villon, cierta claridad de lenguaje. Indudablemente, hay algo en común entre los tres, hasta el punto de que resulta lógico esperar que quien admire a uno de ellos admirará asimismo a los otros; y también es indudable que existe una opacidad o un espesor del estilo poético que se extiende a lo largo y ancho de Europa después del Renacimiento. Pero la lucidez y universalidad de Dante van mucho más allá de las de Villon y Chaucer, aunque sean semejantes.

Dante es «más fácil de leer» para un extranjero que no sabe muy bien italiano por distintas razones, pero todas relacionadas con esta razón central: que, en la época de Dante, Europa, con todas sus disensiones y problemas, estaba mentalmente más unida de lo que ahora podemos concebir. No es el Tratado de Versalles, en particular, lo que ha separado a una nación de otra: el nacionalismo surgió mucho antes y el proceso de desintegración que para nuestra generación culmina con aquel tratado empezó poco después de la época de Dante. Una de las razones de la «sencillez» de Dante es la siguiente..., pero primero he de permitirme una digresión.

Debo explicar por qué he afirmado que Dante es «fácil de leer», en vez de hablar de su «universalidad», que hubiera sido una palabra más fácil de emplear. Sin embargo, no quiero insinuar que reclamo para Dante la universalidad que les niego a Shakespeare, Molière o Sófocles. Dante no es más «universal» que Shakespeare, aunque creo que, como extranjeros, es más fácil que lleguemos a entenderlo a él que a los otros. Shakespeare e incluso Sófocles, Racine o Molière tratan de algo que es tan universalmente humano como el material de Dante, pero no les queda otra opción que abordarlo de un modo más local. Como he dicho antes, el italiano de Dante es muy cercano en sentimiento al latín medieval y también está muy cerca de los filósofos medievales a quienes Dante y otros hombres cultos de su época leían, entre ellos santo Tomás, que era italiano, su predecesor Albertus, que era alemán, Abelardo, que era francés, y Hugo y Ricardo de San Víctor, que eran escoceses.[2] Para el *medium* que Dante empleó, comparemos el principio del *Inferno*:

Nel mezzo del cammin di nostra vita
mi ritrovai per una selva oscura
che la diritta via era smarrita...

2. Albertus es Alberto Magno (*c.* 1193-*c.* 1206), maestro de santo Tomás y figura central de la irrupción del aristotelismo en la Edad Media, que ejerció una profunda influencia en Dante. Abelardo —o Pierre Abelard— (1079-1142) es uno de los más importantes filósofos y teólogos medievales. ¶ Hugo de San Víctor (1096-1141) fue un teólogo y místico escocés, que escribió y enseñó en la abadía de San Víctor de París. Su discípulo Ricardo de San Víctor (¿?-1173), también escocés, profesó igualmente en la abadía de San Víctor, donde se recluyó toda su vida dedicado al estudio y la contemplación. Hugo de San Víctor, en especial, ejerció un notable influjo en la concepción de la *Divina comedia*, pues fue uno de los principales tratadistas de la numerología bíblica, tan influyente en la configuración del poema dantesco.

[A mitad del camino de la vida
yo me encontraba en una selva oscura,
con la senda derecha ya perdida.][3]

con los versos con los que se describe a Duncan el castillo de Macbeth:

Placentero es el lugar donde se alza el castillo.
El aire tenue y ágil invita
a nuestros agradables sentidos.

La golondrina, huésped del verano
que frecuenta los templos, ve con buenos ojos
cómo en estas amadas murallas el aliento del cielo
esparce aromas delicados. No hay cornisa, friso,
contrafuerte ni rincones adecuados en donde esa ave
no haya hecho su nido con una cuna fecunda.
He comprobado que el aire es terso
allí donde ella habita y cría.[4]

En absoluto pretendo que estemos en condiciones de apreciar todo aquello que un italiano culto puede apreciar, ni siquiera en un único verso de Dante. Pero mantengo que se pierde más al traducir a Shakespeare al italiano de lo que se pierde al traducir a Dante al inglés. ¿Cómo puede un extranjero encontrar palabras para adaptar a su propia lengua esa combinación de inteligibilidad y remota lejanía que encontramos en tantas frases de Shakespeare?

3. Dante, *Infierno*, I, vv. 1-3.
4. Shakespeare, *Macbeth*, I, VI.

No estoy sometiendo a consideración si es superior la lengua de Shakespeare o la de Dante, porque la pregunta me parece inadmisible, digo simplemente que las diferencias son suficientes para hacer que Dante resulte más fácil para un extranjero. Las ventajas de Dante no se deben a un genio mayor, sino al hecho de que escribió cuando Europa era más o menos una. Y aunque Chaucer o Villon hubiesen sido contemporáneos exactos de Dante, habrían estado más lejos que Dante, tanto lingüística como geográficamente, del centro de Europa.

Pero la sencillez de Dante se debe a otra razón particular. No solo pensaba del mismo modo en que pensaban los hombres que tenían su misma cultura por toda Europa, sino que empleó un método que era común y comúnmente comprensible a lo largo y ancho de Europa. Mi intención no es profundizar en el asunto de las distintas interpretaciones de las alegorías de Dante, más bien me importa el hecho de que el método alegórico fuera un método definido que no se limitaba a Italia y el hecho, aparentemente paradójico, de que el método alegórico se orientara a la sencillez e inteligibilidad. Tendemos a pensar en la alegoría como un engorroso puzle de palabras. Nos inclinamos a asociarlo con poemas aburridos (en el mejor de los casos, *The Romance of the Rose*), y si acaso lo relacionamos con algún gran poema, es solo para ignorarlo por irrelevante. En casos como el de Dante, sin embargo, eso que tendemos a ignorar está en la raíz de la lucidez de su estilo.[5]

5. El *Roman de la Rose* es un largo poema alegórico que narra el enamoramiento de un joven por la flor del título. El poema lo empezó Guillaume de Lorris, que lo abandonó en el año 1230. Entre 1269 y 1278, Jean de Meun terminó la obra, dejándola con casi veintidós mil versos. Dante se basó en ese poema

No recomiendo, en una primera lectura del primer canto del *Inferno*, preocuparse por la identidad del Leopardo, el León o la Loba.[6] Al principio, es mucho mejor no saber lo que representan ni preocuparnos por ello. Más que cuestionar el significado de las imágenes, vale la pena considerar el proceso contrario: aquello que lleva a un hombre que tiene una idea a expresarla en imágenes. ¿Qué tipo de mentalidad era aquella que, por naturaleza y práctica, tendía a expresarse por medio de alegorías? Y para un poeta competente, alegoría significa 'nítidas imágenes visuales' y estas imágenes ganan en intensidad cuando tienen significado; no es necesario que lo conozcamos, pero, ante la imagen, debemos ser conscientes de que el significado está también ahí. La alegoría no es más que un método poético entre tantos, pero es un método con grandes ventajas.[7]

La imaginación de Dante es visual. Lo es en un sentido diferente de la de un moderno pintor de naturalezas muertas: es visual en el sentido en que Dante vivía en una época donde los hombres aún tenían visiones. Era un hábito psicológico, un ardid que hemos olvidado, pero tan válido como cualquiera de los nuestros. No tenemos más que sueños y hemos olvidado que tener visiones —una práctica hoy relegada a los degenerados o los analfabetos— fue un día un significativo, interesante y disciplinado modo de so-

para la composición de su propia obra alegórico-narrativa titulada *La flor*, escrita hacia 1295 y compuesta por doscientos treinta y dos sonetos.

6. Las bestias que asedian a Dante al principio del poema.

7. En un ensayo sobre Dante, mucho más temprano y recogido en *El bosque sagrado*, Eliot se refería a la alegoría dantesca en los siguientes términos: «La alegoría es el andamiaje sobre el que se construye el poema», T. S. Eliot, *El bosque sagrado*, San Lorenzo de El Escorial, Langre, 2004, p. 435.

ñar. Damos por sentado que nuestros sueños surgen de abajo y posiblemente la calidad de nuestros sueños sufra las consecuencias de ello.

Todo lo que pido al lector, llegado este punto, es que, a ser posible, limpie su mente de cualquier prejuicio en contra de la alegoría y que admita, por lo menos, que no era un método para que quienes no tenían inspiración escribieran poemas, sino un auténtico hábito mental que, cuando alcanzaba el nivel del genio, podía alumbrar un gran poeta, lo mismo que un gran místico o un santo. Y es la alegoría lo que hace posible que un lector que no es ni de lejos un especialista en literatura italiana disfrute a Dante. La lengua varía, pero nuestros ojos son siempre los mismos. Y la alegoría no era una costumbre local italiana, sino un método universal europeo.

El propósito de Dante es hacernos ver lo que él vio. En consecuencia, utiliza un lenguaje muy simple y muy pocas metáforas, porque la alegoría y la metáfora no se llevan bien. Y hay una peculiaridad en sus comparaciones que vale la pena hacer notar, de paso.

Hay una comparación bien conocida, un símil, en el gran canto XV del *Inferno*, que Matthew Arnold señaló acertadamente como digna de encomio y que es característica del modo en que Dante emplea esta clase de figuras. En ella, Dante se refiere a la muchedumbre que, desde el infierno, los mira a él y su guía en medio de la penumbra:

e sí ver noi aguzzavan le ciglia,
come 'l vecchio sartor fa ne la cruna.

[y cada una de aquellas nos miraba

como se miran dos —el entrecejo
frunciendo— si la luz lunar no brilla,
o como enhebra el hilo un sastre viejo.][8]

El propósito de este tipo de símil no es otro que hacernos ver más definidamente la escena que Dante pone frente a nosotros en las citadas líneas.

La imagen de Shakespeare

parece dormida
como si quisiera atrapar a otro Antonio
en su fuerte lazo de gracia[9]

8. Dante, *Infierno*, XV, vv. 20-21. Estos versos, pertenecientes al episodio en el que Dante se encuentra con su maestro y amigo Brunetto Latini (*c.* 1220-1294), fueron favoritos de T. S. Eliot y tuvieron una influencia concreta en «Little Gidding», el último de los *Cuatro cuartetos*. Para más información sobre Latini y su episodio, véanse el prólogo, «El rey del bosque», pp. 9-43.

9. Shakespeare, *Marco Antonio y Cleopatra*, V, II. Esta metáfora shakespeariana parece que fue especialmente cautivadora para T. S. Eliot, pues la comentó en varias ocasiones. Ya en un artículo muy temprano, «Studies in Contemporary Criticism», publicado en la revista *The Egoist* (octubre de 1918, p. 114), el poeta decía que la imagen era 'una metáfora complicada que aporta fuerza al lenguaje, pone en evidencia algo de la fuente física de energía de la que depende la vida del lenguaje'. Dos años después, en 1920, en un ensayo sobre el dramaturgo isabelino Philip Massinger, Eliot decía de esta metáfora que era un ejemplo del don de fusionar en una sola frase dos o más impresiones y que ahí 'la metáfora se identifica con lo que sugiere', T. S. Eliot, «Philip Massinger», *Selected Essays* (*Ensayos selectos*; Londres, Faber & Faber, 1999, p. 209).

es mucho más complicada que la de Dante e incluso más complicada de lo que podría parecer en un principio. Gramaticalmente, tiene la forma de una especie de símil (la forma «como si»), pero «atrapar en su lazo» es desde luego una metáfora. Así, mientras el símil de Dante sirve meramente para hacernos ver de un modo más claro cómo miraba aquella gente y es por tanto explicativa, la figura de Shakespeare es expansiva, más que intensiva, pues su propósito es añadir algo a lo que vemos —ya sea en el escenario o en la imaginación—, un recordatorio de la fascinación que Cleopatra ejercía y que configuró su historia y la del mundo y también de la fuerza de esa fascinación, tan intensa que prevalecía aun después de la muerte. Es más elusiva y más difícil de comunicar sin un conocimiento profundo de la lengua inglesa. Ante hombres como estos, capaces de tales invenciones, no valen consideraciones de mayor o menor grandeza, pero, dado que el poema entero de Dante es, si queremos verlo así, una vasta metáfora, apenas hay lugar para la metáfora en él.

Hay razones de sobra para ir familiarizándose tramo a tramo con el poema de Dante e incluso para detenerse en los fragmentos que a uno le gustan particularmente, puesto que no podemos extraer el significado completo de ninguna de esas partes sin el conocimiento del conjunto. No podemos entender la inscripción de la puerta del Infierno:

Giustizia mosse il mio alto Fattore:
fecemi la divina Potestate,
la somma Sapienza e 'l primo Amore

[Fue la justicia quien movió a mi autor
el divino poder se unió al crearme
con el sumo saber y el primo amor.][10]

hasta que hemos ascendido al más alto cielo y regresado de allí. Sin embargo, podemos entender el primero de los episodios que suelen impresionar a muchos lectores, el de Paolo y Francesca, lo suficiente para que nos conmueva tanto como lo haría cualquier otro poema en su primera lectura. Comienza con dos símiles de la misma naturaleza explicativa que el que he citado justo arriba:

E come gli stornei ne portan l'ali,
nel freddo tempo, a schiera larga e piena,
Così quel fiato gli spiriti mali;

[Cual estorninos, que en los invernales
tiempos vuelan unidos en bandada,
acá, allá, acullá, por vendavales

la turba de almas malas es llevada,][11]

E come i gru van cantando lor lai
facendo in aere di sé lunga riga;
cosí vidi venir, traendo guai,
ombre portate da la detta briga:

10. *Infierno*, III, vv. 4-6.
11. *Ibidem*, V, vv. 40-42.

[Y cual grullas que cantan su lamento,
formando por los aires larga hilera,
se acercaron así, con triste acento,][12]

aunque no podamos entender aún el significado que Dante le da al episodio, somos capaces de ver y sentir la situación de los dos amantes perdidos. De un episodio como ese, por sí mismo, podemos obtener tanto como obtendríamos de la lectura de una pieza entera de Shakespeare. No es posible entender a Shakespeare con una sola lectura y ciertamente tampoco a partir de una sola obra: existe una relación entre las distintas piezas —vistas en orden— y supone un trabajo de años aventurar una sola interpretación individual del patrón del tapiz shakespeariano. Ni siquiera está claro que Shakespeare mismo supiese en qué consistía ese patrón, que quizá sea más vasto que el de Dante, pero también es menos nítido. Podemos comprender perfectamente los versos:

Noi leggiavamo un giorno per diletto
di Lanciallotto come amor lo strinse:
soli eravamo e sanza alcun sospetto.
Per più fiate li occhi ci sospinse
quella lettura, e scolorocci il viso;
ma solo un punto fu quel che ci vinse.
Quando leggemmo il disiato riso
esser baciato da cotanto amante,
questi, che mai da me non fia diviso,
la bocca mi baciò tutto tremante.

12. *Ibidem*, V, vv. 46-49.

[Como el amor a Lanzarote hiriera,
por deleite, leíamos un día:
soledad sin sospechas era nuestra era.

Palidecimos, y nos suspendía
nuestra lectura, a veces, la mirada;
y un pasaje, por fin, nos vencería.

Al leer que la risa deseada
besada fue por el fogoso amante,
este, de quien jamás seré apartada,

la boca me besó todo anhelante.][13]

Pero podemos apreciar mejor la sutil psicología de un simple verso de Francesca cuando logramos acomodar el episodio en el lugar que le corresponde dentro de la totalidad de la *Comedia* y ver cómo este castigo se relaciona con los demás y con las purgaciones y recompensas:

se fosse amico il re de l'universo

[si fuese amigo el rey del universo][14]

o de este otro:

13. *Ibidem*, V, vv. 127-136.
14. *Ibidem*, V, v. 91.

Amor, ch'a nullo amato amar perdona

[Amor, que a nadie amado amar perdona][15]

o incluso del verso ya citado:

questi, che mai da me non fia diviso

[que, como ves, ya nunca me abandona.][16]

Avanzando en una primera lectura del *Inferno*, encontramos una sucesión de imágenes fantasmagóricas y sin embargo nítidas, imágenes coherentes entre sí, puesto que cada una refuerza la anterior, de atisbos de individuos a los que una frase perfecta hace memorables, como la que corresponde al orgulloso Farinata degli Uberti:

ed el s' ergea col petto e con la fronte
com'avesse l'inferno a gran dispitto.

[y él su pecho y la frente levantaba
como aquel que al infierno ha despreciado][17]

y de extensos episodios que se singularizan en la memoria. Creo que entre estos últimos, los que resultan más notables en sí mismos, en el transcurso de una primera lectura, hay que contar los episodios de Brunetto Latini (canto XV), de Ulises (canto XXVI), de Bertrán

15. *Ibidem*, V, v. 103.
16. *Ibidem*, V, v. 105.
17. *Ibidem*, X, vv. 35-36.

de Born (canto XXVIII), de Adamo di Brescia (canto XXX) y de Ugolino (canto XXXIII).

Creo, sin embargo, que sería un error avanzar a saltos, de modo que prefiero dejar estos episodios para su debido tiempo. En cualquier caso, ciertamente perduran en mi memoria como los fragmentos que me resultaron más convincentes en mi primera lectura del *Inferno*, en especial los episodios de Brunetto y Ulises, para los cuales ninguna cita o alusión me había preparado. Y ambos podrían colocarse uno al lado del otro, porque, aunque el primero es el testimonio de Dante sobre un amado maestro y el segundo su reconstrucción de una legendaria figura de la épica antigua, los dos poseen como característica la sorpresa que Poe consideraba esencial en la poesía. Esta sorpresa, en su máxima expresión, no podría ilustrarse mejor que con aquellos versos finales con los que Dante despide al maestro condenado que él, sin embargo, ama y respeta:

> *Poi si rivolse, e parve di coloro*
> *che corrono a Verona il drappo verde*
> *per la campagna; e parve di costoro*
> *quelli che vince, non colui che perde.*
>
> [Alejose, y de aquellos parecía
> que corren en Verona el lienzo verde
> por la campaña; y, de ellos, se diría
> aquel que gana, pero no el que pierde.][18]

18. *Ibidem*, XV, vv. 121-124. Se trata de los últimos cuatro versos del canto que narra el encuentro con Brunetto Latini, de especial importancia, como ya se ha dicho en la nota 8, para T. S. Eliot, quien ya había comentado la estrofa en uno de sus más famosos ensayos, «Tradición y el talento individual» (1919),

Uno no necesita saber nada sobre la carrera por el rollo de lienzo verde para ser golpeado por estos versos. Por otra parte, al señalar a Brunetto, de tal modo caído, como uno de los que ganan, Dante da a ese castigo una cualidad que solo puede esperarse de la poesía verdaderamente grande. Y lo mismo sucede en el caso de Ulises, invisible entre la ardiente marea de fuego:

Lo maggior corno de la fiamma antica
cominciò a crollarsi mormorando
pur come quella cui vento affatica;
indi la cima qua e là menando,
come fosse la lingua che parlasse,
gittò voce di fuori e disse: «Quando
mi dipartì' da Circe, che sottrasse
me più d'un anno là presso a Gaeta...

[Y de la antigua llama el más saliente
de los cuernos torciose murmurando
cual llama que del viento se resiente;

---

donde decía: «El último cuarteto [del canto XV] ofrece una imagen, un sentimiento sujeto a una imagen que "surgió", que no se desarrolló sencillamente a partir de lo que precede sino que se hallaba probablemente en suspensión en la mente del poeta hasta que llegó la combinación correcta para añadirse a ella», T. S. Eliot, *El bosque sagrado*, San Lorenzo de El Escorial, Langre, 2004, p. 231. ¶ Por otra parte, la alusión al «lienzo verde» tiene que ver con unas populares carreras medievales que se corrían el primer Domingo de Cuaresma en Verona y cuyo premio consistía en un lienzo escarlata para los competidores a caballo y otro para los que corrían a pie. Con esa imagen, Dante quiere dar a entender la rapidez con que Brunetto Latini camina para llegar hasta su grupo, al tiempo que sugiere el prestigio de su nombre.

luego se fue la punta meneando
como si fuese lengua y así hablara
y echó fuera la voz y dijo: «Cuando

de Circe me alejé, que me guardara
por más de un año cerca de Gaeta,][19]

Ahí, Ulises es una criatura hecha de pura imaginación poética, aprehensible con independencia del espacio y el tiempo y aun del esquema del poema. El episodio de Ulises puede parecernos en un primer momento una especie de desviación, una irrelevancia, un capricho de Dante, que descansa de pronto de su esquema cristiano. Pero cuando hemos leído el poema completo reconocemos cuán astuta y convincentemente Dante ha hecho encajar entre los personajes reales —sus contemporáneos, amigos, enemigos, personajes de la historia reciente— a personajes bíblicos y figuras pertenecientes a las leyendas y ficciones de la Antigüedad. Se le ha reprochado que atendía a sus propios rencores al situar en el infierno a personas que conocía y odiaba, incluso se le ha ridiculizado por ello; pero estas personas, lo mismo que Ulises, se transforman por obra y gracia del todo, porque, reales e irreales, representan todos distintos tipos de pecado, sufrimiento, falta y mérito, adquieren todos la misma realidad y se vuelven contemporáneos unos de otros. El episodio de Ulises es particularmente «legible», me parece, a causa de su narrativa continua y directa y porque, para un lector inglés, la comparación con el poema de Tennyson —perfecto para eso— resulta muy instructiva. Vale la

19. *Infierno*, XXVI, vv. 85-92.

pena notar el grado de simplificación de la versión de Dante: Tennyson, como tantos poetas, como tantos entre aquellos que reconocemos incluso como grandes poetas, se ve obligado a obtener sus efectos de cierto grado de forzamiento. Así, el verso sobre el mar, que

ronda gimiendo con muchas voces,[20]

un auténtico espécimen de Tennyson-Virgilismo, es demasiado poético, en comparación con Dante, para alcanzar el nivel de la alta poesía. Solo Shakespeare puede ser tan «poético» sin dar la impresión de sobrecarga o distraernos del asunto principal:

Envainad las relucientes espadas, pues las corroerá el rocío...[21]

Ulises y sus compañeros navegan a través de los pilares de Hércules, ese estrecho

dov'Ercole segnò li suoi riguardi
acciò che l'uom più oltre non si metta:

[... donde había
Hércules elevado los resguardos

que al navegante niegan la franquía.][22]

20. Alfred Tennyson, «Ulises».
21. Shakespeare, *Otelo*, I, II.
22. *Infierno*, XXVI, vv. 108-109.

«O frati», dissi, «che per cento milia
perigli siete giunti a l'occidente,
a questa tanto picciola vigilia
d'i nostri sensi, ch'è del rimanente,
non vogliate negar l'esperienza,
di retro al sol, del mondo sanza gente.
Considerate la vostra semenza:
fatti non foste a viver come bruti,
ma per seguir virtute e canoscenza.»

[«¡Oh hermanos, que llegáis», yo les hablaba,
«tras de cien mil peligros a Occidente,
cuando de los sentidos ya se acaba

la vigilia y es poco el remanente,
negaros no queráis a la experiencia
de ir tras el sol por ese mar sin gente.

Considerad», seguí, «vuestra ascendencia:
para vida animal no habéis nacido,
sino para adquirir virtud y ciencia.»][23]

Y siguen adelante hasta que, de pronto,

n'apparve una montagna, bruna
per la distanza, e parvemi alta tanto
quanto veduta non avea alcuna.

23. *Ibidem*, XXVI, vv. 112-120.

Noi ci allegrammo, e tosto tornò in pianto;
ché dalla nuova terra un turbo nacque,
e percosse del legno il primo canto.
Tre volte il fe' girar con tutte l'acque:
a la quarta levar la poppa in suso
e la prora ire in giú, com' altrui piaque,
infin che 'l mar fu sovra noi richiuso.

[... mostrose una montaña, bruna
por la distancia; y se elevaba tanto
que tan alta no vi jamás ninguna.

Nuestra alegría se convierte en llanto,
pues de la nueva tierra un viento nace
que del leño sacude el primer canto;

con las aguas tres veces girar le hace
y a la cuarta la popa es elevada,
se hunde la proa —que a otro así le place—

y nos cubre por fin la mar airada.][24]

Narrada por Dante, la historia de Ulises se lee como un romance, como un relato de marineros magníficamente contado; el Ulises de Tennyson es, ante todo, un poeta tremendamente autoconsciente. Y sin embargo, el poema de Tennyson es plano: tiene solo dos dimensiones. No hay en él nada que un inglés medio, con cierta sensibilidad para la belleza verbal, sería incapaz de notar.

24. *Ibidem*, XXVI, vv. 133-142.

No necesitamos, en principio, saber de qué montaña se trataba o qué significan las palabras «como Aquel lo quiso», para percibir que el sentido de Dante tiene profundidades mayores.

Vale la pena subrayar de nuevo hasta qué punto supuso un acierto, por parte de Dante, haber introducido entre sus personajes al menos uno que, incluso para él, no podía ser sino ficción. Gracias a la elección de los condenados, el *Inferno* está a salvo de cualquier sospecha de mezquindad o arbitrariedad. Aquella nómina nos recuerda, además, que el infierno no es un lugar, sino un estado; que hay condenados y benditos lo mismo entre las criaturas de la imaginación que entre quienes efectivamente vivieron; y que el infierno, pese a que es un estado, solo puede pensarse —y quizá experimentarse— por medio de la proyección de imágenes sensoriales; y que la resurrección del cuerpo tiene probablemente una profundidad mayor de lo que podemos entender. Pero a estas conclusiones solamente puede llegarse después de muchas relecturas: no son necesarias para un primer disfrute poético.

La experiencia de un poema es tanto la experiencia de un momento como la de una vida entera. En muchos sentidos, se parece a la experiencia que tenemos de otros seres humanos. Hay una primera impresión —o un momento inicial— que es único, de sorpresa, incluso de terror (*Ego dominus tuus*), un momento que no puede olvidarse, pero que no se repite nunca íntegramente y que incluso puede perder significado si no sobrevive a una experiencia más amplia, que solo puede sobrevivir en el interior de un sentimiento más hondo y sosegado.[25] La mayoría de los poemas

25. En esta descripción de la experiencia poética, T. S. Eliot convoca tácitamente uno de los momentos más intensos de la obra de Dante, cuando en el

nos sobrepasan y sobreviven, lo mismo que la mayoría de las pasiones humanas. Dante es uno de aquellos a los que uno solo puede pretender alcanzar al final de la vida.

El último canto (XXXIV) es probablemente el más difícil en una primera lectura. La visión de Satán puede parecer grotesca, especialmente si tenemos en mente al byroniano héroe con pelo ri-

---

comentario previo al primer soneto de la *Vita nuova*, «A ciascun' alma presa e gentil cuore» ('A cada alma cautiva y gentil corazón'), narra el sueño que originó el poema y en el que un hombre sostiene a una mujer entre los brazos mientras murmura: «ego dominus tuus» ('soy tu amo'), al tiempo que sostiene en una mano algo ardiente que parece decirle al poeta «Vide cor tuum» ('Mira tu corazón'). Entonces el hombre despierta a la mujer y le obliga a comer el corazón, tras lo cual la mujer rompe a llorar y desaparecen luego los dos hacia el cielo. De esta visión, Dante alumbró el mencionado soneto:

A cada alma cautiva y gentil corazón
ante cuya presencia va este decir,
para que de esto me den parecer,
salud en nombre de su amo, Amor.

Eran ya casi terciadas las horas
del tiempo que lucen los astros
cuando me apareció Amor súbitamente
cuya forma horror me da memorar.

Alegre me parecía Amor teniendo
mi corazón en mano y en los brazos
a mi señora arropada, durmiendo.

Luego la despertaba y del corazón ardiendo
ella humilde y temerosa comía:
luego lo vi irse llorando.

W. B. Yeats escribió un poema titulado «Ego Dominus tuus» sobre la relación del poeta con su obra, en el que habla de Dante y que posiblemente también tenía T. S. Eliot en la cabeza cuando deslizó la alusión en su ensayo.

zado de Milton: se parece demasiado al Satán que podríamos ver en un fresco de Siena. Ciertamente, la esencia del mal no puede confinarse a una forma o a un lugar, como no puede confinarse al Espíritu Santo. Sin embargo, confieso que, como el propio Dante, tiendo a pensar en un Demonio que sufre igual que las almas humanas condenadas, aunque está claro que el tipo de sufrimiento que corresponde al espíritu maligno debería representarse de un modo fundamentalmente diferente. Sea como fuere, solo puedo decir que Dante sacó el máximo provecho posible a una imagen malograda. Situar a Bruto —el noble Bruto— y a Casio al lado de Judas Iscariote puede desconcertar en un principio al lector inglés, para quien Bruto y Casio son y serán siempre el Bruto y el Casio de Shakespeare, pero si mi justificación de la presencia de Ulises es válida, entonces lo es también la presencia de Bruto y de Casio. Si alguien siente repulsión ante el último canto del *Inferno*, solo puedo pedirle que espere a haber leído el último canto del *Paradiso* y a haber convivido durante años con lo que, a mi entender, representa el punto más alto que la poesía haya alcanzado hasta ahora —o que jamás alcanzará— y en el cual Dante decididamente enmienda cualquier fallo del canto XXXIV del *Inferno*; pero quizá es mejor, en nuestra primera lectura del *Inferno*, que omitamos el último canto y volvamos en cambio al principio del canto III:

Per me si va ne la città dolente,
per me si va ne l'etterno dolore,
per me si va tra la perduta gente.
Giustizia mosse il mio alto Fattore:
fecemi la divina Potestate,
la somma Sapienza e 'l primo Amore.

II. El «Purgatorio» y el «Paradiso»

Con respecto a la ciencia o al arte de escribir poemas, del *Inferno* uno aprende que la poesía más grande puede escribirse con la mayor economía de palabras y con la máxima austeridad en lo que toca al uso de metáforas, símiles, belleza verbal y elegancia. Cuando afirmo que puede aprenderse mucho más sobre cómo escribir poesía de Dante que de cualquier otro poeta, no digo en absoluto que el modo de hacer de Dante sea el único o que Dante sea, en consecuencia, más grande que Shakespeare o, de hecho, más grande que ningún otro poeta inglés. Para decirlo de otro modo: Dante puede hacer menos daño a cualquiera que esté intentando aprender a escribir poemas del que puede hacerle Shakespeare.[26] Muchos grandes poetas ingleses son inimitables de un modo en que Dante no lo es. Si uno intenta imitar a Shakespeare producirá, sin duda, una serie de distorsiones de lenguaje, afectadas, forzadas y violentas. El lenguaje de cada uno de los grandes poetas ingleses es propio de cada uno de ellos: el lenguaje de Dante es la perfección de un lenguaje común. En cierto sentido, es más pedestre que Dryden o Pope. Si uno carece de talento e imita a Dante, resultará, en el peor de los casos, pedestre y plano; si uno carece de talento y busca imitar a Shakespeare o a Pope, quedará como un tonto de tomo y lomo.

Si todo esto puede aprenderse del *Inferno*, hay otras muchas cosas por aprender de las dos siguientes partes del poema. Del

26. En sus cartas a jóvenes poetas que le enviaban su obra, T. S. Eliot solía recomendarles que se curaran de los excesos de malas influencias contemporáneas con el estudio detallado de los símiles de Dante.

Purgatorio, uno aprende que un postulado filosófico simple puede erigirse en gran poesía; del *Paradiso*, que ciertos estados de beatitud, a cual más enrarecido y remoto, pueden servir como materia prima de un gran poema. Gradualmente, uno llega a admitir que Shakespeare entiende la vida humana de un modo más amplio y diverso que Dante, pero que este, sin embargo, es capaz de entender niveles más profundos de degradación y niveles más elevados de exaltación. Y una sabiduría superior se alcanza cuando comprendemos claramente que ello prueba la igualdad de los dos hombres.

Por otra parte, el *Purgatorio* y el *Paradiso* funcionan de un modo parecido desde el punto de vista de la comprensión. Aparentemente, resulta más fácil aceptar la condenación como material poético que la purgación o la beatitud: están involucradas menos cosas extrañas a la mente moderna. Insisto en que el significado último del *Inferno* solo puede descubrirse después de leer las dos secciones siguientes, aunque por sí mismo contiene suficiente significado para satisfacer las lecturas iniciales. En mi opinión, el *Purgatorio* es de hecho la más difícil de las tres partes: no es posible disfrutarlo por sí mismo como en el caso del *Inferno* ni se puede disfrutar meramente como una continuación de este; requiere que uno aprecie también el *Paradiso*, lo que significa que su primera lectura es ardua y aparentemente mal remunerada. Solo cuando uno ha llegado al final del *Paradiso* y relee el *Inferno*, puede el *Purgatorio* comenzar a revelar su belleza. La condena —e incluso la beatitud— son más emocionantes que la purgación.

Como compensación, el *Purgatorio* tiene unos pocos episodios que, por así decirlo, nos permiten ascender —en contraposición al descenso— desde el infierno más fácilmente que el resto.

No es necesario que nos detengamos para buscar orientación en la nueva astronomía del monte del Purgatorio; vale más la pena que nos demoremos un poco ante las sombras de Casella y de Manfredo asesinado y, especialmente, de Buonconte y La Pia, aquellos cuyas almas se salvaron del infierno solo en el último momento.

«Io fui di Montefeltro, io son Bonconte:
Giovanna o altri non ha di me cura;
per ch'io vo tra costor con bassa fronte».
Ed io a lui: «Qual forza o qual ventura
ti traviò, sí fuor di Campaldino,
che non si seppe mai tua sepoltura?»
«Oh», rispuos' elli, «a piè del Casentino
traversa un' acqua che ha nome l'Archiano,
che sovra l'Ermo nasce in Apennino.
Là 've 'l vocabol suo diventa vano,
arriva' io forato ne la gola,
fuggendo a piede e sanguinando il piano.
Quivi perdei la vista, e la parola
nel nome di Maria fini', e quivi
caddi e rimase la mia carne sola.»

[«... Bonconte soy, de Montefeltro he sido:
ni Giovanna ni nadie de mí cura,
por lo que entre estos voy entristecido.»

Yo le dije: «¿Qué fuerza o qué ventura
tan lejos te llevó de Campaldino,
que nadie vio jamás tu sepultura?».

«¡Oh!», respondiome, «al pie del Casentino
un agua pasa que se llama Arquiano
y nace en Ermo, cabe el Apenino.

Adonde su vocablo se hace vano
llegué con la garganta traspasada,
huyendo a pie y ensangrentando el llano.

Allí perdí la vista, y clausurada
mi voz quedó cuando nombró a María,
y allí cayó mi sangre abandonada.»][27]

Cuando Buonconte termina su historia, el tercer espíritu toma la palabra:

«Deh, quando tu sarai tornato al mondo,
e riposato de la lunga via»,
seguitò 'l terzo spirito al secondo,
«ricorditi di me che son la Pia:
Siena mi fé; disfecemi Maremma:
salsi colui che 'nnanellata pria
disposando m'avea con la sua gemma».

[«Ah, cuando tú te encuentres en el mundo
y descansado de la larga vía»,
siguió el tercer espíritu al segundo,

27. *Purgatorio*, V, vv. 88-102. Buoconte da Montefeltro, hijo de Guido de Montefeltro, protagonista del canto XXVII del *Infierno*. Capitán de los gibelinos de Arezzo, murió luchando contra los güelfos de Florencia, entre los que estaba Dante.

«acuérdate de mí, que yo soy Pía:
me hizo Siena, deshízome Marema;
lo sabe quien, si anillo yo tenía,

me desposó poniéndome su gema»][28]

El siguiente episodio que suele impactar al lector recién llegado del *Inferno* es el encuentro con Sordelo, el poeta (canto VI), un alma que aparece

altera e disdegnosa
e nel mover de li occhi onesta e tarda!

[¡... digna y desdeñosa
y, la vista al mover, honesta y tarda!][29]

e 'l dolce duca incominciava
«Mantua...» e l'ombra, tutta in sé romita,
surse ver lui del loco ove pria stava,
dicendo: «O Mantoano, io son Sordello
della tua terra!»; e l'un l'altro abbracciava.

28. *Purgatorio*, V, vv. 133-136. Pía es Pia dei Tolomei, de Siena, esposa de Nello dei Pannocchieschi, señor del castillo de la Pietra, en la Maremma, en el litoral toscano. Nello hizo matar a su esposa en ese castillo, por celos, en 1290. T. S. Eliot utilizó el verso 137: «Siena mi fe, disfecemi Maremma», en *La tierra baldía*, cuyo versos 293 y 294 quedaron como «Highbury bore me. Richmond and Kew / Undid me» ('Highbury me alumbró. Richmond y Kew me deshicieron').

29. *Purgatorio*, VI, vv. 62-63.

[... el dulce guía comenzaba
«Mantua...» y la sombra, en sí antes recogida,

surgió hacia él del sitio donde estaba,
diciendo: «¡Oh Mantuano, soy Sordelo,
de tu tierra!», y uno a otro se abrazaba][30]

Este encuentro con Sordello, *a guisa di leon quando si posa* ('a guisa de león cuando reposa'), no es más impresionante que aquel con el poeta Estacio, en el canto XXI.[31] En cuanto reconoce a su maestro Virgilio, Estacio busca abrazarse a sus pies, pero Virgilio responde —el alma perdida que habla a los salvados:

«Frate,
non far, ché tu se' ombra e ombra vedi».
Ed ei surgendo: «Or puoi la quantitate
comprender de l'amor ch'a te mi scalda,
quand'io dismento nostra vanitate,
trattando l'ombre come cosa salda».

[y «No hagas tal», le dijo, «hermano amado,
que una sombra eres y una sombra ves.»

30. *Ibidem*, VI, vv. 71-75. Sordello da Goito (*c.* 1200-*c.* 1270), trovador y cortesano de Mantua. Escribió treinta canciones en provenzal y sirvió a Carlos de Anjou. En el canto VI del *Purgatorio* mantiene un coloquio con Virgilio sobre el limbo.

31. «a guisa de león...» es el verso 66 del canto VI del *Purgatorio*.

Y él, poniéndose en pie: «Ya has comprobado
del amor que te tengo el fuego ardiente:
que nuestra vanidad he olvidado

dando a una sombra un cuerpo consistente.»][32]

El último «episodio» absolutamente comparable con los del *Inferno* es el encuentro con los predecesores de Dante, Guido Guinicelli y Arnaut Daniel (canto XXVI). En ese canto, vemos cómo el fuego purifica a los lujuriosos, aunque también descubrimos que las llamas del purgatorio son distintas de las del infierno. En el infierno, el tormento surge de la naturaleza misma de los propios condenados, expresa su esencia: estos se retuercen de dolor en el tormento de su propia naturaleza perpetuamente pervertida. En el purgatorio, el fuego del tormento es deliberada y conscientemente aceptado por el penitente. Cuando Dante se acerca con Virgilio a estas almas que se hallan entre las llamas del purgatorio, estas se arremolinan a su alrededor:

poi verso me, quanto potean farsi,
certi si fero, sempre con riguardo
di non uscir dove non fosser arsi.

32. *Purgatorio*, XXI, vv. 131-136. El poeta latino Publio Papinio Estacio (*c*. 45-*c*. 96) es autor de un poema épico en doce libros titulado *Tebaida*, sobre la guerra de los Siete contra Tebas, muy influido por la *Eneida*. ¶ Estos versos fueron también predilectos de T. S. Eliot y le acompañaron a lo largo de toda su vida. En 1919 los usó como epígrafe para su libro *Ara Vos Prec* y, tanto en los poemas reunidos que publicó en 1925 como en la edición de 1935, los usó como dedicatoria a su amigo francés Jean Verdenal (1889-1915), que murió en la Primera Guerra Mundial, en los Dardanelos. La dedicatoria reza: «To Jean Verdenal, 1889-1915, *mort aux Dardanelles*», seguido de los versos citados.

[luego, cuanto pudieron se acercaron
a mí, pero teniéndose a resguardo,
pues el sitio en que ardían no dejaron.][33]

Las almas del purgatorio sufren porque desean sufrir, porque buscan purificarse. Es evidente que sufren de un modo más activo e interesado de lo que Virgilio sufre en el limbo eterno, puesto que son almas que se preparan para la salvación. En su sufrimiento hay esperanza, y no en la anestesia de Virgilio: esa es la diferencia. El canto termina con los soberbios versos de Arnaut Daniel en lengua provenzal:

«Ieu sui Arnaut, que plor e vau cantan;
consiros vei la passada folor,
e vei jausen lo joi, qu'esper, denan.
Ara vos prec, per aquella valor
que vos guida al som de l'escalina,
sovenha vos a temps de ma dolor!»
Poi s'ascose nel foco che li affina.

[«... Yo soy Arnaldo, que lloro y voy cantando;
afligido contemplo la pasada locura,
y veo gozoso ante mí el día que espero.

Ahora os pido, por aquel valor
que os conduce a lo alto de la escala,

33. *Purgatorio*, XXVI, vv. 13-15.

que os acordéis a tiempo de mi dolor.»
Y se escondió en el fuego que allí afina.][34]

Estos son los episodios más notables por los que el lector iniciado en el *Inferno* debe escalar hasta alcanzar la costa del Lete, a Matelda y el primer atisbo de Beatriz. En los últimos cantos del *Purgatorio* (XXIX-XXXIII) nos encontramos ya en el mundo del *Paradiso.*

Sin embargo, entre estos episodios se halla la narración del ascenso al Monte, con toda clase de encuentros, visiones y disquisiciones filosóficas importantes y también difíciles para el lector no instruido, que las halla menos emocionantes que la continua fantasmagoría del *Inferno.* La alegoría del *Inferno* resultaba fácil de aceptar o de ignorar, puesto que nos permitía, por así decirlo, aprehender su fin concreto, su solidificación en imágenes; ahora bien, mientras ascendemos del infierno al cielo, estamos cada vez más obligados a aprehender el todo de idea a imagen.

Antes de abordar un pasaje filosófico específico del *Purgatorio* que se ocupa de la naturaleza de la creencia, me veo obligado a hacer una digresión. Me gustaría adelantar ciertas conclusiones provisionales que podrían afectar la lectura que uno hace del *Purgatorio.*

La deuda de Dante con santo Tomás de Aquino, como su deuda con Virgilio (mucho menor), puede fácilmente exagerarse, puesto que debe tenerse en cuenta que Dante leyó también y echó

34. *Ibidem*, XXVI, vv. 142-147. Dante compuso en provenzal estos versos para ponerlos en boca de su admirado trovador Arnaut Daniel. T. S. Eliot rindió homenaje al fragmento al titular su recopilación de poemas de 1919 *Ara Vos Prec.* Por otra parte, el último verso citado «Poi s'ascose nel foco che gli affina» aparece *verbatim* al final de *La tierra baldía*, v. 428.

mano de otros grandes filósofos medievales. De todos modos, la pregunta de cuánto fue lo que Dante tomó de Tomás de Aquino y cuánto de otros sitios ha sido abordada por otros y no es además relevante para el presente ensayo. En cambio, la pregunta sobre aquello en lo que Dante «creía» resulta siempre relevante. Esa pregunta no sería importante si el mundo se dividiera entre aquellas personas que son capaces de tomar la poesía por lo que es y aquellas que no pueden hacerlo en absoluto; si así fuera, no habría necesidad de hablar de esta cuestión a los primeros y no tendría sentido planteársela a los segundos, pero muchos de nosotros somos de algún modo complejos y dados a confundir las cosas: de ahí la justificación de escribir libros sobre libros, con la esperanza de aclarar un poco las cosas.

A mi juicio no podemos permitirnos ignorar las creencias filosóficas y teológicas de Dante o saltarnos los pasajes que las expresan más claramente; aunque, por otro lado, nadie esté obligado a compartirlas. Es un error pensar que hay partes de la *Divina comedia* que solo tienen interés para los católicos o para los medievalistas, pues existe una diferencia (que he de limitarme aquí a mencionar) entre creencia filosófica y asentimiento poético. No estoy seguro de que no haya una diferencia igualmente grande entre creencia filosófica y científica, pero es una diferencia que solo ahora comienza a aparecer y que resulta ciertamente irrelevante para el siglo XIII. Al leer a Dante, uno debe penetrar en el mundo del catolicismo de su tiempo, que no es el mundo del catolicismo moderno, igual que la física de entonces no es la física moderna. Nadie nos pide que creamos lo que Dante creía, porque esa creencia no nos daría ni un céntimo de comprensión y no nos permitiría valorarlo más; sin embargo, se impone que lo comprendamos cada vez mejor. Si somos capaces de leer poesía como tal poesía, «creeremos» en la teología de Dante, exactamente del mismo modo en que creemos en la realidad física de su viaje; esto es: suspenderemos creencia e incredulidad. No negaré que, en la práctica, puede que sea más fácil para un católico entender el significado de muchos pasajes de lo que resulta para el agnóstico común, pero eso no se debe a que el católico crea, sino a que ha recibido instrucción en determinados asuntos. Es cuestión de conocimiento e ignorancia, no de creencia o escepticismo. El asunto fundamental es que el poema de Dante es un todo, que al final deberemos entender la totalidad de las partes para entender cualquiera de ellas.

Además, podemos hacer una distinción entre lo que Dante cree como poeta de lo que creía como hombre. En un sentido práctico, ni siquiera en un caso tan extraordinario como el de Dante, parece probable que pueda haber compuesto la *Comedia* meramente con conocimientos y prescindiendo de creencias; sus creencias privadas, sin embargo, se transformaron en otra cosa al hacerse poesía. Es interesante aventurar la sugerencia de que esto es más cierto en el caso de Dante que en el de cualquier otro poeta filosófico. En el caso de Goethe, por ejemplo, con frecuencia percibo de un modo muy claro «esto es lo que el hombre Goethe creía», en vez de penetrar simplemente en un mundo creado por Goethe. Y lo mismo ocurre con Lucrecio. Menos con el *Bhagavad Gita*, que para mí es el gran poema filosófico después de la *Divina comedia*.[35] Esa es la ventaja del tradicional sistema coherente de

35. Tras su primer viaje a Europa en 1911, T. S. Eliot regresó a Harvard (véase al final de este volumen la cronología de T. S. Eliot, p. 562) y empezó a estudiar filosofía oriental, sánscrito con el profesor James Woods y filología hindú

dogma y moral, como el católico: ante la posibilidad de entenderlo y asumirlo incluso sin creer, se sostiene con independencia de los individuos que lo propongan. Goethe me produce siempre un sentimiento de incredulidad en lo que él cree, Dante no. Creo que ello se debe a que Dante es el poeta más puro, no a que sienta más simpatía por Dante el hombre que por Goethe el hombre.

No propongo separar a Dante de Tomás o a Tomás de Dante. Sería un grave error desde el punto de vista de la psicología. La actitud creyente de un hombre que lee la *Summa* debe ser diferente de la de un hombre que lee a Dante, aunque se trate del mismo hombre y ese hombre sea católico.

No es necesario haber leído la *Summa* (lo que en la práctica significa usualmente haber leído algún manual) para entender a Dante. Pero es necesario leer los pasajes filosóficos de Dante con la humildad de la persona que visita un mundo nuevo y que admite que cada parte es esencial para el todo. Lo que se necesita para apreciar la poesía del *Purgatorio* no es creencia, sino suspensión de la creencia. Para aceptar la teología de Dante, los agnósticos requieren el mismo esfuerzo que una persona moderna requiere para aceptar el método alegórico.

Cuando hablo de entender, me refiero meramente al conoci-

---

con el profesor Charles Lanman. Eliot descubrió entonces, al tiempo que se familiarizaba con Dante, los *Upanishads*, los textos filosóficos de la religión hindú, y el *Bhagavad Gita*, libro VI del *Mahabharata*, el gran poema épico hindú, escrito entre los siglos I o II a.C. Tanto los *Upanishads* como sobre todo el *Bhagavad Gita* ejercieron un influjo hipnótico en el joven T. S. Eliot, tal y como se trasluce de manera ostensible en el final de *La tierra baldía* (vv. 402 y 434) y en el tercero de los *Cuatro cuartetos*, «The Dry Salvages», cuyo tercer movimiento se abre con una reflexión explícita sobre un episodio del *Bhagavad Gita*.

miento de frases o de libros, lo mismo que no me refiero a creencias, sino a un estado mental en el cual uno observa ciertas creencias, como el orden de los pecados mortales —entre los cuales la traición y la soberbia son más graves que la lujuria, mientras que la desesperación es el mayor de todos— en cuanto posibles, lo que hace que suspendamos nuestros juicios.[36]

En el canto XVI del *Purgatorio* nos encontramos con Marco Lombardo, que diserta largamente sobre el libre albedrío y sobre el alma:

Esce di mano a lui che la vagheggia
prima che sia, a guisa di fanciulla
che piangendo e ridendo pargoleggia,
l'anima semplicetta che sa nulla,
salvo che, mossa da lieto fattore,
volentier torna a ciò che la trastulla.
Di picciol bene in pria sente sapore;
quivi s'inganna, e dietro ad esso corre,
se guida o fren non torce suo amore.
Onde convenne legge per fren porre;
convenne rege aver, che discernesse
de la vera cittade almen la torre.

[Sale de mano que, antes que ella sea,
lo mismo que a una niña la acaricia,
que llorando y riendo juguetea,

36. Tomás de Aquino, *Summa*, II-II, q. 20, a. 3.

el alma simplecilla, sin pericia,
pero, movida por feliz autor,
se inclina a cuanto piensa ser delicia.

En leve bien primero halla sabor,
pero se engaña y, por lograrlo, corre
si rienda o freno no tuercen su amor.

La buena ley la frena y la socorre,
que un rey conviene que a lo menos mida
de la ciudad auténtica la torre.][37]

Más tarde (canto XVII), es el propio Virgilio el que instruye a Dante en la naturaleza del amor:

«Né creator né creatura mai»
cominciò el, «figiuol, fu sanza amore,
o naturale o d'animo; e tu 'l sai.
La natural è sempre sanza errore,
ma l'altro puote errar per malo obietto,
o per troppo o per poco di vigore.
Mentre ch'elli è nel primo ben diretto,
e ne' secondi se stesso misura,
esser non può cagion di mal diletto;
ma quando al mal si torce, o con piú cura
o con men che non dee corre nel bene,
contra 'l Fattore adovra sua fattura.

37. *Purgatorio*, XVI, vv. 85-96. Marco Lombardo fue un sabio y valiente cortesano, del que nada más se sabe.

Quinci comprender puoi ch'esser convene
amor sementa in voi d'ogne virtute
e d'ogne operazion che merta pene.»

[«Jamás ni creador ni criatura»,
continuó, «vivieron sin amor,
ya elegido, ya efecto de natura.

El natural está libre de error,
mas puede el otro errar por mal objeto
o por exceso o falta de vigor.

Mientras el bien mayor busca, discreto,
y los menores ama con mesura,
a torcida pasión no está sujeto;

mas si se inclina al mal, o el bien procura
con más o menos celo que el sensato,
contra el propio Hacedor obra su hechura.

Bien puedes deducir de lo que trato
que amor de todo bien es la simiente
y de todo lo digno de reato.»][38]

Si he citado estos pasajes relativamente extensos es porque pertenecen al tipo de los que un lector puede sentir la tentación de saltarse, pensando que están destinados a los estudiosos, no a los lec-

38. *Ibidem*, XVII, vv. 91-105.

tores de poesía o que, para apreciarlos, es necesario haber estudiado la filosofía que subyace en ellos. No es necesario que podamos seguir el rastro de esta filosofía hasta el *De anima* de Aristóteles para poder apreciarlos como poesía. De hecho, si nos preocupamos demasiado de su dimensión filosófica, muy probablemente nos privemos del disfrute de su belleza. Es en la filosofía de un mundo poético donde nos adentramos.

Cuando llegamos al canto XXVII, sin embargo, hemos dejado atrás el nivel del castigo y el nivel de la dialéctica y nos acercamos al estadio del paraíso. Los últimos cantos anuncian ya las cualidades de este y nos preparan para él: avanzan directamente, sin desvío ni tardanza. Los tres poetas, Virgilio, Estacio y Dante, atraviesan el muro de fuego que separa el purgatorio del paraíso terrenal. Virgilio despide a Dante, que de ahí en adelante ha de avanzar con más alta guía, diciendo:

Non aspettar mio dir piú, ne mio cenno:
libero, dritto e sano è tuo arbitrio,
e fallo fora non fare a suo senno:
per ch' io te sovra te corono e mitrio.

[… Ya mi tutela no andarás buscando:
libre es tu arbitrio, y sana tu persona,
y harás mal no plegándote a su mando,

y por eso te doy mitra y corona.][39]

39. *Ibidem*, XXVII, vv. 139-142.

Id est. Para los propósitos del resto de su viaje, Dante ha alcanzado la condición de los benditos, porque la organización política y eclesiástica solo se requiere a causa de las imperfecciones de la voluntad humana. En el paraíso terrenal, Dante encuentra una dama llamada Matelda, de cuya identidad, en principio, no necesitamos preocuparnos:

> *una donna soletta, che si gía*
> *cantando e scegliendo fior da fiore,*
> *ond' era pinta tutta la sua via.*
>
> [una mujer solita que venía
> cantando y escogiendo bellas flores
> de que pintada hallábase su vía.][40]

Después de conversar un rato y de que Matelda explique las razones y naturaleza del lugar, presenciamos una «procesión divina». A aquellos a quienes desagradan, no lo que se conoce popularmente como desfiles, sino las auténticas procesiones de la Iglesia, de la realeza, de los funerales militares, el «desfile» que encontramos aquí y en el *Paradiso* les resultará tediosa; y aún más a aquellos, si los hay, a quienes no conmueve el esplendor del Apocalipsis de san Juan. Este pertenece al mundo de lo que llamo el «alto sueño» y el mundo de hoy solo parece capaz del «bajo sueño». Yo mismo he llegado a aceptarlo con cierta dificultad. Tenía por lo menos dos prejuicios. Uno contra la imaginería prerrafaelita, natural en alguien de mi generación y que quizá perjudica también

40. *Ibidem*, XXVIII, vv. 40-42.

a generaciones más jóvenes. El otro —que afecta a este final del *Purgatorio* y a todo el *Paradiso*— es el de que la poesía no solo debe encontrarse a través del sufrimiento, sino que solo puede extraer su material del sufrimiento. Todo el resto sería francachela, ingenuidad e ilusoria esperanza, y estas palabras forman parte de aquello que uno encontraba odioso en el siglo XIX. Me tomó muchos años reconocer que los estados de purificación y beatitud que Dante describe están más lejos de lo que el mundo moderno entiende por alegría que sus estados de condena. Y solo las minucias nos disuaden de los prejuicios: «The Blessed Damozel» de Rossetti —primero en virtud del embeleso y, posteriormente, en virtud de la repugnancia— sustentó muchos años mi aprecio por Beatriz.[41]

No estamos en condiciones de entender completamente el canto XXX del *Purgatorio* hasta conocer la *Vita nuova* que, en mi opinión, debe leerse después de la *Divina comedia*. Pero al menos podemos empezar a entender cuán hábilmente expresa Dante el rebrote de una antigua pasión en una emoción nueva, en una nueva situación que la comprende, amplifica y da sentido.

... sovra candido vel cinta d'uliva
donna m'apparve, sotto verde manto
vestita di color di fiamma viva.
E lo spirito mio, che già cotanto
tempo era stato ch'a la sua presenza
non era di stupor, tremando, affranto,

41. «The Blessed Damozel» («La doncella bendita») es un poema de Dante Gabriel Rossetti de 1850, inspirado en la *Vita nuova* de Dante.

sanza de li occhi aver piú conoscenza,
per occulta virtú che da lei mosse,
d'antico amor sentí la gran potenza.
Tosto che ne la vista mi percosse
l'alta virtù che già m'avea trafitto
prima ch' io fuor di puerizia fosse,
volsimi a la sinistra col respitto
col quale il fantolin corre a la mamma,
quando ha paura o quando elli è afflitto,
per dicere a Virgilio: «Men che dramma
di sangue m' è rimaso, che non tremi:
conosco i segni de l'antica fiamma».

[... ceñido el blanco velo con oliva,
una mujer surgió con verde manto,
vestida de color de llama viva.

Y el espíritu mío, que ya tanto
tiempo hacía que, estando en su presencia,
no sufría temblores ni quebranto,

sin despertar mis ojos mi conciencia,
por oculta virtud que ella movía,
de antiguo amor sentí la gran potencia.

Tan pronto como hirió a la vista mía
la alta virtud que ya me había herido
cuando estaba en mi infancia todavía,

los ojos a la izquierda he dirigido,
cual niño que a su madre corre y clama
si tiene miedo o hállase afligido,

por decir a Virgilio: «Ante esta dama,
cada dracma de sangre me ha temblado:
conozco el fuego de la antigua llama»;][42]

Y en el diálogo que viene a continuación vemos el apasionado conflicto de los viejos sentimientos y los nuevos, el esfuerzo y triunfo de una nueva renuncia, mayor que la renuncia en la tumba, por ser una renuncia a sentimientos que persisten más allá de la muerte. En cierto sentido, estos cantos son los de mayor intensidad personal de todo el poema. En el *Paradiso*, el propio Dante, excepto por el episodio de Cacciaguida, se despersonaliza —o superpersonaliza— y es en estos últimos cantos del *Purgatorio*, más que en el *Paradiso*, donde Beatriz aparece más claramente. Pero si

42. *Purgatorio*, XXX, vv. 31-48. En la sexta conferencia Clark, impartida en Cambridge en 1926, T. S. Eliot comentó este último verso, «Cognosco i segni dell' antica fiamma», en relación con la distinta concepción del amor en Dante y santa Teresa y a propósito de la poesía inglesa de los siglos XVI y XVII. Según T. S. Eliot, santa Teresa intentaba sustituir el amor humano por el amor divino. Por el contrario, decía, Dante y sus contemporáneos se daban perfecta cuenta de que el amor divino y el amor humano eran muy distintos y que uno no podía sustituir al otro. Y con respecto al verso en cuestión, T. S. Eliot comentaba: 'Las palabras de Dante antes de que Beatriz se le aparezca en el *Paraíso* no dan lugar a duda sobre que sus sentimientos por Beatriz en el cielo —unos sentimientos exaltados hacia un ser exaltado— difieren en especie sobre sus sentimientos acerca de la revelación de la divinidad. El fuego corre por sus venas', T. S. Eliot, *The Varieties of Metaphysical Poetry* (*Las variedades de la poesía metafísica*; Londres, Faber & Faber, 1993, p. 166).

el tema de Beatriz es esencial para la comprensión del todo, no es porque estemos obligados a conocer la biografía de Dante —no, por ejemplo, del modo en que la historia de la Wesendonck debería supuestamente arrojar luz sobre el *Tristán*—, sino en razón de la filosofía que Dante ha depositado allí.[43] Esto, en todo caso, corresponde más propiamente a nuestro examen de la *Vita nuova*.

La dificultad del *Purgatorio* nace de su condición de canto transitorio. En comparación, el *Inferno* en su unidad resulta mucho más fácil, mientras que el *Paradiso*, como unidad, es aún más complicado, precisamente por su condición de totalidad. Ahora bien, una vez que cogemos el truco a la clase de sentimientos que existen en cada sección, ninguna resulta difícil. Aquí y allá, el *Purgatorio* puede describirse como «árido»: el *Paradiso* no lo es jamás; resulta o bien incomprensible o intensamente emocionante. Si exceptuamos el episodio de Cacciaguida —una exhibición de orgullo familiar y personal perfectamente excusable, dado que ofrece espléndida poesía—, el *Paradiso* no es episódico.[44] El resto de los personajes posee las mejores credenciales. En un primer momento, parecen menos diferenciados entre sí que los personajes anteriores: variaciones ingeniosamente diversas, pero fundamentalmente monótonas de insípida beatitud. Es un asunto de gradual ajuste de nuestra visión. Tenemos (sepámoslo o no) un prejuicio contra la beatitud como material poético. Los siglos XVIII y XIX ignoraron por completo el asunto; incluso She-

43. Se refiere a Mathilde Wesendonck, soprano y esposa de un mecenas de Wagner, de quien el compositor se habría enamorado. Se supone que la ópera *Tristán e Isolda* retrata de algún modo esa pasión.

44. Cacciaguida es el tatarabuelo de Dante, con quien se encuentra en el Paraíso y a quien profetiza la trascendencia de su poema en *Paraíso*, XV.

lley, que conocía bien a Dante y que hacia el final de su vida comenzó a sacar provecho de ese conocimiento —el único poeta decimonónico inglés que alguna vez se propuso seguir aquellas huellas—, fue quien propuso que nuestras canciones más dulces son aquellas que ilustran los más tristes pensamientos. La obra temprana de Dante podría confirmar a Shelley y el *Paradiso* ofrece la réplica, aunque una réplica distinta a la de la filosofía de Browning.

El *Paradiso* no es monótono. Es tan variado como cualquier poema. Además, si tomamos la *Comedia* como un todo, no podemos compararla sino con la obra dramática completa de Shakespeare. La comparación de la *Vita nuova* con los *Sonetos* sería otra tarea interesante. Dante y Shakespeare se reparten el mundo moderno entre ellos: no hay un tercero.

Deberíamos empezar evocando el momento en que Dante posa sus ojos en Beatriz:

Nel suo aspetto tal dentro mi fei,
qual si fe' Glauco nel gustar de l'erba
che 'l fe' consorto in mar de li altri dei.
Trasumanar significar per verba
non si poría; pero l'essemplo basti
a cui esperienza grazia serba.

[Al contemplarla, en mi interior sentía
lo que Glauco al comer la hierba, cuando
de los dioses del mar socio se hacía.

Transhumanar significar hablando
no se podría; y el ejemplo baste
a quien lo esté la gracia demostrando.][45]

Y cuando Beatriz le dice a Dante: «Te crea confusiones / tu falso imaginar», le advierte de que en el paraíso existen diversos tipos de beatitud, según el dictado de la Providencia.[46]

Si esto no fuera suficiente, Piccarda informa a Dante (canto III), empleando unas palabras que resultan conocidas incluso para aquellos que no conocen a Dante, de que:

E 'n la sua volontade è nostra pace:

[Y nuestra paz de su deseo nace,][47]

Es el misterio de la inequidad, de la diferencia en la beatitud y de la indiferencia de los benditos ante esa inequidad en la beatitud. Es todo lo mismo y, sin embargo, cada grado difiere del otro.

Shakespeare ofrece la mayor amplitud de pasiones humanas, Dante la mayor altura y la mayor profundidad. Se complementan uno a otro. Es fútil preguntar cuál asume la tarea más difícil. Pero, ciertamente, los «pasajes difíciles» del *Paradiso* atienden a las dificultades de Dante, más que las nuestras: tienen que ver con su di-

45. *Paraíso*, I, vv. 67-72.

46. *Ibidem*, I, vv. 88-89.

47. *Ibidem*, III, v. 85. Piccarda es la hermana de Forese Donati, quien en el *Purgatorio* (XXIV, vv. 10-15) anuncia que su hermana está en el Paraíso. Piccarda había sido monja clarisa en Florencia, pero fue raptada por su otro hermano, Corso, quien la obligó a casarse por cuestiones políticas. Murió poco después de la boda.

ficultad para hacernos aprehender sensualmente los distintos estadios y niveles de la beatitud. Así, la larga oración de Beatriz sobre la Voluntad (canto IV) se orienta en realidad a hacernos sentir la realidad de la condición de Piccarda; Dante ha de ir educando nuestros sentidos mientras avanza. La insistencia recae en los estadios de la sensación: el razonamiento no es, propiamente, más que un medio para alcanzar esos estadios. Constantemente nos encontramos versos como

Beatrice mi guardò con li occhi pieni
di faville d'amor così divini,
che, vinta, mia virtute diè le reni,
e quasi mi perdei con li occhi chini.

[Me miró Beatriz con ojos llenos
de unos rayos de amor tan enciclados,
que mi virtud huyó, venida a menos,

y zozobré, los ojos inclinados.][48]

La dificultad toda radica en admitir que se trata de cosas que debemos sentir y no de mera palabrería decorativa. Dante viene en nuestra ayuda echando mano de toda clase de imágenes, como en

Come 'n peschiera, ch'è tranquilla e pura
traggonsi i pesci a ciò che vien di fori
per modo che lo stimin lor pastura,

48. *Paraíso*, IV, vv. 139-141.

sí vid' io ben piú di mille splendori
trarsi ver noi, e in ciascun s'udia:
«Ecco chi crescerà li nostri amori».

[Cual peces que en la piscina quieta y pura,
si caen en ella cosas exteriores,
se aproximan creyendo que es pastura,

así más de un millar vi de esplendores
acercarse, y cada uno así exclamaba:
«¡He aquí al que acrecentará nuestros amores!»][49]

En lo que respecta a las personas a quienes Dante encuentra en las distintas esferas, solo necesitamos investigar lo suficiente para establecer por qué Dante las sitúa donde lo hace.

Cuando hemos comprendido la estricta utilidad de las imágenes menos complejas, como la que hemos citado más arriba o incluso la sencilla comparación que Landor admiraba:

Quale allodetta che 'n aere si spazia
prima cantando, e poi tace contenta
de l'ultima dolcezza che la sazia,

[Como a la alondra que al volar se espacia
cantando, y luego calla deleitada
por la última dulzura que la sacia,][50]

49. *Ibidem*, V, vv. 100-105.
50. *Ibidem*, XX, vv. 73-75. Sobre Landor, véase en este volumen la nota 7, p. 98, del ensayo «Andrew Marvell».

podemos estudiar con el debido respeto la imaginería más elaborada, como aquella de la figura del águila compuesta por los espíritus de los justos, que se extiende desde el canto XVIII en adelante por una amplia sección. Las figuras como esa no son simples dispositivos retóricos anticuados, sino mecanismos serios y prácticos para hacer visible lo espiritual. Comprender el acierto de esa imaginería sirve de preparación para aprehender el último y magno canto, el más tenue y más intenso. En ningún otro poema una experiencia tan alejada de la vivencia cotidiana se ha expresado de un modo más concreto, a través de un uso magistral de esa imaginería de la luz que suele dar forma a cierto tipo de experiencias místicas.

Nel suo profondo vidi che s'interna,
legato con amore in un volume,
ciò che per l'universo si squaderna;
sustanze e accidenti, e lor costume,
quasi conflati insieme, per tal modo
che ciò ch' io dico è un semplice lume.
La forma universal di questo nodo
credo ch'io vidi, perché più di largo,
dicendo questo, mi sento ch'i' godo.
Un punto solo m'è maggior letargo
che venticinque secoli a la 'mpresa,
che fé Nettuno ammirar l'ombra d'Argo.

[En su profundidad vi que se interna,
con amor en un libro encuadernado,
lo que en el orbe se desencuaderna;

sustancias y accidentes, todo atado
con sus costumbres, vi yo en tal figura
que una luz simple es lo por mí expresado.

La forma universal de esta atadura
creo que vi, pues siento que es más largo
mi placer, al decirla, y mi ventura.

Un punto solo me es mayor letargo
que veinticinco siglos a la ardida
empresa, que admiró a Neptuno, de Argo.][51]

Uno solo puede sentir pasmo ante el poder del maestro que pudo de este modo, a cada momento, aprehender lo inaprehensible por medio de imágenes visuales. Y no he visto jamás en otro poema un signo más auténtico de grandeza que el poderío asociativo que incluso consigue, en el último verso, cuando está hablando de la visión divina, hacer que el Argo pase sobre la cabeza del maravillado Neptuno. Tal asociación es completamente diferente de aquella que lleva a Marino a elogiar entre suspiros la belleza de la Magdalena y la opulencia de Cleopatra (de modo que es imposible saber qué adjetivos se aplican a cada una).[52] Ese es el auténtico acierto: el poder de establecer relaciones entre las más diversas clases de belleza, el supremo poder del poeta.

51. *Ibidem*, XXXIII, vv. 85-96.

52. El poeta italiano Giambattista Marino (1569-1625) fue dueño de un estilo muy elaborado y exuberante que ejerció una influencia notable en toda Europa a lo largo del siglo XVII. Samuel Johnson, en su «Vida de Cowley», argumentó que el estilo de los poetas metafísicos se debía al influjo de Marino.

O quanto è corto il dire, e come fioco
al mio concetto!

[¡Corto es mi verbo, y no llega tampoco
a mi concepto!][53]

Al escribir sobre la *Divina comedia*, he tratado de ceñirme a unos cuantos aspectos simples de los que estoy convencido. Primero, que la poesía de Dante es la única escuela universal de estilo para la escritura poética en cualquier idioma. Hay mucho, naturalmente, que solo pueden aprovechar aquellos que hablan la misma lengua toscana de Dante, pues no hay poeta en ningún idioma —ni siquiera en latín o griego— que se erija más firmemente como modelo para todos los poetas. He tratado de ilustrar su maestría universal en el empleo de las imágenes. He ido tan lejos como para afirmar que, incluso para un poeta inglés, Dante es un referente más seguro que cualquier poeta inglés, incluido Shakespeare. Mi segunda observación es que el método «alegórico» de Dante supone grandes ventajas para la escritura poética: simplifica la dicción y hace más claras y precisas las imágenes. He afirmado también que frente a una buena alegoría, como la de Dante, no es necesario comprender en primer lugar el significado para disfrutar de la poesía, pero que nuestro disfrute de la poesía nos hace querer entender el significado. Y el tercer punto es que la *Divina comedia* es una completa escala de las profundidades y las alturas de la emoción humana, que el *Purgatorio* y el *Paradiso* han de ser leídas como extensiones del ámbito humano, normalmente

53. *Paraíso*, XXXIII, vv. 121-122.

muy limitado. Cada grado del sentimiento de la humanidad, del más bajo al más alto, tiene, por otra parte, una íntima relación con el próximo, ya sea hacia arriba o hacia abajo, y todos encajan entre sí de acuerdo a la lógica de la sensibilidad.

Me queda tan solo hacer algunas observaciones sobre la *Vita nuova*, que quizá amplíen lo que he sugerido sobre la mentalidad medieval, según queda reflejado en la alegoría.

Nota a la sección II

La teoría de la creencia y la comprensión poéticas, que se emplea aquí para un caso particular, es similar a la que sostiene el señor I. A. Richards (véase su *Practical Criticism*, pp. 179 y ss. y 271 y ss.).[54] Digo «similar» porque mi propia teoría general se encuentra en estado embrionario; el señor Richards, incluso, podría desarrollar aún más su teoría, por tanto soy incapaz de decir hasta qué

54. I. A. Richards (1893-1979) fue uno de los más influyentes críticos de la primera mitad del siglo XX. Se le considera a menudo el padre del *new criticism*, la corriente hermenéutica que postulaba una *close reading*, una lectura fundamentada solo en la obra, en la inmanencia del texto, por encima de consideraciones biográficas o ideológicas, corriente en la que también tuvo mucho peso la obra crítica de T. S. Eliot. Aunque fueron amigos, Richards y T. S. Eliot mantuvieron intensas polémicas, sobre todo cuando el primero publicó una reseña sobre poesía contemporánea en la que aseguraba que T. S. Eliot había llevado a cabo, en *La tierra baldía*, una absoluta escisión entre su poesía y todas las creencias religiosas: I. A. Richards, *Criterion*, julio de 1925, p. 521. Lo que sigue es, de hecho, una respuesta apenas disimulada a esa afirmación, más que a las ideas contenidas en el libro al que hace referencia: I. A. Richards, *Practical Criticism. A Study of Literary Judgement*, Londres, K. Paul, 1929.

punto llega la similitud; sin embargo, para aquellos interesados en el asunto, estoy en condiciones de señalar un aspecto en el que mi perspectiva difiere de la del señor Richards, para, posteriormente, pasar a exponer mis propias conclusiones provisionales.

Estoy de acuerdo con la afirmación que el señor Richards hace en la página 271 (*op. cit.*). Estoy de acuerdo en razón de que, si uno sostiene cualquier teoría contradictoria, niega, me parece, la existencia de la «literatura», así como de la «crítica literaria». Debemos considerar la cuestión de si la «literatura» existe; pero para ciertos propósitos, como el propósito de este ensayo sobre Dante, debemos asumir que hay literatura y apreciación literaria; debemos asumir que el lector puede obtener todo el disfrute «literario» o (si se quiere) «estético» sin compartir las creencias del autor. Si hay «literatura», si hay «poesía», entonces debe de ser posible realizar apreciaciones literarias o poéticas sin compartir las creencias del poeta. Hasta ahí llega mi tesis en el presente ensayo. Puede discutirse que haya literatura, que haya poesía y aun si el término «apreciación a fondo» tiene algún sentido. Pero, por mi parte, he asumido para los fines de este ensayo que estas cosas existen y que estos términos pueden comprenderse.

En resumen, niego que el lector deba compartir las creencias del poeta para poder disfrutar del poema completamente. Además, he afirmado que podemos distinguir entre las creencias de Dante en tanto persona y sus creencias como poeta. Sin embargo, estamos obligados a creer que existe una relación particular entre las dos y que el poeta «quería decir lo que dice». Si descubrimos, por ejemplo, que *De rerum natura* fue un ejercicio latino que Dante compuso para relajarse después de completar la *Divina comedia* y que publicó bajo el nombre de cierto Lucrecio, estoy seguro de que nuestra capacidad de disfrutar ambos poemas quedaría mutilada. La afirmación del señor Richards (*Science and Poetry*, nota de la p. 76), de que cierto escritor ha efectuado «una absoluta escisión entre su poesía y toda creencia» me resulta incomprensible.[55]

Si uno niega la teoría de que la apreciación poética a fondo es posible sin creer en lo que el poeta creía, niega la existencia de la «poesía», lo mismo que de la «crítica»; y si uno lleva esta negación a sus últimas consecuencias, estará obligado a admitir que hay muy poca poesía que pueda apreciar y que su apreciación será una función de la filosofía o de la teología propias o algo parecido. Si, por otro lado, llevo mi teoría al extremo, me veo en grandes dificultades. Soy consciente de la ambigüedad de la palabra «comprender». En un sentido, quiere decir comprender sin creer, porque a menos que uno pueda comprender un modo de ver la vida (por decir algo) sin creer en él, la palabra «comprender» pierde todo significado y el acto de escoger entre un punto de vista y otro se reduce al capricho. Pero si uno mismo está convencido de cierta manera de ver la vida, entonces irresistible e inevitablemente cree que si cualquier otro llega a «entenderla» por completo, su comprensión debe terminar por convertirse en creencia. Es posible —y en ocasiones necesario— discutir que la absoluta comprensión deba identificarse con la absoluta creencia. Resulta así que mucho depende del significado de esta pequeña palabra: «absoluta».

55. La reseña de *Criterion*, a la que se alude en la nota anterior, fue recogida en el libro de Richards, *Science and Poetry* (*Ciencia y poesía*; Londres, Kegan Paul, Trench, Trubner, 1926).

En pocas palabras, tanto la perspectiva que he tomado en este ensayo como la que la contradice son, si se las lleva al extremo, lo que llamo herejías (no, desde luego, en sentido teológico, sino en uno más general). Cada una es verdad solo dentro de un limitado campo discursivo, pero a menos que uno limite los campos discursivos, no tiene discurso en absoluto. La ortodoxia solo puede encontrarse en tales contradicciones, aunque debe recordarse que dos proposiciones contradictorias pueden ser falsas ambas y que no todas las contradicciones esconden una verdad.

Por otra parte, confieso tener considerables dificultades a la hora de analizar mis propios sentimientos, dificultad que me hace dudar de si debiera aceptar la teoría de las «pseudoafirmaciones» del señor Richards. Al leer el verso que utiliza,

La belleza es verdad y la verdad belleza...[56]

me inclino en un primer momento a estar de acuerdo con él, porque esta afirmación de equivalencia no significa nada para mí. Pero al releer la oda completa, este verso me resulta una seria mácula en un bello poema y la razón puede ser que o bien no consigo entenderlo o que se trata de una afirmación falsa. Y supongo que Keats quiso decir algo con ella, por más remotas que esta verdad y esta belleza puedan estar de esas palabras en su uso ordinario. Y estoy seguro de que él habría repudiado cualquier explicación del verso que lo describiera como una pseudoafirmación. Por otra parte, el verso de Shakespeare que a menudo he citado,

56. Keats, «Ode On a Grecian Urn» («Oda a una urna griega»).

Lo importante es estar preparado,[57]

o el de Dante:

la sua volontade è nostra pace,

suenan muy distintos a mis oídos. Observo que las proposiciones planteadas en estas palabras son de diferente clase, no solo de la de Keats, sino también entre sí. La afirmación de Keats me parece un sinsentido o, quizá, el hecho de que gramaticalmente no tenga sentido me oculta otro significado. La afirmación de Shakespeare tiene, a mi parecer, un profundo sentido emocional sin ser, al menos, una falacia en su sentido literal. La afirmación de Dante, por su parte, me parece literalmente cierta. Y confieso que posee aún más belleza para mí ahora, cuando mi propia experiencia ha ahondado su significado con respecto de la primera vez que la leí. Así que solo puedo concluir que no puedo, en la práctica, separar del todo mi apreciación poética de mis creencias personales. Además de que no siempre, en casos particulares, es posible establecer la diferencia entre una afirmación y una pseudoafirmación. La teoría del señor Richards está, me parece, incompleta hasta que sea capaz de definir las clases de creencias religiosas, filosóficas, científicas, etcétera, tanto como las de las creencias «cotidianas».

He intentado aclarar algunas de las dificultades inherentes a mi propia teoría. De hecho, uno probablemente obtiene más placer de la poesía cuando comparte las creencias del poeta. Por otra parte, hay un placer distinto en disfrutar la poesía como poesía

57. Shakespeare, *El rey Lear*, V, II.

cuando uno no comparte creencias, análogo al placer de «dominar» los sistemas filosóficos de otros. Parecería que la «apreciación literaria» es una abstracción y la poesía pura un fantasma; y tanto en la creación como en el disfrute muchas veces participa lo que, desde el punto de vista del «Arte», es irrelevante.

III. La «Vita nuova»

Todas las «obras menores» de Dante son importantes, porque son obra de Dante, pero la *Vita nuova* tiene una importancia especial porque nos ayuda más que cualquiera de las otras a comprender mejor la *Divina comedia.* No sugiero que las demás deberían ignorarse: el *Convivio* es importante, también *De vulgari eloquentia* y cada parte de los escritos de Dante puede arrojar cierta luz sobre otras partes. Sin embargo, la *Vita nuova* es una obra de juventud que muestra algo del método, el diseño y, explícitamente, la intención de la *Divina comedia.* Dado que es una obra inmadura, requiere algún conocimiento de la obra maestra para que podamos entenderla y al mismo tiempo ayuda particularmente a comprender la *Comedia.*

Muchas investigaciones se han dedicado a examinar la juventud de Dante en relación con la *Vita nuova.* Los críticos pueden, a grandes rasgos, dividirse entre quienes la consideran una obra biográfica y aquellos que la consideran fundamentalmente alegórica. Para estos últimos, defender sus argumentos es mucho más fácil que para los primeros. Si aquella curiosa mezcla de verso y prosa es biográfica, no cabe duda de que la biografía ha sido manipulada hasta el punto de hacerla irreconocible para ajustarla a las formas convencionales de la alegoría. La imaginería de gran parte del poema se inserta en la antiquísima tradición de la literatura de visiones: igual que se ha demostrado que el esquema de la *Divina comedia* es muy similar al de parecidas historias persas y árabes de peregrinaciones sobrenaturales —por no hablar de las de Ulises y Eneas—, así también pueden hallarse paralelismos entre las visiones de la *Vita nuova* y ciertas obras en griego, como *El pastor de Hermas*.[58] Y dado que el libro en ningún caso es una expresión literal, ya sea de visiones o delirios, resulta fácil argumentar que se trata por entero de una alegoría y afirmar, por ejemplo, que Beatriz es meramente una personificación de una virtud abstracta, intelectual o moral.

Quisiera dejar claro que mis opiniones se basan únicamente en la lectura del texto. En este sentido, no creo que puedan ser verificadas o refutadas por los estudiosos, me refiero a limitar mis comentarios a lo improbable e irrefutable.

Parece probable, para cualquiera que lea la *Vita nuova* sin prejuicios, que esta sea una mezcla de biografía y alegoría, pero una mezcla acorde con un recipiente inasequible para la mente moderna. Cuando digo «la mente moderna», quiero decir las mentes de aquellos que han leído o podrían haber leído un documento como *Las confesiones* de Rousseau. La mente moderna puede entender la «confesión» —esto es, el hecho de dar literal cuenta de uno mismo, variando solamente en grado de sinceridad y autoconocimiento— y la «alegoría» solo en abstracto. Hoy en día, las

58. *El pastor de Hermas* es un libro de revelaciones —apocalíptico, para ser precisos—, muy apreciado por los padres de la Iglesia católica. Fue compuesto por un tal Hermas, hermano del papa Pío I. El libro narra el estado de la cristiandad en el siglo II, cuando ya habían cesado las persecuciones.

«confesiones» sin importancia abundan en la prensa; todo el mundo *met son cœur à nu* o lo pretende: las «personalidades» se suceden una a otra en el interés de la gente. Resulta difícil concebir una época (o distintas épocas) en la que los seres humanos se preocupaban de alguna manera por la salvación de sus «almas», mientras que la «personalidad» de los otros les traía sin cuidado. Ahora bien, creo que Dante tuvo experiencias que le resultaron de algún modo importantes y no simplemente porque le ocurrieron a él y porque él, Dante Alighieri, fuera una persona importante que mantenía ocupadas a las agencias de noticias, sino importantes en sí mismas; por tanto, le pareció que tenían cierto valor filosófico e impersonal. Por mi parte, encuentro en ellas la descripción de un tipo particular de experiencia: esto es, de algo a lo que subyace, como sus materiales, una experiencia real (la experiencia de la «confesión» en el sentido moderno), pero también una experiencia intelectual e imaginativa (la experiencia del pensamiento y la experiencia del sueño) y algo que vino a convertirse en un tercer tipo de experiencia. Me parece importante subrayar el simple hecho de que la *Vita nuova* no es ni una «confesión» ni una «indiscreción» en sentido moderno y tampoco es un tapiz prerrafaelita. Si uno tiene sensaciones que provienen de realidades intelectuales y espirituales, como las tenía Dante, entonces una forma de expresión como la *Vita nuova* no puede ser clasificada como «realidad» o «ficción».

Para empezar, el tipo de experiencia sexual que Dante dice haber tenido a la edad de nueve años no es de ningún modo imposible ni absolutamente excepcional. Mi única duda (confirmada por un distinguido psicólogo) es si esta pudo haber tenido lugar tan tardíamente como a los nueve años. El psicólogo está de acuerdo conmigo que es más probable que ocurriera alrededor de los cinco o seis años de edad. Es posible que Dante se desarrollara un poco tarde y también que alterase las fechas para atribuir cierto significado al número nueve. Pero es obvio para mí que la *Vita nuova* solo pudo haber sido escrita a partir de una experiencia personal. Si es así, los detalles no importan; si aquella dama era o no la Portinari, no me interesa; es igualmente probable que fuera el sustituto de alguien más, inclusive de una persona cuyo nombre Dante pudo haber olvidado o no haber sabido nunca. Pero no encuentro increíble que lo que les ha pasado a otros pueda haberle pasado a Dante con una intensidad mucho mayor.

La misma experiencia, descrita en términos freudianos, puede ser aceptada enseguida como un hecho por el público moderno. Solo que Dante, muy razonablemente, extrajo otras conclusiones y echó mano de otro modo de expresión, lo que levanta sospechas. Y eso hace que nos inclinemos a pensar —como Remy de Gourmont, por una vez equivocado a causa de sus prejuicios— que si un autor como Dante se apega estrictamente a una forma de visión con una larga historia, eso prueba que su relato es una mera alegoría (en el sentido moderno) o una falsedad.[59] Por mi

59. Remy de Gourmont (1858-1915) fue un ensayista, novelista y dramaturgo simbolista, compañero de Villiers de l'Isle Adam y Joris-Karl Huysmans. El libro al que aquí se refiere T. S. Eliot probablemente sea un ensayo que ejerció una honda influencia en los poetas ingleses y norteamericanos de su generación: *Le problème du style* (*El problema del estilo*, 1902), que preponderaba la imagen visual en la poesía. Gourmont también escribió un polémico ensayo titulado *Physique de l'amour: Essai sur l'instinct sexuelle* (*Física del amor: ensayo sobre el instinto sexual*, 1903), en el que defendía que el amor era un instinto animal y que nada tenía que ver con el alma, tesis a la que, más adelante, Eliot parece replicar.

parte, encuentro una mayor diferencia de sensibilidad entre la *Vita nuova* y *El pastor de Hermas* de la que encuentra Gourmont. No me refiero a la elemental diferencia entre lo genuino y lo fraudulento: se trata de una diferencia de mentalidad entre el humilde autor de la época a comienzos del cristianismo y el poeta del siglo XIII, quizá tan grande como la que existe entre ese poeta y nosotros. Las similitudes podrían probar que cierto hábito, en lo tocante a la imaginería de los sueños, puede persistir a través de grandes cambios en una civilización. Gourmont diría que Dante se apropió de ciertas cosas, pero eso supondría atribuir nuestra propia mentalidad al siglo XIII. Simplemente sugiero que quizá Dante, en su época y lugar, estuviera siguiendo algo más esencial que una mera tradición «literaria».

La actitud de Dante frente a la experiencia fundamental de la *Vita nuova* solo puede entenderse si nos acostumbramos a buscar el significado en las causas finales en vez de hacerlo en los puntos de partida. El poema no se plantea, creo yo, como una descripción de lo que Dante sintió conscientemente cuando se encontró con Beatriz, sino como una descripción de lo que aquello significó a los ojos de una reflexión madura. La causa final es la atracción hacia Dios. Se ha vertido mucho sentimiento, especialmente en los siglos XVIII y XIX, en la idealización de los sentimientos recíprocos de hombre y mujer, lo que ha merecido la enconada denuncia de algunos realistas: esta denuncia ignora el hecho de que el amor entre hombre y mujer (o para el caso, de hombre y hombre) solo se explica y se vuelve razonable en razón de un amor superior: de otro modo no es más que la unión de dos animales.

Consideremos por un momento la posibilidad de que Dante, meditando sobre la estupefacción que le produjo aquella experiencia de la niñez, que ninguna experiencia subsecuente abolió o superó, haya encontrado en ella significados que nosotros probablemente no encontraríamos. En ese caso, su relato resulta tan razonable como el nuestro y Dante no habría hecho sino prolongar la experiencia en una dirección distinta de la que nosotros, con diferentes hábitos mentales y distintos prejuicios, probablemente tomaríamos.

En realidad, no estamos en condiciones de entender la *Vita nuova* sin tener en cuenta cierta saturación de la poesía de los contemporáneos italianos de Dante o incluso de la poesía de sus predecesores provenzales. Los paralelos literarios son muy importantes, aunque debemos estar en guardia para no tomarlos en un sentido puramente literario y literal. Dante escribió, en un principio, más o menos como los demás poetas, no simplemente porque hubiera leído sus obras, sino porque su modo de sentir y pensar era muy similar al de aquellos. En lo que toca a los poetas provenzales, no tengo el conocimiento necesario para leerlos de primera mano. Ese misterioso pueblo tenía una religión propia que fue aplastada completa y dolorosamente por la Inquisición; así que sabemos de ellos tanto como sabemos de los sumerios. Sospecho que la diferencia entre el catolicismo y este desconocido —y posiblemente calumniado— albigensianismo tiene cierta correspondencia con la diferencia entre la poesía de la escuela provenzal y la de la escuela Toscana. El sistema que organiza la sensibilidad de Dante —el contraste entre amor superior e inferior carnal, la transición entre la Beatriz viva y la Beatriz muerta, que se transforma, elevándose, en culto a la Virgen— me parece atribuible solo a Dante.

En todo caso, pienso que la *Vita nuova*, además de ser una sucesión de bellos poemas conectados por una curiosa literatura visionaria en prosa, es también un notable tratado psicológico sobre algo parecido a lo que hoy llamamos «sublimación». Detrás de ello, existe un sentido práctico de la realidad que resulta decididamente antirromántico: no esperar de la vida ni de los seres humanos más de lo que estos pueden darnos; buscar en la muerte lo que la vida no puede dar. Si bien es cierto que la *Vita nuova* forma parte de la «literatura visionaria», su filosofía es la filosofía católica de la desilusión.

Conocer a Guido Guinicelli, a Cavalcanti, a Cino y a otros resulta provechoso para comprender el libro.[60] Deberíamos, de hecho, estudiar el desarrollo del arte de amar, de los poetas provenzales en adelante, atendiendo a las semejanzas lo mismo que a las diferencias de mentalidad; y también el desarrollo formal del verso, de la estrofa y del vocabulario. Pero ese estudio resultaría inútil a menos que antes hayamos hecho el esfuerzo consciente, tan arduo y difícil como volver a nacer, de atravesar el espejo en dirección a un mundo que es tan razonable como el nuestro. En cuanto lo hemos hecho, empezamos a preguntarnos si el mundo de Dante no es más ancho y más sólido que el que habitamos. Cuando repitamos

Tutti li miei penser parlan d'Amore[61]

[Todos mis pensamientos hablan de Amor]

60. Véase al respecto en este volumen la nota 23, p. 86, del ensayo «Los poetas metafísicos».

61. *Vita nuova*, XIII, v. 1.

debemos detenernos a pensar qué significa *amore*: algo distinto de su original latino, su equivalente francés o su definición en un diccionario italiano moderno.

Repito que por distintas razones es necesario leer primero la *Divina comedia*. La primera lectura de la *Vita nuova* nos ofrece apenas una rareza prerrafaelita. La *Comedia* nos inicia en el universo de la imaginería medieval, más aprehensible en el *Inferno*, más enrarecida en el *Paradiso*. También nos inicia en el universo del pensamiento medieval y del dogma: mucho más sencillo para quienes hayan estudiado a Platón y Aristóteles en la universidad, pero posible incluso sin ese conocimiento. La *Vita nuova* nos obliga a zambullirnos directamente en la sensibilidad medieval. Siendo de Dante, no es una obra maestra, de modo que resulta más seguro para nosotros leerla por primera vez teniendo en mente la luz que puede arrojar sobre la *Comedia*, más que lo que pueda ofrecernos por sí misma.

Leída de esta manera puede ser más útil que una docena de comentarios. El efecto de muchos libros sobre Dante es que dan la impresión de que es más necesario leer sobre él que leer lo que escribió. Pero el próximo paso después de leer una y otra vez a Dante debería ser leer uno de los libros que él leyó, más que libros modernos sobre su obra, su vida y su época, por más buenos que sean. Es más fácil que nos distraigamos si comenzamos a seguir las historias de emperadores y de papas. En el caso de un poeta como Shakespeare, resulta menos probable que ignoremos el texto en favor del comentario; en el caso de Dante hay una necesidad equivalente de concentrarse en el texto, sobre todo porque la mentalidad de Dante está más alejada de los modos de sentir y pensar en los que hemos sido formados. Lo que necesitamos no es información, sino conocimiento: el primer paso hacia el conocimiento es reconocer las diferencias entre su forma de pensar y sentir y la nuestra. Incluso atribuirle demasiada importancia al tomismo o al catolicismo puede llevarnos a error, puesto que nuestra atención puede desviarse hacia las enormes diferencias que hay entre ellos. El lector inglés debe recordar que, aunque Dante no hubiera sido un buen católico, aunque hubiera tratado a Aristóteles o Tomás con escéptica indiferencia, su mentalidad aún sería difícil de comprender: las formas de su imaginación, fantasmagoría y sensibilidad serían igualmente extrañas para nosotros. Tenemos que aprender a aceptar esas formas, y esa aceptación es más importante que cualquier creencia. Existe, incluso, un momento definitivo de aceptación, con el cual la Nueva Vida comienza.

Como prometí, lo que he escrito no es una «introducción» destinada al estudio, sino una breve relación del modo en que yo mismo me introduje en Dante. En mi descargo, debe observarse que escribir de este modo sobre hombres como Dante o Shakespeare es menos presuntuoso que hacerlo sobre otros menos importantes. La misma vastedad del asunto abre la posibilidad de que uno tenga algo que agregar que valga la pena, mientras que, tratándose de hombres menos importantes, quizá solo un estudio minucioso y especial justificaría el esfuerzo de escribir sobre ellos.

[1929]

Baudelaire

I

Nada ha tardado tanto en llegar a Inglaterra como una justa valoración de Baudelaire, aunque incluso en Francia se le valora de un modo deficiente o parcial. En mi opinión, existen singulares razones que explican la dificultad de reconocer su importancia y otorgarle el lugar que merece.[1] Por una parte, Baudelaire se adelantó en muchos sentidos al punto de vista de su época y sin embargo fue, al mismo tiempo, un hombre de su época, pues participó de sus limitados méritos, de sus defectos y modas. Por otro lado, tuvo un importante papel en la formación de la posterior generación de poetas y, en Inglaterra, la mala fortuna —mala en cierto sentido— de ser originaria y extravagantemente introducido por Swinburne y después retomado por los seguidores de este. Era universal, pero a la vez permanecía confinado a una moda que

1. Baudelaire ejerció una influencia notable en T. S. Eliot, aunque no tanto como sus imitadores menores Jules Laforgue y Tristan Corbière. El influjo de *Las flores del mal* se percibe sobre todo en *La tierra baldía*, cuyos versos 60 y siguientes, «Unreal city...», son una reelaboración de los primeros versos del poema «Les sept vieillards» («Los siete viejos»), «Fourmillante cité, cité pleine de rêves», y el verso 76 incorpora *verbatim* el último verso del poema inaugural de *Las flores del mal*, «Au lecteur» («Al lector»): «hypocrite lecteur, mon semblable, mon frère».

él mismo contribuyó a crear. Disociar lo permanente de lo temporal, distinguir al hombre de su influencia y finalmente desligarlo de la asociación con aquellos poetas ingleses que fueron los primeros en admirarlo no es tarea fácil. La propia complejidad de Baudelaire lo dificulta, dado que, aún ahora, tienta al crítico partidista a adoptarlo como santo patrono de sus propias creencias.

Este ensayo tiene como propósito reafirmar la importancia de la prosa baudelairiana, propósito que se justifica por la traducción de una de esas obras indispensables para cualquier estudioso de su poesía.* Ello supone enfrentarse a Baudelaire como algo más que el autor de *Las flores del mal* y, en consecuencia, revisar de algún modo nuestros presupuestos sobre ese libro. Baudelaire estuvo en boga en una época en la que «el arte por el arte» era un dogma. El cuidado que tuvo al escribir sus poemas y el hecho de que, a contracorriente de su época, tanto en Francia como en Inglaterra se ciñó a ese único volumen, motivó la opinión de que la poesía de Baudelaire pertenecía al arte por el arte. Desde luego, aquella doctrina no corresponde, en realidad, a la obra de nadie: nadie la empleó menos que Pater, que dedicó muchos años, más que a ilustrarla, a exponerla como una teoría de la vida, que no es lo mismo.[2] Sin embargo, influyó en la crítica y en el criterio y terminó por impedir un juicio apropiado sobre Baudelaire, que es,

* *Journaux Intimes*, traducido por Christopher Isherwood y publicado por Blackmore Press. [Véase al respecto el apéndice sobre la procedencia de los textos, p. 525.]

2. El esteta Walter Pater (1839-1894) fue uno de los ensayistas, críticos e historiadores del arte más notables de la época victoriana. Su obra más conocida es *Studies in the History of the Renaissance* (*Estudios sobre la historia del Renacimiento*, 1873), donde estableció su teoría del arte por el arte como forma más alta de sabiduría.

en realidad, un poeta más grande de lo que se pensaba, aunque no un poeta perfecto.

Baudelaire, creo, ha sido calificado como un Dante fragmentario, sea lo que fuere lo que eso signifique. Es verdad que mucha gente a la que le gusta Dante le gusta también Baudelaire, pero las diferencias entre ellos son tan importantes como sus similitudes. El infierno de Baudelaire es, en lo que respecta a sus características y significado, muy diferente del de Dante. En mi opinión, sería más acertado describir a Baudelaire como un Goethe posterior y más limitado. Tal como lo vemos hoy, Baudelaire representa de algún modo a su época, igual que Goethe representa a una época anterior. Digno crítico de su generación, el señor Peter Quennell ha afirmado recientemente en su libro *Baudelaire and the Symbolists*:

> [Baudelaire] ha gozado de un sentido de su propia época, ha sabido reconocer su patrón cuando este estaba aún incompleto y —dado que es solo nuestra escasa comprensión del presente, nuestra ignorancia del hoy y de su realidad, distinta de sus requerimientos y tendencias espurias, lo que nos impide asomarnos al futuro inmediato— ha anticipado muchos problemas, tanto en el plano estético como en el moral, que aún ahora comprometen el destino de la poesía moderna.[3]

Hoy resulta difícil analizar a un hombre con tal sentido de su propia época. Está expuesto a los caprichos de su tiempo y le impresionan sus inventos; y, en Baudelaire, igual que en Goethe, hay algo del trasnochado sinsentido de los tiempos que le tocó vivir.

3. Peter Quennell, *Baudelaire and the Symbolists* (*Baudelaire y los simbolistas*; Londres, Chatto & Windus, 1929). T. S. Eliot reseñó el libro en la revista *Criterion*, enero de 1930, pp. 357-359.

El paralelismo entre el poeta alemán que ha sido siempre el símbolo de la «salud» perfecta en todos sentidos, así como de la curiosidad universal, y el poeta francés que ha simbolizado la morbidez de espíritu y el interés reconcentrado en el trabajo puede parecer paradójico. Pero pasado el tiempo, la diferencia entre «salud» y «morbidez» se ha vuelto insignificante en el caso de estos dos hombres; hay algo de artificial y aun de mojigato en la salud de Goethe, como lo hay en la morbidez de Baudelaire; hemos dejado atrás ambas modas, la de la salud y la de la enfermedad, y ambos son únicamente hombres de mente inquieta, crítica, curiosa, que comparten un «sentido de su época»; uno y otro fueron hombres que comprendieron y anunciaron muchas cosas. Goethe, es verdad, se interesó por numerosos temas que no llamaron la atención de Baudelaire, pero en la época de este último ya había dejado de ser necesario que un hombre abrazara tal variedad de intereses para lograr acceder a un sentido de su época y, en retrospectiva, algunos de los estudios de Goethe nos parecen (no del todo justamente) meros pasatiempos de diletante. La mayor parte de las prosas de Baudelaire (con excepción de sus traducciones de Poe, que resultan lo menos interesante para un lector inglés) son tan importantes como la mayoría de las de Goethe.[4] Ciertamente,

4. Baudelaire empezó a publicar sus traducciones de los cuentos de Edgar Allan Poe en 1848, tarea que le supuso su primer reconocimiento literario. Los cuentos, en especial, «The Man of the Crowd» («El hombre de la muchedumbre»), produjeron en Baudelaire un gran impacto y le ayudaron a conformar su universo poético y moral. A partir de entonces, Poe se convirtió en algo así como un escritor francés que ejerció una influencia muy perdurable en toda Europa y aun en América Latina, donde fue traducido por Julio Cortázar. En la literatura anglosajona, en cambio, Poe nunca ha dejado de ser un escritor menor y algo extravagante, tolerado por sus cuentos y escarnecido por sus poemas.

arrojan luz sobre *Las flores del mal*, pero además acrecientan enormemente la admiración que sentimos por su autor.

Alguna vez estuvo de moda tomar en serio el satanismo de Baudelaire, tanto como hoy existe una tendencia a presentarlo como un cristiano circunspecto y católico. Esta diversidad de opiniones precisa discusión, sobre todo si esta sirve de preámbulo a sus *Diarios íntimos*. Pienso que la última de estas perspectivas —la de un Baudelaire esencialmente cristiano— está más cerca de la verdad que la primera, pero exige de nosotros considerables reservas. Cuando el satanismo de Baudelaire se disocia de los aspectos menos creíbles de su parafernalia, alcanza la condición de oscura intuición de una parte —pero de una muy importante— del cristianismo. El satanismo en sí, en cuanto algo más que una mera afectación, fue un intento de acceder al cristianismo por la puerta trasera. La blasfemia genuina —la que lo es desde el punto de vista espiritual y no solo verbal— es producto de la creencia parcial, y es tan imposible para el ateo absoluto como para el cristiano perfecto: es un modo de afirmación de la creencia. Y este estado de creencia parcial se manifiesta a todo lo largo de los *Diarios íntimos*. Lo verdaderamente significativo en el caso de Baudelaire es su inocencia teológica: está descubriendo el cristianismo por sí mismo; no lo asume como una moda ni se dedica a sopesar razones políticas o sociales o cualquier otro accidente. En cierto sentido, lo que hace es empezar por el principio y, siendo un descubridor, no está totalmente seguro de lo que explora y adónde conduce; pude decirse, incluso, que está rehaciendo él solo el esfuerzo de decenas de generaciones. Su cristianismo es rudimentario o embrionario; en su punto álgido, alcanza los excesos de un Tertuliano (y ni siquiera Tertuliano puede considerarse completamente ortodoxo y equilibrado).[5] Su negocio no era practicar el cristianismo, sino —lo que resultaba mucho más importante para su tiempo— afirmar su necesidad.

El temperamento mórbido de Baudelaire no puede, desde luego, ignorarse y nadie que conozca la obra de Crépet o el breve ensayo biográfico reciente de François Porché puede olvidarlo.[6] Estaríamos equivocados si lo tratamos como un desafortunado achaque que puede pasarse por alto, buscando separar lo sano de lo enfermo. Sin esa morbidez, ninguna de sus obras habría sido posible o significativa: sus debilidades pueden acomodarse en una totalidad mayor y más fuerte, de ahí mi afirmación de que ni la salud de Goethe ni la enfermedad de Baudelaire importan en sí mismas: es lo que cada uno de ellos hace con sus atributos lo que interesa. Ante los ojos del mundo y también en todo aquello que atañe a la vida personal, Baudelaire fue absolutamente perverso e insufrible, un hombre con un raro talento para la ingratitud y la insociabilidad, insoportablemente irritable y con una terca determinación de empeorarlo todo: si tenía dinero, de derrocharlo; si tenía amigos, de hacerles la vida imposible; si tenía cualquier golpe de suerte, de restarle valor. Poseía el orgullo de quien reconoce en sí mismo una gran fragilidad y una gran fortaleza. Hombre de genio, no tuvo, con todo, ni la paciencia ni la disposición de dejar atrás sus debilidades, aun estando en condiciones de hacerlo; por el contrario, las explotó con propósitos teóricos. La moralidad de una

5. Se refiere al escritor latino y apologista del temprano cristianismo Quinto Septimio Florentes Tertuliano (*c.* 160-*c.* 220).

6. El libro de Eugène Crépet es *Charles Baudelaire, étude biographique* (*Charles Baudelaire, estudio biográfico*; París, A. Messein, 1906) y el de François Porché *La Vie Douloureuse de Charles Baudelaire* (*La vida dolorosa de Charles Baudelaire*; París, Plon, 1926).

opción tal podría discutirse interminablemente. Para Baudelaire, fue el modo de liberar su mente y de darnos una lección y dejarnos un legado. Baudelaire fue uno de esos hombres que poseen una gran fortaleza, pero una fortaleza meramente sufrida. No pudo escapar del dolor ni trascenderlo, de modo que lo atrajo hacia sí. A cambio, con esa inmensa fortaleza pasiva y esa sensibilidad que ningún dolor podía minar, logró estudiar su propio sufrimiento. Y en esta limitación se distingue radicalmente de Dante, incluso de cualquiera de los personajes del infierno de Dante. Por otro lado, un sufrimiento como el de Baudelaire abre la posibilidad de un estado de positiva beatitud. De hecho, en su modo de sufrir se atisba ya la presencia de lo sobrenatural y lo sobrehumano. Baudelaire recusa siempre lo puramente natural y lo puramente humano; en otras palabras, no es ni un «naturalista» ni un «humanista». Quizá porque es incapaz de ajustarse al mundo actual, ha de rechazarlo en favor del cielo o del infierno; o bien, puesto que posee la percepción del cielo y del infierno, ha de rechazar el mundo actual: ambas maneras de explicarlo son defendibles. Hay, en sus postulados, mucho de detrito romántico: *ses ailes de géant l'empêchent de marcher*, dice del poeta y del albatros, no de un modo convincente y, sin embargo, hay en esa frase algo de verdad sobre sí mismo y sobre el mundo.[7] Su *ennui* puede, desde luego, explicarse, igual que cualquier cosa puede explicarse en términos psicológicos o patológicos; pero es también, desde un punto de vista opuesto, una auténtica forma de acedia que asciende desde el afán fracasado hasta la vida espiritual.

7. 'Sus alas de gigante le impiden caminar', Baudelaire, «L'albatros» («El albatros»), versión de Antonio Martínez Sarrión, en *Las flores del mal*, Barcelona, La Gaya Ciencia, 1976.

II

Me atrevo a pensar que, atendiendo solamente a los poemas, no estamos en condiciones de comprender lo que, cuando menos para mí, es el verdadero sentido y significado de la mentalidad de Baudelaire. Puede que la excelencia formal de esos poemas, la perfección de su fraseo y su aparente coherencia hagan parecer que representan un estado mental definitivo y último; en realidad, me da la impresión de que comparten la forma externa, pero no la interna, del arte clásico. Uno puede incluso arriesgar la conjetura de que, en muchos de los poetas románticos del siglo XIX, el cuidado de la perfección formal fue un esfuerzo para apuntalar —o para ocultar a la vista— un desorden íntimo. Ahora bien, el auténtico arte baudelairiano no consiste en haber buscado una forma, sino en haberse lanzado a la búsqueda de una forma de vida. En lo que respecta a las formas menores, de hecho, nunca consiguió igualar a Théophile Gautier, a quien significativamente dedicó sus poemas: en los mejores poemas ligeros de Gautier hay una satisfacción, un equilibrio entre interioridad y forma, que no encontramos en Baudelaire, quien, por otra parte, tenía una mayor habilidad técnica que Gautier y, aun así, el contenido sentimental constantemente hace estallar el receptáculo. Su aparato, con lo que no me refiero a su dominio de las palabras y los ritmos, sino a su imaginería (y la imaginería de todo poeta se circunscribe a algún lugar), no es del todo perdurable o adecuada. Sus prostitutas, mulatos, mujeres judías, serpientes, gatos y cadáveres conforman una maquinaria que no ha sabido emplear correctamente; su Poeta —o su Don Juan— posee una ascendencia romántica que resulta demasiado fácilmente rastreable.[8] Compárese la vestimenta baudelairiana con la imaginería de la *Vita nuova* o con la de Cavalcanti y se verá que la de Baudelaire no queda tan bien como la de varios siglos atrás; compáreselo con Dante o con Shakespeare —si de algo sirve una comparación tal— y parecerá no solo un poeta decididamente menor, sino uno en cuya obra se ha filtrado en mayor medida aquello que resulta perecedero.

Decir esto no es sino afirmar que Baudelaire pertenece a un momento definido en el tiempo. Inevitable descendiente del romanticismo y, por su propia naturaleza, el primer antirromántico de los poetas, consiguió trabajar únicamente con los materiales que estaban a su alcance, y lo hizo mejor que nadie. No debe olvidarse que, en la era romántica, un poeta no podía permitirse ser un «clásico» más que en lo que a tendencia se refiere. Si era sincero, debía expresar, con su diferencia individual, el estado de ánimo general, no como un deber, sino simplemente porque no podía evitar participar de este. En el caso de este tipo de poetas, con frecuencia podemos esperar recibir mucha ayuda de la lectura de sus obras en prosa y aun de sus notas y diarios: ayuda para descifrar las discrepancias entre corazón y cabeza, entre los fines y los medios, los materiales y las ideas.

No resulta fácil establecer qué ha salvado a la poesía de Baudelaire del destino de la mayor parte de la poesía francesa que va del siglo XIX hasta su época y que le ha convertido —tal como ha afirmado el señor Valéry en una reciente introducción a *Las flores del mal*— en el único poeta moderno francés muy leído en el extranjero. En parte se debe a una maestría técnica que difícilmente

8. Se refiere al poema de *Las flores del mal* «Don Juan aux Enfers» («Don Juan en los infiernos»).

puede ser sobreestimada y que ha hecho sus versos de obligado estudio para los poetas posteriores, incluidos los de otra lengua. Cuando leemos:

Maint joyau dort enseveli
Dans les ténèbres et l'oubli,
Bien loin des pioches et des sondes;
Mainte fleur épanche à regret
Son parfum doux comme un secret
Dans les solitudes profondes[9]

pensamos por un instante en un Mallarmé más lúcido de lo habitual; y la disposición de las palabras es de tal modo original que fácilmente podríamos olvidar que la tomó prestada de la *Elegía* de Gray.[10] Cuando leemos:

Valse mélancolique et langoureux vertige![11]

de inmediato estamos en el París de Laforgue.[12] Baudelaire dio a los poetas de Francia tanto como tomó prestado de los de Ingla-

9. 'Mucha gema duerme oculta / en las tinieblas y el olvido, / ajena a picos y a sondas. / Mucha flor con pesar exhala / como un secreto su grato aroma / en las profundas soledades', Baudelaire, «Le Grignon», «La mala suerte», versión de Antonio Martínez Sarrión en la traducción citada en la nota 7, p. 251.

10. Se refiere a la «Elegía escrita en un cementerio rural» de Thomas Gray. Véase al respecto en este volumen la nota 6, p. 65, del ensayo «William Blake».

11. '¡Melancólico vals, vértigo lánguido!', Baudelaire, «Harmonie du soir», «Armonía del ocaso», *Las flores del mal*, Madrid, M. E., 1994, trad. de Enrique López Castellón.

12. Sobre Jules Laforgue y Tristan Corbière, citado más abajo, véase en este volumen la nota 32, p. 90, del ensayo «Los poetas metafísicos».

terra y Estados Unidos. Se ha hablado con frecuencia de su renovación de la versificación de Racine, que es genuina, pero puede que se haya enfatizado en exceso, hasta el punto de hacer que parezca un truco.[13] Pero incluso soslayándola, la variedad y abundancia de recursos de Baudelaire sería enorme.

Además, aunque ciertamente empleó una serie de imágenes que parecen de segunda mano, la imaginería baudelairiana sobre la vida cotidiana abrió nuevas posibilidades a la poesía.

Au coeur d'un vieux faubourg, labyrinthe fangeux
Où l'humanité grouille en ferments orageux,

On voit un chiffonnier qui vient, hochant la tête,
Butant, et se cognant aux murs comme un poète.[14]

Esto introduce algo nuevo y universal en la vida moderna. (El último verso citado, que en su tersura irónica anticipa a Corbière, puede contrastarse con un poema entero: «Bénédiction», que abre el volumen.) No es solo a través del uso de una serie de imágenes de la vida cotidiana, ni meramente gracias al uso de imágenes de la sordidez de una gran metrópolis, sino por su elevación de esa imaginería hasta su intensidad primera —presentar las cosas tal

13. El metro de Racine, hegemónico en la poesía francesa, es el alejandrino, que Baudelaire utiliza muy a menudo en *Las flores del mal*, donde también abunda el endecasílabo y los poemas con versos anisosilábicos.

14. 'En un viejo arrabal, laberinto de fango / donde hierven los hombres en fermento agitado, / veo llegar a un trapero, la cabeza agachada, / tropezando en los muros lo mismo que un poeta', Baudelaire, «Le vin des chiffonniers» ('El vino de los traperos'), *Las flores del mal*, trad. de Enrique López Castellón en la edición citada en la nota 11, p. 254.

como son y a partir de ahí conseguir que representen mucho más que ellas mismas— como Baudelaire ha creado un medio para que otros hombres se liberen y expresen.

Esta invención lingüística, en un momento en que la poesía francesa en particular estaba ávida de invención, es suficiente para hacer de Baudelaire un gran poeta, un hito poético. Baudelaire es, de hecho, el mayor ejemplo de poeta moderno en cualquier idioma, puesto que sus versos y su lenguaje son lo más cercano a una completa renovación que hemos conocido. Sin embargo, su renovación de cierta actitud frente a la vida no es menos radical, ni menos importante. En sus versos, Baudelaire no es tanto un modelo a imitar o una fuente en la cual saciarse, como un recordatorio del deber, de la sagrada tarea de la sinceridad. Es incapaz de apartarse de una sinceridad fundamental. La sinceridad (y me parece que esto no se ha subrayado suficientemente) no siempre es lo bastante aparente. Como he sugerido antes, muchos poemas no están completamente desvinculados de sus orígenes románticos, de la paternidad byroniana y la fraternidad satánica. El satanismo de la misa negra está casi siempre en el aire; al exhibirlo, Baudelaire es la voz de su tiempo, pero no puedo dejar de observar que, en Baudelaire como en ningún otro, ese satanismo se redime gracias a que significa otra cosa. Baudelaire utiliza la misma parafernalia, pero no puede limitar su simbolismo ni siquiera a aquello de lo que es consciente. Compáreselo con el Huysmans de *À rebours*, *En route* y *Là-bas*.[15] Huysmans, que es uno de los principa-

15. El novelista francés Joris-Karl Huysmans (1848-1907) es autor de una obra en la que se entrevera el naturalismo con el satanismo, Zola y Baudelaire. Sus obras más conocidas son las que aquí cita T. S. Eliot, sobre todo *À Rebours* (*A contrapelo*, 1884) y *Là-bas* (*Allá abajo*, 1894). Las obras de Huysmans fueron

les realistas de su tiempo, solo consigue hacer interesante su satanismo cuando lo aborda externamente: meramente describiéndolo como una manifestación de su época (si es que lo fue). Su propio interés en el asunto es, lo mismo que su interés por el cristianismo, una cuestión sin importancia. Huysmans tan solo proporciona un documento. Baudelaire no habría logrado ni siquiera eso si realmente se hubiese dejado absorber por aquel ridículo abracadabra. Pero lo que le interesa en realidad a Baudelaire no son los demonios, las misas negras y las blasfemias románticas, sino el auténtico problema del bien y el mal. Apenas es más que un accidente temporal que acuda a la imaginería en boga y al vocabulario de la blasfemia. A mediados del siglo XIX, una época que Goethe (en su mejor momento) prefiguró, una época de bullicio, programas, plataformas, de progreso científico, humanitarismo y revoluciones que no lograron mejorar nada, una época de degradación progresiva, Baudelaire supo percibir que lo único que importaba era el pecado y la redención. Prueba de su honestidad es haber ido tan lejos como honestamente pudo, y no más allá. Para el observador juicioso de la Francia posterior a Voltaire (*Voltaire... le prédicateur des concierges*), un espíritu que vio el mundo de Napoleón *le petit* más lúcidamente que el propio Victor Hugo, un espíritu que, al mismo tiempo, no mostró afinidad alguna con la *Saint-Sulpicerie* en boga, el reconocimiento de la realidad del pecado es una vida nueva; y la posibilidad de condena es un alivio

---

algo así como la Biblia del decadentismo e influyeron considerablemente en la novela de Oscar Wilde *El retrato de Dorian Gray*, 1891. En la reseña del libro de Peter Quennell sobre Baudelaire (véase en este ensayo la nota 3), T. S. Eliot describió a Huysmans en los siguientes términos: 'una especie de Zola caprichosamente cruzado con todo lo que de menor importancia hay en Baudelaire'.

inmenso en un mundo de reformas electorales, plebiscitos, reforma de la sexualidad y del modo de vestir; la condena misma es una forma inmediata de salvación: de salvación del hastío de la vida moderna, porque cuando menos da algún sentido a la vida. Es esto, creo, lo que Baudelaire trata de expresar y lo que le aparta del protestantismo moderno de Byron y Shelley. Aparentemente, es el pecado en sentido swinburniano lo que está en la mente de Baudelaire, pero en realidad es el pecado en el permanente sentido cristiano.[16]

Por otra parte, como he dicho ya, el sentido del mal implica la noción del bien. Y sin embargo, Baudelaire, dado que aparentemente confunde —y quizá de hecho confundía— el mal con sus representaciones teatrales, no siempre está seguro de su noción del bien. Jamás exorcizó por completo la idea romántica del amor, pero tampoco se rindió a ella del todo. En «Le Balcon», que el señor Valéry considera, creo que con justicia, uno de los poemas más bellos de Baudelaire, se encuentra la idea romántica íntegra, pero

16. La frase sobre Voltaire pertenece a los *Diarios íntimos* de Baudelaire y el párrafo entero dice: «Je m'ennuie en France, surtout parce que tout le monde y ressemble à Voltaire. Emerson a oublié Voltaire dans ses Représentants de l'humanité. Il aurait pu faire un joli chapitre intitulé: Voltaire, ou l'anti-poète, le roi des badauds, le prince des superficiels, l'anti-artiste, le prédicateur des concierges, le père Gigogne des rédacteurs du Siècle» ('Me aburro en Francia, sobre todo porque todo el mundo se parece a Voltaire. Emerson olvidó a Voltaire entre sus Representantes de la humanidad. Podría haber escrito un bonito capítulo titulado "Voltaire o el antipoeta, el rey de los mirones, el príncipe de los superficiales, el anti-artista, el predicador de las porteras, el *père Gigogne* de los redactores del *Siècle*"), Baudelaire, *Oeuvres posthumes* (*Obras póstumas*; París, 1908, p. 110). ¶ Por «Saint-Sulpicerie» se entiende en Francia el arte católico recargado, pomposo y edulcorado, extendido en el siglo XX al comercio de postales, bibelots y souvenirs religiosos. La alusión a la vida nueva tiene que ver, por supuesto, con la *Vita nuova* de Dante.

también algo más: la intención de alcanzar algo que no puede obtenerse en, sino que hay que obtener parcialmente a través de las relaciones personales. De hecho, en gran parte de la poesía romántica, la tristeza surge del aprovechamiento del hecho de que ninguna relación humana se adecua al deseo humano y también a la desconfianza en cualquier objeto del deseo humano que no sea ese que, siendo humanos, es incapaz de satisfacernos. Una de las desventuradas necesidades de la existencia humana es que tengamos que «encontrar las cosas por nosotros mismos». Si no fuera así, el postulado de Dante habría sido suficiente, de una vez por todas, cuando menos para los poetas. Baudelaire posee toda la tristeza romántica, pero inventa un nuevo tipo de nostalgia romántica: la *poésie des départs*, la *poésie des salles d'attente* derivan de esta nostalgia.[17] En un hermoso párrafo del volumen en cuestión, *Mi corazón al desnudo*, Baudelaire imagina los buques anclados en el puerto diciendo: *Quand partons-nous pour le bonheur?* y su heredero menor, Laforgue, exclama: *Comme ils sont beaux, les trains manqués.*[18] La poesía del vuelo —que en la Francia contemporánea debe mucho a los poemas del A. O. Barnabooth de Valery Larbaud— es, en este párrafo de Baudelaire que está en su origen, un oscuro reconocimiento de la dirección de la beatitud.[19]

17. La «poesía del partir», la «poesía de las salas de espera».

18. *Mon coeur mis à un* (*Mi corazón al desnudo*, 1884) es una parte de los *Diarios íntimos* de Baudelaire. Las frases que cita se pueden traducir como '¿Cuándo partimos hacia la felicidad?' y 'Qué bellos son los trenes que perdemos'.

19. Valery Larbaud (1881-1957) fue un poeta, novelista, traductor y ensayista francés con quien T. S. Eliot tuvo relación, sobre todo en los años veinte. Larbaud tradujo al francés el *Ulises* de Joyce. Entre sus obras poéticas destaca sobre todo *Le Journal Intime de A. O. Barnabooth* (1913), que Eliot admiró en su momento y que ejerce una influencia en sordina en *La tierra baldía*.

Sin embargo, en lo tocante al arreglo de lo natural a lo espiritual, de lo bestial a lo humano y de lo humano a lo sobrenatural, Baudelaire es un fracaso al lado de Dante; lo más que puede decirse —y ya es mucho— es que lo que sabía lo descubrió por sí mismo. En los *Diarios íntimos* y especialmente en *Mi corazón al desnudo* demuestra tener mucho que decir sobre el amor entre hombre y mujer. Un aforismo que ha sido especialmente celebrado es el siguiente: *La volupté unique et suprême de l'amour gît dans la certitude de faire le mal.*[20] Esto significa, creo, que Baudelaire ha percibido que aquello que distingue las relaciones entre hombre y mujer de la cópula de las bestias es el conocimiento del bien y del mal (o del bien y el mal moral, que no es ni el bueno y malo de la naturaleza, ni el puritano correcto o incorrecto). A pesar de su imperfecta y vaga concepción romántica del bien, al menos fue capaz de entender que, en tanto malvado, el acto sexual es más digno, menos aburrido, que el natural, «vivificante» y risueño automatismo del mundo moderno. Para Baudelaire, el acto sexual no es, al menos, algo análogo a las sales Kruschen.[21]

Como humanos, lo que hagamos ha de ser malo o bueno; en tanto hacemos el bien y el mal, somos humanos; y es mejor, paradójicamente, hacer el mal que no hacer nada: al menos existimos.*

* «¿No sabéis que si os sometéis a alguien como esclavos para obedecerle, sois esclavos de aquel a quien obedecéis, sea del pecado para muerte, o sea de la obediencia para justicia?», Romanos 6:16. [Traducción de la cita de Reina-Valera.]

20. 'La voluptuosidad única y suprema del amor yace en la certeza de hacer el mal.'

21. Un antiácido de la época.

Es correcto afirmar que la gloria del hombre reside en su capacidad de salvarse y también es correcto afirmar que su gloria reside en su capacidad de condenarse. Lo peor que puede decirse de la mayoría de quienes nos hacen mal, desde políticos a ladrones, es que no son suficientemente humanos para condenarse. Baudelaire fue suficientemente humano para la condena: que en efecto esté condenado es, por supuesto, otro asunto y nadie nos impide orar por su eterno descanso. En la totalidad de su humillante trajín con otros seres, caminó seguro de su alta vocación, la de ser capaz de una condena negada a los políticos y a los editores de periódico parisinos.

III

La noción baudelairiana de beatitud ciertamente tendió a un sí es no es e incluso en uno de sus más bellos poemas, «La invitación al viaje», difícilmente supera la *poésie des départs.*[22] Y puesto que su visión es en este punto tan restringida, hay para él una laguna entre el amor humano y el amor divino. Para él, el amor humano es definido y positivo; el amor divino, vago e incierto: de ahí su insistencia en la maldad del amor, de ahí sus constantes invectivas contra el sexo femenino. En este punto no hay necesidad de apelar a causas psicopatológicas que, en el mejor de los casos, resultarían irrelevantes, porque su actitud frente a las mujeres es consistente con el punto de vista alcanzado. De haber sido mujer, sin duda habría sacado similares conclusiones sobre los hombres. De

22. «L'Invitation au voyage.»

algún modo llegó a la conclusión de que la mujer debe ser, hasta cierto punto, un símbolo, pero nunca consiguió armonizar esta experiencia con sus necesidades ideales. El complemento y la corrección a los *Diarios íntimos* —en tanto estos tratan de las relaciones entre hombres y mujeres— son la *Vita nuova* y la *Divina comedia.* Sin embargo, aunque no puedo afirmarlo con certeza, la perspectiva de la vida de Baudelaire, tal como se nos presenta, es objetivamente aprehensible, lo que quiere decir que su idiosincrasia puede explicar su perspectiva de la vida parcialmente, pero no ir más allá. Y esta perspectiva vital muestra grandeza y heroísmo: fue un evangelio para su tiempo tanto como para el nuestro. «La vraie civilisation —escribió— n'est ni dans le gaz, ni dans la vapeur, ni dans les tables tournantes, elle est dans la diminution des traces du péché originel».[23] No queda claro exactamente qué implica aquí la palabra *diminution*, pero la dirección de este pensamiento es clara y su mensaje es aceptado aún por muy pocos. Más de un siglo y medio más tarde, T. E. Hulme dejó un párrafo que Baudelaire hubiera aprobado:

A la luz de estos valores absolutos, el hombre mismo se juzga como esencialmente limitado e imperfecto. Está dotado con el Pecado Original. Aunque pueda, ocasionalmente, emprender acciones que participan de la perfección, jamás puede ser, en sí mismo, perfecto. Ciertos efectos secundarios que hay que considerar con respecto a las ordinarias acciones humanas en sociedad se explican por lo anterior. Los

23. 'La verdadera civilización no está en el gas ni en el vapor, sino en la disminución de las huellas del pecado original', Baudelaire, *Mi corazón al desnudo.*

hombres son esencialmente malos y solo pueden lograr algo de valor por vía de la disciplina, ya sea ética o política. El orden es, de este modo, no meramente negativo, sino creativo y liberador. Las instituciones son necesarias.[24]

[1930]

24. T. E. Hulme (1883-1917) fue un poeta y crítico inglés, muy influyente en T. S. Eliot y el modernismo anglosajón, especialmente en el movimiento imaginista. Hulme murió durante la Primera Guerra Mundial, y cuando la primera recopilación de su prosa se publicó en el libro *Speculations* (*Especulaciones*; Londres, Kegan Paul, 1924), del que Eliot extrae esta cita final, este comentó: 'Hulme es clásico, reaccionario y revolucionario, está en las antípodas de la ecléctica, tolerante y democrática mente del final del siglo pasado', *Criterion*, abril de 1924, p. 231.

Religión y literatura

Lo que me propongo decir está básicamente a favor de las siguientes proposiciones: la crítica literaria debe complementarse con una perspectiva crítica que parta de una posición ética y teológica definida. La crítica literaria solo será sustantiva en la medida en que, en cada época, exista un punto de partida común en lo tocante a los asuntos éticos y teológicos. En épocas como la nuestra, en que tal punto de partida no existe, es necesario que los lectores cristianos examinen sus lecturas, especialmente de obras de imaginación, con criterios éticos y teológicos explícitos. La «grandeza» de la literatura no puede determinarse tan solo por criterios literarios, aunque debemos recordar que el hecho de que sea literatura solo pueden determinarlo esos parámetros.*

De algunos siglos a esta parte, hemos asumido tácitamente que no existe ninguna relación entre literatura y teología. Esto no

* Como ejemplo de una crítica literaria a la que el interés teológico da mayor significación, llamaría la atención sobre un libro de Theodor Haecker, *Virgil* (Sheed and Ward).[1]

1. Se refiere al libro del crítico alemán Theodor Haecker, *Vergil. Vater des Abendlandes* (Leipzig, 1931) y traducido al inglés como *Virgil: Father of the West* (*Virgilio. Padre de Occidente*; Londres, Sheed & Ward, 1934).

implica negar que la literatura —y nuevamente me refiero, sobre todo, a las obras de imaginación— ha sido, es y probablemente será juzgada siempre según criterios morales. Sin embargo, las valoraciones morales de las obras literarias solo tienen en cuenta el código moral aceptado por cada generación y no si ese código se cumple o no. Puede que en épocas que aceptan determinada teología cristiana el código común sea bastante ortodoxo, pero incluso en esos periodos es posible que este código exalte conceptos tales como el «honor», la «gloria» o la «venganza» hasta un punto que resulta intolerable para el cristianismo. La ética dramática de la época isabelina constituye un ejemplo interesante al respecto. Sea como fuere, cuando el código común se separa de su trasfondo teológico y se vuelve, en consecuencia, cada vez más un asunto de hábito, se expone tanto a los prejuicios como a los cambios. En tales épocas, la moral se abre a la influencia de la literatura, así que en la práctica encontramos que lo que es «objetable» en literatura es meramente aquello a lo que la presente generación no está habituada. Es un lugar común decir que lo que turba a una generación será tranquilamente aceptado por la siguiente. Esta adaptabilidad al cambio de los criterios morales es en ocasiones saludado con satisfacción como una evidencia de la perfectibilidad humana, pero no es, en realidad, sino una evidencia de lo débilmente fundamentados que suelen estar los juicios morales de la gente.

Mi intención no es ocuparme de la literatura religiosa, sino de la aplicación de nuestra religión a la crítica de toda literatura. Sería bueno, sin embargo, empezar distinguiendo lo que considero que son los tres sentidos en que puede hablarse de «literatura religiosa». El primero se refiere a aquello que solemos llamar «literatura religiosa» en el mismo sentido en el que hablamos de «literatura histórica» o «literatura científica». Quiero decir que podemos considerar la traducción de la Biblia o las obras de Jeremy Taylor literatura de la misma manera en que podemos considerar literatura la escritura histórica de Clarendon o de Gibbon —los dos grandes historiadores ingleses—, la *Lógica* de Bradley, o la *Historia natural* de Buffon.[2] Se trata, en todos estos casos, de escritores

2. Acerca de Jeremy Taylor y lord Clarendon, véanse en este volumen las notas 6, p. 137 y 2, p. 134, del ensayo «Lancelot Andrewes». ¶ Más conocido que Clarendon para el lector español es Edward Gibbon (1737-1794), uno de los grandes historiadores de todos los tiempos, autor de la monumental *The History of the Decline and Fall of the Roman Empire* (*Historia de la decadencia y caída del Imperio romano*, publicada en seis volúmenes entre 1776 y 1789). Gibbon es autor también de una espléndida autobiografía, *Memoirs of My Own Life* (*Memorias de mi vida*, publicada póstumamente en 1796). ¶ F. H. Bradley (1846-1924) fue uno de los más importantes filósofos idealistas británicos, seguidor en Inglaterra de Kant y Hegel. La obra de Bradley desempeñó un papel decisivo en el desarrollo intelectual de T. S. Eliot, quien a su regreso a Harvard tras el primer viaje a Europa (véase al respecto en este volumen la cronología de T. S. Eliot, p. 562) empezó a estudiar, tras su inmersión en la filosofía oriental, *Appearance and Reality* (*Apariencia y realidad*, 1913), donde encontró el principio de un camino espiritual, pues Bradley, en contra de la filosofía empírica dominante en Inglaterra, postulaba que la experiencia común no tiene ninguna utilidad sin un punto de vista religioso. Eliot decidió escribir su tesis doctoral sobre Bradley, que leyó en 1916 y que se publicó un año antes de su muerte: *Knowledge and Experience in the Philosophy of F. H. Bradley* (*Conocimiento y experiencia en la filosofía de F. H. Bradley*; Londres, Faber & Faber, 1964). En un artículo publicado en el *Times Literary Supplement* en diciembre de 1927 y recogido en *Para Lancelot Andrewes,* Eliot decía de Bradley: 'Sustituyó una filosofía que era tosca, cruda y provinciana por una que era, en comparación, católica, civilizada y universal', T. S. Eliot, *For Lancelot Andrewes* (*Para Lancelot Andrewes*; Londres, Faber & Faber, 1970, p. 59). ¶ Georges-Louis Leclerc, conde de Buffon (1707-1788), fue un naturalista francés, autor de una *Histoire naturelle, général et particulière* en treinta y seis volúmenes, publicada entre 1749 y 1788.

que, con independencia del propósito religioso, histórico o religioso de sus obras, tenían cierto don para el lenguaje que los hace gratos de leer para todos aquellos que disfrutan de lo que está bien escrito, aunque no les interesen los asuntos que estos escritores tenían en mente. Y podría agregar que, pese a que una obra científica, histórica o teológica que es además «literatura» pueda perder toda pertinencia fuera del ámbito literario, lo más probable es que nunca hubiese sido considerada «literatura» de no ser por su valor científico —o de otro tipo— original. Aunque reconozco la legitimidad de este placer, cada vez soy más consciente de su abuso. Las personas que disfrutan estos escritos exclusivamente por su mérito literario son en esencia parásitos y sabemos que los parásitos, cuando son demasiado numerosos, se convierten en una plaga. Podría despotricar en contra de esos hombres de letras que dicen extasiarse ante «la Biblia como literatura», la Biblia como el «monumento más noble de la prosa inglesa». Aquellos que hablan de la Biblia como un «monumento de la prosa inglesa» están admirándola, meramente, como el monumento que corona la tumba del cristianismo. Sin embargo, debería evitar las digresiones: basta con sugerir que, tal como la obra de Clarendon, Gibbon, Buffon o Bradley tendría un valor literario menor si fuese insignificante en tanto historia, ciencia y filosofía, respectivamente, así la Biblia debe su influencia literaria sobre la literatura inglesa no al hecho de que se la haya considerado literatura, sino a que se la ha considerado Palabra de Dios. Que los hombres de letras la consideren hoy «literatura» probablemente sea un indicio del fin de su influencia «literaria».

La segunda clase de relación de la religión con la literatura la encontramos en la llamada poesía «religiosa» o «devocional». Ahora bien, ¿cuál es la actitud de los amantes de la poesía —y me refiero a las personas que aprecian y disfrutan la poesía de primera mano, no a aquellos que imitan la admiración de otros— hacia ese género de poesía? En mi opinión, la respuesta está implícita en el hecho mismo de que la describan como cierto género de poesía. Creen, no siempre de manera explícita, que cuando se califica a la poesía de «religiosa» se señalan limitaciones muy claras. Para la gran mayoría de la gente que ama la poesía, la «poesía religiosa» es una variedad menor: el poeta religioso no es aquel que aborda la totalidad de la cuestión poética con un espíritu religioso, sino uno que lidia con una parte muy limitada de esa cuestión, que deja fuera lo que los hombres consideran sus mayores pasiones y que por tanto confiesa su ignorancia en lo que a ellas respecta. Me parece que esta es la verdadera actitud de la mayoría de los amantes de la poesía frente a poetas como Vaughan, Southwell, Crashaw, George Herbert o Gerard Hopkins.[3]

3. Sobre Vaughan, Crashaw y George Herbert, véase en este volumen la nota 6, pp. 76-77, del ensayo «Los poetas metafísicos». ¶ Robert Southwell (1561-1595) fue otro de los poetas religiosos que interesaron vivamente a T. S. Eliot. Católico de nacimiento, ordenado jesuita en Roma en 1584, formó parte de una misión para tratar de mantener el catolicismo en Inglaterra, a pesar de las severas órdenes promulgadas por Isabel I (véase al respecto en este volumen la nota 4, p. 135, del ensayo «Lancelot Andrewes»). Al poco tiempo de haber iniciado su labor clandestina en la isla, fue detenido, torturado y finalmente ahorcado. Sus poemas se recopilaron en un volumen titulado *Maeoniae*, 1595. ¶ Gerard Manley Hopkins (1844-1889) es otro poeta religioso, plenamente victoriano. Católico y jesuita, su obra no se recopiló hasta 1918, editada por su albacea, el también poeta Robert Bridges (1844-1930). La poesía de Hopkins ejerció una notable influencia en la poesía inglesa a partir de 1930 y quizá por ello a T. S. Eliot nunca le interesó y lo consideró un poeta sobrevalorado, verboso y superficial. ¶ Virtuoso de la métrica, Hopkins es autor de un soneto dedicado al

Y aún más, estoy dispuesto a admitir que estos críticos tienen razón hasta cierto punto. Porque hay un tipo de poesía, como la mayor parte de las obras de los autores antes mencionados, que es producto de una particular lucidez religiosa que puede existir con independencia de la lucidez general que se espera de un poeta mayor. En el caso de algunos poetas —o de algunas de sus obras— es posible que esta lucidez general haya existido y que, sin embargo, haya sido suprimida en tanto que paso preliminar y se haya presentado solo el producto final. Distinguir entre esta clase de poetas y aquellos en los cuales el genio religioso o devocional representa una lucidez particular y limitada podría resultar difícil. No pretendo presentar a Vaughan, a Southwell, a George Herbert o a Hopkins como poetas mayores: estoy convencido de que los primeros tres, cuando menos, son poetas que poseen esa lucidez limitada.* No son grandes poetas religiosos en el sentido en que Dante, Corneille o Racine son grandes poetas religiosos y cristianos, incluso en aquellas obras que no abordan temas cristianos. Ni siquiera en el sentido en el que Villon y Baudelaire, con todas sus imperfecciones y yerros, son poetas cristianos. Desde la época de Chaucer, la poesía cristiana (en el sentido en que pretendo de-

---

lego Alonso Rodríguez (1532-1617), el portero viudo del colegio jesuita de Montesión en Palma, donde trabajó durante más de cuarenta años. Rodríguez fue canonizado en 1888 y Hopkins escribió el soneto en cuestión para celebrar la primera fiesta del santo. El poema se titula «In Honour of St. Alphonsus Rodriguez Laybrother of the Society of Jesus» («En honor de san Alonso Rodríguez, lego de la compañía de Jesús»).

* Hago notar que en una conferencia dictada en Swansea unos años después (y publicada subsecuentemente en *The Welsh Review* bajo el título «¿Qué es la poesía menor?») defendí con énfasis mi opinión de que Herbert es un poeta mayor y no uno menor. Esa es la postura que hoy sostengo [1949].

finirla) se ha limitado, en Inglaterra, casi exclusivamente a la poesía menor.

Repito que, si hago estas consideraciones sobre la relación entre religión y literatura, es para dejar claro que no tengo intenciones de referirme fundamentalmente a la literatura religiosa, sino a la relación entre la religión y la literatura como un todo. En consecuencia, puedo permitirme abordar el tercer tipo de «literatura religiosa» más brevemente. Me refiero a las obras literarias escritas por personas que están deseosas de apoyar la causa de la religión y que podrían titularse como «propaganda». Incluyo, desde luego, ficciones tan deliciosas como *El hombre que fue jueves*, del señor Chesterton, o su *Padre Brown.* Nadie admira ni disfruta esas cosas tanto como yo. Solo me gustaría subrayar que, cuando una persona menos entusiasta y talentosa que el señor Chesterton es la encargada de abordar el asunto, el efecto es negativo. En todo caso, a mi juicio, tales escritos no pueden considerarse con seriedad cuando se trata de la relación entre religión y literatura, porque operan conscientemente en un mundo en el que se asume que la religión y la literatura no están relacionadas. La relación que plantean es consciente y limitada. Lo que deseo es una literatura que sea inconscientemente, más que deliberada o desafiantemente cristiana. La clave de la obra del señor Chesterton es justo que tiene lugar en un mundo que sin duda es no cristiano.

Estoy convencido de que no nos damos cuenta de hasta qué punto separamos completa e irracionalmente nuestros juicios literarios y religiosos. Si esta separación fuera posible, quizá no importaría, pero no es —ni jamás podrá ser— completa. Si acudimos a la novela como epítome de la literatura —dado que la novela es la forma literaria más difundida entre los lectores— descubrimos una gradual secularización de la literatura, al menos a lo largo de los últimos trescientos años. Bunyan y, hasta cierto punto, Defoe tenían propósitos morales: el primero, más allá de toda sospecha, el segundo quizá no.[4] Pero a partir de Defoe la secularización de la novela ha sido continua. Ha habido tres fases principales. En la primera, la novela dio por sentada la fe en su versión contemporánea y la omitió de su retrato de la vida. Fielding, Dickens y Thackeray pertenecen a esta fase. En la segunda, dudó de la fe, se preocupó por ella o se le opuso. A este periodo pertenecen George Eliot, George Meredith y Thomas Hardy.[5] A la tercera fase, que es en la que vivimos ahora, pertenecen la mayoría de los novelistas contemporáneos, con excepción del señor James Joyce.[6]

4. John Bunyan (1628-1688) es uno de los escritores y predicadores ingleses más conocidos, gracias sobre todo a su alegoría *The Pilgrim's Progress* (*El progreso del peregrino*), que escribió en prisión, adonde había sido confinado por haber predicado el Evangelio sin permiso.

5. De los escritores victorianos aquí mencionados, quizá el único que no es muy familiar para el lector español sea el galés George Meredith (1828-1909), poeta y novelista. Su novela más conocida es *The Adventures of Harry Richmond* (*Las aventuras de Harry Richmond*, 1871).

6. T. S. Eliot conoció a Joyce en París en 1920, durante una cena auspiciada por Ezra Pound y en la que también estuvo presente el escritor y pintor Wyndham Lewis. T. S. Eliot era entonces director adjunto de la revista *The Egoist*, donde ya en 1919 había publicado los primeros capítulos del *Ulises*, una obra que le había interesado mucho y cuya sombra en *La tierra baldía* —poema que se publicó en 1922, el mismo año que la novela de Joyce— ha sido objeto de las más variadas y abstrusas discusiones. Es indudable que ambos comparten un profundo interés en el cristianismo, aunque desde actitudes opuestas, además de la devoción por Dante, que tanto les ayudó a configurar sus infiernos personales, aunque quizá sea Shakespeare el escritor con el que entablan una relación similar, una tensión agónica entreverada de reticencia, estupor, incomprensión y secreta fascinación. ¶ T. S. Eliot fue uno de los primeros —si no el

Es la fase de aquellos que nunca han oído hablar de la fe cristiana más que como un anacronismo.

Ahora bien, ¿tiene la gente en general una opinión definida, ya sea religiosa o antirreligiosa y lee novelas —o poesía, para el caso— con compartimentos distintos de su cabeza? La zona común entre religión y ficción es el comportamiento. Nuestra religión nos impone una ética, un juicio y una opinión de nosotros mismos y determina nuestro modo de actuar frente al prójimo. Las ficciones que leemos afectan el modo en que nos comportamos con los demás y también nuestra propia estructura. Cuando leemos sobre seres humanos que actúan de cierta manera con aprobación del autor, que con la actitud que asume frente al resultado de las acciones que él mismo ha imaginado bendice ese comportamiento, podemos sentirnos movidos a actuar de la misma forma.* Cuando el novelista contemporáneo es un individuo y piensa aisladamente en sí mismo, puede tener algo importante que ofrecer a aquellos que están en condiciones de recibirlo. El que está solo puede dirigirse al individuo. Pero la mayoría de los no-

---

primero— de los críticos anglosajones en reseñar el *Ulises* en un artículo titulado «Ulises, orden y mito», publicado en *The Dial* en noviembre de 1923 y donde declaraba: 'Considero este libro la más importante expresión que la presente época ha dado. Es una obra con la que todos estamos en deuda y de la que nadie puede escapar'. Sin embargo, cuando Joyce buscaba editor para su novela en Inglaterra —tras la primera edición parisina de Sylvia Beach— T. S. Eliot, ya editor de Faber & Faber, no se atrevió a publicarla por miedo a las represalias. En 1939, publicó, en cambio, la primera edición inglesa de *Finnegans Wake*.

* En este punto y los siguientes estoy en deuda con Montgomery Belgion. *The Human Parrot* (el capítulo sobre «Los propagandistas irresponsables»).[7]

7. El libro al que se refiere es *The Human Parrot and Other Essays* (*El loro humano y otros ensayos*; Londres, Oxford University Press, 1931).

velistas son personas que se dejan llevar por la corriente, solo que más rápidamente. Tienen cierta sensibilidad, pero escaso intelecto.

Se espera de nosotros que, en asuntos de literatura, mantengamos la mente abierta, que dejemos a un lado prejuicios y convicciones y que miremos la ficción como ficción y el drama como drama. Siento escasa simpatía por lo que imprecisamente suele llamarse «censura» en este país —una censura con la que es mucho más difícil de lidiar que con la censura oficial, porque solo representa la opinión de determinados individuos en una democracia irresponsable—, en parte porque con frecuencia suprime los libros equivocados y en parte porque apenas es más efectiva que la prohibición del alcohol; porque es una manifestación del deseo de que el control estatal tome el papel que corresponde al aprendizaje doméstico de la decencia y, sobre todo, porque actúa sin atender más que a los hábitos y costumbres y no a partir de decididos principios teológicos y morales. Por si esto fuera poco, da a la gente una falsa sensación de seguridad, porque los lleva a pensar que los libros que no se suprimen son inofensivos. No estoy seguro de que haya algo parecido a un libro inofensivo; en todo caso, solo un libro decididamente ilegible sería incapaz de dañar a nadie. Está claro, por otro lado, que un libro no es inofensivo solo porque nadie se ofenda conscientemente al leerlo. Y si acaso es verdad que nosotros, como lectores, mantenemos nuestras convicciones morales y religiosas en un compartimento y asumimos la lectura como mero entretenimiento o, en un plano más elevado, como un placer estético, podría asegurar que los escritores, sin importar las intenciones conscientes que tenían al escribir, no reconocen tales distinciones en la práctica. El autor de una obra de imaginación busca afectarnos por completo, en tanto seres humanos, lo sepa o no; y nos afecta en tanto seres humanos, pretendámoslo o no. Supongo que todo lo que comemos tiene en nosotros un efecto distinto del mero placer del gusto o la masticación: nos afecta durante el proceso de asimilación y digestión y creo que exactamente lo mismo es cierto en el caso de aquello que leemos.

Que lo que leemos no concierne solo a eso que llamamos nuestro «gusto literario», sino que, entre muchas otras influencias, afecta directamente a la totalidad de lo que somos se revela con más claridad, me parece, si repasamos conscientemente la historia de nuestra educación literaria individual. Consideremos las lecturas de adolescencia de cualquier persona con cierta sensibilidad literaria. Creo que cualquiera que sea un poco sensible a la seducción de la poesía puede recordar algún momento de su juventud en que se sintió completamente arrebatado por la obra de un poeta. Muy probablemente ese arrebato se debiera a distintos poetas, uno tras otro. La razón de esta pasión pasajera no estriba solo en que nuestra sensibilidad para la poesía es mayor en la adolescencia que en la madurez. Lo que ocurre es una especie de inundación, de invasión de la personalidad aún no desarrollada por parte de la personalidad del poeta, más poderosa. Lo mismo sucede a una edad más avanzada en las personas que no han leído demasiado. En cierto momento, un escritor nos posee por completo, después otro y, finalmente, estos comienzan a relacionarse unos con otros en nuestra mente. Los comparamos, descubrimos que uno posee cualidades de las que los otros carecen y cualidades incompatibles con las de los otros: empezamos a ser, de hecho, críticos; es nuestra capacidad crítica creciente lo que nos protege de la influencia excesiva de cualquier personalidad literaria. El buen crítico —y todos deberíamos tratar de serlo, en vez de dejar la crítica a quienes escriben reseñas en los diarios— es el hombre en quien se combinan una sensibilidad aguda y perdurable y lecturas amplias y cada vez más selectas. Las muchas lecturas no pueden funcionar como una especie de atesoramiento, como una acumulación de conocimientos, ni conducir por sí mismas a lo que muchas veces se sugiere con la frase: «una cabeza bien amueblada». Hay que valorarlas como un proceso en que nos dejamos afectar por una poderosa personalidad tras otra, dejamos de estar dominados por una sola de ellas o por un pequeño grupo. Las muy diversas perspectivas que cohabitan en nuestra mente inciden unas sobre otras y nuestra personalidad se reafirma dando a cada una su lugar en una peculiar organización personal.

Es sencillamente falso que las obras de ficción, es decir, aquellas obras que describen acciones, pensamientos, palabras y pasiones de seres humanos imaginarios, ya sea en prosa o en verso, directamente amplíen nuestro conocimiento de la vida. El conocimiento directo de la vida es conocimiento directamente relacionado con nosotros mismos, es nuestro conocimiento del modo de actuar de la gente en general, de la forma de ser de la gente en general, en la medida en que esa parte de la vida en la que nosotros mismos hemos participado nos da material para generalizar. El conocimiento de la vida que se obtiene a través de la ficción es solo posible mediante otro nivel de conciencia. Quiero decir que solo puede ser conocimiento de lo que otra gente sabe acerca de la vida, no de la vida en sí. Así que, en la medida en que dejamos que los sucesos de una novela nos atrapen de la misma manera en que nos dejamos atrapar por lo que sucede frente a nuestros ojos, obtendremos cuando menos tanta mentira como verdad. Solo cuando estamos lo suficientemente preparados para decir: «Este es el modo en que veía la vida una persona que, dentro de sus limitaciones, era un buen observador. Dickens, Thackeray, George Eliot o Balzac, sin embargo, veían las cosas de un modo distinto al mío, puesto que era una persona distinta; incluso elegía ver cosas muy distintas o las mismas, pero colocándolas en un orden distinto de importancia, porque era un hombre distinto; de modo que lo que estoy mirando es el mundo tal como lo entendía una mente en particular», estamos en condiciones de obtener algo de las lecturas de ficción. De estos escritores aprendemos directamente algo sobre la vida, igual que aprendemos directamente leyendo un libro de historia; los escritores, sin embargo, solo pueden ayudarnos de verdad cuando somos capaces de ver —y de asumir— sus diferencias con respecto a nosotros mismos.

Ahora bien, lo que ganamos conforme envejecemos y leemos más y una mayor variedad de autores, es una diversidad mayor de puntos de vista sobre la vida. Sin embargo, sospecho que lo que la gente comúnmente asume es que obtener esa experiencia del punto de vista de otros depende de que «escojamos mejores lecturas». Se supone que esa sería nuestra recompensa por aplicarnos con Shakespeare, Dante, Goethe, Emerson, Carlyle y decenas de otros escritores respetables. El resto de nuestras lecturas, por mera diversión, serían solo para matar el tiempo. En mi caso, sin embargo, he llegado a la alarmante conclusión de que es solo lo que leemos «por diversión» o «por puro placer» lo que puede tener la mayor y la más insospechada influencia sobre nosotros. Es la literatura que leemos sin hacer demasiado esfuerzo la que puede tener la más fácil y la más insidiosa influencia sobre nosotros. Por eso hay que examinar con atención la influencia de las novelas y obras de teatro contemporáneas más populares: lo que la gente lee con esta actitud de «puramente por placer» o de un modo puramente pasivo suele ser, sobre todo, literatura contemporánea.

Llegado este punto, la relación de lo que he venido diciendo con mi asunto debería ser más evidente. Aunque es posible que leamos literatura solo por placer, «entretenimiento» o «goce estético», esa lectura no afecta simplemente a una especie de sentido especial, sino que nos afecta como seres humanos completos, afectan nuestra moral y nuestra vida religiosa. Y me atrevo a decir que, aunque es posible que ciertos eminentes escritores modernos estén mejorando desde el punto de vista individual, la literatura contemporánea como un todo tiende a degradarse. Y que incluso los mejores escritores, en una época como la nuestra, pueden tener una influencia degradante en ciertos lectores; porque debemos recordar que lo que un escritor hace a la gente no es necesariamente lo que pretendía hacer. Quizá solo sea lo que la gente es capaz de hacerles a ellos. La gente escoge inconscientemente todo aquello que la influye. Un escritor como D. H. Lawrence puede tener efectos benéficos o perjudiciales —y yo mismo no estoy seguro de no haber ejercido cierta perniciosa influencia.[8]

8. T. S. Eliot mantuvo una relación difícil y polémica con la obra de D. H. Lawrence, cuya popular y en su época escandalosa novela *El amante de lady Chatterley* fue publicada en Florencia en 1928 y prohibida luego en Inglaterra. Cuando en 1960 Penguin decidió publicar por fin la versión íntegra de la obra, los responsables de la editorial se enfrentaron a un juicio por obscenidad, de acuerdo con la ley promulgada en 1959 sobre publicaciones obscenas, la Obscene Publications Act, que permitía a los editores publicar tales obras siempre y cuando pudieran demostrar que tenían calidad literaria. En su defensa, Penguin llamó a varios expertos, entre ellos —aunque al final no declaró— a T. S. Eliot, un testigo inesperado, pues décadas atrás, en un libro que recogía unas

Puedo anticipar la réplica de los liberales, de quienes están convencidos de que si todo el mundo dice lo que piensa y hace lo que le place las cosas de algún modo se corregirán, por algún tipo de compensación y ajuste automáticos. «Que todo pueda probarse —dicen— y, si es un error, aprenderemos de la experiencia.» Este argumento tendría algún valor si existiese siempre la misma generación sobre la tierra; o si, como sabemos que no es el caso, la gente hubiera aprendido siempre de la experiencia de sus mayores. Los liberales están convencidos de que solo a través de lo que se describe como un individualismo irrestricto emergerá la verdad algún día. Piensan: dado que las ideas y perspectivas de cada persona son distintas, se produce entre ellas un violento choque en el que solo la más apta sobrevive y la verdad se alza entonces triunfante. Todo aquel que disienta de esta perspectiva es, en consecuencia, un medievalista que solo desea echar el tiempo atrás o bien un fascista —y muy probablemente ambas cosas.

---

conferencias pronunciadas en la Universidad de Virginia, *After Strange Gods* (*En nombre de dioses extraños*; Londres, Faber & Faber, 1934), se había mostrado muy crítico con Lawrence, a quien calificaba de «enfermo» por haber escrito una novela como *El amante de lady Chatterley*. Eliot nunca quiso reeditar ese libro, por considerarlo urgente y poco meditado. Quizá debido a su reacción de los años treinta, no dudó en adherirse a la defensa de la novela en 1960, declarando que también él, en aquella época, podía haber sido calificado como «un alma enferma». Con Lawrence le unió toda la vida un sentimiento ambivalente de admiración y repulsión que se originó en la oposición que en su juventud mostró —y que de algún modo mantuvo toda la vida— hacia su generación literaria, los llamados «poetas georgianos». Por otra parte, hay que notar que T. S. Eliot no fue precisamente un mojigato en sus gustos novelísticos, pues, además del *Ulises* de Joyce, admiró siempre *Trópico de Cáncer*, de Henry Miller.

Si la mayoría de los escritores contemporáneos fuera realmente individualista —cada uno de ellos un inspirado Blake, con su particular perspectiva— y si la mayoría de los lectores contemporáneos fueran realmente una suma de individuos, habría algo que decir a favor de esa actitud, pero las cosas no han sido así, no lo son y no lo serán jamás. No se trata solo de que el lector contemporáneo (o de cualquier época) no sea suficientemente individual para ser capaz de asimilar todas las «perspectivas sobre la vida» de todos los autores que los anuncios y reseñas de los editores nos empujan a leer y poder alcanzar luego la sabiduría poniendo en una balanza a unos y a otros. Es que los autores contemporáneos tampoco son, ellos mismos, suficientemente individuales. No es que el mundo que plantea la democracia liberal, un mundo de individuos independientes, sea indeseable, es solo que no existe, porque, a diferencia de quien prefiere leer la llamada gran literatura de todas las épocas, el lector de literatura contemporánea no se expone a la influencia de diversas y contradictorias personalidades, se expone, más bien, a un movimiento masivo de escritores, cada uno de los cuales piensa que tiene algo individual que ofrecer, pero que al cabo se mueve en la misma dirección. No creo que hubiera jamás otra época en que el público lector estuviera más expuesto a las influencias de su propia época, o más desamparado ante estas. Nunca hubo una época en que se leyeran más libros de autores vivos que de autores muertos, nunca hubo una época tan absolutamente provinciana, tan aislada del pasado. Puede que haya demasiadas editoriales, sin duda se publican demasiados libros y las revistas no dejan de incitar al lector a «estar al tanto» de lo que se publica. La democracia individualista ha llegado a su momento álgido y hoy es más difícil que nunca ser un individuo.

La propia literatura tiene sus distinciones, perfectamente válidas, entre lo bueno y lo malo, lo mejor o lo peor: no pretendo sugerir que confundo al señor Bernard Shaw con el señor Noël Coward, a la señora Woolf con la señorita Mannin.[9] Además, quisiera dejar claro que no defiendo una literatura «elitista» en detrimento de una «popular». Intento decir, más bien, que la totalidad de la literatura moderna está corrompida por algo que yo llamaría secularismo, que simplemente no tiene conciencia o no es capaz de entender la importancia de la primacía de lo sobrenatural sobre la vida natural: de algo que asumo como nuestra preocupación fundamental.

No quisiera dar la impresión de estar lanzando una jeremiada furibunda contra la literatura contemporánea. Asumiendo que existe un espacio común entre mis lectores —o algunos de ellos— y yo, la pregunta no es tanto ¿qué debería hacerse?, cuanto ¿cómo deberíamos reaccionar?

He sugerido que la actitud liberal frente a la literatura no funcionará. Incluso en el caso de que los escritores que intentan imponernos su «modo de ver la vida» fueran auténticos individuos, aunque los lectores fuéramos auténticos individuos, ¿cuál sería el resultado? Sería, sin duda, que cada lector quedaría impresionado, en su lectura, meramente por aquello frente a lo cual estaba predispuesto a impresionarse; acataría la «ley del mínimo esfuerzo» y no habría manera de asegurar que se convirtiera en un hombre mejor. Al hacer juicios literarios tenemos que estar pendientes de dos cosas a la vez: de «lo que me gusta» y de «lo que debería gustarme». Muy poca gente es suficientemente honesta para saber ambas co-

9. La popular novelista y viajera Ethel Mannin (1900-1984).

sas. La primera implica que sepamos qué es lo que en realidad sentimos: muy pocos lo saben. La segunda supone conocer nuestras limitaciones, porque realmente no sabemos por qué debería gustarnos algo, lo que supone saber por qué no nos gusta aún. No basta con entender cómo deberíamos ser, a menos que sepamos quiénes somos; y no podemos entender quiénes somos a menos que sepamos quiénes deberíamos ser. Las dos formas de conciencia, saber quiénes somos y quiénes deberíamos ser, deben avanzar juntas.

Es asunto nuestro, como lectores de literatura, saber qué es lo que nos gusta. Es asunto nuestro, como cristianos, a la vez que lectores de literatura, saber qué cosa debería gustarnos. Es asunto nuestro, como personas honestas, no asumir que cualquier cosa que nos guste es lo que debería gustarnos. Y la última cosa que desearía sería que existieran dos literaturas, una para consumo de los cristianos y otra para el mundo pagano. Creo que es deber de todo cristiano mantener conscientemente patrones y criterios críticos más exigentes que los del resto del mundo y examinar según esos criterios y patrones todo lo que lee. Debemos recordar que la mayor parte de nuestras lecturas comunes y corrientes han sido escritas por personas que no creen en un orden sobrenatural o, en algunos casos, con nociones personales del orden sobrenatural que no son las nuestras. La mayor parte de lo que leemos lo escribe gente que no solo no posee las mismas creencias, sino que ignora el hecho de que aún hay gente en el mundo suficientemente «atrasada» o «excéntrica» para continuar teniendo fe. Mientras más conscientes seamos del abismo que existe entre nosotros y la mayor parte de la literatura contemporánea estaremos más o menos protegidos del daño que esta puede causarnos, y en posición de tomar de ella lo bueno que pueda ofrecernos.

Hay una gran cantidad de personas, hoy, que creen que todos los problemas del mundo son fundamentalmente económicos. Algunos piensan que ciertas modificaciones específicas en el ámbito económico serían suficientes para corregir el rumbo del mundo; otros, por su parte, demandan más o menos cambios drásticos en el ámbito social, cambios que fundamentalmente van en dos sentidos opuestos. Los cambios que se exigen, que incluso se consiguen en algunos lugares, se parecen en cierto sentido: reafirman eso que llamo secularismo: se ocupan solo de cambios de naturaleza temporal, material y externa; se preocupan solo de una moralidad colectiva. En una de las declaraciones de esa nueva fe, leo las siguientes palabras:

Desde el punto de vista de nuestra moral, el único juicio moral válido es si tal o cual acto impide o destruye de algún modo la capacidad del individuo de servir al Estado. [El individuo] debe responder a las preguntas: «¿Daña esta acción a mi país? ¿Daña a mis connacionales? ¿Daña mi capacidad de servir a mi país?». Y si la respuesta es clara en todas esas cuestiones, el individuo tiene absoluta libertad de hacer lo que le parezca.

No niego que esta sea una moral como cualquier otra y, con sus limitaciones, capaz de hacer el bien. Sin embargo, me parece que todos deberíamos rechazar una moral que no tiene un ideal mayor al que podamos adherirnos. Desde luego, representa una de las violentas reacciones que últimamente presenciamos en contra de la idea de que la comunidad solo sirve para el beneficio de los individuos, pero es además un evangelio de este mundo y solo de este mundo. Mi queja contra la literatura moderna es del mismo calibre. No es que la literatura moderna sea «inmoral» o incluso «amoral» en el sentido común de esos términos; y acusarla de algo así no sería suficiente, en cualquier caso. Se trata más bien de que repudia o permanece completamente indiferente ante nuestras creencias más fundamentales e importantes y, en consecuencia, tiende a empujar a sus lectores a obtener todo lo que puedan de la vida mientras dure, a no perderse ninguna «experiencia» que se les presente y a sacrificarse a sí mismos, si es que se sacrifican alguna vez, simplemente por mor de beneficios que resulten tangibles para otros en este mundo, ya sea ahora mismo o en el futuro. Sin duda seguiremos leyendo lo mejor que nuestra época nos ofrezca, pero debemos criticarlo incansablemente de acuerdo con nuestros propios principios y no solo de acuerdo con los principios admitidos por los escritores y críticos que discuten el asunto en la prensa.

[1935]

Byron

Los detalles de gran parte de la vida de Byron han sido convenientemente expuestos, en los últimos años, por sir Harold Nicolson y el señor Quennell, quienes además han propuesto interpretaciones similares que hacen que Byron, el personaje, resulte más inteligible para la generación actual.[1] Nuestra época, sin embargo, no ha ofrecido hasta ahora una interpretación equivalente de su poesía. Dentro y fuera de las universidades, se ha discutido a Wordsworth, a Coleridge, a Shelley y a Keats desde los más va-

1. Se refiere al libro del escritor y político del grupo de Bloomsbury sir Harold Nicolson (1886-1968), *Byron, The Last Journey* (*Byron, el último viaje*; Londres, Constable, 1924), que narra las vicisitudes de Byron durante los dos últimos años de su vida. Los libros del biógrafo, crítico, editor e intérprete de la escena social inglesa sir Peter Quennell (1905-1993) son *Byron, The Years of Fame* (*Byron, los años de fama*; Londres, Faber & Faber, 1935) y *Byron in Italy* (*Byron en Italia*; Londres, Collins, 1941). Quennell también editó, junto con George Paston, *To Lord Byron: Feminine Profiles Based Upon Unpublished Letters, 1807-1824* (*A lord Byron: perfiles femeninos basados en cartas inéditas, 1807-1824*; Londres, John Murray, 1939), una recopilación de las cartas que le habían enviado al poeta sus más íntimas admiradoras. ¶ De todos modos y en contra de lo que supone aquí T. S. Eliot, todavía quedaba mucho por decir sobre la vida de Byron. Es interesante notar cómo la misma sociedad a la que con tanto gusto y descaro vilipendió en vida el famoso poeta romántico, trató, a lo largo de muchos años, de protegerle de la negra reputación que había pedido para sí mis-

riados puntos de vista, pero a Byron y a Scott se les ha dejado en paz. Así y todo, Byron parece cuando menos un poco más próximo, en su lejanía, a las simpatías de los críticos. En ese sentido, resultaría interesante contar con media docena de ensayos sobre él para determinar cuáles son los puntos de coincidencia. El presente artículo es un intento de hacer que esa rueda empiece a girar.[2]

Hay muchas dificultades iniciales. Es difícil volver críticamente sobre un poeta cuya poesía constituyó —supongo que para muchos de nuestros contemporáneos, con excepción de aquellos que son demasiado jóvenes para haber leído la poesía de aquel periodo— el primer entusiasmo juvenil. Que un pariente mayor nos cuente anécdotas acerca de nuestra propia infancia resulta habitualmente tedioso, del mismo modo el regreso, al cabo de los años, a la poesía de Byron, va acompañado de una sensación similar: vienen a la mente imágenes y el recuerdo de ciertos versos, a imitación del *Don Juan*, que aparecieron en un periódico escolar, teñidos de aquella desilusión y aquel cinismo que solo se consigue a los

mo. A la infausta quema, por parte de su editor John Murray, de sus memorias, se une un largo historial de censura en lo que a su archivo personal respecta —y sobre todo en lo relativo a sus relaciones homosexuales—, que duró hasta bien entrado el siglo XX. Solo Fiona MacCarthy pudo obtener acceso ilimitado a los papeles depositados en la editorial John Murray y publicar la biografía más exhaustiva que se ha escrito sobre el poeta hasta la fecha: *Byron. Life and Legend* (*Byron, vida y leyenda*; Londres, John Murray, 2002).

2. Es cierto que en esa época (1937) se produjo una suerte de revalorización de la poesía de Byron, sobre todo en la generación inmediatamente posterior a la de T. S. Eliot. Quien más contribuyó a ello fue sin duda W. H. Auden, que en 1936 había publicado el poema «Letter to Lord Byron» («Carta a lord Byron»), donde, usando la misma estrofa que Byron utiliza en el *Don Juan*, le habla al poeta de los cambios que se han operado, en el mundo en general y en Inglaterra en particular, desde su muerte.

dieciséis años. En cuanto a los obstáculos impersonales que hay que vencer, son estos aun mayores. En proporción a su calidad, la poesía de Byron resulta agobiante en su profusión: uno diría que nunca desechó nada. Ahora bien, en un tipo de poeta como Byron, la profusión es inevitable y la ausencia de un elemento destructivo en su método de composición funciona como un indicador de la clase de intereses —y de la falta de intereses— que guiaba su poesía. Nos hemos acostumbrado a esperar que la poesía sea algo reconcentrado, destilado; pero si Byron hubiese destilado sus versos no habría quedado casi nada. Cuando entendemos qué era exactamente lo que se proponía hacer, vemos que lo hizo de la mejor manera posible. En la mayor parte de sus poemas breves, tenemos la sensación de que hizo algo que Tom Moore pudo haber hecho igualmente bien o incluso mejor; en sus poemas largos, en cambio, Byron logró algo que nadie ha conseguido igualar jamás.[3]

En ocasiones, es conveniente aproximarse a la obra de un poeta olvidado por rutas insospechadas. Si mi camino de acceso a Byron solo existe en mi cabeza, otros críticos habrán de corregirme; en todo caso, quizá ayude a desquiciar prejuicios y anime a formar nuevas opiniones. Así, sugiero considerar a Byron un poeta *Scottish* —digo *Scottish* y no *Scots*, puesto que escribió en inglés—.[4]

3. El poeta irlandés Thomas Moore (1779-1852), más que por su propia obra, ha pasado a la historia como amigo y editor de lord Byron. En 1830 publicó una selección de las cartas y los diarios de su malogrado amigo, acompañados de una semblanza biográfica: *Letters and Journals of Lord Byron, with Notices of His Life* (*Cartas y diarios de lord Byron, con una noticia de su vida*). De su propia obra poética cabe destacar *Lalla Rookh. An Oriental Romance* (1817), que más adelante T. S. Eliot comenta.

4. T. S. Eliot distingue aquí entre dos palabras que en castellano se traducen por «escocés». Al decir *Scots* se refiere a aquellos que escriben en gaélico.

Sir Walter Scott, a quien Byron se refirió siempre con gran respeto, fue el único poeta contemporáneo con quien puede considerarse que Byron competía. Entre los bustos de ambos poetas he visto siempre —o creído ver— cierta semejanza en la línea de la cabeza. La comparación honra a Byron, aunque, cuando uno observa con atención los rostros, la semejanza desaparece. Si a uno le gustara tener bustos, el de Scott sería muy adecuado. Hay, en aquella cabeza, un aire de nobleza, de magnanimidad, de la serenidad íntima y quizá inconsciente que corresponde a los grandes escritores que son, a la vez, grandes hombres. Byron, en cambio... aquella cara rechoncha que sugiere tendencia a la gordura, aquella boca lánguida y sensual, la desasosegada trivialidad de la expresión y lo peor de todo: esa mirada ciega de la belleza consciente de sí misma; el busto de Byron es el de un hombre que representa hasta en el detalle al trágico itinerante.[5] Y sin embargo, fue justamente por haber sido un actor aventurado por lo que Byron alcanzó cierta sabiduría: sobre el mundo exterior, del que tenía que saber lo suficiente para poder representar su papel y sobre esa parte de sí mismo que constituía ese papel. Saberes superficiales, sin duda, pero precisos hasta el extremo.

A cierta cualidad escocesa de la poesía de Byron me referiré cuando llegue el momento de hablar del *Don Juan*. Sin embargo, hay un aspecto muy importante del disfraz byroniano, para el cual, me parece, su origen escocés suplió el material y que es apropiado tratar antes de hacer cualquier consideración sobre su poesía. Me refiero a su peculiar malditismo, esa complacencia suya en

5. T. S. Eliot describe aquí el conocido busto que el escultor danés Bertel Thorvaldsen le hizo a Byron durante su estancia en Roma en 1817.

adoptar la pose de criatura maldita y en dar pruebas de su condena de un modo particularmente aterrador. Ahora bien, el malditismo de Byron es diferente de cualquier otra cosa que la «agonía romántica» (como ha dado en llamarla el señor Praz) produjo en los países católicos.[6] Y no me parece que pueda derivarse con facilidad del confortable compromiso entre cristiandad y paganismo alcanzado en Inglaterra, tan característicamente inglés. Solo puede provenir del entorno religioso de los pueblos inmersos en la teología calvinista.

El malditismo de Byron, si acaso puede llamarse así, es de naturaleza mixta. Byron compartía, hasta cierto punto, la actitud prometeica de Shelley y la pasión romántica por la libertad. Esta pasión, que inspiró sus arrebatos más políticos, se combinó con una imagen de sí mismo como hombre de acción que dio lugar a la aventura griega. La actitud prometeica, por su parte, emergió transformada en una actitud satánica, es decir, miltoniana. La concepción romántica del Satán de Milton es semiprometeica, y contempla, además, la soberbia como una virtud. Sería difícil determinar si Byron era un hombre soberbio o más bien alguien que se complacía en adoptar esa pose: la posibilidad de que las dos actitudes aparecieran mezcladas en una misma persona no las hace menos disímiles en un sentido abstracto. Byron era sin duda un hombre vanidoso y lo era, además, de un modo bastante obvio:

6. T. S. Eliot se refiere aquí al estudio de Mario Praz (1896-1982) sobre la literatura romántica, publicado originalmente en 1930 con el título *La carne, la morte e il diavolo nella letteratura romantica* y que se tradujo al inglés en 1933 con el título *The Romantic Agony* (*La agonía romántica*).

No puedo quejarme, estos fueron sus ancestros:
Erneis, Radulphus. Cuarenta y ocho feudos
(si mi memoria no me traiciona grandemente)
se ganó como premio por seguir las enseñas de Billy.[7]

Su sentido de la condena estaba al mismo tiempo mitigado por un toque de irrealidad: para un hombre hasta tal punto ocupado de sí mismo y de la figura que representaba, nada externo podía ser real del todo. Por ello, es imposible hacer de su malditismo algo coherente o racional. Al parecer, pudo reconciliar los dos extremos y pensar en sí mismo como un individuo a un tiempo aislado y superior al resto de los hombres, a causa de sus propios delitos y como una naturaleza buena y generosa desfigurada por los delitos que otros habían cometido en su contra. Es esta inconsistente criatura la que se revela tras el Giaour, el Corsario, Lara, Manfred y Caín; solo la figura de Don Juan permite a Byron aproximarse a su verdadero yo.[8] Pero en esta extraña mezcla de actitudes y creencias, el elemento que me parece más patente y profundo es la perversión de la fe calvinista de sus ancestros maternos.[9]

7. *Don Juan* X, XXXVI, donde Byron presume de sus antepasados. Billy es Guillermo el Conquistador.

8. T. S. Eliot enumera algunas de las principales obras de Byron: *The Giaour: a Fragment of a Turkish Tale* (*El Giaour: fragmento de un cuento turco*, 1813); *The Corsair: a Tale* (*El corsario: un cuento*, 1814); *Lara: a Tale* (*Lara: un cuento*, 1814); *Manfred: a Dramatic Poem* (*Manfred: un poema dramático*, 1817) y *Cain: a Mystery* (*Caín: un misterio*, 1821). El tantas veces citado *Don Juan* es el más célebre y apreciado poema narrativo de Byron, que empezó a publicar en 1819, quedando inconcluso a su muerte en 1824 y, donde, con la máscara de Don Juan, habla de sí mismo y de sus contemporáneos con una crudeza extraordinaria.

9. Byron sufrió una severa educación calvinista a lo largo de toda su infancia en Aberdeen, Escocia.

Una de las razones del olvido de Byron consiste, creo, en que solía admirársele por sus más ambiciosos intentos de ser poético y que estos intentos, sometidos a examen, resultaron ser falsos: nada más que sonoras reafirmaciones del lugar común sin mayor profundidad de sentido. Un buen ejemplo de esa impostura es la bien conocida estrofa del final del canto XV del *Don Juan*:

Entre dos mundos la vida oscila como un astro,
de la noche al alba en el filo del horizonte.
Qué poco conocemos lo que somos.
Menos aún lo que podríamos ser. El eterno brotar
de tiempo y ritmo fluye y conlleva
nuestras pompas. Estalla aquella y emerge esta,
surgida de la espuma de los años, mientras las tumbas
de los imperios se levantan como el vaivén de las olas[10]

versos que no son aptos ni para una revista escolar. La verdadera excelencia de Byron está en un nivel muy distinto.

Las cualidades del verso narrativo que pueden encontrarse en el *Don Juan* no son menos notables en las primeras narraciones. Antes de acometer este ensayo, no los había releído desde los días de mis arrebatos juveniles y me acerqué a ellos con aprensión. Se dejan leer muy bien. A pesar de lo absurda que nos parece su perspectiva de la vida, en cuanto relatos están bastante bien logrados. De hecho, como contador de historias, Byron merece una alta calificación: no se me ocurre ningún otro autor, desde Chaucer, más legible, con excepción de Coleridge, del que Byron abusó y de

10. *Don Juan*, XV, XCIX.

quien aprendió muchísimo. Y Coleridge no acometió jamás una narración tan extensa. Las tramas de Byron, si así se las puede llamar, son extremadamente simples. El interés de las narraciones procede, en primer lugar, de una torrencial fluidez de los versos, de la habilidad a la hora de introducir variaciones ocasionales para evitar la monotonía y, en segundo lugar, de un verdadero talento para la divagación. La digresión, de hecho, es una de las más valiosas artes del narrador. Las digresiones de Byron tienen la virtud de mantenernos interesados en el contador de historias y, a través de ese interés, consiguen que nos interesemos aún más en la historia. En los lectores contemporáneos ese interés debe de haber alcanzado el nivel de hechizo, dado que, incluso hoy en día, cuando nos entregamos a la lectura de un poema completo, aquella personalidad ejerce una poderosa atracción. Unos pocos versos, si se citan junto a otros cualquiera, probablemente producirán un momentáneo estremecimiento de júbilo:

El encanto bruno de sus ojos
es difícil de explicar,
si en una gacela pensáis,
os podréis acercar;
tan grandes, lánguidamente negros,
pero transidos de alma en cada destello...[11]

pero leído entero el poema consigue cautivar nuestra atención. *El Giaour* es un poema largo; la trama, sin embargo, es simple, aunque no siempre resulta fácil de seguir. Un cristiano, presumible-

11. Byron, *The Giaour.*

mente griego, ha conseguido, por medios de los que no se nos informa, los favores de una joven de un harén o que es quizá la esposa favorita de un musulmán llamado Hassan. En su empeño por escapar con su amante cristiano, Leila es capturada de nuevo y asesinada; a su debido tiempo, sin embargo, el cristiano y algunos de sus amigos tienden una emboscada a Hassan y le dan muerte. Más tarde, descubrimos que la historia de esta *vendetta* —o parte de ella— está siendo narrada por el propio Giaour, en confesión, a un anciano sacerdote. Se trata de una confesión bastante peculiar, puesto que el Giaour parece de todo menos penitente y deja bastante claro que, aunque ha pecado, no ha sido en realidad una falta de la que pueda responsabilizarse. Parece llevado por los mismos motivos que el viejo marinero, más que por el deseo de absolución —que de todos modos difícilmente podría concedérsele—; en cualquier caso, ese detalle resulta útil a la hora de aportar una pequeña complicación a la historia.[12] Como he dicho antes, en absoluto resulta fácil descubrir qué ha pasado. El principio es un largo apóstrofe a la desvaída gloria de Grecia, un tema sobre el que Byron es capaz de ensayar hábiles variaciones. La aparición del Giaour está cargada de dramatismo:

> *¿Quién llega como el rayo sobre negro corcel,*
> *casi desbocado y a todo galope?*[13]

y aun se nos permite atisbarlo desde los ojos de un musulmán:

12. Se refiere aquí a *La balada del viejo marinero* de Coleridge.
13. Byron, *The Giaour.*

Aunque joven y pálido, esa frente cetrina
está injuriada por el fiero dolor de la pasión[14]

lo que basta para hacernos ver que el Giaour es una persona interesante, dado que quizá se trate del propio Byron. Después hay un largo pasaje sobre la desolación que reina en la casa de Hassan, habitada solo por la araña, el murciélago, el búho, el perro salvaje y las malas hierbas e inferimos que el poeta ha dado un salto hasta la conclusión del relato y que debemos esperar que el Giaour mate a Hassan, que por supuesto es lo que sucede. Ni Joseph Conrad podría haber dado un rodeo semejante. Después oímos un fardo caer estrepitosamente al agua y sospechamos que debe de tratarse del cuerpo de Leila. Luego sigue un pasaje reflexivo, una meditación sucesiva sobre la belleza, la razón y la culpa. Leila reaparece viva por un momento, pero no es sino otra dislocación del orden de los acontecimientos. Entonces somos testigos de cómo Giaour y sus bandidos —esto puede suceder meses o aun años después de la muerte de Leila— sorprenden a Hassan y a su séquito y entonces ya no hay duda de la muerte de Hassan:

Yace el caído Hassan —sus ojos sin cerrar
aún desafían al enemigo...[15]

Se produce entonces un bellísimo cambio de metro así como una transición súbita, justo en el momento preciso:

14. *Ibidem.*
15. *Ibidem.*

Las campanillas suenan de los camellos rumiantes.
Miró su madre desde la alta celosía:
oteó debajo el rocío de la tarde,
que la verde pastura esparcía,
y el tenue parpadeo de los planetas:
«Anochece: su cortejo seguro se acerca».[16]

A continuación, tienen lugar una suerte de exequias para Hassan, narradas, evidentemente, por otro musulmán. En ese momento reaparece el Giaour, nueve años después, en un monasterio, mientras oímos a un monje responder a un interrogatorio sobre la identidad del visitante. Los términos en los que el Giaour se halla vinculado con el monasterio no están claros: los monjes parecen haberle aceptado sin investigar y el comportamiento que demuestra con ellos es bastante curioso. Sin embargo, se nos explica que ha entregado al monasterio una considerable suma de dinero a cambio del privilegio de permanecer allí. El poema concluye con la confesión del Giaour a uno de los monjes. Cómo es posible que un griego de aquella época (aun mostrándose del todo impenitente) se sienta de tal modo agobiado por la culpa de haber matado a un musulmán, en lo que podemos considerar una pelea justa o, por otra parte, cómo se explica que Leila se sienta culpable de abandonar a un marido o a un amo al que presumiblemente se unió sin su consentimiento, son preguntas que no soy capaz de responder.

Si he hablado de *El Giaour* con cierto detalle ha sido con el propósito de mostrar el extraordinario ingenio narrativo de By-

16. *Ibidem.*

ron. A pesar de la sencillez de la trama, no hay nada directo en la narración; no se nos informa de todo aquello que quisiéramos saber y el comportamiento de los protagonistas es a ratos inexplicable, puesto que los motivos de sus sentimientos resultan confusos. Y a pesar de todo, el autor no solo se sale con la suya, sino que lo hace en tanto que narración. Se trata del mismo don narrativo cuyo epítome puede hallarse en el *Don Juan*. Y la razón principal de que ese poema se pueda seguir leyendo estriba en que comparte la calidad narrativa de las primeras narraciones.

En mi opinión, hacer notar que Byron llevó el poema *conte* considerablemente más lejos que Moore y Scott solo vale la pena si estamos dispuestos a aceptar que su popularidad era algo más que un capricho del público o un mero efecto del atractivo de una personalidad hábilmente explotada. Sin duda, contribuyó a ello, pero sin duda lo más importante es que las narraciones en verso de Byron representan, frente a Scott, un estadio más maduro de este género fugaz, del mismo modo que Scott representa, a su vez, un estadio más maduro con respecto a Moore. El *Lalla Rookh* de Moore es una mera secuencia de relatos unidos por un poderoso recuento en prosa de las circunstancias de la narración (modelada a partir de *Las mil y una noches*). Scott perfeccionó una historia simple y directa empleando la clase de trama que más tarde utilizaría en sus novelas. Byron combinó exotismo con actualidad y desarrolló, de un modo más eficaz, el uso del suspense. Me parece, además, que la versificación de Byron es la más competente de las tres, aunque tratándose de este tipo de poemas es necesario leer el poema entero para hacerse una idea y, por otra parte, los méritos no pueden demostrarse mediante simples citas. Identificar distintos pasajes tomados al azar como pertenecientes a Byron o a

Moore requiere un ojo educado más allá de mis posibilidades, pero creo que quienquiera que haya leído recientemente los relatos de Byron estaría de acuerdo en que el siguiente pasaje no puede ser suyo:

¡Cuan horroroso
era mirar, Dios mío,
los insepultos cuerpos, de la luna
a la pálida luz! Los buitres fieros,
los lobos carniceros,
a pesar de su indómita fiereza,
llenos de horror huían;
mas la ciudad las hienas recorrían,
olvidando del bosque la aspereza.
¡Ay de aquel que sus ojos divisaba,
brillando entre las sombras cual bermejas
luces, si enfermo, en lastimeras quejas
su desgarrado corazón se ahogaba.[17]

Lo anterior pertenece a *Lalla Rookh* y fue subrayado, al parecer con aprobación, por un anónimo lector de la Biblioteca de Londres.

Childe Harold me parece inferior a este grupo de poemas (*El Giaour*, *La novia de Abydos*, *El corsario*, *Lara*, etcétera). Una y otra vez, como para asegurarse, Byron aviva el interés menguante echando mano de pasajes ornamentales; en el caso de *Childe Harold*, sin embargo, ese tipo de recursos de Byron nunca son lo su-

17. Thomas Moore, *Lalla Rookh*.

ficientemente buenos para cumplir la función que se les ha encomendado:

¡Detente, porque vas hollando las cenizas de un imperio!

es justo lo que se necesita para reavivar el interés en ese punto, pero la estrofa que sigue, sobre la batalla de Waterloo, me resulta totalmente falsa y ampliamente representativa de la falsedad en la que Byron se refugia cada vez que procura escribir poesía:

¡Detente, porque vas hollando las cenizas de un imperio!
¡Aquí yacen los despojos de un terremoto!
¿Y no está señalado tal paraje con algún busto colosal?
¿No ostenta ninguna columna como trofeo de victoria?
Ninguna; pero la lección moral nos dice así con mayor sencillez:
«Sea esta tierra lo mismo que fue antes».
¡Cómo ha hecho crecer las mieses aquella lluvia de sangre!
¿Y nada más te ha debido el mundo —tú, el primero
y el último de los campos de batalla— Victoria generatriz de reyes?[18]

En una época en que prácticamente se ha perdido todo aprecio por la clase de virtudes que pueden encontrarse en Byron, es tanto más difícil analizar apropiadamente sus errores y sus vicios. De ahí que nos cueste dar crédito a Byron por el instintivo arte gracias al cual, en un poema como *Childe Harold* y aún más eficientemente en *Beppo* o *Don Juan*, evita la monotonía saltando con habilidad de un asunto a otro. Byron posee la virtud cardinal de

18. Byron, *Childe Harold*, III, XVII. El poema entero se publicó luego por separado con el título *Waterloo*.

no ser aburrido jamás. Sin embargo, aun admitiendo la existencia de virtudes olvidadas, seguimos percibiendo cierta falsedad en la mayor parte de los pasajes que antes se admiraban más. ¿A qué se debe esa falsedad?

Sea lo que fuere que esté «mal» en la poesía de Byron, sería un error identificarlo como «retórica». Demasiadas cosas se han agrupado ya bajo ese nombre y, si pensamos que es posible dar cumplida cuenta de la poesía de Byron llamándola «retórica», estaríamos obligados a evitar el uso de ese adjetivo en los casos de Milton y Dryden, en los cuales —aunque muy diferentes entre sí— tiene sentido utilizar ese término. Sus errores, cuando yerran, son de una categoría superior a los mejores aciertos de Byron. Cada uno de ellos posee un sólido lenguaje personal y un notable sentido del idioma; incluso en sus peores momentos es evidente su interés en el verbo. Un solo verso basta para identificarles y decir: he aquí un modo particular de emplear la lengua. Esa clase de individualidad es ajena a los versos de Byron. Si uno se detiene a considerar los pocos versos que podrían considerarse «memorables» del pasaje de *Childe Harold* sobre Waterloo, es imposible decir que son gran poesía:

Y todo respiraba alegría, como la campana que anuncia una boda,
Siga el baile, ¡No tenga fin el regocijo![19]

De Byron puede afirmarse, como de ningún otro poeta igualmente egregio, que no aportó nada al idioma, que no descubrió nada en la música ni añadió nada al significado de una sola pala-

19. *Ibidem*, III, XXI y XXII.

bra. No se me ocurre ningún otro poeta igualmente distinguido que haya sido hasta tal punto extranjero escribiendo en inglés. Cualquier hijo de vecino hablan inglés, pero solo unos cuantos en cada generación son capaces de escribirlo, y de esa inopinada colaboración entre una gran cantidad de gente que habla y una poca que escribe depende la conservación de un idioma. Del mismo modo que un artesano es capaz de hablar inglés bellamente mientras trabaja o departe con otros en un bar y puede luego componer una carta escrita en una lengua muerta, vagamente parecida al editorial de un periódico y aderezada con palabras como «vorágine» y «pandemónium», así Byron escribe en una lengua muerta o agonizante.

Esta sordera de Byron a la lengua inglesa —que lo obliga a utilizar una gran cantidad de palabras para hacerse notar— indica, para todo propósito práctico, una sensibilidad deficiente. Y si hablo de «propósitos prácticos» es porque lo que me atañe es su poesía, no su vida privada: cuando un escritor no posee el lenguaje necesario para expresar sus sentimientos, da igual si estos existen o no. Ni siquiera es preciso comparar su relato de Waterloo con el de Stendhal para percibir la carencia de detalles; sin embargo, vale la pena subrayar que la sensibilidad de Stendhal, orientada a la prosa, posee cualidades poéticas de las que la poesía de Byron carece. Byron no hizo más por el idioma de lo que hoy hacen, día a día, los principales columnistas de los periódicos. Y me parece que este defecto es más importante aún que la superficialidad de su intermitente filosofismo.[20] Todos los poetas

20. Lo que para T. S. Eliot era un defecto fue para poetas de una generación más joven, como Auden, Louis MacNeice o Stephen Spender, una virtud y

han escrito alguna vez verdades de Perogrullo, todos han reiterado cuestiones archisabidas, pero no es la debilidad de las ideas, sino el uso del lenguaje, digno de un colegial, lo que hace que los versos de Byron suenen manidos y que su pensamiento parezca superficial.

«Mais que Hugo aussi était dans tout ce peuple».[21] Las palabras de Péguy no han dejado de dar vueltas en mi cabeza mientras pienso en Byron:

Non pas vers qui chantent dans la mémoire, mais vers qui dans la mémoire sonnent et retentissent comme une fanfare, vibrants, trépidants, sonnant comme une fanfare, sonnant comme une charge, tambour éternel, et qui battra dans les mémoires françaises longtemps après que les réglementaires tambours auront cessé de battre au front des régiments.[22]

Pero Byron no estaba «entre esta gente», ni entre la de Londres o la de Inglaterra, sino entre la gente de su madre y la estrofa más conmovedora de su Waterloo es:

---

un modelo en su búsqueda de un nuevo lenguaje poético, opuesto a lo que habían hecho sus predecesores modernistas, como el propio T. S. Eliot.

21. 'Pero es que Hugo también estaba entre toda esa gente.' Cita perteneciente a la obra *Clio*, del poeta y ensayista católico francés Charles Péguy (1873-1914).

22. Charles Péguy, «Notre patrie»: 'No versos que canten en la memoria, sino versos que en la memoria redoblen y resuenen como una fanfarria, vibrantes, trepidantes, como una fanfarria, que resuenen como una carga, eterno tambor que redoblará en la memoria de los franceses mucho tiempo después de que los tambores reglamentarios hayan dejado de batir al frente de los regimientos'.

La «llamada de Cameron» llena el aire con sus rudas armonías;
es el canto guerrero de Lochiel, que tantas veces oyeron
las colinas de Albyn, y sus enemigos los sajones también.
¡Cuán agudo y terrible parece el son de la pibroch
en medio de las tinieblas de la noche!
Pero el mismo aliento que hincha la rústica gaita
reanima el natural denuedo de los montañeses,
trayendo a su memoria gloriosos recuerdos
y haciendo resonar en sus oídos las proezas de Evan y de Donald[23]

Todo se conjuró para hacer de *Don Juan* el más grande de los poemas de Byron. La estrofa que tomó del italiano funcionó admirablemente para ensalzar sus méritos y disimular sus defectos, del mismo modo que para él montar a caballo o navegar era más fácil que ir a pie.[24] Su oído era imperfecto e incapaz de nada que no fueran efectos toscos, pero con esa estrofa cómoda, con sus habituales versos de terminación femenina y ocasionalmente triple, Byron parece estar recordándonos a menudo que, sin hacer demasiado esfuerzo, es capaz de producir algo tan bueno o incluso mejor que aquellos poetas solemnes que se toman más en serio la factura de sus versos.[25] Y Byron realmente alcanza sus cotas más

23. Byron, *Childe Harold*, III, XVII.

24. La estrofa que utiliza Byron en el *Don Juan* es la *ottava rima*, desarrollada a finales del siglo XIII por los poetas toscanos. En un principio se utilizó en poemas y dramas religiosos y estaba compuesta por ocho versos endecasílabos, con rima ABABABCC. Luego fue muy utilizada en poesía épica y narrativa por autores como Ariosto o Torquato Tasso. Edward Fairfax, a finales del siglo XVI, introdujo la estrofa en Inglaterra con una traducción, precisamente, de Tasso.

25. En el sistema métrico inglés se denomina verso de terminación femenina a aquellos que acaban con una sílaba no acentuada, es decir, en palabra lla-

altas cuando no se esfuerza en ser poético; cuando, en unos cuantos versos, trata de serlo, produce cosas como la estrofa que he citado antes y que comienza:

Entre dos mundos la vida oscila como un astro...

Pero en un registro menos intenso consigue un sorprendente abanico de efectos. Su genio para la digresión, para apartarse del asunto —usualmente para hablar de sí mismo— y luego volver a él de repente puede verse en todo su apogeo en el *Don Juan*. Las chanzas e ironías, a las que su modelo italiano le permite acudir constantemente, funcionan como un admirable antiácido para la pomposidad que suele irritar el estómago de los lectores de sus romances tempranos y, por otra parte, la sátira social le ayuda a no perder de vista sus objetivos y, a pesar de no ser profunda, posee una sinceridad que la hace plausible. El retrato que hace de sí mismo es más honesto que cualquier otro de los que aparecen en obras anteriores. Vale la pena examinarlo con detalle.

En su admirable *Byron et le besoin de la fatalité*, Charles du Bos cita un largo pasaje del autorretrato de Byron que aparece en *Lara.*[26] Es justo dar crédito a Du Bos por haber sabido reconocer la importancia de ese pasaje y, por su parte, Byron merece todo el crédito que Du Bos le concede por haberlo escrito. Ese pasaje

---

na. Los versos terminados en aguda serían pues masculinos. El de terminación triple es una variante del femenino, con dos sílabas sin acentuar tras la última tónica.

26. Se trata de un ensayo del crítico francés Charles du Bos (1882-1939), *Byron et le besoin de la fatalité* (*Byron y la necesidad de la fatalidad*; París, Au Sans-Pareil, 1929).

destaca, a mi juicio, como una obra maestra del autoanálisis, si bien se trata del autoanálisis de un yo que es, en gran parte, una elaboración deliberada, y que solo se completa con la escritura misma de los versos. La razón de que Byron entendiera tan bien ese yo es que se trataba en gran medida de una invención suya. Y lo único que Byron entendió de verdad es ese yo que había inventado. Si lo entiendo bien, es imposible no sentir compasión y horror ante el espectáculo de un hombre que dedica una ingente cantidad de energía y tesón a un propósito hasta tal punto inútil y mezquino, aunque al mismo tiempo quizá deberíamos ser más humildes y comprensivos, pues se trata de un vicio al que muchos somos proclives, aunque sea de un modo menos intenso y perseverante; quiero decir que Byron convierte en vocación lo que para la mayoría de nosotros es una debilidad, de tal modo que, dada la dimensión de su éxito, quizá merezca cierta triste admiración. En el *Don Juan*, sin embargo, encontramos algo más parecido a una genuina revelación de sí mismo. Porque Don Juan, a pesar de las brillantes cualidades de las que Byron lo inviste —para enaltecerse a sí mismo ante la aristocracia inglesa—, no es una figura heroica. No hay nada absurdo en su presencia de ánimo y valentía durante el naufragio ni en sus proezas en las guerras turcas: exhibe una clase de fuerza física y capacidad de heroísmo que de buen grado podemos atribuir al propio Byron. En los relatos de sus relaciones con mujeres, sin embargo, no parece que Byron haya pretendido hacerle parecer heroico, ni siquiera digno: creemos reconocer ahí una aleación de lo genuino y lo fantasioso.

Resulta notable —y esto confirma, en mi opinión, la perspectiva del señor Quennell sobre Byron— que en esos episodios amorosos Don Juan tome siempre una actitud pasiva. Incluso Haidée, pese a la inocencia e ingenuidad de esa hija de la naturaleza, parece más seductora que seducida. Ese episodio es el más largo y el más cuidadosamente elaborado de todos los pasajes amorosos y en mi opinión merece una nota muy alta.[27] Cierto que, después de la temprana iniciación de Don Juan por parte de doña Julia, difícilmente podemos creer en la inocencia que se le atribuye frente a Haidée, pero ello no debe hacer que descartemos sin más la descripción por falsa. La inocencia de Don Juan es meramente un sustituto de la pasividad de Byron: colocando esta última en lugar de la otra podemos reconocer en el relato cierta comprensión auténtica del corazón humano y aceptar versos como

> *Ay! Eran tan bellos y jóvenes, solitarios*
> *amorosos, desamparados, y era la hora*
> *aquella, en que el corazón está colmado*
> *siempre y, sin poder sobre sí, da pie a lo que*
> *la propia eternidad no consigue anular.*[28]

Sentimos así que el amante de doña Julia y de Haidée es justo el hombre que más tarde habrá de convertirse en el favorito de Catalina la Grande —para presentar a la cual, uno sospecha, Byron se había preparado a sí mismo en sus ocho meses con la condesa

27. Tras un naufragio, Don Juan aparece en la playa de una isla griega y es arropado por Haidée, la bella e inocente hija de un pirata, de la que se enamorará. El episodio al que se refiere T. S. Eliot está en el canto II, entre las estrofas CLXXXI y CXCVIII.

28. Byron, *Don Juan*, II, CXCII.

de Oxford—.[29] Y allí continúa habiendo, si no inocencia, sí esa extraña pasividad que tan curiosamente recuerda a la inocencia.

Entre la primera y la segunda parte del poema, entre las aventuras de Don Juan en el extranjero y sus aventuras en Inglaterra, existe una diferencia notable. En la primera parte la sátira es incidental: es picaresca, y de la mejor. La imaginación de Byron no desfallece jamás. El naufragio, un episodio demasiado conocido para que sea necesario citarlo, es algo verdaderamente novedoso y logrado, incluso a pesar de la exageración del acto de canibalismo con el que culmina. La última aventura disparatada tiene lugar después de la llegada de Don Juan a Inglaterra, cuando unos salteadores de caminos lo retienen de camino a Londres; y creo que en este punto, en el obituario del bandolero muerto, nos topamos una vez más con algo nuevo en la poesía inglesa:

Había cercenado del mundo a un gran hombre
que en tiempos levantara heroico bullicio.
¿Quién como Tom de las filas podía ocupar
la vanguardia, embriagarse delante de todos
o entre la turba robar, burlarse del tonto?
¿Quién (a pesar de la prohibición de Bow-Street)

29. Alusión a una de las amantes de Byron, Elizabeth Jane Scott, lady Oxford, casada con el quinto conde Oxford. Byron y lady Oxford protagonizaron una intensa relación adúltera desde el otoño de 1812 hasta la primavera de 1813, en Eywood (Herefordshire), la finca familiar de los condes de Oxford. Byron, con veinticuatro años, estaba en el apogeo de su fama, recién publicado su *Childe Harold* en 1812. Ella, a los cuarenta, era una de las damas más admiradas del mundo político y social de Inglaterra y sedujo al joven poeta con lo que él mismo denominó en una carta como *autumnal charms* ('encantos otoñales').

más veloz se empinaba la jarra en el hocico?
¿Quién en la juerga, con Sal (su morena compinche)
tan pleno, tan ancho, tan loco, tan avezado?[30]

Esto es de primera categoría. No se parece en nada a Crabbe, pero recuerda a Burns.[31]

Los cuatro cantos finales son, si no me equivoco, la parte sustancial del poema. Satirizar a la humanidad en general requiere un talento mayor que el de Byron —como el de Rabelais— o bien más hondamente atormentado, como el de Swift. En la última parte del *Don Juan*, sin embargo, Byron se ocupa de una escena inglesa en la que no encuentra ya nada romántico, de un ámbito restringido que había conocido bien y que satirizó echando mano de una capacidad de observación que la aguda animosidad había afilado. Si su compresión continúa siendo superficial es, a cambio, precisa. Muy posiblemente acometió algo que era incapaz de llevar a buen puerto, pues tal vez se necesitaran, para completar la historia de aquella monstruosa fiesta casera, un mejor humor, una capacidad para reírse de la que Byron no estaba dotado. Puede que le resultara imposible lidiar con aquel nota-

30. Byron, *Don Juan*, XI, XIX.

31. George Crabbe (1754-1832) fue uno de los más admirados poetas de la naturaleza, sobre todo gracias a su poema *The Village* (*La aldea*, 1783). Byron, en un verso de sus obras más tempranas, la sátira *English Bards and Scotch Reviewers* (*Bardos ingleses y críticos escoceses*, 1809), le dedicó unos versos, muy conocidos en la tradición inglesa, en los que le definía como «Nature's sternest painter, yet her best» ('El pintor más severo de la naturaleza, pero el mejor'). ¶ Robert Burns (1759-1796) es algo así como el poeta nacional escocés. Contemporáneo de Blake y de origen humilde como él, compuso canciones y rimas familiares, también poemas satíricos, todavía muy populares en Escocia.

ble personaje, Aurora Raby —el más serio de cuantos inventó— en el marco de una sátira.[32] Quizá, habiendo inventado un personaje demasiado serio, en cierto modo demasiado real para el mundo que conocía, se viera obligado a reducirlo al tamaño de una de sus típicas heroínas románticas. Lord Henry y lady Adeline Amundeville, en cambio, son personas cabales hasta el punto en que Byron era capaz de entender a las personas y tienen una realidad por la cual su autor quizá no ha recibido el debido crédito.[33]

Si los últimos cantos del *Don Juan* son la cúspide de la obra de Byron es porque, creo, el asunto le proporcionó por fin un objeto adecuado para la emoción genuina. La emoción es el odio de la hipocresía; y si es verdad que se vio reforzada por sentimientos más personales y mezquinos, los sentimientos de un hombre que en su juventud conoció la humillación de vivir miserablemente en compañía de una madre excéntrica, que a los quince años era torpe y poco atractivo, incapaz de bailar con Mary Chaworth, que se mantuvo siempre extrañamente apartado de la sociedad a la que conocía tan bien, es cierto asimismo que esa mezcla, que está en el origen de su actitud hacia la sociedad inglesa, no hizo sino aportarle mayor intensidad a aquella emo-

32. La bella, humilde, encantadora y joven Aurora Raby es una aristócrata católica, una *outsider* en la sociedad a la que pertenece. Byron la describe como «a rose with all its sweetest leaves yet folded» ('una rosa con todos sus dulces pétalos aún por abrir'), *Don Juan*, XV, XLIII.

33. Lord y lady Amundeville son un matrimonio mundano: él es político, más bien frío y cínico; ella, en cambio, es apasionada y a menudo actúa como celestina, como en el caso de Don Juan. Se trata de una pareja que bien podría haber inventado Henry James.

ción.[34] Y la hipocresía del mundo al que satirizó era opuesta a la suya. Hipócrita, sin duda, salvo en el sentido original del término, difícilmente es la palabra que describiría a Byron, un actor que dedicó un enorme esfuerzo a transformarse en el personaje que adoptó: su superficialidad fue algo que creó para sí mismo. Es difícil, a la hora de considerar la poesía de Byron, no dejarse llevar por el análisis del hombre, pero hasta ahora se ha prestado más atención al hombre que a la poesía, de modo que, en los límites de este ensayo, prefiero mantener la poesía en primer plano. A mi juicio la sátira byroniana de la sociedad inglesa que se encuentra en la última parte del *Don Juan* no tiene parangón en la literatura inglesa. Que el héroe de la fiesta casera sea un español es sin duda un acierto, puesto que aquello que Byron entendía y detestaba de la sociedad inglesa es, en gran medida, comparable a lo que un extranjero inteligente en una posición similar habría entendido y detestado.

No se puede abandonar *Don Juan* sin llamar la atención sobre otra parte del poema que subraya su distancia con cualquier otra sátira inglesa: las dedicatorias en verso. La dedicatoria a Southey me parece uno de los más desternillantes ejemplos de injuria jamás escritos en inglés:

Bob Southey, eres poeta, poeta laureado,
y representas a la raza toda; si bien

34. Mary Chaworth fue el primer y frustrado amor de Byron. Prima lejana del poeta, pertenecía a una familia cuya mansión estaba muy cerca de Newstead Abbey, la propiedad de los Byron. A pesar de su parentesco, las dos familias eran algo así como los Montesco y los Capuleto. A Byron le dolió toda la vida el desdén mostrado por Mary, quien al parecer se burlaba de su cojera. De ahí el comentario de T. S. Eliot sobre que no pudo bailar con ella.

es cierto que te has hecho tory, al fin y al cabo
tu caso es de lo más común últimamente,
y ahora, ¿en qué andas, épico renegado?...[35]

y así, sin remisión, durante diecisiete estrofas. No es la sátira de Dryden —ni mucho menos la de Pope—, quizá se parezca más a Hall o Marston, pero estos lucen chapuceros en comparación.[36] De hecho, lo anterior no es en absoluto sátira inglesa: se trata de *flyting*, en realidad, una forma satírica típica de Escocia y, en punto a sentimiento e intención, está más cerca de la sátira de Dunbar:

Mago impotente, gandul, tan inútil en el prado como en la ribera;
¡ea!, pellejo chamuscado, tu arte llamea y cruje;
el que asó a Lorenzo hizo tu morro,
y el que metió a san Juan en un fregado,
y el que atizó a san Agustín con un rabo,
hicieron tu horrible jeta, y el que puso en cueros a Bartolomé;
el necio burlón acabó tu desgraciado hocico
como si del pico rapaz te colgara carnaza del puchero.[37]

35. Byron, *Don Juan*, I, I.

36. A John Hall (1574-1656), sacerdote y poeta jacobino, se le considera el primer satírico inglés, gracias a su obra *Virgidemiarum* (1597), inspirada por Juvenal. ¶ Por su parte, John Marston (*c.* 1575-1634) también reclamó el título de primer satirista, pues satíricas fueron sus primeras obras: *The Metamorphosis of Pigmalions Image. And Certain Satires* (*Las metamorfosis de la imagen de Pigmalión. Y ciertas sátiras*, 1598) y *The Scourge of Villanie* (*El azote de la villanía*, 1599). Véase también en este volumen la nota 12, p. 160, del ensayo «Shakespeare y el estoicismo de Séneca».

37. William Dunbar (*c.* 1460-*c.* 1520) es uno de los *makaris*, poetas escoceses de los siglos XV y XVI, influidos por Villon. El *flyting* —en gaélico «con-

A algunos, este paralelo les resultará cuestionable. En mi caso, sin embargo, ha supuesto la posibilidad de un disfrute más consciente y también, creo yo, de una apreciación más justa de Byron de la que tenía hasta ahora. No pretendo decir que Byron sea comparable a Villon (por otras razones, ni Dunbar ni Burns igualan al poeta francés), sin embargo, he llegado a encontrar en él ciertas cualidades, aparte de su profusión, que resultan verdaderamente raras en la poesía inglesa, así como la ausencia de unos vicios demasiado comunes. Sus vicios, por otra parte, parecen tener virtudes gemelas que se les parecen mucho. Su charlatanería va acompañada de una singular franqueza; en su pose, es también un *poète contumace* en un país solemne; es a un tiempo un patricio vulgar y un dignificado crápula; a su impostado malditismo, a su vanidad y su pretendida mala fama, corresponden una superstición genuina y una pésima fama. Y me refiero a las cualidades y defectos que son evidentes en su obra e importantes a la hora de valorarla, no a los de su vida privada, sobre los que no tengo nada que decir.

[1937]

tienda»— que menciona T. S. Eliot era una manera de competición poética en la que dos rivales especialmente dotados verbalmente se insultaban y se atacaban en un combate de ingenio e invención lingüística.

Yeats

En nuestra época, las generaciones poéticas parecen cubrir un lapso de unos veinte años. No quiero decir con ello que el trabajo más fértil de un poeta se produzca en tan solo veinte años, sino que ese es el espacio de tiempo en que tarda en aparecer una nueva escuela o un nuevo estilo poético. Podría decirse que, cuando un hombre cumple cincuenta años, tiene a sus espaldas cierto tipo de poesía escrita por hombres de setenta y, enfrente, otro, escrita por gente de treinta, como es ahora mi caso. Y si llego a vivir otros veinte años más, espero ser testigo todavía de una nueva y más joven escuela poética. Nuestra relación con Yeats, sin embargo, no se ajusta a este esquema. Cuando de joven, en América, estudiaba en la universidad y apenas comenzaba a escribir poemas, Yeats era ya una figura importante en el mundo de la poesía y su periodo temprano estaba ya bien definido. No consigo recordar si en aquel momento su poesía me causó una honda impresión. Un joven deseoso de escribir no es muy crítico ni muy generoso. Busca maestros que despierten en él la conciencia de qué es lo que desea escribir, de la clase de poesía que está en su ánimo componer. El gusto de un escritor adolescente es intenso, pero acotado: lo determinan necesidades personales. El tipo de poesía que yo necesitaba para aprender a usar mi propia voz no existía en absoluto en inglés: solo podía encontrarse en francés. Por esta razón, la poesía del joven Yeats solo existió para mí cuando la poesía del viejo Yeats ya había despertado mi entusiasmo; y a esas alturas —me refiero a los años inmediatamente posteriores a 1919— el propio curso de mi evolución estaba ya determinado. Por tanto, me encontré a mí mismo mirándole, por un lado, como un contemporáneo, en vez de considerarlo un predecesor; y por otro, puedo compartir también los sentimientos de gente más joven que yo que ha llegado a conocerlo y a admirarlo por la obra que escribió de 1919 en adelante, producida cuando eran adolescentes.[1]

1. T. S. Eliot resume en este primer párrafo, de un modo genuinamente elíptico, su compleja relación con Yeats a lo largo de los años. Cuando el joven poeta llegó a Londres en 1914, Yeats era el gran referente para toda su generación. Ezra Pound, por ejemplo, le profesaba una enorme admiración y, de hecho, se había ido a Inglaterra con el propósito de conocerle. Pound, que trabajó como secretario de Yeats entre 1912 y 1916, quiso que Eliot conociera a su maestro y, al parecer, el encuentro no fue muy estimulante para ninguno de los dos. T. S. Eliot recordaría años más tarde que Yeats solo hablaba de fantasmas y que su conversación le aburrió mortalmente. Lo que en verdad ocurría —aparte de que Eliot no estaba dispuesto a considerarse discípulo de nadie y menos de un figurón— es que Eliot no respetaba el universo espiritual de Yeats, su personal mundo de supersticiones, mitos y leyendas celtas. Su juicio sobre Yeats tan solo varió levemente cuando descubrió su obra dramática y sus esfuerzos por construir un moderno drama en verso. Más adelante, T. S. Eliot valoró también en la obra de Yeats la dialéctica entre tradición y modernidad, entre la visión contemporánea y el mito. De todos modos, no sería hasta los últimos poemas del irlandés, mucho más austeros y pugnaces, cuando Eliot le brindaría su admiración sin reservas. En justa correspondencia, Yeats nunca se molestó en disimular sus reticencias o su abierto disgusto por la poesía de Eliot, por su dicción y sus imágenes, aunque lo cierto —como siempre ocurre bajo la displicencia con que se tratan dos grandes poetas, sobre todo si se cruzan, para despedirse, en el albor de una nueva época— es que ambos se admiraban secretamente. La reconciliación tan solo llegó con la muerte

Ciertamente, la admiración por Yeats ha sido positiva para los poetas más jóvenes de Inglaterra y Estados Unidos. Su lenguaje estaba, a esas alturas, demasiado diferenciado para hacerles sucumbir a la tentación de imitarlo, sus opiniones eran demasiado distintas para alardear de ellas y utilizarlas para alimentar sus prejuicios. Fue bueno para ellos asistir al espectáculo de un poeta vivo indiscutiblemente grande, cuyo estilo no estaban tentados de replicar y cuyas ideas se oponían a las que estaban en boga entre ellos. No es posible encontrar, en la escritura de esos jóvenes, sino evidencias casuales de la impresión que les causó, pero aquella obra, y aquel hombre, en tanto poeta, han tenido un gran significado entre todos ellos. Quizá parezca que esto contradice lo que he dicho antes sobre el tipo de poesía que un joven poeta elige admirar, pero en realidad hablo de algo distinto. Yeats no habría ejercido esa influencia si no hubiera llegado a ser un gran poeta, pero la influencia a la que me refiero se debe a la propia figura del poeta, a la congruencia de su pasión por su arte y su oficio, que dieron impulso a esa extraordinaria evolución. Cuando visitaba Londres, le gustaba reunirse y conversar con poetas más jóvenes. Algunos han dicho de él que era arrogante y despótico. Nunca me lo pareció: cuando conversaba con un poeta más joven se ofrecía

---

de Yeats en 1939. En el segundo movimiento de «Little Gidding» (1942), el cuarto cuarteto, T. S. Eliot, en el momento culminante de su carrera poética, convoca, con la falsilla del episodio en que Dante se encuentra con su maestro y amigo Brunetto Latini en el infierno, a Yeats, ahora convertido en uno de esos fantasmas de los que le habló en su primer encuentro, apenas disimulado bajo las facciones de «la mirada de algún maestro difunto», al tiempo que entrevera en sus versos imágenes de fuego y danza tomadas de poemas de Yeats, en un último y postrer diálogo más allá del tiempo.

siempre a hacerlo en términos de igualdad y, en tanto que colega, se comportaba como un oficiante del mismo misterio. Me parece que, al contrario que muchos escritores, le importaba más la poesía que su propia reputación como poeta o su imagen de sí mismo como tal. El arte era más grande que el artista: ese era el sentimiento que comunicaba a los otros y por ello los más jóvenes nunca se sentían a disgusto en su presencia.[2]

Estoy seguro de que lo anterior formaba parte del secreto de su habilidad para continuar siendo siempre un contemporáneo después de llegar a ser un maestro incuestionable. Otra parte se debía seguramente a la continua evolución de la que he hablado antes, un lugar común de la crítica de su obra, frecuentemente mencionado, pero cuyas causas y naturaleza no se han analizado con la misma asiduidad. Una de esas causas fue, desde luego, la mera concentración y el trabajo duro. Y detrás de estas se halla el carácter; me refiero al peculiar carácter del artista en cuanto tal, esto es: la fuerza de carácter gracias a la cual Dickens, habiendo agotado su inspiración primera, fue capaz, en su madurez, de dar a luz una obra maestra tan distinta de sus primeros escritos como *Casa desolada.* Es difícil y poco aconsejable generalizar acerca de los métodos de composición —muchos hombres, muchos métodos—, pero de acuerdo con mi experiencia, cuando se aproxima la madurez, uno solo tiene tres opciones: dejar de escribir por completo; repetirse, quizá con mayores dotes de virtuosismo; o bien tratar de adaptarse a su nueva condición y encontrar un

2. Ese es precisamente uno de los asuntos abordados en el poema de Yeats, «Ego Dominus tuus», perteneciente al libro *The Wild Swans at Coole* (*Los cisnes salvajes de Coole*, 1919).

modo distinto de trabajar. ¿Por qué ya casi nadie lee los últimos poemas largos de Browning y Swinburne? Se debe, me parece, a que uno tiene al Swinburne o al Browning esenciales en sus poemas tempranos, mientras que en los últimos uno no puede sino recordar aquella frescura inicial, ahora ausente, sin poder descubrir nuevas cualidades que la compensen. Cuando un hombre se dedica a trabajar con el pensamiento abstracto —si es que existe algo parecido fuera del ámbito las ciencias matemáticas— su mente puede madurar al tiempo que sus emociones siguen intactas o incluso atrofiadas, algo que no tiene importancia, pero madurar como poeta significa madurar por entero, experimentar nuevas emociones, acordes con nuestra edad, y hacerlo con la misma intensidad que correspondió a las emociones de la juventud.

Una forma —una forma perfecta— de evolución es la de Shakespeare, uno de los pocos poetas cuya obra de madurez es tan emocionante como la de sus años juveniles. En eso radica, me parece, la diferencia entre el desarrollo de Shakespeare y el de Yeats, lo que hace aún más curioso el caso de este último. Con Shakespeare, uno ve un lento y continuo proceso de maestría en su trabajo poético y la poesía que escribió a mediados de su vida parece implícita en esa poesía de la temprana madurez. Después de unos cuantos de aquellos primeros ejercicios, uno se siente movido a decir de cada pasaje: «Esta es la perfecta expresión de la sensibilidad en esa etapa de su desarrollo». Hay algo milagroso en el hecho de que un poeta, en su madurez, deba desarrollarse aún y encontrar algo nuevo que decir y que deba decirlo igual de bien. Pero en el caso de Yeats el desarrollo parece haber sido de otro tipo. No quiero dar la impresión de que veo su obra temprana y su obra posterior casi como si hubieran sido escritas por dos hombres diferentes. Si uno vuelve a los primeros poemas teniendo un conocimiento profundo de los últimos, descubre, para empezar, que, en lo que se refiere a la técnica, hubo una lenta y continua evolución de lo que es, en realidad, siempre el mismo medio y el mismo lenguaje. Y cuando hablo de evolución no quiero decir que muchos de los primeros poemas, tal como son, no estén tan bellamente escritos como podrían estarlo. Hay algunos, como «¿Quién acompaña a Fergus?», que son tan perfectos como puede serlo cualquier poema escrito en inglés. Pero los mejores —y los más conocidos— tienen esa limitación: que son tan satisfactorios individualmente —en tanto «piezas de antología»—, como lo son en el contexto del resto de sus poemas del mismo periodo.[3]

Obviamente, estoy usando el término «piezas de antología» en un sentido bastante especial. En cualquier antología, uno encuentra algunos poemas que le satisfacen del todo por sí mismos, pero no tanto como para estar profundamente interesado en saber quién los ha escrito y en conocer mejor la obra de ese poeta. Hay otros, no necesariamente tan perfectos y suficientes, que hacen que uno sienta una irresistible curiosidad por saber más de ese poeta a tra-

3. Hay dos épocas bien diferenciadas en la poesía de Yeats, la primera se caracteriza por cierto decadentismo y por lo que se conoce como «crepúsculo celta» —las leyendas del folclore irlandés, al que Yeats dedicó un libro en prosa titulado precisamente *The Celtic Twilight* (*El crepúsculo celta*, 1893)—, y también por un estilo verboso y melancólico con libros como *The Rose* (*La rosa*, 1893) —al que pertenece el poema aquí citado por T. S. Eliot, «¿Quién acompaña a Fergus?»— o *The Wind Among the Reeds* (*El viento entre los juncos*, 1899). La segunda época, en cambio, se distingue por una poesía más tensa y briosa, paulatinamente más austera y deudora de su tardía madurez emocional y sexual, en la que destacan obras como *The Tower* (*La torre*, 1928) o *Last Poems* (*Últimos poemas*, 1939).

vés del resto de su obra. Por supuesto, esta distinción únicamente se aplica a los poemas breves, aquellos en los que el poeta solo ha podido verter parte de su pensamiento, sea cual fuere la dimensión de su pensamiento. Con poemas tales uno siente de inmediato que quienquiera que los haya escrito debe de haber tenido, en diferentes contextos, cosas mucho más interesantes que decir. Ahora bien, entre todos los poemas de los primeros títulos de Yeats solo encuentro aquí y allá, en algún verso suelto, esa sensación de que allí hay una personalidad única que hace que uno dé un respingo en la silla, emocionado y ansioso por conocer más sobre la mentalidad y los sentimientos del escritor. La intensidad de la propia experiencia emocional de Yeats difícilmente se hace presente. Tenemos evidencia suficiente de la intensidad de sus experiencias juveniles, pero obtenemos esa evidencia de las rememoraciones expuestas en algunas de sus obras posteriores.

En mis primeros ensayos, elogié lo que llamaba la impersonalidad del arte y puede parecer que me contradigo ahora al postular como razón de la superioridad de la obra tardía de Yeats una mayor expresión en ella de la personalidad del poeta.[4] Puede ser que me haya expresado mal o que no tuviera más que un atisbo adolescente de aquella idea cuando la formulé —como no soporto releer mis propios escritos en prosa, estoy deseando dejar este punto sin resolver—, pero ahora, al menos, creo que la verdad sobre el asun-

4. La idea de la impersonalidad del arte la formuló T. S. Eliot en uno de sus ensayos más divulgados, «Tradición y talento individual» (1919): «La poesía no consiste en dar rienda suelta a las emociones sino en huir de la emoción; no es una expresión de personalidad sino una huida de la personalidad. Pero naturalmente solo quienes poseen personalidad y emociones saben lo que significa huir de ellas», T. S. Eliot *El bosque sagrado*, San Lorenzo de El Escorial, Langre, 2004, p. 239.

to es la siguiente: existen dos formas de impersonalidad, aquella que es connatural al oficio mismo del artesano y aquella que se adquiere paulatinamente, con la madurez del artista. La primera se resume en lo que he descrito como «pieza de antología», la impersonalidad de un poema de Lovelace, Suckling o de Campion, mejor poeta que los otros dos.[5] La segunda impersonalidad es la del poeta que es capaz de expresar una verdad general tomando como punto de partida una intensa experiencia personal, que es capaz de hacer de su experiencia un símbolo general sin privarla de su singularidad. Y lo extraño es que Yeats, habiendo sido un gran artesano del primer tipo, llegó a ser un gran poeta del segundo. No es que se haya transformado en un hombre distinto, porque, como he sugerido ya, uno percibe con claridad la intensidad de las experiencias que vivió en su juventud; y de hecho, sin esas experiencias tempranas, no habría podido adquirir, ni siquiera parcialmente, la sabiduría que se evidencia en su escritura posterior. Sin embargo, para encontrar la expresión adecuada a aquellas experiencias tempranas tuvo que esperar a la llegada de la madurez; y esto lo convierte, creo, en un poeta único y especialmente interesante.

Consideremos un poema temprano que aparece en todas las antologías, «Cuando vieja y canosa seas» o «Un sueño de la muerte», del mismo volumen de 1893.[6] Se trata de hermosos poemas,

5. Richard Lovelace (1618-1658) y John Suckling (1609-1642) son poetas carolinos menores que han sobrevivido gracias a dos o tres canciones memorables, incluidas en muchas antologías. En cambio, Thomas Campion (1576-1620), poeta, músico y médico, eslabón entre los isabelinos y los carolinos, es un lírico mucho más habilidoso.

6. Los dos poemas pertenecen al libro *The Rose* (*La rosa*, 1893). Y el primero se titula en realidad «When you are old» («Cuando seas vieja»).

pero son mera artesanía, porque en ellos no se hace presente la particularidad que ha de proveer la materia prima de la verdad general. Ya en la época del volumen de 1904 hay un desarrollo evidente en un poema muy bello, «La locura de ser consolado», y en «La maldición de Adán»; algo se avecina: al comenzar a hablar como un hombre en particular ha empezado a hablar para el hombre.[7] Esto se ve aún más claramente en el poema «Paz», del libro de 1910, pero no se revela por completo hasta el de 1914, en la violenta y terrible epístola de la dedicatoria de *Responsabilidades*, con los extraordinarios versos:

> *Perdón que por infecunda pasión,*
> *aunque ya friso los cuarenta y nueve...*[8]

La mención de su edad en el poema es muy significativa: le tomó más de media vida alcanzar tal libertad de lenguaje. Un auténtico triunfo.

También hubo mucho que Yeats tuvo que averiguar por su cuenta, incluso en lo que se refiere a la técnica. Ser el poeta más joven de un grupo en el que nadie tiene su talla, pero en el que todos se hallan muy avanzados en su limitada senda, puede paralizar temporalmente el desarrollo de un lenguaje propio. De nuevo, entonces, el peso del prestigio prerrafaelita debió de ser tremendo.

7. El volumen al que se refiere es *In the Seven Woods* (*En los siete bosques*, 1904).

8. El libro de 1910 al que hace referencia es *The Green Helmet and Other Poems* (*El yelmo verde y otros poemas*). Los versos citados pertenecen al poema «Pardon, old fathers» («Perdón, viejos padres), del libro *Responsibilities* (*Responsabilidades*, 1914).

El Yeats del crepúsculo celta —que para mí fue, más bien, el del crepúsculo prerrafaelita— usa el folclore celta cuando menos tanto como William Morris usa el folclore escandinavo. Sus poemas narrativos más extensos llevan la marca de Morris. De hecho, en su etapa prerrafaelita, Yeats no es de ningún modo un prerrafaelita menor. Puedo estar equivocado, pero la obra *Las aguas tenebrosas* me parece una de las expresiones más acabadas de la vagamente encantada belleza de aquella escuela y, aun así, se me figura —y puede que esto sea una impertinencia— como los mares del norte vislumbrados desde la ventana trasera de una casa de Kensington, un mito irlandés para la Kelmscott Press; y cuando intento visualizar a los hablantes de aquella obra, todos tienen los grandes ojos oscuros de los caballeros y las damas de Burne-Jones.[9] Creo que la etapa en que Yeats abordó las leyendas irlandesas a la manera de Rossetti o Morris es una etapa de confusión. No consiguió dominar aquellas leyendas hasta que se decidió a convertirlas en un vehículo para crear sus propios personajes; en realidad, hasta que empezó a escribir las *Piezas para bailarines.*[10] El asunto es que, al volverse más irlandés, no en lo que se refiere a los temas, sino a la expresión, se hizo, al mismo tiempo, más universal.

Los puntos que personalmente me gustaría destacar en el desarrollo de Yeats son dos. El primero, que en realidad he aborda-

9. *The Shadowy Waters* (*Las aguas tenebrosas*) es un poema dramático de Yeats publicado en 1900. La Kelmscott Press es la editorial fundada por William Morris en 1890, recordada por sus exquisitos diseños, tan del gusto del movimiento prerrafaelita. Y Edward Burne-Jones (1833-1898) es el famoso pintor de ese grupo.

10. Se trata de la obra *Four Plays for Dancers* (*Cuatro obras para baile*, 1921).

do ya, es que los logros de Yeats en mitad de su vida y en sus últimos años son un ejemplo extraordinario y perdurable —que quienes quieran llegar a ser poetas deberán estudiar con reverencia— de lo que he llamado «carácter del artista»: una suerte de excelencia moral a la vez que intelectual. El segundo punto, que se sigue naturalmente de la mencionada falta de emotividad expresiva en su obra temprana, es que Yeats es preeminentemente el poeta de la mitad de la vida. Con esto no pretendo decir que es un poeta solo para lectores que han llegado a la madurez: prueba de ello es la actitud que tienen frente a él los poetas más jóvenes que escriben en inglés en todo el mundo. Ahora bien, en teoría no hay razón por la cual la inspiración de un poeta —o su material— deban fallarle, ni a mitad de su vida ni en ninguna época anterior a la condición senil, porque cualquier hombre con capacidad de experiencia descubre frente a sí un mundo distinto en cada década de su vida; al verlo con distintos ojos, el material de su arte constantemente se renueva. Pero, de hecho, muy pocos poetas han mostrado tal capacidad de adaptación. Esta requiere, en efecto, una honestidad y un coraje excepcionales para afrontar los cambios. La mayor parte de las personas o bien se aferran a las experiencias de la juventud, con lo que sus escritos se vuelven una insincera imitación de su obra temprana, o bien dejan atrás la pasión y escriben solo con la cabeza, con un virtuosismo hueco y desgastado. Y hay otra tentación, todavía peor: la de volverse solemnes, figuras que solo tienen existencia pública, perchas de las que cuelgan condecoraciones y distinciones, que hacen, dicen e incluso piensan y sienten lo que imaginan que el público espera de ellos. Yeats no era de esa clase de poetas y esa es, quizá, una de las razones por las cuales los poetas más jóvenes encuentran sus poemas tardíos más aceptables de lo que resultan con frecuencia para los mayores, porque los jóvenes lo ven como un poeta que, en su obra, continuó siendo joven en el mejor sentido de la palabra, que en cierto sentido incluso se hizo cada vez más joven con los años. Los mayores, sin embargo, a menos que la honestidad con uno mismo expresada en poesía remueva algo en su interior, quedarán horrorizados ante la revelación de aquello que son, de lo que han llegado a ser. Se resistirán a creer que ellos son así.

Consideras horrible que cólera y lujuria
deban bailar al son de mi avanzada edad;
cuando yo era joven, no eran tal tortura:
¿qué otros acicates tengo para cantar?[11]

Estas líneas son impresionantes y no muy agradables y un crítico inglés que en general respeto ha criticado el sentimiento que subyace a ellas. Me parece, sin embargo, que las ha leído mal. Por mi parte, no las entiendo como una confesión personal de un hombre distinto a los demás, sino de alguien que es como la mayoría y cuya única diferencia radica en su mayor lucidez, honestidad y vigor. ¿A qué hombre honesto, suficientemente mayor, pueden resultarle por completo ajenos estos sentimientos? Sin duda, pueden ser dominados y disciplinados por la religión, pero ¿quién puede asegurar que están muertos? Solo aquellos a quienes puede aplicarse la máxima de La Rochefoucauld: «Quand les vices nous quittent, nous nous flattons de la créance que c'est nous qui

11. W. B. Yeats, *New Poems* (*Nuevos poemas*), «The Spur» («La espuela», 1938).

les quittons».[12] La tragedia del epigrama de Yeats se encuentra, íntegra, en el último verso.

Del mismo modo, la obra de teatro *Purgatorio* tampoco resulta demasiado agradable.[13] Hay muchos aspectos que no me gustan personalmente. Me hubiera gustado que no llevara ese título, porque no puedo aceptar un purgatorio en el que no hay asomo de purgación, cuando menos no enfáticamente. Sin embargo, aparte de la extraordinaria pericia teatral con la que Yeats ha conseguido introducir tanta acción en una escena breve y con tan escaso movimiento, la obra ofrece una exposición magistral de las emociones de un anciano. En mi opinión, el epigrama que he citado hace un momento debería ser leído en el mismo sentido dramático que la obra *Purgatorio.* El poeta lírico —y Yeats fue siempre un poeta lírico— puede hablar por todos los hombres o por hombres muy distintos de sí mismo; pero para hacerlo tiene que identificarse momentáneamente con todos u otros hombres y es solo el poder imaginativo que pone en juego para conseguirlo lo que persuade a algunos lectores de que habla solo para sí y de sí mismo, sobre todo cuando prefieren no sentirse implicados.

No quisiera hacer hincapié en ese único aspecto de la poesía madura de Yeats, de modo que me gustaría llamar la atención sobre el hermoso poema en *La escalera de caracol*, a la memoria de

12. De La Rochefoucauld, máxima 231: 'Cuando nos dejan los vicios, nos lisonjeamos creyendo que los dejamos nosotros a ellos'. La traducción es de Narciso Álvaro y Zereza, 1824.

13. Se trata de la obra de teatro de Yeats *Purgatory*, estrenada en 1938 y publicada en 1939, que presenta a un anciano en una casa en ruinas acompañado de un niño a quien le cuenta el esplendor pasado del lugar.

Eva Gore-Booth y Con Markievicz, en el cual la imagen del comienzo, con:

En kimono de seda dos muchachas
una gacela una, ambas bonitas

adquiere una enorme intensidad por el impacto de un verso posterior:

ahora que está marchita y demacrada[14]

y también sobre «Coole Park», que empieza:

Medito sobre el vuelo de una golondrina,
sobre una envejecida mujer, sobre su casa...

En poemas como estos uno siente que las emociones más vívidas y deseables de la juventud se han preservado solo para recibir retrospectivamente su expresión justa y plena, porque los sentimientos interesantes de la madurez no solo son distintos: son sentimientos en los cuales los sentimientos de la juventud se han integrado.

En lo que toca a su poesía dramática, el desarrollo de Yeats es tan interesante como el de su veta lírica. Antes me he referido a él como un poeta lírico en un sentido en el que no me atrevería, por

14. Se trata del poema «In Memory of Eva Gore-Booth and Con Markiewicz» («A la memoria de Eva Gore-Booth y Con Markiewicz»), del libro *The Winding Stair and Other Poems* (*La escalera de caracol y otros poemas*, 1933).

ejemplo, a describirme a mí mismo y a lo que aludía era a cierta selección de las emociones, además de al uso de determinadas formas métricas. Pero no hay razón por la cual un poeta lírico no pueda ser también un poeta dramático, y para mí Yeats pertenece a la especie de los dramaturgos líricos. Le tomó varios años desarrollar la forma dramática adecuada a su genio. Cuando empezó a escribir obras de teatro, hacer teatro poético implicaba escribir obras de teatro en verso blanco. Hoy, el verso blanco es un metro muerto desde hace ya muchos años.[15] No es posible explicar aquí las razones de ello, pero es obvio que acudir a una forma que Shakespeare manejó con tal maestría tiene sus desventajas. Si uno pretende escribir una obra del tipo de Shakespeare, las reminiscencias resultan opresivas; si uno se propone algo distinto, distraen. Además, como Shakespeare es de tal modo superior a cualquier dramaturgo que haya venido después, el verso blanco difícilmente puede disociarse de la vida de los siglos XVI y XVII: difícilmente capta el ritmo con el que se habla inglés en nuestros días. Pienso que, si algo parecido al verso blanco normal ha de restablecerse algún día, tendría que ser después de un largo alejamiento en el curso del cual este se haya liberado de toda asociación con un periodo. En la época de las obras tempranas de Yeats no era posible, sin embargo, emplear nada distinto en una obra poética; no se trata de una crítica a Yeats, sino de una evidencia de que los cambios en las formas poéticas llegan en determinados momentos y no en otros. Las obras tempranas en verso de Yeats, incluyendo *El yelmo verde*, que está escrita en una

15. Véase al respecto en este volumen la nota 1, p. 49, del ensayo «Christopher Marlowe». Cuando T. S. Eliot habla de verso blanco se refiere sobre todo al pentámetro yámbico shakespeariano.

suerte de tetradecasílabo irregular rimado, poseen una belleza singular y son, al menos, las mejores obras en verso de su tiempo.[16] E incluso en estas uno nota cierto desarrollo de la irregularidad métrica. Yeats no inventó ningún metro, pero el verso blanco de sus obras tardías muestra un gran avance en esa dirección y lo que resulta más sorprendente es el virtual abandono de la métrica propia del verso blanco en *Purgatorio.* Un instrumento que empleó con gran éxito en algunas de las obras tardías es el interludio lírico coral. Pero otra mejora igualmente importante proviene de la eliminación gradual de ornamentos poéticos. Probablemente esta sea, en el desarrollo actual de la versificación, la parte más dolorosa del trabajo del poeta moderno que intenta escribir una obra en verso. Todas esas mejoras se dirigen a una austeridad cada vez mayor. El verso hermoso por sí mismo es un lujo peligroso, incluso para el poeta que ha hecho de sí mismo un virtuoso de la técnica teatral. Se necesita, en cambio, una belleza que no radique en el verso o en el pasaje aislado, sino que se entreteja en la propia textura dramática, de modo que difícilmente pueda decirse si los versos aportan grandeza al drama o si es el drama mismo el que convierte las palabras en poesía. (Uno de los versos más emocionantes del *El rey Lear* es el sencillo:

Nunca, nunca, nunca, nunca, nunca[17]

16. El *fourteener* —el tetradecasílabo inglés— es un metro de catorce sílabas con siete acentos, por ello se llama también heptámetro yámbico. El dramaturgo isabelino George Chapman lo utilizó, por ejemplo, en su traducción de los poemas homéricos.

17. Shakespeare, *El rey Lear*, V, III.

pero, sin apelar al contexto, ¿puede decirse que esto es poesía o siquiera un verso competente?) La purificación que Yeats hizo de su poesía resulta mucho más evidente en las *Cuatro obras para baile* y en las dos obras del volumen póstumo: de hecho fue en estas últimas piezas donde encontró la forma dramática correcta y definitiva.[18]

En las primeras tres obras de las *Cuatro obras para baile*, además, muestra el modo interno —en contraste con el externo— de abordar los mitos irlandeses de los que he hablado antes. En las obras tempranas, lo mismo que en los poemas tempranos sobre héroes y heroínas legendarios, me parece que se trata a los personajes, con el respeto que debemos a las leyendas, como criaturas de un mundo diferente al nuestro. En las obras tardías hay, en cambio, hombres y mujeres universales. Probablemente *El sueño de los huesos* no debería incluirse del todo en esta categoría, porque Dermot y Devorgilla son personajes de la historia moderna, no figuras prehistóricas; sin embargo, en favor de lo que he venido diciendo podría decir que los dos amantes de aquella obra poseen algo de la universalidad de los Paolo y Francesca de Dante y ello superaba las posibilidades del joven Yeats.[19] Solo en el caso del

18. Se refiere al último libro de Yeats, publicado póstumamente en 1940, *Last Poems and Two Plays* (*Últimos poemas y dos obras de teatro*). Las piezas teatrales incluidas en el libro eran *Purgatory* (*Purgatorio*) y *The Death of Cuchulain* (*La muerte de Cuchulain*).

19. *The Dreaming of the Bones* (*El sueño de los huesos*) es una obra teatral de Yeats, publicada en 1919 y estrenada en 1931. Inspirada por la traducción de la obra del teatro japonés Noh *Nishikigi* que hizo Ezra Pound con el orientalista Ernest Fenollosa, la obra cuenta la historia de dos personajes míticos de la historia irlandesa. Según cuenta la leyenda, Dermot MacMurrough cometió adulterio con Devorgilla, la esposa de un príncipe, lo que desencadenó la invasión normanda de Irlanda.

Cuchulain de *En el pozo del halcón* y los Cuchulain, Elmer y Eithne de *La única envidia de Emer*, el mito no se presenta por mor de sí mismo, sino como el vehículo de una situación de significación universal.[20]

Veo que a estas alturas puedo haber dado la impresión, contraria a mis intenciones y convicciones, de que la poesía y las obras tempranas de Yeats podrían ignorarse en favor de las posteriores. No es posible dividir de un modo tan nítido la obra de un gran poeta. Cuando se produce la continuidad de una personalidad tan auténtica y de un propósito hasta tal punto singular, la obra tardía no puede entenderse, ni disfrutarse propiamente, sin el estudio y valoración de la más temprana; y la obra tardía arroja nueva luz sobre la temprana y nos muestra una belleza y una significación que puede haber pasado desapercibida hasta entonces. Debemos tomar en cuenta, además, las condiciones históricas. Y como he dicho más arriba, Yeats nació cuando se aproximaba el fin de un movimiento literario e inglés, además. Solo aquellos que han trabajado con el lenguaje saben cuánta constancia y dura labor se requieren para liberarse de influencias como esas y, sin embargo, por otro lado, una vez que uno se ha familiarizado con la voz madura está en condiciones de oír sus tonos particulares incluso en los versos más tempranamente publicados. En mi propia época juvenil parecía no haber grandes

20. Cuchulain es uno de los héroes de la mitología irlandesa, un guerrero al servicio de Conchobhar, rey del Ulster. Yeats le dedicó varias obras, entre ellas *At the Hawk's Well* (*En el pozo del halcón*), estrenada en 1916 y publicada en 1917, y *The Only Jealousy of Emer* (*La única envidia de Emer*, 1922), ambas muy influidas por el teatro Noh. Eithne es la joven amante de Cuchulain y Emer su esposa.

poderes poéticos inmediatos, ya fuera para ayudar o para obstruir, para aprender de ellos o para rebelarse contra ellos y, aun así, puedo entender la dificultad de la situación contraria y la magnitud de la tarea. Con las obras en verso, por otra parte, la situación es completamente al revés, porque Yeats no tenía a nadie, mientras que nosotros hemos tenido a Yeats. Yeats empezó a escribir obras de teatro en una época en que las obras en verso sobre la vida contemporánea parecían triunfar —aunque con un indefinido futuro estrechándose frente a ellas—, cuando la comedia ligera trataba solamente de un estrato privilegiado de la vida metropolitana y cuando las obras serias tendían a ser un tratado efímero de algún problema social transitorio. Si tenemos esto en cuenta, empezamos a estar en condiciones de ver que incluso los más imperfectos intentos tempranos de Yeats son probablemente literatura más perdurable que las obras de Shaw y que su obra dramática, en conjunto, puede muy bien plantar cara a la exitosa vulgaridad urbana de Shaftesbury Avenue a la que se opuso con todas sus fuerzas.[21] Tal como, desde sus comienzos, pensó y creó su poesía, en términos de oralidad y no de imprenta, así en el teatro intentó siempre escribir obras para ser representadas y no meramente para ser leídas. Se ocupó, me parece, más del teatro como un órgano de expresión de la conciencia de la gente que como un medio para su propia fama y logros, y estoy convencido de que solo si uno se entrega de ese modo al teatro puede esperar conseguir algo que valga la pena. Desde luego, tenía algunas grandes ventajas, cuya enumeración no le resta la

21. Shaftesbury Avenue es la calle de Londres donde se concentran algunos de los teatros más populares de la ciudad.

mínima gloria: en primer lugar, sus colegas, gente con un natural e inagotable talento para hablar y para actuar. Es imposible desvincular lo que Yeats hizo por el teatro irlandés de lo que el teatro irlandés hizo por él. En aquella avanzadilla, la idea del drama poético se mantuvo con vida mientras por doquier se le había enterrado. No sé dónde termina nuestra deuda con el Yeats dramaturgo, y a la larga solo terminará con el teatro mismo.[22] En sus ocasionales escritos sobre asuntos teatrales, Yeats postuló ciertos principios a los cuales sin duda debemos sujetarnos; entre estos están la primacía del poeta sobre el actor y la del actor frente al escenógrafo y el principio de que el teatro, aunque no ha de concentrarse solo en «el pueblo» en el constreñido sentido ruso, debe estar destinado para el pueblo, que para perdurar debe ocuparse de situaciones fundamentales. Habiendo nacido en un mundo en el que la doctrina del «arte por el arte» era universalmente aceptada y habiendo vivido en otro en el que se exigía al arte ser un instrumento con propósitos sociales, se sostuvo con firmeza en el punto de vista correcto, que está en el medio de aquellos dos, sin comprometerse ni con uno ni con otro y mostró así que un artista, sirviendo íntegramente a su arte, está al mismo tiempo prestando el máximo servicio posible a su país y al mundo entero.

Para elogiar no es necesario estar de acuerdo en todo y yo no intento disimular el hecho de que hay aspectos del pensamiento y el sentimiento de Yeats que me resultan antipáticos. Lo digo solo

22. Desde mediados de los años treinta, el interés de T. S. Eliot por el teatro en verso se intensificó en detrimento de su poesía, aunque esa desviación alumbrara a la postre los *Cuatro cuartetos*. Para más información al respecto, véase el prólogo, «El rey del bosque», pp. 9-43.

para señalar los límites que he impuesto a mi crítica. Las cuestiones de la diferencia, la objeción y la protesta surgen en el campo de la doctrina y son cuestiones vitales. Solo me he ocupado del poeta y del dramaturgo hasta el punto en que estos pueden aislarse. A la larga, tal cosa es imposible. Algún día habrá que llevar a cabo un examen completo y detallado de la obra completa de Yeats; probablemente sea necesaria una mayor distancia para ganar perspectiva. Hay poetas cuya poesía, por experiencia y goce, puede considerarse más o menos aisladamente. Hay otros cuya poesía, aun ofreciendo el mismo disfrute y experiencia, tiene una importancia histórica mayor. Yeats forma parte de estos últimos: fue uno de aquellos pocos cuya historia es la historia de su época, que constituyen una parte de la conciencia de una época que no puede entenderse sin ellos. Esta es una posición muy elevada para cualquiera, pero estoy convencido de que, en el caso de Yeats, resulta también incuestionable.

[1940]

La música de la poesía

El poeta, cuando habla o escribe sobre poesía, tiene determinadas ventajas y determinadas limitaciones. Si admitimos lo último podremos apreciar mejor lo primero; precaución que recomiendo a los propios poetas, lo mismo que a quienes leen lo que estos dicen sobre poesía. Jamás he podido releer ninguno de mis propios escritos en prosa sin una profunda sensación de vergüenza. Rehúyo esa tarea y, en consecuencia, no soy muy consciente de las afirmaciones que he hecho en otros tiempos, pues con frecuencia me repito e incluso me contradigo a menudo. Sin embargo, creo que los textos críticos de los poetas, de los cuales ha habido en el pasado algunos ejemplos notables, deben gran parte de su interés al hecho de que el poeta, en lo más profundo de su mente, si no como propósito explícito, intenta siempre defender la clase de poesía que él mismo escribe o de formular la clase de poesía que le gustaría escribir. Sobre todo cuando es joven y se halla activamente comprometido en batallar por la clase de poesía que practica, valora la poesía del pasado en relación con la suya propia y su gratitud hacia aquellos poetas muertos de los que ha aprendido, lo mismo que su indiferencia hacia aquellos otros cuyos esfuerzos son ajenos al suyo probablemente sea exagerada. No es tanto un juez como un abogado. Puede incluso que su conocimiento sea parcial, pues sus estudios probablemente le habrán llevado a concentrarse en ciertos autores en perjuicio de otros. Cuando teoriza sobre la creación poética, parece estar generalizando un determinado tipo de experiencia; cuando se aventura por los terrenos de la estética, parece ser menos competente que los filósofos, en vez de más competente que ellos y haría mejor si simplemente comunicara, para provecho de estos, los datos de su propia introspección. Lo que escriba sobre poesía, en resumen, debe estar relacionado con la poesía que escribe. Debemos acudir al erudito para que determine los hechos y al crítico desinteresado en busca de juicios imparciales. El crítico, ciertamente, debe tener algo de erudito y el erudito algo de crítico. A Ker, que dedicó su atención fundamentalmente a la literatura del pasado y a problemas relacionados con la historia, debe situársele entre los eruditos y, sin embargo, tenía muy desarrollados el sentido de la calidad, el buen gusto, la comprensión de los cánones críticos y la habilidad de aplicarlos, sin los cuales la contribución del especialista podría ser simplemente indirecta.[1]

Hay otro asunto, más particular, en el que el conocimiento del erudito difiere del de aquel que practica la versificación. En este punto, quizá sea más prudente que hable exclusivamente por mí. Jamás he sido capaz de retener los nombres de los pies y los metros o de respetar debidamente las reglas de la escansión. En la escuela, disfruté mucho recitando a Homero o a Virgilio... a mi manera. Quizá tenía la instintiva sospecha de que nadie sabía en realidad

1. W. P. Ker (1855-1923) fue un notable erudito e historiador escocés, miembro del *college* All Souls en Oxford, donde fue profesor de poesía. Escribió numerosos ensayos sobre la materia y T. S. Eliot le publicó algunos artículos en *The Criterion*, la revista que creó y dirigió entre 1922 y 1939.

cómo debía pronunciarse el griego o qué trenzado de ritmos griegos y nativos podía apreciar el oído romano en Virgilio; quizá me embargaba simplemente una indolencia protectora, pero sin duda, cuando llegó la hora de aplicar las reglas de la escansión al verso inglés, con sus muy diversas acentuaciones y valores silábicos variables, deseé saber qué hacía que un verso fuera bueno y otro malo, y a tal fin no servían las reglas de la escansión. Al parecer, el único modo de aprender a manipular cualquier clase de verso inglés era por asimilación e imitación, intentando asimilar de tal manera la obra de un poeta particular que pudiera producir después un derivado reconocible. Esto no quiere decir que considere una completa pérdida de tiempo el estudio analítico de la métrica, de las formas abstractas que suenan de maneras tan extraordinariamente distintas en manos de unos y otros poetas. Es solo que estudiar anatomía no ayuda a conseguir que una gallina ponga huevos. No recomiendo ninguna otra manera de empezar a estudiar el verso griego y latino que con la ayuda de las reglas de escansión que los gramáticos establecieron una vez que la mayor parte de aquella poesía se había escrito ya; pero si fuéramos capaces de resucitar lo suficiente aquellas lenguas para estar en condiciones de hablarlas y escucharlas como lo habrían hecho los propios autores, podríamos entonces mirar esas reglas con indiferencia. Nos vemos obligados a aprender una lengua muerta a través de un método artificial, a aproximarnos a su versificación a través de un método igualmente artificial y a aplicar nuestros métodos de enseñanza a estudiantes que, en su mayoría, solo poseen aptitudes modestas para el lenguaje. Es posible que, aun a la hora de aproximarnos a la poesía de nuestra propia lengua, la clasificación de los metros, la de los versos con distinto número de sílabas y acentos en distintos lugares nos resulte útil en una etapa preliminar, como un mapa simplificado de un territorio complejo, pero es solamente el estudio, no de la poética, sino de los poemas, lo que puede entrenar nuestro oído. No es a través de reglas o de la fría imitación de un estilo como aprendemos a escribir; aprendemos, es verdad, a través de la imitación, pero de una imitación más profunda que el mero análisis estilístico. Cuando imitábamos a Shelley, no se debía tanto al deseo de escribir como él, sino a que Shelley invadió de tal modo el yo adolescente que, durante un tiempo, su modo de escribir se convirtió en el único modo posible.

No hay duda de que la conciencia de las reglas de la prosodia ha afectado la práctica de la versificación inglesa. Es asunto de los estudiosos de la historia determinar la influencia del latín en los innovadores Wyatt y Surrey.[2] El gran gramático Otto Jespersen ha sostenido que nuestros intentos de hacer corresponder la estructura de la gramática inglesa a las categorías del latín —como en el supuesto «subjuntivo»— nos ha llevado a malinterpretarla.[3] En la historia de la versificación, la cuestión de si los poetas han entendido mal los ritmos del idioma al imitar modelos extranjeros no es pertinente, debemos aceptar las prácticas de los grandes poetas del pasado porque es a partir de esas prácticas como nuestro oído ha

2. Véanse al respecto en este volumen las notas 1 y 2, pp. 49-50, del ensayo «Christopher Marlowe».

3. Se refiere al lingüista danés Otto Jespersen (1860-1943), en cuya obra *Linguistica: Selected Papers in English, French and German* (*Lingüística. Selección de artículos en inglés, francés y alemán*; Copenhague, Levin and Munksgaard, 1933) hay un artículo de 1900 titulado «Notes on Metre» («Notas sobre métrica») donde discute ampliamente el asunto aludido por T. S. Eliot. En inglés el subjuntivo es un modo mucho menos específico que en las lenguas neolatinas, ya que, en muchos casos, tiene una morfología idéntica al indicativo.

sido —y debe ser— adiestrado. En mi opinión, cierto número de influencias extranjeras han terminado por enriquecer la poesía inglesa en rango y variedad. Algunos estudiosos clásicos sostienen —y el asunto excede mis competencias— que la medida original de la poesía latina era acentual más que silábica y que se impregnó de la influencia de una lengua extranjera —el griego—, y que más tarde revirtió a algo que se aproximaba a su forma original en poemas como el *Perviligium Veneris* y los primitivos himnos cristianos.[4] Si eso es cierto, no puedo sino sospechar que, para el público culto de la época de Virgilio, parte del placer de los poemas surgía de la presencia de dos esquemas métricos en una especie de contrapunto, incluso a pesar de que el público probablemente no fuera capaz de analizar tal experiencia. De manera similar, es posible que la belleza de cierta poesía inglesa se deba a la presencia de más de una estructura métrica. Los intentos deliberados de idear metros ingleses atendiendo a modelos latinos resultan usualmente muy frígidos. Entre los ejemplos más felices hay algunos ejercicios de Campion, en su breve y sin embargo poco leído tratado sobre métrica.[5] Entre los más eminentes fracasos, en mi opinión, están

4. El *Perviligium Veneris* (*La velada de Venus*) es un poema compuesto entre los siglos II y III a.C., de autoría dudosa, aunque Erasmo y otros lo atribuían a Catulo. El poema describe una celebración de Venus en algún pueblo de Sicilia a lo largo de tres días. Su principal característica, en efecto, es que no sigue las reglas clásicas de la métrica latina, con sílabas largas y breves, sino que está compuesto según un patrón acentual.

5. El poeta Thomas Campion (véase en este volumen la nota 5, p. 320, del ensayo «Yeats») escribió un ensayo sobre las formas poéticas inglesas titulado *Observations in the Art of English Poesie* (*Observaciones del arte de la poesía inglesa*, 1602), escrito «contra la vulgar e inartificial costumbre de rimar», en realidad una respuesta al tratado del poeta isabelino Samuel Daniel (1562-1619) *Defense of Ryme* (*Defensa de la rima*, 1603).

los experimentos de Robert Bridges: daría todas esas ingeniosas invenciones a cambio de cualquiera de sus poemas tempranos, más tradicionales.[6] Sin embargo, cuando un poeta ha asimilado la poesía latina tan a fondo como para que el movimiento de esta informe sus versos sin artificios deliberados —como en el caso de Milton y de algunos poemas de Tennyson— el resultado puede figurar entre los grandes triunfos de la versificación inglesa.

En mi opinión, lo que encontramos en la poesía inglesa es una especie de amalgama de sistemas de diversos orígenes (a pesar de que no me gusta usar la palabra «sistema», puesto que sugiere invención consciente, más que desarrollo): una amalgama como la amalgama de razas y debida en parte a orígenes raciales. Los ritmos del anglosajón, del celta, del francés normando, del inglés medio y del escocés han dejado su marca en la poesía inglesa, junto con los ritmos latinos y, en varios periodos, franceses, italianos y españoles.[7] Así como en el caso de los seres humanos de raíces mestizas, diferentes orígenes pueden predominar sobre otros en

6. Robert Bridges (1844-1930) fue un poeta muy prolífico, especialista en prosodia y muy dado a la experimentación métrica. Aunque en 1913 fue nombrado «poeta laureado», se le recuerda sobre todo por haber sido amigo y albacea de Gerard Manley Hopkins (véase en este volumen la nota 3, p. 269, del ensayo «Religión y literatura»).

7. Un poeta muy atento a esta cuestión fue Robert Graves (1895-1985), quien, en un ensayo titulado «Harp, Anvil, Oar» («Arpa, yunque y remo»), describe el origen de la medida acentual en la poesía anglosajona. Dice Graves que los ancestros del pentámetro yámbico se pueden rastrear en la tradición celta, donde todos los poetas se debían a la diosa Brigid, que tenía tres formas: la Brigid de los poetas, la de los herreros y la de los médicos. Las tres disciplinas tenían vínculos sagrados, hasta tal punto que los acentos de aquella primitiva poesía se forjaron con el diálogo de dos martillos que golpeaban alternos sobre un yunque, cinco veces, en honor de las cinco estaciones del año celta y emitiendo una

distintos individuos, incluso en el caso de los miembros de una misma familia, uno u otro elemento del compuesto poético puede estar vinculado más estrechamente con un poeta u otro o con un periodo u otro. La poesía de una época cualquiera está determinada por la influencia de una u otra literatura contemporánea en lengua extranjera, por circunstancias que hacen que un periodo de nuestro propio pasado nos resulte más próximo que otro o por los énfasis prevalecientes en la educación, pero hay una ley de la naturaleza más poderosa que cualquiera de estas corrientes variables, que cualquier influencia del exterior o del pasado: la ley de que la poesía no puede apartarse demasiado del lenguaje cotidiano que solemos usar y escuchar. Sea como fuere, la poesía, acentual o silábica, rimada o sin rima, formal o libre, no puede permitirse perder este contacto con el lenguaje cambiante de las relaciones humanas ordinarias.

Puede parecer extraño que, pretendiendo hablar de la «música» de la poesía, ponga tal énfasis en la conversación. Sin embargo, me gustaría recordar, antes que nada, que la música de la poe-

---

música (ti-tum, ti-tum, ti-tum, ti-tum) que prefiguró el pentámetro yámbico que siglos más tarde sería la herramienta principal de Shakespeare. Por otra parte, comenta también que la poesía anglosajona está basada en el ritmo del lento batir de los remos en el mar, pues los bardos nórdicos, además de custodiar al rey, se encargaban de animar y armonizar a los remeros de los barcos cantando baladas cuyos acentos se ajustaban a la escansión de las remadas contra las poderosas olas del mar del Norte. De ello deducía Graves que la poesía anglosajona no es rimada porque el golpe de remos no sugiere rima. La rima llegó a Inglaterra desde Francia gracias a unos misioneros irlandeses que, tras las invasiones de los francos, civilizaron Europa y que hablaban y escribían en latín. Véase Robert Graves, *The Crowning Privilege. The Clark Lectures* (*El privilegio culminante. Las conferencias Clark*; Londres, Cassell, 1955, pp. 70-91).

sía no existe con independencia del significado. De otro modo, podría haber poesía de gran belleza sonora que no tuviera ningún sentido y personalmente jamás me he topado con algo similar. Las aparentes excepciones solo muestran una diferencia de grado: hay poemas cuya música nos mueve de tal manera que damos por hecho el significado, del mismo modo que hay poemas en los cuales atendemos al sentido mientras la música nos toca sin apenas notarlo. Tomemos un ejemplo aparentemente extremo: los poemas sin sentido de Edward Lear.[8] Su sinsentido no supone vacuidad de sentido, sino parodia del sentido: ese es su sentido. «The Jumblies» es un poema de aventuras y de nostalgia del romanticismo del viaje al extranjero y la exploración, «The Yongy-Bongy Bo» y «The Gong with a Luminous Nose» son poemas de pasión no correspondida, de nostalgia, en realidad. Disfrutamos de la música, que es de altísima calidad, y disfrutamos de una sensación de irresponsabilidad frente al sentido. O tomemos un poema de otro tipo, el «Blue Closet» de William Morris.[9] Es un poema delicioso, aunque soy incapaz de explicar qué significa y dudo incluso de que el propio autor pudiera haberlo hecho. Produce un efecto de algún modo parecido al de una runa o un conjuro, pero las runas y los conjuros son fórmulas decididamente prácticas diseñadas para producir determinados resultados, como sacar a una vaca de un

8. Edward Lear (1812-1888), maestro del poema absurdo, viajero, pintor, profesor de dibujo de la reina Victoria y precursor de Lewis Carroll. Para los nietos de su patrón, el conde de Derby, escribió *A Book of Nonsense* (*El libro del sinsentido*, 1846), compuesto por *limericks*, composiciones humorísticas de cinco versos.

9. Se trata del poema de William Morris «The Blue Closet» («El armario azul») donde se alternan varias voces en un diálogo entre el mundo interior y el exterior. Sobre Morris, véase en este volumen la nota 36, pp. 108-109, del ensayo «Andrew Marvell».

pantano. La intención obvia del poema es producir el efecto de un sueño (y creo que el autor lo consigue). Para disfrutar del poema no es necesario saber qué significa el sueño; sin embargo, los seres humanos tenemos una confianza ciega en que los sueños significan algo. Solía creerse —y muchos aún lo creen— que los sueños revelan los secretos del futuro; la ortodoxia moderna indica que revelan los secretos del pasado, cuando menos los más horribles. Es moneda corriente afirmar que el significado de un poema puede eludir completamente la paráfrasis. No lo es observar que el significado de un poema puede exceder el propósito consciente de su autor y alejarse de sus orígenes. Uno de los más oscuros poetas modernos fue el escritor francés Stéphane Mallarmé, de quien los franceses dicen a menudo que su lenguaje es tan peculiar que solo pueden entenderlo los extranjeros. El difunto Roger Fry y su amigo Charles Mauron publicaron una traducción inglesa con unas notas que explicaban el significado de los poemas.[10] Cuando leo ahí que un soneto particularmente difícil se inspiró en la visión de la pintura de un cielo raso reflejada en la lustrosa superficie de una mesa o en la de la luz reflejada por la espuma de un vaso de cerveza, solo puedo decir que es posible que esta sea la embriología correcta, pero desde luego no es el sentido de esos poemas. Cuando un poema nos conmueve es porque significa algo para nosotros, tal vez algo importante; si no logra conmovernos es insignificante en cuanto poema. Es posible que nos sintamos hondamente tocados al escuchar un poema escrito en una lengua de la que no entendemos una palabra, pero si nos dicen que el poema es un puro

10. Se trata del libro de Mallarmé *Poems* (*Poemas*; Londres, Chatto & Windus, 1936), traducido por Roger Fry y comentado por Charles Mauron.

galimatías y que no significa nada sentiremos que nos han engañado, que aquello no era un poema, sino la simple imitación de una música instrumental. Si, tal como la entendemos, la paráfrasis solo es capaz de comunicar una parte del significado de un poema es porque el poeta se ocupa de fronteras de la conciencia más allá de las cuales las palabras fracasan, aunque los significados sigan existiendo. Un poema puede significar cosas muy diferentes para lectores distintos y todos estos sentidos pueden ser diferentes de lo que el autor pretendía decir. Por ejemplo, el autor puede haber escrito sobre una peculiar experiencia íntima que a su juicio no tenía relación con nada exterior y, a pesar de ello, el lector podría entender el poema como la expresión de una situación general, igual que como expresión de cierta experiencia que él mismo ha tenido. Las interpretaciones de los lectores pueden diferir de la del autor y ser asimismo válidas e incluso mejores. Puede haber, en un poema, mucho más de lo que el autor conscientemente sabe. Las distintas interpretaciones pueden ser formulaciones parciales de una misma cosa y las ambigüedades deberse al hecho de que los poemas significan más —y no menos— de lo que el lenguaje ordinario es capaz de comunicar.

De este modo, si bien la poesía es un intento de comunicar algo que está más allá de lo que es posible decir acudiendo a los ritmos de la prosa, no deja de ser, al mismo tiempo, una conversación entre dos personas; y eso es así aunque la poesía sea canto, porque cantar es otro modo de hablar. La proximidad de la poesía y la conversación no admite reglas precisas. Cada revolución poética puede explicarse —y en ocasiones se presenta explícitamente de este modo— como un retorno a la lengua cotidiana. Esa es la revolución que Wordsworth, con razón, anunciaba en sus prefacios, pero se trata de la misma revolución que Oldham, Waller, Denham y Dryden emprendieron un siglo antes; y la misma revolución tendría lugar nuevamente algo más de un siglo después.[11] Los seguidores de una revolución desarrollan un nuevo lenguaje poético en una dirección u otra, pulen o perfeccionan, pero la lengua cotidiana continúa transformándose al mismo tiempo, de modo que el lenguaje poético vuelve a quedar desfasado. Quizá no nos demos cuenta de hasta qué punto el lenguaje poético de Dryden debió de sonar natural a los oídos de sus contemporáneos más sensibles. Ninguna poesía, por supuesto, supone jamás una correspondencia exacta entre lo que el poeta dice y lo que oye, pero debe estar relacionada con el habla de su época hasta el punto de que el oyente —o el lector— pueda decir: «Así hablaría yo mismo, si pudiera hablar poéticamente». Esta es la razón por la cual la poesía contemporánea puede producir en nosotros una sensación de entusiasmo y de realización distinta de la que despierta la poesía aun mucho más grande de una época pretérita.

11. John Oldham (1653-1683) es un poeta satírico, muy influido por Abraham Cowley, autor de una sátira sobre los jesuitas y de un poema en pareados heroicos «A Satyr upon a Woman, who by her Falsehood and Scorn was the Death of my Friend» ('Sátira sobre una mujer, cuya falsedad y desdén propició la muerte de mi amigo', 1678). ¶ Edmund Waller (1606-1687), maestro del pareado decasílabo, autor de poema épico en miniatura *The Battle of Summer Islands* (*La batalla de Summer Islands*, 1645) y de una notable traducción del libro IV de la *Eneida*. ¶ Sir John Denham (1615-1669) es conocido sobre todo por su poema «Cooper's Hill» y por varias traducciones de Virgilio y Homero recogidos en el libro *Poems and Translations* (*Poemas y traducciones*, 1668). ¶ Sobre John Dryden, véase en este volumen la nota 25, p. 86, del ensayo «Los poetas metafísicos».

De modo que la música de la poesía ha de ser una música latente en el habla cotidiana de su tiempo. Y esto significa, además, que debe latir en el habla cotidiana del lugar del poeta. No pretendo ponerme a lanzar invectivas contra la ubicuidad del inglés estandarizado, el llamado «inglés de la BBC». Si llega el día en que todos hablemos igual, no tendrá sentido que no escribamos igual, pero mientras ese momento no llegue —y espero que se posponga largamente— el trabajo del poeta es echar mano del lenguaje que le rodea, aquel que le resulte más familiar. Siempre recordaré la impresión que me causaba escuchar a W. B. Yeats leyendo poesía en voz alta. Obligaba a reconocer hasta qué punto el habla irlandesa es indispensable para extraer la belleza de la poesía irlandesa. Escucharlo leer a William Blake, en cambio, era una experiencia distinta, más sorprendente que satisfactoria. Nadie quiere, desde luego, que el poeta se limite a reproducir con exactitud su propia habla conversacional, la de su familia y amigos o bien la de su barrio; lo que encontrará ahí, sin embargo, es el material con el que habrá de construir su poesía. Igual que un escultor, el poeta debe confiar en el material con el que trabaja: a partir de los sonidos que suele oír tendrá que producir su melodía y armonía.

Sería un error, sin embargo, asumir que toda poesía debe ser melodiosa o que la melodía es algo más que uno de los componentes de la música de las palabras. Alguna poesía está hecha para ser cantada; la mayor parte, en nuestros tiempos, se escribe para ser dicha; y hay muchas cosas que decir, además del murmullo de innumerables abejas o el gemir de palomas en los olmos añosos.[12] La

12. Aquí T. S. Eliot cita dos ejemplos conspicuos de aliteración: «The murmur of innumerable bees» y «The moan of doves in immemorial elms», del poe-

disonancia ha de tener un lugar, incluso la cacofonía; del mismo modo que en un poema, sin importar su extensión, tiene que haber transiciones entre pasajes de diferente intensidad —para conseguir un ritmo de emoción fluctuante que resulta esencial para la estructura musical del conjunto—, los pasajes de menor intensidad serán, en relación con el nivel en el que opera el poema completo, prosaicos. Así, en este contexto puede decirse que ningún poeta puede escribir un poema de cierto alcance si no es un maestro de lo prosaico.*

Lo que importa, en resumen, es el poema como totalidad; y si no es indispensable que esa totalidad sea completamente melodiosa —y con frecuencia no lo es—, de ello se sigue que un poema no solo se compone de «bellas palabras». Dudo que, exclusivamente desde el punto de vista del sonido, haya palabras más o menos bellas que otras, en un idioma determinado, porque la cuestión de si algunos idiomas son más o menos bellos que otros es bien distinta. Las palabras feas son aquellas que es inadecuado poner en compañía de otras, son feas por aspereza o por anacronismo; algunas resultan feas a causa de su origen extranjero o a su mala cuna (por ejemplo «televisión»); pero no creo, en realidad, que una palabra bien asentada en su propia lengua sea más fea o más bella que otra. La musicalidad de una palabra

ma «Come Down, O Maid» ('Ven al valle, oh, doncella') de *The Princess* (*La princesa*, 1847), el poema narrativo en verso blanco de Alfred Tennyson.

* Esta doctrina complementa a la de las «piedras de toque» [pasajes o versos que pueden usarse para determinar «objetivamente» la calidad de otros] de Matthew Arnold, que establece la grandeza de un poeta a partir del modo en que este aborda los asuntos que, a pesar de tener una intensidad menor, son vitales desde el punto de vista estructural.

radica, por decirlo de algún modo, en su punto de intersección: primeramente, nace de su relación con las palabras que la preceden y las que la siguen inmediatamente y, de un modo difuso, de su relación con el contexto del poema; y también de otra relación: la de su significado inmediato en ese contexto con los significados que tendría en otros contextos, de su mayor o menor riqueza de asociaciones. Es obvio que, no todas las palabras son igualmente ricas y llenas de asociaciones. Parte de la labor del poeta consiste en distribuir las más ricas entre las más pobres en los lugares correctos. Y no podemos permitirnos sobrecargar un poema con las primeras, puesto que solo en determinados momentos una palabra puede utilizarse para insinuar la historia entera de una lengua y de una civilización. Esta «alusividad» no depende del capricho o de la excentricidad de cierta clase de poesía, sino que está en la naturaleza misma de las palabras y ha de preocupar por igual a todo tipo de poetas. Mi propósito es insistir en que un poema «musical» es un poema que tiene un patrón musical de sonidos y un patrón musical de significados secundarios de las palabras que lo componen y que estos dos patrones son una unidad indisoluble. Y a quien objete que es solo al puro sonido, con independencia del significado, a lo que el adjetivo «musical» puede aplicarse con propiedad, solo podría contestarle reafirmándome en mi aserción anterior, en el sentido de que la sonoridad de un poema es, igual que el significado, una abstracción del poema.

La historia del verso blanco ilustra dos detalles interesantes relacionados entre sí: la dependencia del habla y la obvia diferencia, en lo que prosódicamente es una forma idéntica, entre el verso blanco utilizado en la poesía dramática y el que se emplea con propósitos épicos, filosóficos, meditativos o idílicos.[13] La dependencia de la poesía con respecto del habla es mucho más directa en la poesía dramática que en cualquier otra. En la mayor parte de los géneros poéticos, la necesidad de aludir al habla contemporánea se reduce a un asunto de idiosincrasia personal: un poema de Gerard Hopkins, por ejemplo, podría sonar muy lejano a la manera en que cualquiera de nosotros se expresa hoy.[14] O mejor: a la manera en que nuestros padres y abuelos solían expresarse; sin embargo, Hopkins da la impresión de que su poesía guarda la necesaria fidelidad a su modo de pensar y de hablar consigo mismo, pero en el caso de la poesía dramática, el poeta habla sucesivamente a través de distintos personajes, mediante una compañía de actores bajo las órdenes de un director y de distintos actores y directores en ocasiones distintas. Su lenguaje debe abarcar todas las voces y a la vez hacerse presente en un nivel más profundo de lo que es necesario cuando el poeta habla solo en nombre propio. Algunos de los últimos poemas de Shakespeare son muy elaborados y peculiares; sin embargo, recuerdan el lenguaje no de una perso-

13. Aquí, como en muchos párrafos de todo el ensayo, T. S. Eliot habla tácitamente de la labor que le venía ocupando desde 1934, cuando empezó a trabajar en los *Cuatro cuartetos*. La búsqueda de una poesía —y por tanto una métrica— capaz de representar el habla contemporánea, el contrapunto entre lo prosaico y lo poético —fundamental en la estructura de los cuartetos, cuyos segundos movimientos, por ejemplo, se componen de un preludio lírico, con formas métricas muy constreñidas, que luego se despliega en versos más sueltos, largos y meditativos—, la conjugación entre los elementos visuales, musicales y filosóficos del lenguaje o los ecos de la poesía dramática son algunos de los aspectos del oficio en los que estuvo absorto hasta el año en que escribió este ensayo, 1942, fecha también de la redacción del último cuarteto, «Little Gidding».

14. Sobre Gerard Manley Hopkins, véase en este volumen la nota 3, pp. 269-270, del ensayo «Religión y literatura».

na, sino de un mundo de personas. Se basan en el habla de hace trescientos años y, sin embargo, cuando los escuchamos correctamente interpretados no podemos sino olvidar esa distancia temporal: esto se hace más patente en una de esas obras, de las cuales *Hamlet* es la más importante, que pueden ser apropiadamente representadas utilizando vestuario moderno. En la época de Otway, el verso blanco dramático se había vuelto artificial y, solo en el mejor de los casos, evocador y, cuando nos enfrentamos a una obra teatral en verso de un poeta del siglo XIX, entre las cuales la más notable es sin duda *The Cenci*, resulta difícil preservar alguna ilusión de realidad.[15] Casi todos los más grandes poetas del siglo pasado probaron a escribir obras en verso. A estas obras, que muy poca gente lee más de una vez, se las trata con respeto, como bellos poemas —y su insipidez se atribuye usualmente al hecho de que sus autores, aunque grandes poetas, eran *amateurs* en el teatro—, pero incluso en el caso de que hubieran tenido mayores dotes naturales para las tablas o de que se hubieran afanado en adquirir las habilidades necesarias, sus obras habrían sido igualmente ineficaces, a menos que su talento y su experiencia teatral les hubiera hecho ver la necesidad de un tipo distinto de versificación. No es fundamentalmente la falta de una trama, ni la falta de acción y suspenso, ni la imperfecta factura de los persona-

15. Thomas Otway (1652-1685) es, después de Dryden, el dramaturgo más importante de la Restauración. Además de una versión de *Don Carlos* (1676), es autor de dos tragedias en verso blanco que cimentaron su prestigio: *The Orphan* (*El huérfano*, 1680) y *Venice Preserved or a Plot Discovered* (*Venecia preservada o una trama al descubierto*, 1682). ¶ *The Cenci* (*Los Cenci*, 1819) es el intento teatral de Shelley, basado en la historia de una noble italiana, Beatrice Cenci, que a finales del siglo XVI mató a su padre.

jes, ni la falta de cualquiera de las cosas que solemos llamar «teatro», lo que hace que estas obras carezcan hasta tal extremo de vida: es fundamentalmente que, desde el punto de vista rítmico, no podemos asociar nada de lo que ahí se dice con el modo de hablar de ningún ser humano, con excepción de un declamador de poesía.

Incluso bajo el poderoso manejo de Dryden, el verso blanco dramático muestra un grave deterioro. Hay espléndidos pasajes en *All for Love* y, sin embargo, los personajes de Dryden hablan muchas veces con mayor naturalidad en las obras heroicas que escribió en pareados rimados que en la aparentemente más natural forma del verso blanco y, en todo caso, lo hacen siempre con menos naturalidad que los personajes de Racine y Corneille en francés.[16] Las causas del ascenso y declive de cualquier forma artística son siempre complejas. Podemos reconocer muchas causas que confluyen, aunque siempre también parece restar alguna causa que escapa a toda formulación. No me interesa especular aquí sobre la razón por la cual la prosa ha venido a desplazar al verso en la escritura teatral. Sin embargo, tengo la certeza de que una de las razones por las cuales el verso blanco no puede emplearse hoy en el teatro es la gran cantidad de poesía no dramática, de gran poesía no dramática, que se ha escrito acudiendo a esa forma en los últimos trescientos años.[17] Tenemos la cabeza saturada de obras no

16. *All for Love or The World Well Lost* (*Todo por amor o el mundo arruinado*, 1678) es una de las obras de Dryden que más admiraba T. S. Eliot y cuenta la historia de Marco Antonio y Cleopatra.

17. Hay que recordar, una vez más, que cuando T. S. Eliot habla de verso blanco se refiere sobre todo al pentámetro yámbico de Shakespeare. Véase al respecto en este volumen la nota 1, p. 49, del ensayo «Christopher Marlowe».

dramáticas escritas en lo que formalmente es el mismo tipo de versos. Si en un alarde de imaginación situáramos a Milton como precursor de Shakespeare, este último habría tenido que encontrar un medio muy distinto de aquel que empleó y perfeccionó. Milton manejó el verso blanco como nadie antes o después de él y con ello hizo más que nada ni nadie para hacerlo imposible para el teatro; aunque también puede pensarse que el verso blanco dramático había agotado ya sus recursos y no tenía futuro de ninguna clase. Lo cierto es que Milton prácticamente consiguió imposibilitar el uso del verso blanco para cualquier propósito durante un par de generaciones. Fueron los precursores de Wordsworth —Thompson, Young, Cowper— quienes hicieron los primeros esfuerzos para rescatarlo de la degradación a la que los imitadores dieciochescos de Milton lo habían reducido.[18] Hay mucho y muy variado verso blanco de calidad en el siglo XIX; el más cercano al habla coloquial es el de Browning —aunque, significativamente, en sus monólogos, más que en sus piezas de teatro.

Generalizar de este modo no implica juzgar la estatura relativa de los poetas. Simplemente llama la atención sobre la profun-

18. Aunque T. S. Eliot escribe «Thompson», sin duda se refiere a James Thomson (1700-1748), poeta de la naturaleza, efectivamente precursor de Wordsworth y autor de un largo poema dedicado a las cuatro estaciones titulado *The Seasons* (*Las estaciones*, 1730). ¶ Edward Young (1683-1765) es recordado sobre todo por su obra en verso blanco *The Complaint, or Night Thoughts on Life, Death and Inmortality* (*El lamento o meditaciones nocturnas sobre la vida, la muerte y la inmortalidad*, 1745). ¶ Finalmente, William Cowper (1731-1800) es también precursor del romanticismo inglés, gracias sobre todo a un largo poema que le encargó una amiga, lady Austen, sobre el sofá de su salón. Del reto surgió *The Task* (*La tarea*, 1785), en seis libros, que se convirtió en una meditación sobre la contemplación y el paisaje.

da diferencia entre el verso dramático y los otros tipos de verso: una diferencia en la música, que implica una diferencia en la relación con el lenguaje del habla cotidiana. Lo anterior conduce a mi siguiente punto, que es que la tarea del poeta diferirá, no solo en relación con su constitución personal, sino de acuerdo con el periodo en que se encuentre. En ciertos periodos, la tarea consiste en explorar las posibilidades musicales de la relación convencional establecida entre el lenguaje del poema y el habla cotidiana; en otros, la tarea consiste en vislumbrar los cambios en el habla cotidiana, que suponen, fundamentalmente, cambios en el pensamiento y la sensibilidad. Este movimiento cíclico tiene también una gran influencia sobre nuestro juicio crítico. En una época como la nuestra, cuando se habla de una renovación de la dicción poética similar a la que trajo consigo Wordsworth (se haya cumplido esta o no satisfactoriamente), nos inclinamos, en nuestros juicios sobre el pasado, a exagerar la importancia de quienes introdujeron ciertas innovaciones a expensas de la reputación de quienes las desarrollaron.[19]

He dicho lo suficiente, me parece, para dejar claro que no creo que la tarea del poeta sea primeramente —y siempre— llevar a cabo una revolución en el lenguaje. No sería deseable, aun cuando fuera posible, vivir en un estado de permanente revolución: el anhelo de continuas novedades en la dicción y la métrica es tan malsano como la obstinada adhesión a la lengua de nuestros abuelos.

19. La revolución poética que llevó a cabo William Wordsworth (1770-1850) fue tan intensa y contagiosa que todavía se deja oír en la poesía anglosajona, aunque muchos poetas ya no sean conscientes de ello. Quizá por eso, T. S. Eliot guardó muy pronto una reticente distancia con él, pues precisamente trataba de escapar de ese influjo y llevar a cabo su propia renovación de la dicción poética.

Hay tiempos para la exploración y tiempos para el desarrollo del territorio conquistado. El poeta que hizo más por la lengua inglesa fue Shakespeare, quien, en su corta existencia, llevó a cabo la tarea de dos poetas. Solo puedo decir aquí, con brevedad, que el desarrollo poético de Shakespeare puede dividirse sumariamente en dos periodos. Durante el primero, adaptó poco a poco su forma al habla coloquial; así, para la época en que escribió *Antonio y Cleopatra* había desarrollado un medio en el cual todo lo que un personaje tuviera que decir, alto o bajo, «poético» o «prosaico», pudiera decirse con naturalidad y belleza. Una vez alcanzado este punto, empezó a elaborar. El primer periodo —el de un poeta que comenzó con *Venus y Adonis*, pero que, en *Trabajos de amor perdidos*, había vislumbrado ya qué era lo que tenía que hacer— va de la artificialidad a la simplicidad, de la rigidez a la flexibilidad. Las últimas obras pasan de la simplicidad a la elaboración. El último Shakespeare se ocupa de la otra labor del poeta: la de experimentar para descubrir cuán elaborada, cuán complicada puede ser la música sin que, al mismo tiempo, pierda contacto con el habla coloquial y sin que los personajes dejen de ser seres humanos. Este es el poeta de *Cimbelino*, de *Cuento de invierno*, de *Pericles* y *La tempestad*. Entre los poetas cuya exploración los lleva únicamente en esta última dirección, el gran maestro es Milton. Puede pensarse que, mientras explora la música orquestal del lenguaje, Milton deja muchas veces de hablar una lengua social; puede pensarse que, en su intento de recuperar el lenguaje social, Wordsworth rebasa en algunos momentos los límites y se vuelve pedestre; pero a menudo es cierto que solo yendo muy lejos es posible descubrir cuán lejos se puede llegar, aunque sin duda solo siendo un gran poeta se justifican aventuras tan peligrosas.

Hasta ahora solamente he hablado de la versificación y no de la estructura poética y es tiempo de un recordatorio de que la música de los poemas no es un asunto que ataña a los versos considerados individualmente, sino que tiene que ver con el poema en su conjunto. Solo teniendo esto en mente podemos aproximarnos a la controvertida cuestión de los patrones formales en el verso libre. En las piezas de Shakespeare, es posible descubrir un diseño musical en escenas particulares; en sus piezas más perfectas, es posible descubrirlo en el conjunto. Es una música de la imaginería tanto como del sonido; el señor Wilson Knight ha mostrado, en sus análisis de muchas de las obras, hasta qué punto el uso de imágenes recurrentes y de una imaginería dominante a lo largo de una pieza incide en el efecto total.[20] Una obra de Shakespeare es una compleja estructura musical; la estructura más fácilmente aprehensible es la de formas como el soneto, la oda formal, la balada, la villanela, el rondel o la sextina. Algunos asumen que la poesía moderna ha abandonado ese tipo de formas. Por mi parte, he visto señales de un retorno a ellas; y de hecho creo que la tendencia a regresar para fijar e incluso elaborar patrones es permanente, igual que es permanente la necesidad de un estribillo o de un coro en la canción popular.[21] Algunas formas son más apropiadas que otras en determinadas len-

20. G. Wilson Knight (1897-1985) fue un crítico y ensayista inglés, especialista en Shakespeare y autor de uno de los mejores estudios sobre las tragedias de este, *The Wheel of Fire* (*La rueda de fuego*; Londres, Oxford University Press, 1930, con prólogo de T. S. Eliot).

21. Si bien la generación de T. S. Eliot se distinguió por una ruptura formal y un abandono de las formas tradicionales, en los *Cuatro cuartetos*, Eliot exhibió un espectacular virtuosismo métrico, recuperando estrofas y metros antiguos, como la sextina, de la que creó una variante en el segundo movimiento del tercer cuarteto «The Dry Salvages». La generación que siguió a Eliot, con

guas y cualquier forma puede resultar más apropiada en un periodo que en otro. En determinadas etapas, la estrofa es una formalización correcta y natural del habla en un patrón, pero la estrofa —y cuanto más elaborada sea, más reglas habrá que observar en su construcción y con más seguridad esto ocurrirá— tiende a fijarse en el estilo del momento de su perfección. Enseguida pierde contacto con el cambiante lenguaje coloquial, al identificarse con la perspectiva mental de una generación anterior; pierde crédito al ser empleada únicamente por aquellos escritores que, no teniendo el impulso de concebir nuevas formas, recurren al vaciado de sus líquidos sentimentales en un molde prefabricado en el que vanamente esperan que tomen forma. Lo que resulta admirable en un soneto perfecto no es la habilidad del autor para adaptarse al modelo, sino la habilidad y el poderío con el que obliga al modelo a adaptarse a lo que él tiene que decir. Sin esta capacidad, que está supeditada al periodo lo mismo que al genio individual, el resto es, a lo sumo, virtuosismo; y donde el elemento musical es el único, incluso ese virtuosismo se desvanece. Las formas elaboradas vuelven, pero tiene que haber periodos en que se dejen de lado.

En lo que se refiere al «verso libre», hace veinticinco años expresé mi punto de vista diciendo que ningún verso es libre para aquel que desea hacer las cosas bien.[22] Nadie mejor que yo puede

W. H. Auden a la cabeza y en respuesta a la insurrección formal de sus mayores, recuperó en cambio metros y estrofas tradicionales.

22. En el artículo «Reflections on *vers libre*» («Reflexiones en torno al verso libre»; *New Statesman*, 3 de marzo, 1917), donde T. S. Eliot concluía: 'incluso el peor de los versos se puede escandir y concluimos que la división entre Verso Conservador y *vers libre* no existe, pues solo hay buenos versos, versos malos y caos', T. S. Eliot, *Selected Prose* (*Prosa selecta*; Frank Kermode, ed., Londres, Faber & Faber, 1975, p. 36).

afirmar que se ha escrito una ingente cantidad de mala prosa bajo la etiqueta del verso libre, aunque me parece inútil discutir si sus autores escriben mala prosa o mala poesía —o mala poesía del estilo que sea—. En todo caso, solo un mal poeta pudo dar la bienvenida al verso libre como si supusiera una liberación con respecto de la forma. Fue una revuelta en contra de las formas agotadas y una preparación para formas nuevas o para la renovación de las formas antiguas; supuso una insistencia en la unidad interna, que distingue a un poema de otro, frente a la unidad externa, que es típica. El poema llega antes que la forma, en el sentido de que una forma surge del intento de alguien por decir algo, del mismo modo que un sistema prosódico no es más que una formulación de las identidades en los ritmos de una sucesión de poetas influidos unos por otros.

Las formas han de romperse y rehacerse, pero, en mi opinión, cualquier idioma, mientras siga siendo el mismo idioma, impone sus reglas y restricciones y establece sus propias licencias, determina sus ritmos de habla y patrones sonoros. Y un idioma está siempre cambiando: el poeta ha de aceptar sus desarrollos en vocabulario, sintaxis, pronunciación y entonación —incluso, a la larga, su deterioro— y sacar provecho de estos. A cambio, posee el privilegio de contribuir a esos desarrollos y a la conservación de las cualidades de la lengua y su capacidad de expresar una amplia gama y una sutil gradación de emociones y sentimientos; su tarea consiste, a la vez, en responder al cambio y hacerlo consciente y en luchar contra la degradación de las normas que aprendió del pasado. Las libertades que puede tomarse han de ser en beneficio del orden.

Dejo a su juicio determinar en qué etapa se encuentra el verso contemporáneo. Supongo que se puede estar de acuerdo en que, si acaso vale la pena clasificar el trabajo de los últimos veinte años, sería como un periodo de búsqueda de un lenguaje coloquial moderno apropiado para la poesía. Queda mucho camino por delante en la invención de un medio poético para el teatro, un medio en el cual podamos oír el habla de los seres humanos contemporáneos, en el que los personajes estén en condiciones de expresar la poesía más pura sin pomposidad y en el que sea posible comunicar el mensaje más banal sin caer en el absurdo, pero cuando alcancemos un punto en el que la lengua poética pueda estabilizarse, seguirá un periodo de elaboración musical.[23] Creo que un poeta puede encontrar provechoso el estudio de la música; cuánto conocimiento técnico de la forma musical es deseable, no lo sé, puesto que yo mismo no poseo dicho conocimiento. Sin embargo, pienso que los aspectos de la música que más atañen al poeta son el sentido del ritmo y el de la estructura. Me parece que los poetas podrían excederse si trabajan demasiado cerca de las analogías musicales: el resultado podría dar un efecto de artificialidad; pero también sé que un poema —o un fragmento de poema— puede tender a manifestarse primero como un ritmo particular, antes de alcanzar a expresarse en palabras y que este ritmo puede engendrar la idea o la imagen, y no creo que esa sea una experiencia peculiar mía. El uso de motivos recurrentes es tan natural para la poesía como para la música. Hay posibilidades poéticas

23. El principal interés de T. S. Eliot desde mediados de los años treinta hasta su muerte fue, con excepción del paréntesis que supuso *Cuatro cuartetos*, el teatro. Y para el año en que escribió este ensayo, 1942, ya había escrito dos de sus principales obras, siempre en verso: *Asesinato en la catedral* y *La reunión familiar*.

que tienen cierta analogía con el desarrollo de un tema por parte de distintos grupos de instrumentos; hay posibilidades de transiciones en los poemas comparables a los diferentes movimientos de una sinfonía o un cuarteto; hay posibilidades de disposición contrapuntística de un asunto-tema. Es en la sala de conciertos, más que en la ópera, donde puede encontrarse el germen de un poema.[24] No puedo decir más: a partir de aquí, he de dejar el asunto en manos de quienes tengan educación musical. Sin embargo, me permito insistir nuevamente en las dos tareas de la poesía, las dos direcciones en las que el lenguaje debe trabajarse en épocas distintas, de modo que, por lejos que pueda llegar la elaboración musical, debamos esperar el momento posterior, cuando la poesía se retrotraiga de nuevo al lenguaje hablado. Los mismos problemas surgirán y siempre bajo nuevos aspectos. Y la poesía tendrá siempre frente a sí, como F. S. Oliver decía de la política, una «aventura sin fin».[25]

[1942]

24. T. S. Eliot tuvo muy presente, durante la composición de *Cuatro cuartetos*, una partitura determinada que había escuchado por primera vez en 1931, el cuarteto para cuerda en do menor, op. 132, de Beethoven, una de las obras finales del compositor, a su juicio transida de una especie de alegría celestial. En una carta fechada el 28 de marzo de 1931, T. S. Eliot le comentó a Stephen Spender que la obra de Beethoven le había sugerido el deseo de escribir algo que estuviera «más allá de la poesía», tal y como Beethoven trató de ir más allá de la música en sus últimas composiciones. Tanto el título de los poemas como su particular estructura deben mucho a esa pieza musical.

25. F. S. Oliver (1864-1934), político, escritor y empresario inglés.

¿Qué es un clásico?

El asunto que he escogido es sencillamente la pregunta ¿qué es un clásico? No es una pregunta nueva. Hay, por ejemplo, un famoso ensayo de Saint-Beuve con ese título.[1] La pertinencia de plantearla, sobre todo teniendo en mente a Virgilio, es evidente. Sea cual sea, la definición a la que lleguemos no podrá excluir a Virgilio, pues con seguridad tendrá que ver con él. Pero antes de seguir adelante, me gustaría despejar ciertos prejuicios y anticiparme a ciertos malentendidos. No pretendo reemplazar o proscribir ningún uso de la palabra «clásico» que el precedente haya hecho permisible. La palabra ha tenido —y continuará teniendo— diversos significados en distintos contextos; por mi parte, me interesa un único significado en un contexto preciso. Al definir el término de este modo, no me comprometo a no utilizarlo en el futuro en cualquiera de los sentidos en que se ha utilizado antes. Si, por ejemplo, en una ocasión futura se me descubre usando la palabra «clásico», ya sea en un escrito, en una intervención en público o en una conversación, meramente para referirme a un «autor prototípico» en cualquier idioma —empleándolo como mero indica-

1. Charles-Augustin Sainte-Beuve, «Qu'est-ce qu'un clasique?», 1850.

tivo de grandeza o de la permanencia y la importancia de un escritor en su propio ámbito, como cuando se habla de *The Fifth Form of St. Dominic's* como un clásico de la ficción juvenil o de *Handley Cross* como un clásico de la literatura de caza—, nadie debería esperar que me disculpe.[2] Y existe un libro muy interesante, *A Guide to the Classics*, que le dice a uno cómo escoger al caballo ganador de un derby.[3] En otras ocasiones, me permito a mí mismo aludir a «los clásicos» para referirme a la literatura griega o latina *in toto* o a los autores más importantes de aquellos idiomas, según indique el contexto. Y finalmente, creo que la definición del clásico que me propongo dar aquí debería apartarlo de la zona de la antítesis entre «clásico» y «romántico»; un par de términos que pertenecen a la política literaria y que por tanto agitan los vientos de una pasión que, en esta ocasión, pido que Eolo guarde en su odre.

Esto me lleva a mi siguiente punto. En términos de la controversia entre clásico y romántico, calificar cualquier obra de arte como «clásica» implica el mayor elogio o bien la más desdeñosa injuria, según el partido al que uno pertenezca. Implica ciertos méritos o defectos particulares, ya sea la perfección formal o la frigidez que corresponde a la temperatura bajo cero. Por mi parte,

2. *The Fifth Form of St. Dominic's* (*La quinta forma de Saint Dominic*, 1880) de Talbot B. Reed (1852-1893) es un clásico de la literatura juvenil victoriana, una novela que inauguró todo un subgénero, las historias de niños en internados. ¶ Robert Smith Surtees (1805-1864) es otro escritor victoriano, muy popular en su época, autor de una serie de novelas sobre caza, entre ellas *Handley Cross*, 1843.

3. Guy Griffith y Michael Oakeshott, *A Guide to the Classics or How To Pick a Derby Winner* (*Guía para los clásicos o cómo escoger un ganador del derby*; Londres, Faber & Faber, 1936).

sin embargo, pretendo definir cierto tipo de arte y no me preocupa en absoluto si es mejor o peor que otro. Me propongo enumerar ciertas cualidades que esperaría de un clásico. Pero no digo que, si cierta literatura está llamada a ser grande, su autor o el periodo en que se manifiesta deban tenerlas por fuerza. Si como creo, se trata de cualidades presentes en Virgilio, esto no implica que Virgilio sea el más grande poeta que haya existido jamás —una aserción tal me parece absurda en el caso de un poeta— y tampoco, ciertamente, que la literatura latina sea más grande que cualquier otra. No puede considerarse un defecto de determinada literatura que ningún autor, ni ningún periodo, sea definitivamente clásico o si, como es el caso de la literatura inglesa, el periodo que mejor responde a la definición de clásico no es el más importante.[4] Pienso que aquellas literaturas en que los atributos clásicos están dispersos entre diversos autores y distintos periodos —y entre las cuales la inglesa es una de las más eminentes— bien pueden ser más ricas que otras. Cada lengua posee sus propios recursos y sus propias limitaciones. Las circunstancias de un idioma y las circunstancias históricas del pueblo que lo habla pueden hacer que la expectativa de un periodo o un autor clásicos sea irrelevante, algo que, en sí mismo, no puede ser motivo de disgusto ni de congratulación. Sucede que la historia de Roma fue tal y tal el carácter de la lengua latina, que hicieron posible el surgimiento de un singular poeta clásico en determinado momento; pero no debemos olvidar que se necesitó a ese poeta en particular y toda una vida de trabajo por parte de ese poeta para extraer lo clásico de

4. Es muy posible que aquí T. S. Eliot esté pensando en la literatura inglesa del siglo XVIII.

aquel material. Y por supuesto, Virgilio no podía saber que era justamente eso lo que estaba haciendo. Era, como pocos poetas, profundamente consciente de lo que buscaba conseguir: lo único que no podía proponerse, ni saber que estaba logrando, era componer un clásico, porque solo gracias a la percepción posterior y a la perspectiva histórica un clásico puede ser reconocido como tal.

Si hay una palabra en la que podemos fijarnos y que sugiere el grado máximo de lo que entiendo por clásico, es la palabra «madurez». Propongo una distinción entre los clásicos universales, como Virgilio, y el clásico que es tal únicamente en relación con el resto de la literatura en su propia lengua o de acuerdo con la perspectiva de un periodo determinado. Un clásico solo puede aparecer cuando una civilización ha llegado a su madurez, cuando una lengua y una literatura han alcanzado su madurez: el clásico solo puede ser obra de una mentalidad madura. Es la importancia de aquella civilización y aquella lengua, así como la amplitud de mente del poeta individual lo que otorga la universalidad. Definir «madurez» sin asumir que el oyente sepa ya lo que significa es casi imposible, digamos, por tanto, que si somos propiamente maduros, así como personas con formación, podemos reconocer la madurez de una civilización y de una literatura del mismo modo que lo haríamos si nos topáramos con otros seres humanos. Hacer realmente aprehensible el significado de la madurez —o siquiera aceptable— es quizá imposible, pero si somos maduros, reconocemos la madurez de inmediato o llegamos a reconocerla a través de un trato más íntimo. Ningún lector de Shakespeare, por ejemplo, falla a la hora de reconocer, según avanza su propia madurez, la gradual maduración de la mente de Shakespeare; incluso los lectores menos experimentados pueden percibir el veloz desarrollo de la literatura y el drama isabelinos en conjunto, de la temprana tosquedad de la época Tudor a las obras de Shakespeare y percibir un declive en la obra de los sucesores de este. También podemos observar, merced a una mínima familiaridad, que las obras de Christopher Marlowe muestran mayor madurez mental y de estilo que las obras que Shakespeare escribió a la misma edad: es interesante especular si, en caso de que Marlowe hubiera vivido tanto como Shakespeare, habría continuado desarrollándose al mismo ritmo, pero lo dudo, pues sabemos que ciertas mentes se desarrollan antes que otras y que aquellas que maduran más rápido no son siempre las que llegan más lejos. Traigo a colación este punto como un recordatorio de que, en primer lugar, el valor de la madurez depende del valor de aquello que madura y, en segundo, de que deberíamos saber cuándo es la madurez de los escritores individuales lo que nos ocupa y cuándo la relativa madurez de los periodos literarios. Un escritor que individualmente posee una mente más madura puede pertenecer a un periodo menos maduro que otro hasta el punto de estorbar la maduración de su obra. La madurez de una literatura es el reflejo de la madurez de la sociedad en la cual se produce: un autor individual —notoriamente Shakespeare y Virgilio— puede hacer mucho por el desarrollo de su lengua, pero no puede hacer que esa lengua madure, a menos que la obra de sus predecesores haya preparado el terreno para ese toque final. Una literatura madura, por tanto, posee una historia detrás, una historia que no consiste en una mera crónica o una acumulación de manuscritos y textos de un tipo u otro, sino en el progreso ordenado, aunque inconsciente, de una lengua hacia la conciencia de sus posibilidades dentro de sus limitaciones.

Es preciso observar que una sociedad, una literatura, lo mismo que un ser humano, no necesariamente madura al mismo ritmo en todos sus aspectos. Con frecuencia los niños precoces son, en algunos aspectos evidentes, más infantiles para su edad en comparación con los niños comunes y corrientes. ¿Existe un periodo de la literatura inglesa al que podamos referirnos como completamente maduro de un modo abarcador y equilibrado? No lo creo; y, como repetiré más tarde, espero que no sea así. De ningún poeta inglés en particular es posible decir que en el transcurso de su vida haya alcanzado una madurez mayor que la de Shakespeare; ni siquiera podemos decir que algún poeta haya hecho tanto como Shakespeare para hacer del inglés una lengua capaz de expresar el pensamiento más sutil o los más refinados matices del sentimiento. Y aun así, hemos de aceptar que una obra como *Way of the World*, de Congreve, es en cierto sentido más madura que cualquier obra de Shakespeare, pero solo en este sentido: que refleja a una sociedad más madura; esto es, que refleja una mayor madurez de las maneras.[5] La sociedad para la que Congreve escribía era, desde nuestro punto de vista, bastante grosera y brutal y, sin embargo, está más cerca de la nuestra que la sociedad de los Tudor y quizá por ello la juzgamos más severamente. En todo caso, si bien era una sociedad más pulida y menos provinciana, su mentalidad era más superficial y más restringida su sensibilidad: había incumplido cierta promesa de madurez, aunque había realizado otra. Así, a la madurez de la mentalidad deberíamos añadir la madurez de las maneras.

5. Se trata de la mejor obra teatral de William Congreve (1670-1729), *The Way of the World* (*Así va el mundo*), estrenada en 1700.

El progreso hacia la madurez del idioma es, creo yo, más fácilmente advertido y más prontamente reconocido en el desarrollo de la prosa que en el de la poesía. En la consideración de la prosa nos distraen menos las diferencias individuales de grandeza y, en cambio, nos inclinamos a demandar proximidad con cierto patrón común, cierto vocabulario común y cierta estructura compartida de las frases: de hecho, con frecuencia es la prosa que más se aleja de estos patrones comunes, la que es extremadamente individual, la que nos permitimos denominar «prosa poética». En un tiempo en que la poesía inglesa ya había hecho milagros, la prosa continuaba siendo relativamente inmadura, lo bastante desarrollada para ciertos fines, pero no para otros. Por la misma época, cuando la lengua francesa no daba la menor señal de que algún día estaría en condiciones de emular la poesía inglesa, la prosa francesa era más madura que la de Inglaterra. Basta con comparar a cualquier escritor de la época Tudor con Montaigne, y el propio Montaigne, en tanto estilista, es solo un precursor y su estilo no es lo bastante maduro para cumplir con los requisitos exigibles a un clásico francés. Nuestra prosa estaba lista para ciertas tareas antes de poder siquiera lidiar con otras. Pudo haber un Malory mucho antes que un Hooker, un Hooker antes que un Hobbes y un Hobbes antes que un Addison.[6] De-

6. Muy poco se sabe de sir Thomas Malory (*c.* 1405-1471), compilador de las leyendas del rey Arturo en el libro *Le Mort d'Arthur* (1485), uno de los ejemplos fundacionales de la prosa inglesa. ¶ Sobre Richard Hooker, véanse en este volumen las notas 6 y 7, pp. 137-138, del ensayo «Lancelot Andrewes». ¶ Thomas Hobbes (1588-1679) es el gran filósofo inglés del siglo XVII, autor de la obra, muy controvertida en su época, *Leviathan Or the Matter, Form and Power of A Commonwealth Ecclesiastical and Civil* (*Leviatán o la materia, forma y poder de un estado eclesiástico y civil*, 1651). ¶ Joseph Addison (1672-1719) fue drama-

jando de lado las dificultades de aplicar estos patrones a la poesía, es posible observar que el desarrollo de una prosa clásica constituye una evolución hacia un estilo común. No pretendo decir con esto que los mejores escritores sean indistinguibles unos de otros. Las diferencias esenciales y características subsisten: no se trata de que haya menos, sino de que son más sutiles y refinadas. Para un paladar sensible, la diferencia entre la prosa de Addison y la de Swift será tan notable como la que, para un *connoisseur*, existe entre dos vinos de reserva. Lo que encontramos en un periodo de prosa clásica no es una mera convención de escritura, como el estilo común de las plumas principales de un periódico, sino una comunidad del gusto. La época que precede a una época clásica puede denotar excentricidad y monotonía a la vez. Monotonía porque los recursos del idioma aún no han sido explorados y excentricidad porque no existe todavía un patrón generalmente aceptado, si es que puede hablarse de excentricidad allí donde no existe un centro. La escritura de tal época puede ser a un tiempo pedante y licenciosa. La época que sigue a una época clásica puede también mostrarse excéntrica y monótona. Monótona porque los recursos del idioma se han agotado, cuando menos por un tiempo, y excéntrica porque la originalidad puede llegar a ser más valorada que la corrección. Pero en la época en que encontremos un estilo común será una época en que la sociedad haya alcanzado un momento de orden y estabilidad, de equilibrio y armonía;

turgo, periodista, ensayista y periodista, fundamentalmente en el diario *The Spectator*. Se le recuerda sobre todo por su contribución al desarrollo de la prosa en libros de viajes como *Remarks Upon Several Parts of Italy* (*Observaciones sobre diferentes partes de Italia*, 1705).

igual que una época que manifiesta los mayores extremos de estilo individual será una época de inmadurez o una época de senilidad.

Naturalmente, es de esperar que la madurez de la lengua vaya acompañada de madurez en la mentalidad y las maneras. Puede suponerse que una lengua se aproxima a la madurez cuando los hombres poseen un sentido del pasado, confianza en el presente y carecen de dudas conscientes sobre el futuro. En literatura, esto supone que el poeta sea consciente de quiénes son sus predecesores y que nosotros reconozcamos a los predecesores de esa obra igual que podríamos reconocer ciertos rasgos ancestrales en una persona que es al mismo tiempo individual y única. Los predecesores han de ser en sí mismos grandes y reconocidos, aunque sus logros deben ser tales que sugieran que aún existen recursos sin desarrollar en la lengua y no tan importantes como para atenazar a los escritores jóvenes con el temor de que todo aquello que podía lograrse en una lengua se ha logrado ya. Ciertamente, aun en la madurez, el poeta puede hallar estímulo en conseguir algo que sus predecesores no consiguieron, incluso puede alzarse contra ellos, del mismo modo que un adolescente prometedor puede alzarse contra las creencias, los hábitos y las maneras de sus padres; pero, si miramos en retrospectiva, descubrimos que también continúa sus tradiciones, que conserva características esenciales de su familia y que aquello que distingue su comportamiento no son sino las distintas circunstancias de otra época. Y por otro lado, como a veces observamos que la fama de un padre o un abuelo ensombrece la vida de ciertos hombres cuyos logros parecen en comparación insignificantes, una etapa poética posterior puede ser conscientemente incapaz de competir con sus distinguidos antecesores. Es posible encontrar poetas de este tipo al final de cualquier época, poetas que solo tienen sentido del pasado o, alternativamente, poetas cuya fe en el futuro se cimenta en el intento de renunciar al pasado. La persistencia de la creatividad literaria de cualquier pueblo, en este sentido, depende del mantenimiento de un balance inconsciente entre la tradición en el sentido más amplio —la personalidad colectiva, por decirlo así, encarnada en la literatura del pasado— y la originalidad de la generación presente.

Grandiosa como es, no podemos calificar la literatura del periodo isabelino como completamente madura, no podemos llamarla clásica. Es imposible trazar un paralelo entre el desarrollo de las literaturas griega y latina, puesto que la griega antecede a la otra; mucho menos podemos trazar un paralelo entre estas y cualquier literatura moderna, porque las literaturas modernas tienen tras de sí la literatura griega y latina. Hay, en el Renacimiento, una temprana apariencia de madurez, pero no es sino un préstamo de la Antigüedad. Solo con Milton podemos estar seguros de que nos aproximamos a la madurez. Milton estaba en mejores condiciones para desarrollar un sentido crítico del pasado —el pasado de la literatura inglesa— que sus grandes predecesores. Leer a Milton es reafirmarse en el respeto debido al genio de Spenser y en la gratitud que este último merece por haber contribuido a hacer posible la poesía de Milton.[7] Y aun así, el estilo de Milton no puede llamarse clásico: es el estilo de una lengua todavía en formación, el estilo de un poeta cuyos maestros no fueron ingleses, sino latinos y en menor medida griegos. Esto, me parece, solo con-

7. Sobre Edmund Spenser, véase en este volumen la nota 5, p. 52, del ensayo «Christopher Marlowe».

firma lo que en su momento dijeron Johnson y Landor, deplorando el hecho de que el estilo de Milton no fuera suficientemente inglés.[8] Maticemos aquel juicio diciendo de inmediato que Milton hizo mucho por el desarrollo de la lengua. Uno de los signos de la proximidad de un estilo clásico es el desarrollo de una mayor complejidad de la estructura de las frases y los periodos. Tal desarrollo es evidente en la singular obra de Shakespeare, cuando seguimos su estilo de sus primeras obras a las últimas; podríamos decir incluso que, en sus últimas obras, Shakespeare llega lo más lejos posible, en lo que a complejidad se refiere, dentro de los límites del verso dramático, más estrechos que los de otra clase, pero la complejidad, en sí misma, no es una meta apropiada, su propósito ha de ser, en primer lugar, la expresión precisa de matices más sutiles de sentimiento y pensamiento; en segundo lugar, la introducción de un refinamiento mayor y una mayor variedad de la música. Cuando un autor, en su querencia de estructuras más elaboradas, parece haber perdido la habilidad de decir algo simple, cuando su adicción al esquema llega a tal punto que acude a la elaboración buscando decir cosas que propiamente debieran decirse de un modo simple y limita así su rango de expresión, el proceso hacia la complejidad deja de ser sano y el escritor va perdiendo contacto con la lengua hablada. Aun así, mientras avanza en su desarrollo, de manos de un poeta tras otro, tiende a ir de la monotonía a la variedad, de la simplicidad a la complejidad; y cuando declina tiende nuevamente a la monotonía, aunque quizá también perpetúe la estructura formal

8. Sobre Walter Savage Landor, véase en este volumen la nota 7, p. 98, del ensayo «Andrew Marvell».

a la que el genio dio vida y sentido. Habrán de juzgar ustedes mismos hasta qué punto esta generalización es aplicable a los predecesores y herederos de Virgilio; todos, en cambio, somos testigos de esta monotonía secundaria en los imitadores dieciochescos de Milton, que en sí mismo jamás fue monótono. Hay épocas en que una nueva simplicidad, incluso una relativa tosquedad, puede ser la única alternativa.

A estas alturas habrán anticipado ya la conclusión a la que me dirijo: que, en el caso de la literatura inglesa, esas cualidades de lo clásico que he venido mencionando —madurez de la mente, madurez de las maneras, madurez del lenguaje y perfeccionamiento de un estilo común— están más cerca de cumplirse en el siglo XVIII y, en lo que a la poesía respecta, sobre todo en la de Pope. Si eso fuera todo lo que tuviera que decir sobre el asunto, no sería, ciertamente, nada nuevo y apenas valdría la pena mencionarlo. Implicaría solo plantear una disyuntiva entre dos errores que se han cometido ya con anterioridad: uno, que el siglo XVIII constituye el momento más alto de la literatura inglesa; el otro, que el ideal clásico debería estar completamente desacreditado. Mi opinión es que en inglés no hemos tenido ni una época clásica, ni un poeta clásico; que cuando descubrimos que esto es así no tenemos razón en sentirnos decepcionados, pero que, aun así, deberíamos mantener la vista puesta en el ideal clásico. Porque debemos mantenerlo y porque el genio inglés de la lengua ha tenido otras cosas que hacer en vez de alcanzarlo, no podemos permitirnos ni rechazar ni sobreestimar la época de Pope, no podemos ver la literatura inglesa como un todo o apuntar rectamente al futuro sin una valoración crítica del grado en que las cualidades clásicas pueden ejemplificarse mediante la obra de Pope, lo que implica que, a menos que seamos capaces de aprovechar la obra de Pope, jamás llegaremos a comprender realmente la poesía inglesa.[9]

Resulta bastante obvio que Pope pagó un alto precio por la obtención de las cualidades clásicas: la exclusión de algunas potencialidades mayores del verso inglés. Ahora bien, en cierta medida, el sacrificio de ciertas potencialidades por mor de la realización de otras es una ley de la creación artística, igual que es una ley de la vida en general. En la vida, aquel que se niega a sacrificar algo para ganar otra cosa se aboca a la mediocridad o al fracaso; aunque, en el extremo opuesto, también hay especialistas que sacrifican mucho a cambio de muy poco o que han nacido demasiado especializados para tener algo que sacrificar. Pero tenemos razones para sentir que, en el siglo XVIII inglés, fue demasiado lo que se excluyó. Había una mentalidad madura, pero era demasiado estrecha. La sociedad y las letras inglesas no eran provincianas en el sentido de que no estaban aisladas, ni rezagadas con respecto de la mejor sociedad y las mejores letras europeas. Y sin embargo, aquella época fue, por decirlo de algún modo, una época provinciana. Cuando uno piensa en un Shakespeare, un Jeremy Taylor, un Milton, en la Inglaterra del siglo XVII —o bien en un Racine,

9. El prestigio de Alexander Pope (1688-1744) ha sido oscilante en las letras inglesas a lo largo de los siglos. Celebrado y denostado por igual, escribió una poesía inspirada en los grandes modelos de Grecia y Roma y llegó incluso a traducir la *Ilíada* (1720) y, en colaboración, la *Odisea* (1725). Fue el responsable de una importante edición de las obras de Shakespeare en 1725. Formalmente, llevó a la perfección el *heroic couplet* («dístico o pareado heroico», en realidad dos pentámetros yámbicos rimados) que había sido también el principal instrumento de John Dryden. Quizá su obra más conocida sea el poema heroico *The Rape of the Lock* (*El rizo robado*, 1712), así como *The Dunciad* (*La Dunciada*, 1743), una sátira sobre la estupidez, inclemente ataque a los escritores que despreciaba.

un Molière, un Pascal, en Francia—, se siente inclinado a decir que el siglo XVIII solo logró perfeccionar su jardín formal a costa de restringir el área de cultivo.[10] Sentimos que, para valer realmente la pena, el ideal clásico ha de ser capaz de exhibir una amplitud, una catolicidad, que el siglo XVIII no puede reclamar como suyas; estas cualidades están presentes en la obra de grandes autores, como Chaucer —que no pueden considerarse clásicos de la literatura inglesa en el sentido que yo he venido exponiendo aquí— y en su plenitud en la mentalidad medieval de Dante. Porque si hay un clásico en lengua europea, ese es la *Divina comedia*. En el siglo XVIII nos oprime el limitado rango de la sensibilidad, especialmente en la escala del sentimiento religioso. No se trata, cuando menos en Inglaterra, de que la poesía no sea cristiana. No se trata siquiera de que los poetas no sean devotos cristianos: desde el punto de vista de la ortodoxia de los principios y la sinceridad del sentimiento piadoso, hay que buscar mucho antes de dar un poeta más genuino que Samuel Johnson. Y sin embargo, hay evidencias de una sensibilidad religiosa más profunda en la poesía de Shakespeare, cuya creencia y práctica solo pueden ser motivo de conjetura. Y esta restricción de la sensibilidad religiosa produce por sí misma un tipo de provincianismo: el provincianismo que indica la desintegración de la cristiandad, la decadencia de una creencia y una cultura comunes (aunque podríamos agregar que en este sentido el siglo XIX fue todavía más provinciano). Parecería entonces que nuestro siglo XVIII, pese a su alcance clásico —alcance, creo yo, que tiene aún más importancia como ejemplo para el fu-

10. Sobre Jeremy Taylor, véase en este volumen la nota 6, p. 137, del ensayo «Lancelot Andrewes».

turo—, carecía de cierta condición que hace posible la creación de un verdadero clásico. Para descubrir cuál sería esta condición, debemos volver a Virgilio.

Me gustaría repasar primero las características que hasta ahora he ido atribuyendo a los clásicos, aplicándolas especialmente a Virgilio, a su lenguaje, su civilización y al particular momento de aquella lengua y civilización en que él llegó. Madurez de mentalidad: esta necesita de la historia y de la conciencia histórica. La conciencia histórica no puede despertar por completo sino en presencia de otra historia, distinta de la del pueblo al que pertenece el poeta: es necesaria para descubrir nuestro propio lugar en la historia. Es preciso conocer la historia de al menos otro pueblo altamente civilizado y de un pueblo cuya civilización sea lo bastante afín para haber influido y penetrado en el nuestro. Se trata de una conciencia que los romanos poseían, y que los griegos, por más que valoremos sus logros —y sin duda debemos hacerlo, justamente a causa de ello—, no pudieron poseer. Una conciencia, por cierto, que el propio Virgilio ayudó en gran medida a desarrollar. Desde un principio, Virgilio, igual que sus contemporáneos y predecesores inmediatos, procedió empleando y adaptando constantemente los descubrimientos, tradiciones e invenciones de la poesía griega: servirse así de una literatura extranjera indica un grado de civilización más avanzado que servirse solo de etapas anteriores de la propia tradición literaria. Sin embargo, en mi opinión no es arriesgado decir que no ha habido jamás otro poeta, sino Virgilio, que haya mostrado jamás un sentido de la proporción más sutil en el uso que hizo de la poesía griega y de la temprana poesía latina. Es este desarrollo de una literatura o de una civilización, en relación con otra, lo que da una significación peculiar al asunto de la épica virgiliana.

En Homero, el conflicto entre griegos y troyanos difícilmente tiene mayor alcance que una rencilla entre una ciudad-Estado griega y una coalición de otras ciudades-Estado: tras la historia de Eneas existe la conciencia de una distinción más radical, una distinción que es a un tiempo la postulación de un vínculo entre dos grandes culturas y, por último, de su reconciliación bajo un destino que a todos abarca.

La madurez de la mentalidad virgiliana —y la madurez de su época— se evidencian en esta conciencia histórica. Con la madurez de la mentalidad he asociado la madurez de las maneras y la ausencia de provincianismo. Supongo que, para un europeo moderno que se precipite de repente en el pasado, la conducta social de romanos y atenienses podría parecer toscamente indiferente, bárbara y ofensiva, pero si el poeta puede retratar algo superior a las prácticas del presente, no es en el sentido de anticipar un código de conducta futuro y distinto, sino como quien intuye cuál sería el mejor comportamiento posible para la gente de su propia época. Las fiestas de los ricos en la Inglaterra eduardiana no fueron exactamente como podemos verlas retratadas en las páginas de Henry James, sino que la sociedad de James era una idealización, por así decirlo, de aquella sociedad y no una anticipación de ninguna otra. Creo que somos conscientes, en Virgilio más que en ningún otro poeta latino —porque en comparación Catulo y Propercio parecen rufianes y Horacio un poco plebeyo—, de un refinamiento de las maneras que brota de una delicada sensibilidad, particularmente en lo que respecta al trato público y privado entre los sexos. No me corresponde a mí, habiendo en esta reunión mayores eruditos que yo, comentar la historia de Eneas y Dido. Sin embargo, siempre he pensado en el encuentro de Eneas con la sombra de Dido —en el libro VI— no solo como el más conmovedor, sino como uno de los pasajes más civilizados de la poesía entera. Es complejo en significado y económico en la expresión, pues no solo describe la actitud de Dido, sino que aún más importante es lo que nos dice sobre la actitud de Eneas. La conducta de Dido parece casi una proyección de la propia conciencia de Eneas: así, sentimos, es como la conciencia de Eneas esperaría que Dido se comportara. La clave, me parece a mí, no es que Dido guarde rencor —aunque es importante que, en vez de atacarlo, meramente lo desaire y quizá aquel sea el desaire más significativo de la historia entera de la poesía—; lo que importa por encima de todo es que Eneas no se perdone a sí mismo; y esto, significativamente, pese al hecho consciente de que ha actuado en cumplimiento de su destino o como consecuencia de las maquinaciones de los dioses, que a su vez nos parecen meros instrumentos de otro poder mayor e inescrutable.[11] Aquí, el ejemplo que he escogido para ilustrar la civilidad de las maneras sirve como testimonio del grado de conciencia civilizada; sin embargo, cualquiera que sea el nivel en el cual analicemos un episodio particular, este conducirá a conclusiones similares. Se observará, por último, que la conducta de los personajes de Virgilio (probablemente con excepción de Turno, el hombre sin destino) no parece responder nunca a un código de costumbres puramente local o tribal: es, a un tiempo, romano y europeo.[12] Sin duda, en el plano de las maneras, Virgilio no es provinciano.

11. En el libro IV, Dido se suicida por no haber logrado retener a Eneas y disuadirle de que cumpla su destino, cuando ella había roto su promesa de mantenerse fiel a su difunto esposo, Siqueo.

12. Turno, rey de los rútulos y pretendiente de Lavinia.

En la presente ocasión, todo intento de demostrar la madurez del lenguaje y el estilo de Virgilio es una tarea superflua: muchos de ustedes podrían hacerlo mejor que yo y, al final, me parece, estaríamos todos de acuerdo. Sin embargo, vale la pena repetir que el estilo de Virgilio no habría sido posible sin el precedente de una literatura y sin su íntimo conocimiento de aquella literatura; así que, en cierto sentido, Virgilio estaba reescribiendo la poesía latina —como cuando toma en préstamo una frase o un procedimiento de un predecesor y lo mejora—. Era un autor culto y todo su saber resultaba relevante para su tarea; y tenía a sus espaldas, para su uso, literatura suficiente, pero no demasiada. En lo tocante a la madurez del estilo, dudo que otro poeta haya desarrollado alguna vez un dominio mayor de la estructura compleja, lo mismo en sonido que en sentido, sin sacrificar el recurso de la simplicidad directa, breve y sorprendente cuando la ocasión lo demanda. No me demoraré en esto, pero creo que vale la pena decir alguna cosa más sobre el estilo común, porque es algo que no podemos ilustrar convenientemente con ejemplos de la poesía inglesa y a lo que solemos escatimar la deferencia debida. En la literatura europea moderna, las mayores aproximaciones al ideal de un estilo común probablemente puedan encontrarse en Dante y Racine; lo más parecido que tenemos en la poesía inglesa es Pope y se trata de un estilo común que, en comparación, posee un rango mucho menor. Un estilo común es aquel que nos hace exclamar, no «He aquí el uso del lenguaje que hace un hombre de genio», sino «He aquí la realización del genio de la lengua». No decimos esto cuando leemos a Pope, porque somos demasiado conscientes de todos los recursos del habla inglesa de los que Pope no echa mano; en el mejor de los casos, podemos decir: «He aquí la realización del genio de la lengua de una época particular». No decimos eso cuando leemos a Shakespeare o a Milton, porque somos siempre conscientes de su grandeza y de los milagros que ellos realizaron con el lenguaje. Quizá estemos más cerca de decirlo con respecto de Chaucer; sin embargo, Chaucer emplea un habla diferente, desde nuestro punto de vista más tosca. Y Shakespeare y Milton, como muestra la historia posterior, dejaron abiertas muchas posibilidades poéticas del inglés; mientras que es justo decir que después de Virgilio ningún desarrollo fue posible, hasta que el latín se transformó en otra cosa.

En este punto me gustaría regresar a una cuestión que he sugerido ya: la cuestión de si el alumbramiento de un clásico, en el sentido en que he venido empleando el término, supone una bendición indiscutible para su lengua y su pueblo e incluso si es un indiscutible motivo de orgullo. Para que esta pregunta se suscite, basta con contemplar la poesía latina posterior a Virgilio y considerar hasta qué punto los poetas posteriores vivieron y trabajaron a la sombra de su grandeza: los alabamos o menospreciamos de acuerdo con los patrones que Virgilio estableció; admirándolos, en ocasiones, porque descubrimos en ellos alguna variación novedosa o solo por reorganizar patrones de palabras de un modo que recuerda plácidamente el remoto original. Pero la poesía inglesa —y también la francesa— debe considerarse afortunada por lo siguiente: que los grandes poetas solo han agotado determinados ámbitos. No podemos decir que, desde la época de Shakespeare —y respectivamente desde la de Racine— haya habido un drama poético de primer orden en Inglaterra o Francia; desde Milton, no hemos tenido ningún gran poema épico, pese a que hayamos tenido grandes poemas largos. Sin duda, todos los poetas verdaderamente grandes, clásicos o no, tienden a agotar la tierra que cultivan, hasta el punto de que, ante la mengua de la cosecha, no queda sino dejarla en barbecho durante varias generaciones.

Acaso se objete aquí que el efecto que imputo a los clásicos sobre determinada literatura no resulta de las características clásicas de las obras, sino sencillamente de su grandeza. Al fin y al cabo, yo mismo he negado el título de clásicos, en el sentido en que he venido empleando el término, a Shakespeare y a Milton y, aun así, he admitido que no ha habido desde entonces otra gran poesía del mismo tipo. Que toda gran obra poética tiende a hacer imposible la producción de obras igualmente grandes del mismo tipo es indiscutible. Lo anterior puede explicarse, en parte, en términos de propósito consciente: ningún poeta de primer nivel intentará de nuevo lo que ya se ha hecho de la mejor manera posible en su lengua. Solo después de que la lengua —su cadencia, incluso más que su vocabulario y sintaxis— ha evolucionado lo suficiente, con el tiempo y los cambios sociales, otro poeta dramático tan grande como Shakespeare u otro poeta épico tan grande como Milton, vuelve a ser posible. No solo cualquier gran poeta, sino incluso cualquier poeta menor, con ser genuino, agota de una vez por todas alguna posibilidad de la lengua, dejando así una posibilidad menos a sus sucesores. La veta que ha agotado puede haber sido pequeña o puede haber sido una forma suprema de poesía. En todo caso, lo que los grandes poetas agotan no es más que una forma y no la totalidad del lenguaje. Cuando el gran poeta es además un clásico, no agota solamente una forma, sino la lengua misma de su época; y la lengua de su época, tal como él la usa, se convertirá en la perfección de esa lengua. De modo que no es solo al poeta al que hay que tener en cuenta, sino la lengua en la que escribe: no se trata meramente de que un poeta clásico agote una lengua, sino que las lenguas que están en condiciones de producir un clásico son justamente las que están en condiciones de agotarse.

Puede que entonces nos sintamos inclinados a preguntar si no somos afortunados al poseer una lengua que, en vez de haber producido un clásico, puede presumir de una rica variedad en el pasado y la posibilidad de ulteriores novedades en el futuro. Ahora bien, en la medida en que nos hallamos dentro de una literatura, en la medida en que hablamos la misma lengua y tenemos fundamentalmente la misma cultura que produjo la literatura del pasado, hemos de reconocer dos cosas: el orgullo de lo que nuestra literatura ha conseguido ya y la confianza en lo que aún puede lograr en el futuro. Si dejamos de creer en el futuro, el pasado dejará de ser completamente nuestro pasado: se convertirá en el pasado de una civilización muerta. Y esta consideración debe actuar con particular eficacia en las mentes de aquellos involucrados en el intento de aportar algo a la literatura inglesa. No hay ningún clásico inglés, por tanto, cualquier poeta vivo puede decir: aún hay esperanzas de que yo —y aquellos que vengan detrás, porque nadie puede afrontar con ecuanimidad, una vez que entiende lo que tal cosa implica, la idea de ser el último poeta— sea capaz de escribir algo que valga la pena preservar. Desde el punto de vista de la eternidad, sin embargo, tal interés en el futuro no tiene sentido: cuando dos lenguas han muerto, no podemos decir si una es más grande que la otra a causa de la mayor variedad de sus poetas o si la primera es más grande porque la obra de un poeta expresa más completamente su genio. Intento decir, de una vez por todas, lo siguiente: que, puesto que el inglés es una lengua viva y la lengua en que vivimos, podemos alegrarnos de que jamás se haya realizado por completo en la obra de un poeta clásico; si bien, por otro lado, este criterio clásico sigue siendo de vital importancia para nosotros. Lo necesitamos para poder juzgar a nuestros poetas individuales, aunque nos neguemos a juzgar nuestra literatura en conjunto, en comparación con otra que ha producido un clásico. Que una literatura culmine o no en un clásico es un asunto de suerte. En gran medida depende, sospecho, del grado de fusión de los elementos que constituyen aquel idioma, de modo que las lenguas latinas se aproximan más a lo clásico no solo por ser latinas, sino porque son más homogéneas que el inglés, de manera que tienden más naturalmente hacia el estilo común, mientras que el inglés, siendo en sus constituyentes el más variado de los grandes idiomas, tiende a la variedad más que a la perfección, requiere un tiempo mayor para realizar sus potencialidades y probablemente contenga más posibilidades aún inexploradas. Tiene, quizá, con respecto de las otras lenguas, la mayor capacidad de cambiar sin dejar de ser ella misma.

En este punto, estoy aproximándome a la distinción entre el clásico relativo y el clásico absoluto, la distinción entre la literatura que puede ser llamada clásica en relación con su propia lengua y aquella que es clásica en relación con un número de otras lenguas. Sin embargo, antes de continuar me gustaría hacer constar una más de las características del clásico, aparte de las que he mencionado, que resultará útil para establecer esta distinción y para señalar la diferencia entre un clásico como Pope y uno como Virgilio. Conviene recapitular ciertas afirmaciones que he hecho antes.

He sugerido al principio que una característica frecuente, si no universal, de la maduración de los individuos podría ser un proceso de selección (no del todo consciente), de desarrollo de ciertas potencialidades en detrimento de otras y que algo similar puede verse en el desarrollo de la lengua y la literatura. Si es así, habría que esperar que, en una literatura clásica menor, como la nuestra de finales del siglo XVII y principios del XVIII, los elementos excluidos en la senda de la madurez sean más numerosos o más importantes y que la satisfacción por el resultado se verá siempre matizada por nuestra conciencia de las posibilidades de la lengua, evidenciadas en la obra de autores anteriores que se han pasado por alto. La época clásica de la literatura inglesa no es representativa del genio total de la raza: como he insinuado, no podemos decir que aquel genio se haya realizado plenamente en periodo alguno, con el resultado de que, haciendo referencia a uno u otro periodo del pasado, aún podemos prever posibilidades futuras. La lengua inglesa ofrece un amplio espectro de legítimas divergencias de estilo; tanto es así que, al parecer, ninguna época y ciertamente ningún escritor puede fijar una norma. La lengua francesa parece haber estado ligada más estrechamente a un estilo normal; aun así, incluso en francés, aunque esa lengua parezca haberse establecido de una vez por todas en el siglo XVII, hay un *esprit gaulois*, un elemento de riqueza presente en Rabelais y en Villon, la conciencia del cual puede condicionar nuestro juicio de la integridad de Racine o Molière, puesto que podemos sentir que no solo no está suficientemente representado, sino que es incompatible con la obra de estos autores. Podemos, así, llegar a la conclusión de que el perfecto clásico debe ser aquel en que la totalidad del genio de un pueblo esté latente, si no revelado del todo; y que eso solamente puede darse en un idioma tal que su genio íntegro pueda hacerse presente de una sola vez. En este sentido, debemos agregar a nuestra lista de características del clásico la capacidad abarcadora. Lo clásico debe, dentro de sus limitaciones formales, expresar el máximo posible del rango total de los sentimientos que representan el carácter del pueblo que habla esa lengua. Lo representará lo mejor posible y tendrá además mayor atractivo posible: dentro del pueblo al que pertenece, hallará respuesta en hombres de todas las clases y condiciones.

Cuando, más allá de su exhaustividad respecto de su propia lengua, una obra literaria tiene una parecida significación para cierto número de lenguas extranjeras, podemos decir que posee además universalidad. Podemos por ejemplo afirmar con justicia que la obra de Goethe constituye un clásico, por el lugar que ocupa en su propia lengua y literatura. Sin embargo, a causa de su parcialidad, la caducidad de algunos de sus contenidos y el germanismo que preside su sensibilidad —porque Goethe parece, a ojos extranjeros, limitado por su época, por su lengua y por su cultura, de modo que no resulta representativo de la tradición europea e, igual que nuestros propios autores del XIX, nos parece un tanto provinciano—, no podemos reconocer en él a un clásico universal. Goethe es un autor universal en el sentido de que todo europeo debería conocer su obra, pero eso es otra cosa. De hecho, en ningún caso podemos esperar encontrar algo parecido a un clásico en ninguna lengua moderna. Es necesario volver la vista hacia las dos lenguas muertas. Importa que hayan muerto porque a causa de su muerte han llegado a convertirse en nuestra herencia: el hecho de que estén muertas no reviste ningún valor, salvo el hecho de que todos los pueblos de Europa son sus beneficiarios.[13] Y de todos los grandes poetas de Grecia y Roma, creo que es a Virgilio a quien más debemos en lo tocante a nuestro patrón clásico, lo que, repito, no es lo mismo que pretender que sea el más grande o aquel al que más debemos en todos sentidos: hablo de una deuda particular. Su peculiar capacidad abarcadora se debe a la posición excepcional del Imperio romano y del latín en nuestra historia, una posición que, puede decirse, se atiene a su destino. Este sentido del destino se hace consciente en la *Eneida*. Eneas es en sí mismo, de principio a fin, un «hombre con un destino», no es ni un aventurero ni un intrigante, ni un vagabundo ni un arribista, sino alguien que sigue su destino, no por compulsión ni por algún arbitrario decreto y, ciertamente, no en busca de la gloria, sino porque ha sometido su voluntad a un poder superior a los dioses que podrían dirigirlo o hacerlo fracasar. Habría preferido detenerse en Troya, pero se convierte en un exiliado y en algo más grande y más significativo que cualquier exiliado; es un exiliado por una causa que es mayor de lo que él mismo sabe, pero que reconoce; y no es, en un sentido humano, un hombre feliz o exitoso. Sin embargo, es el símbolo de Roma y eso que Eneas significa para Roma es lo que la Roma antigua significa para Europa. Así, Virgilio adquiere la centralidad del único clásico: está en el centro de la civilización europea, en una posición que ningún otro poeta puede compartir o usurpar. El Imperio romano y la lengua latina no eran un imperio y una lengua cuales-

13. Aquí parece haber un eco de uno de sus más tempranos ensayos, escrito en 1919, «Tradición y talento individual»: «Alguien ha dicho "los escritores muertos nos resultan remotos porque poseemos muchísima más información que ellos". Exacto: son ellos quienes constituyen la información», T. S. Eliot, *El bosque sagrado*, San Lorenzo de El Escorial, Langre, 2004, p. 225.

quiera, sino un imperio y una lengua con un destino único en relación con nosotros mismos; y el poeta a través de cual ese imperio y esa lengua llegan a la conciencia y a la expresión es un poeta con un destino único.

Si Virgilio es, pues, la conciencia de Roma y la suprema voz de su lengua, debe significar para nosotros algo que resulta imposible expresar completamente en términos de apreciación literaria y crítica. Con todo, si nos apegamos a los problemas de la literatura o a los términos en que la literatura se ocupa de la vida, quizá consigamos sugerir más de lo que afirmamos. En términos literarios, la importancia que Virgilio tiene para nosotros se cifra en que nos ha provisto de un criterio. Quizá tengamos, como he dicho antes, razones para alegrarnos de que ese criterio haya sido provisto por un poeta que escribía en una lengua diferente de la nuestra; esa, sin embargo, no es razón suficiente para rechazarlo. Preservar el patrón clásico y medir luego cada obra literaria individual de acuerdo con este significa descubrir que, aunque es posible que la literatura en conjunto lo abarque todo, cada obra individual necesariamente carecerá de algo. Puede que este defecto sea necesario, puede que sin él faltaran algunas cualidades que están presentes; sin embargo, debemos verlo como un defecto, al mismo tiempo que lo vemos como una necesidad. En ausencia del patrón al que me refiero, un patrón que no podemos reconocer con claridad si nos basamos exclusivamente en nuestra propia literatura, tendemos, primero, a admirar obras de genio por las razones equivocadas —como cuando elogiamos a Blake por su filosofía y a Hopkins por su estilo— y enseguida caemos en un error aún más profundo, el de atribuir a lo que es de segunda categoría una importancia parecida a lo que es de primera categoría.[14] En resumen, sin la aplicación constante de la mesura clásica, que debemos a Virgilio más que a ningún otro poeta, tendemos a volvernos provincianos.

Por «provinciano» entiendo aquí algo más de lo que puede encontrarse en las definiciones del diccionario. No me refiero, por ejemplo, a «aquel que desea la cultura o lustre de la capital», aunque, ciertamente, Virgilio era de la capital y hasta un punto que hace ver a cualquier poeta posterior de igual estatura como un provinciano; y no me refiero a aquel que es «estrecho de mente, de credo, de cultura»; una escurridiza definición, esta, puesto que Dante fue, desde un punto de vista liberal y moderno, «estrecho de mente, de credo, de cultura» y, aun así, puede que haya que contarlo entre los innovadores y no entre los conservadores, que suelen ser los más provincianos. Me refiero, sobre todo, a una distorsión de valores: la exclusión de algunos, la exageración de otros, que no surge a falta de un amplio conocimiento del mundo, sino de la aplicación de patrones adquiridos en una pequeña área de la totalidad de la experiencia humana que confunde lo contingente con lo esencial, lo efímero con lo permanente. En nuestra época, cuando los hombres parecen más inclinados que nunca a confundir la sabiduría con el conocimiento y el conocimiento con la información y a tratar de resolver los problemas de la vida en términos de ingeniería, ha nacido una clase de provincianismo que quizá merezca un nombre nuevo. Es un provincianismo no del espacio, sino del tiempo para el que la historia es meramente la crónica de los artilugios humanos —usados y luego desechados— y

14. Sobre Gerard Manley Hopkins, véase en este volumen la nota 3, pp. 269-270, del ensayo «Religión y literatura».

el mundo tan solo propiedad de los vivos, mientras que los muertos no tienen cabida en él. La amenaza de esta clase de provincianismo es que todos, el mundo entero, nos convirtamos en provincianos, y que aquellos que se resistan a serlo no tengan más remedio que hacerse ermitaños. Si esta clase de provincianismo conduce a una mayor tolerancia, entendida como paciencia, quizá haya algo que decir en su favor, pero es más probable que nos lleve a la indiferencia en asuntos en los que deberíamos mantener un dogma o patrón distintivos y a una mayor intolerancia en asuntos que deberíamos encomendar a las preferencias locales o personales. Podemos tener tantas variedades de religión como nos guste, a condición de que nuestros hijos asistan a las mismas escuelas. Lo que me concierne aquí, sin embargo, es corregir el provincianismo literario. Debemos recordarnos a nosotros mismos que, así como Europa es un todo (y a pesar de su progresiva mutilación y desfiguración, el organismo a partir del cual toda armonía habrá de desarrollarse), así la literatura europea es un todo cuyos miembros no pueden florecer si el mismo torrente de sangre no circula por la totalidad del cuerpo. El torrente sanguíneo de la literatura europea es el latín y el griego, no como dos aparatos circulatorios, sino como uno solo, porque a través de Roma ha de rastrearse nuestro parentesco con Grecia. ¿Qué medida común de excelencia literaria tendríamos, dadas nuestras muchas lenguas, si no la mesura clásica? ¿Qué inteligibilidad mutua en cuya permanencia podamos confiar, si no la que propicia nuestra herencia común de pensamiento y sentimiento en aquellas dos lenguas, para la comprensión de las cuales ningún pueblo europeo está en una posición ventajosa con respecto de otro? Ninguna lengua moderna está en condiciones de aspirar a la universalidad del latín, aun cuando lleguen a hablarla millones de personas más de las que alguna vez hablaron la lengua latina ni aun en el caso de que llegara a ser el medio universal de comunicación entre pueblos de todas las razas y culturas. Ninguna lengua moderna puede esperar producir un clásico en el sentido en que he llamado clásico a Virgilio. Nuestro clásico, el de toda Europa, es Virgilio.

En nuestras muchas literaturas existe una riqueza de la que podemos jactarnos, incomparable con la del latín; pero cada literatura debe su grandeza, no a su aislamiento, sino a su lugar en un parámetro mayor, un parámetro establecido en Roma. He hablado de la nueva seriedad —gravedad, debiera decir—, la nueva perspectiva de la historia ilustrada en la dedicación de Eneas a Roma, a un futuro que excedía cualquier logro que pudiera alcanzarse en vida de una persona. Su recompensa fue poco más que una estrecha cabeza de playa y un matrimonio político en su fatigada madurez: perdida su juventud, su sombra moviéndose entre las sombras al otro lado de Cumas.[15] De este modo, como he dicho, vislumbramos el destino de la antigua Roma. Así podemos pensar la literatura romana, a primera vista, una literatura de limitados alcances, con una pequeña nómina de grandes autores y, sin embargo, más universal de lo que ninguna otra será jamás; una literatura que, inconscientemente, se sacrificó por mor de su destino europeo, la opulencia y variedad de las lenguas que vinieron más tarde, para producir lo clásico para nosotros. Es suficiente con que este patrón se haya establecido de una vez por todas, no

15. La «cabeza de playa» es una alusión al desembarco de Eneas en Latium en el libro VII. El matrimonio es con Lavinia. En Cumas estaba la cueva de la Sibila por la que Eneas descendió al Averno.

hay necesidad de repetir aquella tarea. Pero el mantenimiento del patrón es el precio de nuestra libertad, la defensa de la libertad contra el caos. Debemos recordarnos a nosotros mismos nuestra obligación y observar piedad anual a aquel grandioso fantasma que guió a Dante en su peregrinaje, que, igual que asumió la tarea de guiar a Dante hacia una visión de la que él mismo no disfrutaría jamás, guía a Europa a través de una cultura cristiana que jamás conoció y que, pronunciando sus últimas palabras en la nueva lengua italiana, dijo como despedida:

> *«Il temporal foco e l'etterno*
> *veduto hai, figlio; e se' venuto in parte*
> *dov'io per me piú oltre non discerno.*[16]

[1944]

16. Dante, *Purgatorio*, XXVII, vv. 127-129: 'El temporal y el fuego eterno / has visto; y has llegado hasta esta parte / en la que por mí mismo no discierno'.

Milton

Samuel Johnson, proponiéndose examinar la versificación de Milton en *The Rambler* del sábado 12 de enero de 1751, creyó necesario excusarse por su temeridad al escribir sobre un asunto ya por entonces tan ampliamente discutido.[1] Como justificación de su ensayo, ese gran crítico y poeta subrayaba: «Hay, en todas las épocas, nuevos errores que rectificar y nuevos prejuicios a los que oponerse». Por mi parte, estoy obligado a formular mi propia disculpa en términos bien distintos. Los errores de nuestra época deben ser rectificados por manos vigorosas y los prejuicios contrarrestados por voces que gocen de gran autoridad. Algunos de los errores y prejuicios han sido asociados a mi propio nombre y sobre ellos en particular me veo obligado a hablar; espero que, más que a mi vanidad, se atribuya a mi modestia el hecho de que mantenga que nadie está en mejores condiciones de corregir un error que la persona que lo ha cometido. Y hay otra justificación, a mi juicio, para que yo hable de Milton, además de la particular justi-

1. *The Rambler* fue el periódico que publicó el doctor Samuel Johnson entre 1750 y 1752, un total de 208 números publicados cada martes y sábado, y donde el crítico escribía acerca de diversos asuntos políticos, morales y literarios, excusa que aprovechaba para ensayar una prosa literaria muy elaborada.

ficación que acabo de ofrecer. Los defensores de Milton en nuestra época, con una notable excepción, han sido eruditos y profesores. No puedo considerarme uno de ellos: soy consciente de que si pretendo reclamar la atención de ustedes, al hablar sobre Milton o sobre cualquier otro poeta, he de apelar a su curiosidad, con la esperanza de que quizá les importe conocer lo que un escritor de versos contemporáneo piensa acerca de uno de sus predecesores.[2]

Creo que el erudito y el profesional del ámbito de la crítica literaria deben complementar sus respectivos campos. La crítica del profesional será mejor, sin duda, si no está del todo desposeído de

2. T. S. Eliot se había mostrado siempre muy crítico y displicente con Milton, sobre todo en un ensayo de 1936, titulado también «Milton» (y recogido en *Sobre poesía y poetas* como «Milton I») donde se había despachado a gusto contra el autor de *El paraíso perdido* en los siguientes términos: 'Hay más de Milton en la mala poesía del siglo XVIII que de nadie más. Sin duda hizo más daño que Dryden y Pope'. Y también: 'En ningún momento la imaginación visual en Milton es manifiesta'. T. S. Eliot, *On Poetry and Poets* (*Sobre poesía y poetas*; Nueva York, Farrar, Strauss and Giroux, 2009, pp. 156 y 158). ¶ También, en un ensayo mucho más temprano e incluido en este volumen, «William Blake», había dicho: «Las regiones celestiales e infernales de Milton son casas enormes, pero mal amuebladas y llenas de conversación densa», p. 70. De todos modos, tanta irritación no podía sino esconder una estrategia por parte del poeta que trataba de construir una obra lejos de la sombra que representaba Milton y su influencia. Aun así, ecos de Milton resuenan tanto en *La tierra baldía* (II, v. 98) como en *Cuatro cuartetos*, donde en «East Coker», el tercer movimiento se abre con una adaptación de los primeros versos de *Sansón agonista*, «O dark, dark, dark, amid the blaze of noon...» ('Oh tinieblas, tinieblas, tinieblas, en mitad de la hoguera del mediodía') que en el poema de T. S. Eliot quedan como «O dark dark dark. They all go into the dark» ('Oh tinieblas, tinieblas, tinieblas. Todos caen en tinieblas'). También en los *Cuatro cuartetos*, en «Little Gidding», aparece la sombra de Milton, evocado como «one who died blind and quiet» ('uno que murió ciego y sereno', «Little Gidding», III, v. 30). Para más información, véase el prólogo, «El rey del bosque», pp. 9-43.

erudición; y la crítica del erudito será mejor si posee cierta experiencia de las dificultades de la escritura poética. Pero la orientación de ambas formas de crítica es distinta. El erudito ha de ocuparse de la comprensión de la obra maestra en el contexto de su autor: del mundo en el que el autor vivió, del temperamento de su época, de su formación intelectual, los libros que leyó y las influencias que lo moldearon. Al profesional le interesa menos el autor que el poema o el poema en relación con su época. La pregunta que debe formularse es: ¿de qué sirve la poesía de este poeta a los poetas de hoy? ¿Es o puede ser una fuerza viva de la poesía inglesa por escribir? De manera que podemos decir que el interés del erudito estriba en lo permanente, mientras que el del profesional radica en lo inmediato. El erudito puede enseñarnos a quién deberíamos conceder nuestra admiración y respeto; el profesional, cuando se trata del poeta adecuado hablando del adecuado poeta, debe ser capaz de actualizar una vieja obra maestra, concederle importancia contemporánea y persuadir a su público de que es interesante, emocionante, disfrutable y aún activa. Solo puedo dar un ejemplo del tipo de crítica contemporánea sobre Milton al que yo pertenecería si tuviese alguna pretensión crítica: se trata de la introducción de los *English Poems* de Milton en la serie World's Classics, escrita por el difunto Charles Williams.[3] No se trata de

3. Se trata del libro *The English Poems of John Milton* (*Los poemas ingleses de John Milton*; Londres, Oxford University Press, 1941), con una introducción de Charles Williams (1886-1945), el poeta, novelista, crítico, dramaturgo y editor inglés, uno de los escritores cristianos más peculiares del siglo XX. Especialista en Milton y Dante, fue también un experto en ocultismo y formó, junto con C. S. Lewis y J. R. R. Tolkien, el grupo conocido como The Inklings, que se reunía cada semana en el pub The Eagle and Child de Oxford para discutir sobre poesía y teología. Con T. S. Eliot mantuvo una distante amistad a lo largo de

un ensayo extenso: es notable porque, fundamentalmente, provee a *Comus* del mejor prolegómeno que cualquier lector podría encontrar.[4] Pero lo que lo distingue de principio a fin (y lo mismo vale para la mayor parte de la literatura crítica de Williams) es la calidez del sentimiento del autor y su capacidad de comunicarlo a los lectores. En esto, hasta donde yo sé, el ensayo de Williams es un solitario ejemplo.

Pienso que, tratándose de un examen como el que me propongo hacer, resulta útil tener en mente a algún crítico pretérito de nuestra propia escuela con quien contrastar nuestras propias opiniones: un crítico suficientemente alejado en el tiempo para que sus errores y prejuicios no sean idénticos a los nuestros. Por eso he empezado citando a Samuel Johnson. Difícilmente puede discutirse que Johnson, como crítico de poesía, escribía como profesional y no como erudito. Dado que era poeta y buen poeta, lo que escribió sobre poesía debe ser leído con respeto. Y a menos que conozcamos y apreciemos la poesía de Johnson no estamos en condiciones de juzgar ni los méritos ni las limitaciones de su trabajo crítico.[5] Es una

---

muchos años, sostenida por su misma filiación religiosa y por intereses literarios comunes. Una de las novelas de Williams, *All Hallow's Eve* (*La víspera de todos los santos*, 1948), fue prologada por Eliot, quien definió la narrativa de Williams como «*thrillers* supernaturales».

4. Sobre *Comus*, véase en este volumen la nota 6, pp. 97-98, del ensayo «Andrew Marvell».

5. En esta idea basó T. S. Eliot su ensayo de 1944 dedicado a Johnson, «Johnson As a Critic and Poet» («Johnson como crítico y poeta», recogido en *Sobre poesía y poetas*), donde también aseguraba que 'es notable que las *Vidas de los poetas* de Johnson sea la única compilación monumental de estudios críticos de poetas ingleses de la lengua, con una coherencia lo mismo que una amplitud, que ningún otro trabajo crítico puede reclamar'. Y también: 'No necesitamos aceptar todos los juicios de Johnson o estar de acuerdo con todas sus opiniones

pena que aquello que el lector común actual ha leído, aprendido de memoria o ha visto citado está hecho básicamente de las pocas afirmaciones de Johnson de las cuales los críticos posteriores han disentido con vehemencia. Pero cuando Johnson sostenía una opinión que nos parece errónea, no podemos descartarla con seguridad sin preguntarnos en qué consistía el error; Johnson tenía sus propios «errores y prejuicios», sin duda, pero si no los examinamos con simpatía estamos siempre en peligro de contrarrestar, meramente, error con error y prejuicio con prejuicio. Ahora bien, Johnson fue, en su momento, un moderno en muchos sentidos: se ocupó de la manera en que la poesía debía escribirse en su propia época. El hecho de que él representara más el final que el comienzo de un estilo, el hecho de que su época estuviera desvaneciéndose velozmente y que los cánones del gusto que él observó estuvieran a punto de caer en desuso no disminuye el interés de su crítica. Y la probabilidad de que el desarrollo de la poesía en los próximos cincuenta años tome direcciones francamente distintas de aquellas que, a mis ojos, parecen más deseables de explorar, no me disuade de preguntar aquello que Johnson sugirió: ¿cómo debe escribirse poesía hoy? Y también: ¿qué lugar concede a Milton la respuesta a esta pregunta? Y creo que las respuestas a estos cuestionamientos pueden ser distintas hoy de las que eran correctas veinticinco años atrás.

---

para extraer una lección. ... Pero entre las variedades de caos en las que nos encontramos inmersos hoy en día, una es el caos del lenguaje, donde no hay, perceptiblemente, ningún patrón de estilo y hay en cambio una creciente indiferencia hacia la etimología y la historia de uso de las palabras. Y necesitamos que nos recuerden la responsabilidad de nuestros críticos y poetas hacia la preservación del lenguaje', T. S. Eliot, *On Poetry and Poets* (*Sobre poesía y poetas*; Nueva York, Farrar, Strauss and Giroux, 2009, pp. 220 y 222).

Hay un prejuicio en contra de Milton que se manifiesta en cada página de la «Vida de Milton» de Johnson y que me figuro que sigue siendo generalizado; nosotros, sin embargo, con una mayor perspectiva histórica, estamos en mejor posición de reconocerlo y ser indulgentes. Es un prejuicio que yo mismo comparto: una antipatía hacia Milton el hombre. Sobre este asunto en sí mismo no hay nada más que decir: basta con dejar constancia de que uno está al tanto. Sin embargo, este prejuicio está vinculado con otro, más oscuro, y no creo que Johnson, en su interior, haya conseguido separarlos. El hecho es, sencillamente, que la Guerra Civil del siglo XVII, de la que Milton es una figura simbólica, no ha concluido jamás. La Guerra Civil no ha terminado y me pregunto incluso si alguna verdadera guerra civil lo ha hecho alguna vez. A lo largo de aquel periodo la sociedad estaba de tal modo convulsa y dividida que aún sentimos sus efectos.[6] Mientras leemos el artículo de Johnson no podemos sino ser conscientes en

6. Aquí, T. S. Eliot, más que en el conflicto entre el rey y el Parlamento (véase al respecto en este volumen la nota 19, p. 83, del ensayo «Los poetas metafísicos») está pensando en los conflictos religiosos que subyacían a la guerra entre puritanos protestantes y simpatizantes católicos (véanse también al respecto en este volumen las notas 8 y 11, pp. 99-100, del ensayo «Andrew Marvell»). Aunque Milton no luchó en las guerras civiles inglesas, tomó partido activamente a través de varios panfletos, escritos entre las décadas de 1640 y 1650. Tras la decapitación del rey Carlos I —que Milton había defendido—, el Parlamento abolió la censura y restauró la libertad de prensa, decisión que produjo una avalancha de textos e ideas de toda índole, cuya virulencia y desorden alarmó a los responsables y les impelió a replantearse la libertad proclamada. En ese momento, Milton publicó un tratado titulado *Areopagitica* (1644) donde defendía la libertad de religión y de pensamiento. El tratado, así como otros textos en prosa y también *El paraíso perdido*, tuvo una decisiva influencia en los padres de la Constitución de Estados Unidos.

todo momento de que Johnson estaba, obstinada y apasionadamente, del lado de un partido distinto al de Milton. Ningún otro poeta inglés vivió y tomó partido en momentos tan señalados como Milton, ni siquiera Wordsworth o Shelley; en ningún otro caso es tan difícil considerar la poesía en cuanto tal, sin permitir que se filtren, ilegítimamente, nuestras posturas teológicas y políticas, conscientes e inconscientes, heredadas o adquiridas. Y el peligro es aún mayor porque estas emociones adoptan ahora distintos ropajes. En el ámbito político, hoy en día se considera grotesco tomar partido por el rey Carlos; hoy en día, me parece, en el ámbito moral se considera asimismo grotesco tomar partido por los puritanos; y para muchas personas hoy en día las convicciones religiosas de ambos partidos parecen igualmente remotas. Aun así, las pasiones no se han extinguido. Y si no estamos suficientemente alerta su humareda oscurecerá el cristal a través del cual examinamos la poesía de Milton. Algo se ha hecho, sin duda, para persuadirnos de que Milton no perteneció en realidad jamás a partido alguno, sino que estuvo en desacuerdo con todos. El señor Wilson Knight, en *Chariot of Wrath*, ha argumentado que Milton fue más monárquico que republicano y en absoluto «demócrata» en el sentido moderno.[7] Y el profesor Saurat ha ofrecido pruebas para demostrar que la teología miltoniana era profundamente excéntrica y tan escandalosa para los protestantes como para los católicos, que Milton fue, de hecho, una especie de cristadelfo y tal vez ni siquiera un cristadelfo muy ortodoxo; mientras que, por

7. G. Wilson Knight, *Chariot of Wrath. The Message of John Milton to Democracy at War* (*El carro de la ira. El mensaje de John Milton a la democracia en guerra*; Londres, Faber & Faber, 1942).

otra parte, el señor C. S. Lewis se ha opuesto al profesor Saurat argumentando hábilmente que Milton, cuando menos en *El paraíso perdido*, puede ser absuelto de herejía incluso desde un punto de vista tan ortodoxo como el del propio señor Lewis.[8] Sobre estos asuntos no tengo opinión alguna: probablemente resulte beneficioso cuestionar la asunción de que Milton fue un firme partidario de la Iglesia libre y miembro del Partido Liberal; creo, sin embargo, que aún tenemos que ponernos en guardia contra cierto partidismo inconsciente si nos interesa atender a la poesía como tal.

Baste lo dicho sobre nuestros prejuicios. Paso ahora a la objeción real a Milton que ha arraigado en nuestra época, a saber, la acusación de que es una influencia nociva. Más tarde procederé a examinar las pautas permanentes de reprobación (para usar una frase de Johnson) y, finalmente, a los motivos por los cuales lo considero un gran poeta, digno de ser estudiado con provecho por los poetas de hoy en día.

Para una formulación de la creencia generalizada en la nocividad de la influencia de Milton apelo a la crítica de Milton que el señor Middleton Murry propuso en *Heaven and Earth*, un libro que contiene pasajes de profunda lucidez interrumpidos por pa-

8. T. S. Eliot se refiere al libro del erudito anglo-francés, especialista en Milton y Blake, Denis Saurat (1890-1958) *La pensée de Milton* (1920), que se tradujo al inglés como *Milton: Man and Thinker* (*Milton. Hombre y pensador*; Nueva York, L. Macveagh, 1925). ¶ Los cristadelfos o cristadelfianos son una secta cristiana, no trinitaria, fundada a mediados del siglo XIX. ¶ Por su parte, el crítico y profesor de Oxford C. S. Lewis (1898-1963) había discutido las conclusiones de Saurat en una conferencia titulada *A Preface to Paradise Lost* (*Prefacio a El paraíso perdido*; Londres, Oxford University Press, 1942) donde aseguraba que las ideas de Milton eran en realidad ortodoxas.

sajes que considero intempestivos. El señor Murry aborda a Milton después de su largo y paciente estudio de Keats, y ve a Milton a través de los ojos de Keats.

> Keats —escribe el señor Murry—, en tanto poeta sin parangón desde Shakespeare, y Blake, en cuanto profeta de valores espirituales únicos en nuestra historia, sostuvieron ambos fundamentalmente el mismo juicio sobre Milton: «Lo que para él era la vida, para mí sería la muerte». Y cualquiera que fuere nuestro veredicto sobre el desarrollo de la poesía inglesa desde Milton, debemos admitir la justicia de la opinión de Keats de que la magnificencia de Milton no conducía a ninguna parte. «Es preciso no perder de vista el inglés», dijo Keats. Dejarse influir más allá de cierto punto por el arte de Milton, creía, dañaba el flujo creativo del genio inglés en y a través de sí mismo. Con estas palabras, me parece, Keats expresaba lo más profundo del genio inglés. Someterse al hechizo de Milton es estar condenado a imitarlo. El caso de Shakespeare es muy diferente. Shakespeare desconcierta y libera, Milton es perspicuo y constriñe.[9]

Se trata de una afirmación rotunda y, si la critico, es con escasa rotundidad, porque no puedo pretender haber dedicado tantas horas de estudio a Keats o tener tan íntima comprensión de sus dificultades como el señor Murry. Pero me parece que, en ese fragmento, el señor Murry está tratando de transformar el predicamento de un poeta particular, con objetivos particulares en una

9. En el libro de John Middleton Murry *Heaven and Earth* (*Cielo y tierra*; Londres, Jonathan Cape, 1938). Para más información sobre Middleton Murry, véase en este volumen la nota 1, p. 153, del ensayo «Shakespeare y el estoicismo de Séneca».

época particular, en una censura de validez intemporal. Parece afirmar que la función liberadora de Shakespeare y la amenaza constrictiva de Milton son características permanentes de estos dos poetas. «Dejarse influir más allá de cierto punto» por cualquier maestro es perjudicial para un poeta y no importa si esa influencia es la de Milton o la de cualquier otro y, dado que no podemos prever cuándo llegará ese punto, más nos vale reconocer que se trata de un punto incierto. Si no es bueno caer bajo el hechizo de Milton, ¿lo es caer bajo el hechizo de Shakespeare? Esto depende en parte de qué género de poesía estamos tratando de desarrollar. Keats quiso escribir una epopeya y descubrió, como era de esperar, que el tiempo adecuado para escribir otra epopeya inglesa de grandeza comparable a la de *El paraíso perdido* no había llegado aún. También probó su mano en la escritura de obras de teatro y puede argüirse que Shakespeare causó más perjuicio al *King Stephen* que Milton a *Hyperion*.[10] Ciertamente, *Hyperion* sigue siendo un magnífico fragmento digno de ser leído una y otra vez. Y en cuanto a *King Stephen*, puede que lo hayamos leído alguna vez, pero no volveremos a él por placer. Milton hizo la gran epopeya imposible para las generaciones siguientes. Shakespeare hizo imposible el gran drama poético: esa situación resulta inevitable y persiste hasta que el idioma ha cambiado tanto que ya no hay peligro, porque no hay posibilidad alguna de imitación. Quien-

10. Keats, en 1818, trató de escribir un poema épico, *Hyperion*, que abandonó por el excesivo peso de la losa de Milton. En 1819, influido por el estudio de Dante, retomó el proyecto con otro título, *The Fall of Hyperion. A Dream* (*La caída de Hiperión. Un sueño*), que no se publicó hasta el año 1857. *King Stephen* (*El rey Esteban*) es un fragmento de tragedia, escrito en 1819, que Keats dejó inacabado.

quiera que trate de escribir un drama poético, incluso hoy, debería saber que gastará la mitad de su energía en el esfuerzo de escapar de los restrictivos afanes de Shakespeare; en el momento en que su atención se relaje o su mente se fatigue, caerá sin duda en el mal verso shakespeariano. Después de un poeta épico como Milton o de un poeta dramático como Shakespeare, hay un largo periodo en que no es posible hacer nada. Y, sin embargo, debe hacerse un esfuerzo, porque nunca podemos prever cuándo se acerca el momento en el que una nueva épica o un nuevo drama, será posible; y puede que, cuando el momento esté efectivamente próximo, el genio de un poeta realice la última mutación de idioma y versificación que dé a luz esa nueva poesía.

Si me he referido a la opinión del señor Murry de que Milton supone una mala influencia como una opinión generalizada es porque, de manera implícita, es la personalidad entera de Milton la que se pone en cuestión, no sus creencias, específicamente, o su lenguaje o su modo de versificar, sino sus creencias en tanto actualizadas en una personalidad específica y su poesía en tanto expresión de esta personalidad. Cuando hablo del particular punto de vista que entiende la influencia de Milton como negativa, me refiero a aquella perspectiva que atiende al lenguaje, la sintaxis, la versificación, la imaginería. No sugiero que exista una absoluta diferencia de asunto, sino una diferencia de aproximación, una diferencia de puntos de interés, entre la crítica filosófica y la crítica literaria. Una incapacidad para lo abstruso y un interés primordialmente técnico por la poesía me disponen mentalmente en favor de una tarea más limitada y quizá también más superficial. Observemos, pues, a Milton desde el punto de vista de un poeta contemporáneo.

Al parecer, nadie ha reprochado a Milton más insistentemente que yo la mala influencia técnica que supone su poesía. Ya en 1936, me descubro diciendo que esta acusación a Milton «parece aún más seria si afirmamos que la influencia de Milton solo puede hacer empeorar a cualquier poeta, sin importar de quién se trate. Y aún más seria si afirmamos que la mala influencia de Milton puede rastrearse incluso más allá del siglo XVIII y no solo entre los malos poetas; si decimos que es una influencia contra la que tenemos que batallar incluso hoy».[11]

Cuando escribí estas palabras pasé por alto una triple distinción que hoy me parece de cierta importancia. En ellas, hay tres afirmaciones implícitas. La primera, que ha habido una mala influencia en el pasado, lo que implica que los buenos poetas en los siglos XVIII y XIX habrían escrito mejor si no se hubiesen sometido a la influencia de Milton. La segunda afirmación es que, en la situación contemporánea, Milton es un maestro que deberíamos evitar. La tercera, que la influencia de Milton —o la de cualquier otro poeta— puede ser mala siempre, de modo que podemos predecir que en cualquier momento futuro, sin importar lo remoto que esté en el tiempo, será una mala influencia. Pues bien, no puedo sostener ya la primera y la tercera de estas afirmaciones, puesto que, separadas de la segunda, no me parece que tengan ningún sentido.

Con respecto a la primera, cuando consideramos a un gran poeta del pasado y a uno o más poetas distintos sobre quienes le atribuimos una influencia dañina, debemos admitir que la responsabilidad, de existir, recae sobre quienes se han dejado influir y no

11. En el ensayo citado más arriba, en la nota 2.

sobre quien ejerció la influencia. Podemos, desde luego, mostrar cómo ciertos trucos o manierismos que los imitadores utilizan se deben consciente o inconscientemente a la imitación y emulación, pero se trata de un reproche a la imprudente elección de un modelo y no contra el modelo mismo. Y resulta imposible probar que un poeta cualquiera habría escrito mejor poesía de haber conseguido evitar aquella influencia. Si afirmamos —lo que solo puede ser un artículo de fe— que Keats habría podido escribir un gran poema épico de no ser por el precedente de Milton, ¿no resulta insensato anhelar una obra maestra jamás escrita en vez de una que poseemos y reconocemos? Y en lo tocante al futuro remoto, ¿qué podemos afirmar sobre la poesía que se escribirá entonces, excepto que probablemente no sabríamos entenderla y disfrutarla y que por lo tanto no estamos en condiciones de opinar sobre qué supondrá una influencia «buena» o «mala» en el futuro? Solo en relación con el futuro inmediato, la influencia, buena o mala, resulta significativa. Sobre este asunto volveré al final. Me gustaría, primero, hacer mención a otro reproche contra Milton, que puede representarse con la frase «disociación de la sensibilidad». Hace muchos años, en un ensayo sobre Dryden, subrayé que

En el siglo XVII tuvo lugar una disociación de la sensibilidad de la que jamás nos hemos recuperado. Y esa disociación, como es natural, se vio agravada por la influencia de los dos poetas más poderosos del siglo, Milton y Dryden.[12]

12. No era exactamente en un ensayo sobre Dryden sino en «Los poetas metafísicos» (véase en este volumen la p. 86), que se recopiló en un opúsculo titulado *Homage to John Dryden* (*Homenaje a John Dryden*; Londres, The Hogarth Press, 1924), junto con «John Dryden» (1921) y «Andrew Marvell» (1921).

El pasaje entero que engloba esta frase fue citado por el doctor Tillyard en su *Milton*, donde hace el siguiente comentario:

Hablando solamente de lo que en este pasaje concierne a Milton, debo decir que existe una mezcla de verdad y falsedad. Hay que admitir que en Milton se presenta cierta disociación de la sensibilidad no necesariamente deseable, pero no es verdad que Milton sea responsable de una disociación parecida en cualquier otro caso (cuando menos hasta el punto en que esta disociación se ha presentado inevitablemente).[13]

Creo que la afirmación general representada en la frase «disociación de la sensibilidad» (una de las dos o tres frases acuñadas por mí, como «correlato objetivo» que para mi sorpresa han tenido un gran éxito mundial) conserva cierta validez; sin embargo, a día de hoy me inclino a estar de acuerdo con el doctor Tillyard en que hacer que Milton lleve ese peso sobre sus hombros fue un error. Si tal disociación tuvo lugar, sospecho que sus causas son demasiado complejas y profundas para justificar nuestro reproche en términos de crítica literaria. Lo más que podemos decir es que algo así tuvo lugar y que estuvo vinculado de algún modo a la Guerra Civil; que sería poco sensato señalar la Guerra Civil como su causa, pero que sin duda es consecuencia de las mismas causas que trajeron consigo la Guerra Civil; que debemos buscar esas causas en Europa y no solo en Inglaterra; y que, en lo que respecta a tales causas, podemos ahondar y ahondar hasta un punto en que conceptos y palabras dejen de sernos útiles.

13. En el libro de Eustace Mandeville Wetenhall Tillyard (1889-1962) *The Miltonic Setting. Past and Present* (*El escenario miltónico. Presente y pasado*; Cambridge, Cambridge University Press, 1938).

Antes de proceder a ocuparme de la acusación contra Milton según la formularon los poetas de hace veinticinco años —el segundo sentido de la expresión «mala influencia» y el único significativo—, creo que sería mejor que consideremos qué estructuras permanentes de reprobación son pertinentes: aquellas censuras que solo debemos formular en la asunción de que corresponden a duraderas leyes del gusto. La esencia de la permanente censura de Milton se encuentra, creo yo, en el ensayo de Johnson. Este no es lugar para examinar determinados errores particulares de los juicios de Johnson, para explicar su condena de *Comus* y de *Samson* como resultado de la aplicación de cánones dramáticos que a nuestros ojos resultan inaplicables o para condonar su rechazo de la versificación de *Lycidas* no por la ausencia de sentido del ritmo, sino por la excesiva especialización de este. La censura más importante de Johnson contra Milton se halla contenida en tres párrafos que pido que se me permita citar enteros.[14]

A lo largo de todas sus obras mayores —dice Johnson— prevalece una uniforme peculiaridad de *dicción*, una forma y un molde expresivos que guardan escasa semejanza con las de cualquier escritor anterior y que han desaparecido hace ya tanto tiempo del uso común que un lector sin preparación, cuando por vez primera abre el libro, se descubre sorprendido ante un idioma nuevo.

Quienes no ven defecto alguno en Milton han imputado esta no-

14. *Comus. A Mask Presented at Ludlow Castle* (*Comus. Una mascarada presentada en el castillo Ludlow*, 1634) es un poema de Milton sobre la castidad. *Samson Agonistes* (*Sansón agonista*, 1671) es una tragedia dramática. Y *Lycidas* (1638) es una elegía pastoral, escrita con el metro y la rima irregular características de la *canzone* italiana.

vedad a sus laboriosos afanes en pos de palabras adecuadas a la grandeza de sus ideas. «Nuestro idioma —dice Addison— naufragó bajo su peso.» Pero la verdad es que, lo mismo en prosa que en verso, Milton había formado su estilo a partir de un principio pedante y perverso. Anhelaba usar palabras inglesas con una manera extranjera de expresión. Esto puede descubrirse y condenarse en toda su prosa, porque ahí el juicio opera libremente, ni suavizado por la belleza ni cohibido por la dignidad de sus ideas; pero el poder de su poesía es tal que su llamada se acata sin resistencia: el lector se siente cautivo de una mente más profunda y más noble y la crítica sucumbe a la admiración.

El asunto no alteraba el estilo de Milton, lo que puede verse ampliamente en *El paraíso perdido* se encuentra también en *Comus*. Una de las fuentes de su peculiaridad ha de buscarse en su familiaridad con los poetas toscanos; su disposición de las palabras es, en mi opinión, con frecuencia italiana, a veces quizá mezclada con la propia de otras lenguas. Al menos, puede decirse de él lo que Jonson dijo de Spenser, que «no escribió en ninguna lengua», sino que formó lo que Butler llamaba un «dialecto babilónico», áspero y bárbaro en sí mismo, pero transformado, merced a la exaltación de un genio y a la vastedad de un saber, en el vehículo de tanta instrucción y tanto placer que, como suele suceder a los amantes, encontramos gracia en su deformidad.[15]

Esta crítica me parece sustancialmente cierta: de hecho, a menos que la aceptemos no creo que estemos en posibilidades de apreciar la peculiar grandeza de Milton. Su estilo no es un estilo clásico, en el sentido de que no es la elevación de un estilo común, por el toque final del genio, a la grandeza. Es, desde su fundamento y en

15. Samuel Johnson, *Lives of the Most Eminent English Poets*, «Milton» (*Vidas de los poetas ingleses más eminentes*, 1781).

cada detalle, un estilo personal, desvinculado del habla común, de la prosa común o de la comunicación directa del significado. En el caso de cierta gran poesía resulta difícil decir qué es exactamente, qué toque infinitesimal marca la diferencia con respecto de una simple declaración que cualquiera podría haber hecho; la leve transformación que, al tiempo que hace que una declaración cualquiera continúe siendo una declaración cualquiera, introduce la máxima —y nunca la mínima— alteración del lenguaje ordinario. Toda distorsión sintáctica, la elocución extranjera, el uso de una palabra al modo extranjero o con el significado de una palabra extranjera de la que se deriva, en vez del significado aceptado en inglés, toda idiosincrasia es un particular acto de violencia que Milton ha sido el primero en cometer. No hay tópico, no hay dicción poética en el sentido peyorativo, sino una perpetua secuencia de originales actos de anarquía. De todos los poetas modernos, el más estrechamente análogo es Mallarmé, un poeta de una categoría mucho menor, aunque sin duda grande. Las personalidades, las teorías poéticas de estos dos hombres no pudieron ser más distintas, pero con respecto a la violencia que ejercen sobre la lengua —y que justifican— hay una remota similitud. La poesía de Milton es una poesía lo más alejada posible de la prosa; su prosa me parece demasiado cercana a una poesía a medio hacer para ser buena prosa.

Decir que la obra de un poeta está lo más alejada posible de la prosa me pareció condenable alguna vez; hoy, con respecto a Milton, me parece sencillamente la precisión de su peculiar grandeza. En cuanto poeta, Milton me parece quizá el más grande de todos los excéntricos. Su obra no ilustra ninguno de los principios generales de la buena escritura: los principios que ilustra solo resultan válidos en el caso del propio Milton. Por lo común, hay dos clases de poeta que pueden ser útiles a otros poetas. Hay aquellos que sugieren a sus sucesores algo que ellos mismos no han hecho jamás o que incitan a hacer las mismas cosas de un modo diferente; estos no suelen ser los poetas más grandes, sino pequeños poetas imperfectos con los cuales los poetas posteriores descubren alguna afinidad. Y hay los grandes poetas, de quienes podemos aprender reglas negativas: ningún poeta puede enseñar a otro a escribir bien, pero algunos grandes poetas pueden enseñar a otros ciertas cosas que hay que evitar. Nos enseñan a evitar ciertas cosas mostrándonos lo que la gran poesía puede hacer prescindiendo de ellas: lo desnuda que puede estar. Entre estos están Dante y Racine. Pero si hemos de echar mano de Milton alguna vez, deberíamos hacerlo de un modo distinto. Incluso un poeta menor puede aprender algo del estudio de Dante o del estudio de Chaucer: quizá haya que esperar a un gran poeta antes de descubrir a alguno que pueda aprovecharse del estudio de Milton.

Repito que la lejanía del verso de Milton con respecto del habla común, su invención de su propio lenguaje poético, me parece una de las marcas de su grandeza. Otras marcas son su sentido de la estructura, tanto en el diseño general de *El paraíso perdido* y el *Sansón* como en su sintaxis; y, finalmente, aunque con la misma importancia, su infalibilidad, consciente o inconsciente, para escribir del modo que mejor se adapta al despliegue de su talento y la máxima ocultación de sus debilidades.

La conveniencia del tema del *Sansón* es demasiado obvia para que necesite mayores explicaciones: se trata probablemente de la única trama dramática que Milton podía convertir en una obra maestra.[16] Pero la absoluta idoneidad de *El paraíso perdido*, creo yo, no se ha subrayado lo suficiente. Seguramente fue una percepción intuitiva de aquello de lo que era incapaz lo que detuvo el proyecto miltoniano de una epopeya sobre el rey Arturo.[17] Por una parte, tenía poco interés en los seres humanos individuales o poco conocimiento de ellos. En *El paraíso perdido* no le hacía falta poner en juego aquella comprensión que nace de la observación afectuosa de hombres y mujeres. Ese interés en los seres humanos, sin embargo, no se requería —de hecho, su ausencia era condición necesaria— para la creación de los personajes de Adán y Eva. Estos son un hombre y una mujer sin parecido alguno con nadie que conozcamos: si lo tuviesen, no serían Adán y Eva. Son el Hombre y la Mujer originales: no tipos, sino prototipos. Poseen rasgos generales de hombres y mujeres hasta el punto de que podemos reconocer, en la tentación y la caída, los primeros atisbos de defecto y virtud, abyección y nobleza, de todos sus descendientes. Poseen humanidad ordinaria en el grado justo y sin embargo no son, ni deberían ser, mortales ordinarios. De haber sido más particulares, habrían resultado falsos y de haber estado Milton más interesado en la humanidad, habría sido incapaz de crearlos. Otros críticos han subrayado la exactitud, sin defecto o exageración, con la cual Moloc, Belial y Mammón, en el segundo libro, hablan de acuerdo con el particu-

16. En *Sansón agonista*, Milton recrea la historia bíblica de los últimos días de Sansón, cegado y hecho prisionero por los filisteos, después de haber sido traicionado por su esposa Dalila.

17. Antes de embarcarse en *El paraíso perdido*, Milton pensó en escribir una épica nacional británica que tuviera como protagonista al rey Arturo, pero acabó por desechar la idea, debido a la naturaleza legendaria del héroe y, probablemente, también porque una épica nacional hubiera tenido que ser necesariamente monárquica y hubiera sido demasiado comprometida en la época.

lar pecado que cada uno de ellos representa.[18] No habría sido apropiado que los poderes infernales hubiesen tenido carácter en el sentido humano, porque el carácter es siempre una mezcla, pero en manos de un manipulador de menor categoría estos podrían, simplemente, haberse visto reducidos a humores.

La conveniencia del material de *El paraíso perdido* para el genio y las limitaciones de Milton es aún más evidente cuando consideramos la imaginería visual. En un artículo que escribí hace algunos años, he subrayado ya la debilidad de la observación visual de Milton, una debilidad que, a mi juicio, estuvo siempre presente; puede que el resultado de esa ceguera haya sido el reforzamiento, en compensación, de determinadas virtudes, más que la profundización de los evidentes defectos.[19] El señor Wilson Knight, que ha dedicado un devoto estudio a la imaginería recurrente en la poesía, ha llamado la atención sobre la propensión de Milton a usar imágenes ingenieriles y mecánicas; para mí, el mejor Milton se halla en la imaginería que sugiere enormidades, espacios ilimitados, profundidades abismales, oscuridad y luz.[20] Ningún tema y ningún escenario, fuera de los que escogió para *El paraíso perdido*,

18. Moloc, Belial y Mammón son ángeles caídos.

19. En el ensayo mencionado en la nota 2, p. 392, T. S. Eliot se refirió a la ceguera física de Milton —que le sobrevino a los cuarenta y cuatro años y se vio obligado por ello a dictar sus poemas épicos— como trasunto de su ceguera poética, de su incapacidad para visualizar sus espacios poéticos, una acusación que aquí matiza.

20. El libro de G. Wilson Knight se titula *The Starlit Dome: Studies in the Poetry of Vision* (*La bóveda estrellada. Estudios sobre la poesía de la visión*; Londres, Methuen, 1941). Hay que relacionar lo que dice aquí T. S. Eliot sobre el sistema de imágenes de Milton con el eco de *Sansón agonista* en los primeros versos del tercer movimiento de «East Coker», comentado en la nota 2, p. 392.

le habrían dado tanto espacio para la clase de imaginería en que destacaba, ni requerido menos los poderes de imaginación visual de los que carecía.

Creo que la mayor parte de los absurdos e inconsistencias sobre los que Johnson llama la atención y que, en caso de que puedan separarse de tal modo de su contexto, propiamente condena, tomarán la dimensión adecuada si los consideramos en relación con este juicio general. No creo que debamos tratar de ver con claridad cada escena que Milton describe: deberíamos aceptarlas como fantasmagorías cambiantes. Quejarnos porque primero encontramos al archivillano «encadenado sobre el lago ardiente» y un par de minutos después lo descubrimos abriéndose camino hacia la orilla, supone esperar una clase de consistencia que el mundo en el que Milton nos introduce no requiere.

Este limitado poderío visual, al igual que el limitado interés de Milton en los seres humanos, se revela, más que un nimio defecto, como una virtud positiva cuando visitamos a Adán y Eva en el Edén. Del mismo modo que un mayor grado de caracterización de Adán y Eva habría sido inapropiado, una pintura más vívida del paraíso terrenal habría resultado menos paradisíaca. Porque una mayor definición, un recuento más detallado de la flora y la fauna, solo podría haber desembocado en una asimilación del Edén con los paisajes terrestres que nos son familiares. Tal como está, la impresión que guardamos del Edén es la más apropiada y es aquella que Milton estaba mejor calificado para ofrecernos: la impresión de la luz, de la luz del día y de la luz de una estrella, la luz del amanecer y del ocaso, la luz que, recordada desde la ceguera, posee una gloria sobrenatural que no experimentan los hombres de visión normal.

No debemos leer, por tanto, *El paraíso perdido* con la esperanza de ver claramente; nuestro sentido de la vista debe empañarse para que nuestra escucha se torne más aguda. *El paraíso perdido*, al igual que el *Finnegans Wake* (porque no se me ocurre una obra que ofrezca un paralelismo más interesante: dos libros de grandes músicos ciegos, cada uno escribiendo en una lengua propia basada en el inglés), formula su peculiar exigencia de que los lectores reajusten su modo de aprehensión. El énfasis se hace en el sonido, no en la visión, en las palabras, no en las ideas; y al final el signo inequívoco de la maestría intelectual de Milton es su versificación única.[21]

Hasta donde sé, sobre el tema de la versificación de Milton se ha escrito muy poco. Contamos con el ensayo de Johnson en el *Rambler*, que merece más atención de la que ha recibido y contamos con un breve tratado de Robert Bridges en *Milton's Prosody*.[22] Cuando hablo de Bridges lo hago con respeto, porque ningún otro poeta de nuestro tiempo ha prestado más atención que él a la prosodia. Bridges cataloga las sistemáticas irregularidades que dan

21. En el primer ensayo sobre Milton (1936), T. S. Eliot ya había trazado este paralelismo con Joyce. El padre de Milton fue un músico frustrado y la música fue para el poeta un elemento fundamental en su educación, hasta el punto de que llegó a cantar y a tocar el bajo y el órgano. También el padre de Joyce tenía una notable afición por la música y poseía una dulce voz de tenor, al igual que su hijo, quien se fue quedando paulatinamente ciego, entre el inicio de la escritura del *Ulises* y la publicación —en Faber, la casa de T. S. Eliot— de *Finnegans Wake*. En el mencionado ensayo, T. S. Eliot comenta que cree observar un paulatino oscurecimiento de las imágenes literarias entre *Ulises*, todavía muy visual —sobre todo en la primera parte— y el *Finnegans Wake*, ya pura música verbal.

22. *Milton's Prosody* (*La prosodia de Milton*) de Robert Bridges fue publicado en 1889. Acerca de Bridges, véase en este volumen la nota 6, p. 340, del ensayo «La música de la poesía».

permanente variedad al verso de Milton y soy incapaz de hallar un error en sus análisis. Sin embargo, por más interesantes que sean, no creo que a partir de estos análisis consigamos apreciar mejor el peculiar ritmo de un poeta. Me parece, incluso, que la poesía de Milton es especialmente refractaria a revelar sus secretos en el examen de cada verso en particular. Porque su poesía no está conformada de ese modo. La unidad de la poesía de Milton radica en el periodo, la oración y aún más en el párrafo. Y el énfasis que se da a la estructura de los versos es el mínimo necesario para proveer un contra-patrón a la estructura de los periodos. Solo en el periodo se encontrará la longitud de onda de la poesía de Milton: la habilidad de dar un patrón perfecto y único a cada párrafo, de modo que la belleza de cada verso encuentre su plenitud en ese contexto, y su habilidad de trabajar con unidades musicales más extensas que ningún otro poeta, son para mí las pruebas más concluyentes de la suprema maestría de Milton. La peculiar sensación que comunican los largos periodos de Milton y solo estos —casi una sensación física de aliento contenido— es imposible de obtener en la poesía rimada. De hecho, esta maestría es una prueba más concluyente de poderío intelectual que cualquiera de las ideas que tomó prestadas de otros o que inventó él mismo. Ser capaz de controlar tantas palabras a la vez es signo de una excepcional energía mental.

Llegado este punto, es interesante recordar la observaciones generales sobre el verso blanco que Johnson hace a propósito de *El paraíso perdido* hacia el final de su ensayo.

La música del verso heroico inglés golpea tan débilmente el oído que se pierde con facilidad, a menos que las sílabas de cada verso cooperen unas con otras; esta cooperación solo puede obtenerse preservando la independencia de cada verso como un sistema distinto de sonidos y esta distinción se obtiene y preserva mediante el artificio de la rima. La variedad de pausas, de la que los amantes del verso blanco se jactan con frecuencia, transforma las medidas de un poeta inglés en los periodos de un declamador y hay apenas un puñado de diestros y felices lectores de Milton que permiten a su audiencia advertir dónde empiezan y terminan los versos. «El verso blanco —dijo un ingenioso crítico— solo es verso para los ojos.»[23]

Quizá parte de mi audiencia recuerde que este último apunte, prácticamente en las mismas palabras, se hizo una generación atrás respecto del «verso libre» de aquel periodo; e incluso sin el incentivo de Johnson me habría aprestado a proclamar a Milton el mayor maestro del verso libre en nuestro idioma.[24] Sin embargo, lo más interesante del párrafo de Johnson es que representa el juicio de un hombre que de ningún modo carecía de oído, sino que, simplemente, poseía un oído especializado para la música verbal. Dentro de los límites de la poesía de su periodo, Johnson es un muy buen juez de los relativos méritos de muchos poetas en tanto escritores de verso blanco. Pero al final, el verso blanco de su época podría llamarse más propiamente verso no rimado y no hay lugar en que tal cosa sea más evidente que en su propia tragedia *Irene*: el fraseo es admirable, el estilo elevado y correcto, pero cada ver-

23. Samuel Johnson, «Milton», *Vida de los poetas*, 1781. Conviene recordar aquí lo dicho en las notas 1 y 3 del ensayo «Christopher Marlowe», pp. 49 y 50, respectivamente.

24. Véase en este volumen la nota 22, p. 356, del ensayo «La música de la poesía».

so clama por un compañero que rime con él.[25] De hecho, el verso blanco solo consigue hacer inevitable y correcta la ausencia de rima gracias al trabajo arduo, a la ocasional inspiración o al sometimiento a la influencia de los viejos dramaturgos. Incluso Johnson admitió que no podía desear que Milton no hubiese sido un rimador. Y el siglo XIX tampoco consiguió dar al verso blanco la flexibilidad necesaria para emplear el tono que el lenguaje común destina para los asuntos cotidianos; de modo que, cuando los modernos practicantes del verso blanco no alcanzan lo sublime, frecuentemente se deslizan hacia lo ridículo. Milton perfeccionó el verso blanco no dramático y al mismo tiempo impuso limitaciones muy difíciles de romper al uso que podría dársele si sus posibilidades musicales se explotaran al máximo.

Paso, por último, a comparar mi propia actitud en tanto practicante quizá típico de la poesía de una generación de la que nos separan veinticinco años con mi actitud de hoy. Me ha parecido bien tomar las cosas en el orden que lo he hecho y discutir en primer lugar las censuras y detracciones que me parecen válidas permanentemente y que Johnson formuló mejor que nadie, con el propósito de aclarar las causas y la justificación de la hostilidad que, en determinada coyuntura, ciertos poetas expresaron hacia Milton. Y he procurado dejar en claro las excelencias de Milton que me impresionan particularmente, antes de explicar por qué pienso que el estudio de su poesía puede resultar beneficioso para los poetas.

En diversas ocasiones he sugerido que los importantes cambios que nombres como Dryden y Wordsworth representan en la

25. Se trata de la tragedia neoclásica de Samuel Johnson *Irene*, 1749.

elocución del verso inglés pueden caracterizarse como intentos exitosos de escapar de una elocución poética que había dejado de tener relación con el habla contemporánea. Ese es el sentido de los prefacios de Wordsworth. Hacia comienzos del presente siglo se produjo otra revolución, y tales revoluciones traen consigo una alteración de la métrica, una nueva interpelación al oído. Inevitablemente, ocurre que los poetas jóvenes involucrados en una revolución como esa ensalzan los méritos de aquellos poetas del pasado que les ofrecen ejemplo y estímulo y desoyen los méritos de los poetas que no representan las cualidades que ellos defienden con fervor. Lo anterior no solo es inevitable, sino correcto. Incluso es correcto —y sin duda inevitable— que la práctica de su arte, aún más influyente que sus pronunciamientos críticos, atraiga a sus propios lectores hacia los poetas que han influido en su obra. Tal influencia ha contribuido ciertamente a difundir el gusto (si somos capaces de distinguir el gusto de la moda) por Donne. No creo que ningún otro poeta moderno, salvo en un irresponsable acceso de mal humor, se haya atrevido jamás a negar los consumados poderes de Milton.[26] Y debe decirse que la dicción de Milton no es una dicción poética en el sentido de que sea una moneda devaluada: cuando violenta el idioma inglés no está imitando a nadie, y es inimitable. Pero Milton, como he dicho, representa la poesía en el límite más distante de la prosa y uno de nuestros dogmas fue que el verso debía imitar las virtudes de la prosa, que la dicción debía asimilarse al habla culta moderna antes que aspirar a la elevación de la poesía. Otro dogma fue que el asunto y la imaginería poética debían extenderse a tópicos y obje-

26. T. S. Eliot se refiere aquí a sí mismo en el ensayo de 1936.

tos relacionados con la vida de hombres y mujeres modernos, que teníamos que buscar lo no poético, buscar incluso material refractario a transmutarse en poesía y palabras y frases que no se habían usado jamás poéticamente. Y a todo esto el estudio de Milton no nos servía de nada: no era más que un estorbo.

En la literatura, lo mismo que en la vida, no podemos vivir en un permanente estado de revolución. Si cada generación de poetas se propusiera la tarea de actualizar la dicción poética con respecto de la lengua hablada, la poesía fracasaría en una de sus obligaciones más importantes. Porque la poesía debe contribuir no solo a refinar el lenguaje de una época, sino a prevenirlo de cambiar demasiado rápido: un desarrollo excesivamente veloz de una lengua avanzaría en el sentido del deterioro profundo, y este es el peligro hoy. Si la poesía del resto de este siglo adopta la línea de desarrollo que me parece correcta, recapitulando en el progreso que la poesía ha experimentado durante los últimos tres siglos, descubrirá nuevos y más elaborados patrones de la dicción actualmente establecida. En tal búsqueda habría mucho que aprender de la estructura del verso extenso de Milton y también podría evitar el peligro de la servidumbre de la poesía con respecto del habla coloquial y de la jerga corriente. Quizá incluso aprendería que la musicalidad de los versos es más fuerte en la poesía que posee un significado definido, cuya expresión se halla en las palabras más adecuadas posibles. Tal vez los poetas llegasen a admitir que un conocimiento de la literatura de su propio idioma, junto con un conocimiento de la literatura y la construcción gramatical de otras lenguas, es una parte muy valiosa del equipamiento del poeta. Y quizá podrían dedicar, como he sugerido antes, algún tiempo al estudio de Milton como el mayor maestro de nuestro idioma, fuera del teatro, en lo que a respecta a la libertad dentro de la forma. El estudio de *Sansón* haría más aguda la apreciación de cualquiera de la irregularidad justificada y lo pondría en guardia contra la irregularidad sin razón. Estudiando *El paraíso perdido* llegamos a percibir que el alejamiento de la medida regular y el retorno a ella animan continuamente el verso y que, en comparación con Milton, cualquiera que haya cultivado el verso blanco posteriormente parece incapaz de ejercitar libertad alguna. Lo anterior nos lleva a concluir que una monotonía de versos imprecisos fatiga aún más la atención que una monotonía de pie exacto. En resumen, ahora me parece que los poetas ya se han librado bastante de la influencia de Milton para aproximarse al estudio de su obra sin correr peligro y con provecho para su poesía y para la lengua inglesa.

[1947]

Lo que Dante significa para mí

Permítanme, en primer lugar, explicar por qué he escogido, en vez de dictar una conferencia sobre Dante, hablar informalmente sobre la influencia que ha ejercido en mí. Al hacerlo, me atrevo a proponer como modestia lo que pudiera parecer egotismo, pero esa pretendida modestia no es sino otra cara de la prudencia. En ningún caso soy un experto en Dante y mi conocimiento del italiano es tal que, por respeto a ustedes y al propio Dante, deberé renunciar en esta ocasión a citarlo en su lengua original. Por otra parte, no creo que haya algo que pudiera añadir, en lo que a la poesía de Dante se refiere, a lo que escribí hace algunos años en un breve ensayo.[1] Como expliqué en el prefacio que originalmente acompañaba aquel texto, leí a Dante por primera vez en una edición que tenía una traducción en prosa al lado del original.[2] Hace cuarenta años, empecé a desentrañar la *Divina comedia* de este modo y cada

1. «Dante» (1929), pp. 177-243 de este volumen. Y para más información, véase también el apéndice sobre la procedencia de los textos, p. 525.

2. El prefacio del que habla no se incluyó cuando el ensayo se recopiló en *Ensayos selectos*, de donde se ha tomado para esta edición. T. S. Eliot leyó a Dante por primera vez en la traducción de Lionel David Barnett, en una edición de bolsillo de J. M. Dent, 1905.

vez que me parecía que había captado el sentido de un pasaje que me gustaba especialmente, lo aprendía de memoria; así, durante años fui capaz de recitar para mí mismo largos fragmentos de uno u otro canto, tumbado en la cama o mientras viajaba en tren. Solo Dios sabe cómo habría sonado aquello si lo hubiera recitado en voz alta, pero ese fue el modo en que me inicié en la poesía de Dante. Y ahora han pasado veinte años desde que consigné todo lo que mis magros conocimientos me permitieron decir sobre él. Sin embargo, no me parece insustancial para mí mismo —y acaso tampoco lo sea para otros— aclarar en qué consiste mi propia deuda con Dante. No creo que sea capaz de explicarlo del todo, ni siquiera para mí mismo, pero teniendo en cuenta que pasados cuarenta años aún considero su poesía como la influencia más honda y persistente sobre mi trabajo, me gustaría establecer cuando menos algunas de las razones de ello. Quizá las confesiones de los poetas con respecto a lo que Dante ha significado para cada uno puedan contribuir de algún modo a la valoración del propio Dante; en todo caso, esa es la única contribución que puedo hacer.

Las más grandes deudas no son siempre las más evidentes; al menos, hay distintos tipos de deudas. La deuda que tengo con Dante es de esas que continúan acumulándose: la clase de deuda que no corresponde a uno u otro periodo de la vida de una persona. Respecto de algunos poetas puedo decir que me han enseñado mucho en una época determinada. De Jules Laforgue, por ejemplo, diría que fue el primero que me enseñó cómo expresarme, que me enseñó las posibilidades poéticas de mi propio modo de hablar.[3] Esas in-

3. Véase al respecto en este volumen la nota 32, p. 90, del ensayo «Los poetas metafísicos».

fluencias tempranas, las influencias que, por decirlo de algún modo, primeramente nos dan a conocer a nosotros mismos quiénes somos, se deben, creo, a que producen una impresión que, en un aspecto, supone el reconocimiento de un temperamento similar al de uno mismo y en otro, el descubrimiento de una forma de expresión que nos da una clave para descubrir nuestro propio modo de expresarnos. No se trata de dos cosas distintas, sino de dos aspectos de una misma cuestión. Sin embargo, no es probable que el poeta capaz de producir tal efecto en un joven escritor sea uno de los grandes maestros. Estos son demasiado elevados y remotos. Son como ancestros distantes, casi deificados, mientras que el poeta menor que ha guiado nuestros primeros pasos es como un hermano mayor.

Así, entre quienes nos influyen, hay poetas de quienes aprendemos alguna cosa que quizá resulte de capital importancia para nosotros, pero que no necesariamente es la mayor virtud de este poeta. Creo que en Baudelaire, antes que en ningún otro, encontré el precedente de ciertas posibilidades poéticas nunca antes desarrolladas por alguien que escribiera en mi propio idioma: las posibilidades de los aspectos más sórdidos de las metrópolis modernas, la posibilidad de una fusión entre lo sórdidamente realista y lo fantasmagórico, la posibilidad de yuxtaponer lo real y lo fantástico. De él, lo mismo que de Laforgue, aprendí que la clase de material que yo mismo poseía, la clase de experiencia que un adolescente podía haber tenido en una ciudad industrial de Estados Unidos, estaba en condiciones de convertirse en material poético y que la fuente de una poesía nueva podía encontrarse en lo que hasta ese momento se había entendido como lo imposible, lo estéril, lo poéticamente inabordable. Que, de hecho, la tarea del poeta era hacer poesía con los inexplorados recursos de lo no poético; que la profesión del poeta, de hecho, lo comprometía a convertir en poesía lo no poético. Todo aquello que un gran poeta puede ofrecer a un poeta más joven puede transmitirse en unos cuantos versos. Es probable que mi deuda con Baudelaire se deba fundamentalmente a media docena de versos de *Las flores del mal* y que lo que Baudelaire significa para mí se resuma en estas líneas:

> *Fourmillante cité, cité pleine de rêves,—*
> *Où le spectre en plein jour raccroche le passant...*[4]

Sabía lo que aquello significaba, porque yo mismo lo había vivido ya antes de saber que quería convertirlo en un poema por mi cuenta.

Quizá les parezca que me he alejado demasiado de Dante. Sin embargo, no puedo siquiera aproximarme a lo que Dante ha significado para mí sin hablar de otros poetas. Cuando he escrito sobre Baudelaire —o sobre Dante o sobre cualquier otro poeta que ha tenido una importancia capital en mi propio desarrollo—, lo he hecho por lo mucho que ese poeta significaba para mí, pero no he querido escribir sobre mí, sino sobre aquel poeta y sobre su poesía. Quiero decir que el primer impulso de escribir sobre un gran poeta nace de la gratitud, aunque las razones por las cuales uno se siente agradecido puedan desempeñar un papel secundario en la valoración crítica del poeta elegido.

4. «Ciudad hormigueante, ciudad llena de sueños, / donde el espectro atrapa de día al transeúnte...», de «Los siete viejos» («Les Sept vieillards», *Las flores del mal*), traducción de Enrique López Castellón en Baudelaire, *Obra poética completa*, Madrid, Akal, 2003. Véase al respecto en este volumen la nota 1, p. 245, del ensayo «Baudelaire».

Uno tiene otras deudas, innumerables deudas, de otro tipo con otros poetas. Hay poetas que han permanecido en un rincón de nuestra mente, consciente o inconscientemente, hasta que, obligados a resolver algún problema en particular, algo que ellos escribieron nos ha sugerido el método apropiado. Están aquellos de quienes uno ha tomado algo conscientemente, adaptando un verso a un idioma, una época o un contexto distintos. Están los que permanecen en nuestra mente como arquetipos de cierta virtud poética: Villon, por su honestidad o Safo, por haber fijado de una vez por todas una emoción particular en la mínima cantidad exacta de palabras. Hay también grandes maestros para estar al nivel de los cuales uno madura lentamente. Cuando era joven me sentía mucho más cómodo con los dramaturgos isabelinos menores que con Shakespeare: aquellos eran, por decirlo de algún modo, compañeros de juegos de una estatura más parecida a la mía.[5] Una prueba que permite establecer quiénes son estos grandes maestros, entre los cuales sin duda alguna hay que contar a Shakespeare, es que la valoración de su obra es una tarea que nos toma toda la vida, puesto que a medida que ganamos madurez —y ese ha de ser el objetivo de nuestras vidas— iremos comprendiéndolos mejor. Entre estos grandes maestros se cuentan Shakespeare, Dante, Homero y Virgilio.

Me he demorado en distintas variedades de «influencia» con la intención de aproximarme, por contraste, a lo que Dante ha significado para mí. Ciertamente, he tomado en préstamo algunos versos suyos, buscando reproducir o, mejor, despertar en la mente del lector la memoria de una escena dantesca y establecer así una rela-

5. Véase en este volumen el ensayo «Cuatro dramaturgos isabelinos», pp. 119-132.

ción entre el infierno medieval y la vida moderna. Los lectores de mi *Tierra baldía* recordarán quizá que mi imagen de los empleados avanzando en tropel por el puente de Londres desde la estación del tren hasta sus oficinas evocaba la reflexión «yo jamás hubiese presumido que jamás tanta gente muerto había», y que, en otro lugar, modifiqué deliberadamente un verso de Dante, alterándolo: «Exhalaban cortos y rápidos suspiros».[6] Y consigné las referencias en las notas para hacerle saber al lector que reconociera las alusiones que esa era justamente mi intención y que quien no las reconocía no estaba en condiciones de comprender el poema.[7] Veinte años después de escribir *La tierra baldía*, escribí, en «Little Gidding», un pasaje que busca ser el equivalente más ajustado a un canto del *Inferno* o del *Purgatorio* que yo pueda lograr, lo mismo en estilo que en asunto.[8] La intención, desde luego, era la misma que precedía mis alusiones a Dante en *La tierra baldía*: producir en la mente del

6. La primera imagen que comenta está en la última estrofa de la primera parte de *La tierra baldía*, concretamente en el verso 63: «I had not thought death had undone so many» («Nunca hubiera yo creído que la muerte se llevara a tantos», en la versión de Agustí Bartra, Barcelona, Picazo, 1977), que proviene del canto III, vv. 56-57 del *Inferno*: «si lunga tratta / di gente, ch'io non avrei mai creduto / che morte tanta n'avesse disfatta» ('tan enorme pandilla la seguía / que yo jamás hubiese presumido / que jamás tanta gente muerto había'). La segunda imagen, de la misma estrofa pero en el siguiente verso: «sighs, short and infrequent, were exhaled» («Exhalaban cortos y rápidos suspiros», en la misma traducción de Bartra) surge del canto IV del *Inferno*, vv. 25-27: «Quivi, secondo che per ascoltare / non avea pianto, ma' che di sospiri / che l'aura eterna facevan tremare» ('Allí escuchar / pude suspiros, pero no así llantos, / que a aquel eterno aire hacían temblar').

7. Se refiere a las notas finales que T. S. Eliot, unas veces para iluminar y otras para confundir, añadió a *La tierra baldía*.

8. «Little Gidding» es el último de los *Cuatro cuartetos* y en la segunda parte de su segundo movimiento T. S. Eliot lleva a cabo una reelaboración muy li-

lector un paralelo, por medio del contraste, entre el *Inferno* y el *Purgatorio* que Dante visitara y una alucinada escena posterior a un bombardeo aéreo. Pero el método era diferente: en este caso me privé de la posibilidad de citar o adaptar largos fragmentos —tomé y adapté libremente solo unas cuantas frases— dado que estaba imitando. Mi primer problema fue descubrir cómo aproximarme a la *terza rima* sin rimar. El inglés está menos copiosamente provisto de rimas que el italiano y las rimas que poseemos son en cierto sentido más enfáticas. Las palabras que riman llaman en exceso la atención sobre sí mismas: el italiano es el único idioma que conozco en que una rima consonante puede conseguir siempre el efecto pretendido —de qué efecto se trata, le corresponde investigarlo al neurólogo, aún más que al poeta— sin el riesgo de hacerse notar en exceso. De modo que, para mi propósito, acudí a una simple alternancia de terminaciones agudas y llanas, no rimadas, como el medio más apropiado de producir el ligero efecto de la rima en italiano.[9] Diciendo lo anterior, no pretendo establecer ninguna clase de regla, sino meramente explicar cómo me conduje en determinada ocasión. En mi opinión, la *terza rima* consonante probablemente resulte menos insatisfactoria para traducir la *Divina come-*

---

bre e inspirada de la *terza rima* dantesca, recreando a su vez el episodio de Brunetto Latini en el *Inferno*, que en el poema de Eliot tiene lugar durante un bombardeo nocturno, en Londres, durante el *Blitz*, en 1940, el año de mayor acoso aéreo por parte de los nazis. Eliot era entonces vigilante nocturno de incendios en la azotea de Faber en Russell Square y la experiencia le sirvió para alumbrar buena parte de las imágenes del poema. Sobre este asunto véase también en este volumen la nota 1, pp. 314-315, del ensayo «Yeats» y el prólogo «El rey del bosque», pp. 9-43.

9. Sobre este asunto véase en este volumen la nota 25, pp. 302-303, del ensayo «Byron».

dia que el verso blanco. Porque, para desgracia de la traducción, un metro diferente implica un modo distinto de pensar, una clase distinta de puntuación, puesto que los énfasis y las pausas de respiración no recaen en los mismos lugares. Dante pensaba en *terza rima* y un poema ha de ser traducido, hasta donde sea posible, reproduciendo la forma de pensar del original. Algo se pierde, por consiguiente, en una traducción en verso blanco. Por otra parte, sin embargo, cuando leo una traducción de la *Divina comedia* en *terza rima* y me aproximo a un pasaje cuya versión original recuerdo particularmente bien, suelo inquietarme por anticipado pensando en los inevitables circunloquios y alteraciones que sé que el traductor estará obligado a introducir para adaptar las palabras de Dante a la rima inglesa. Y no hay verso que exija mayor literalidad en la traducción que el de Dante, porque no hay otro poeta que nos convenza más completamente de que la palabra que ha usado es justo la que pretendía y que ninguna otra servirá igual.

No sé si el sustituto de la rima que utilicé en el pasaje al que he aludido más arriba habría sido tolerable en un poema largo escrito originalmente en inglés; de lo que estoy seguro, en todo caso, es de que no me queda vida suficiente para escribirlo. Porque una de las cosas más interesantes que aprendí al tratar de imitar a Dante fue su extrema dificultad. Aquella sección del poema —que no alcanza la extensión de uno solo de los cantos de la *Divina comedia*— me costó más tiempo, molestias y enfados que cualquier otro pasaje de similar extensión que haya escrito jamás.[10] No se

10. Ese pasaje concreto de los cuartetos le costó, en efecto, más esfuerzo y dedicación que ningún otro en toda su obra. En una carta a John Hayward, su amigo y más íntimo confidente durante la composición del poema, le comentaba la dificultad para encontrar la palabra exacta que describiera la luz justo antes

trataba simplemente de que tuviera que limitarme al tipo de imaginería, a los símiles y figuras de lenguaje que empleaba Dante; era, sobre todo, que en el estilo verdaderamente escueto y austero de Dante, en el que cada palabra ha de ser «funcional», la menor vaguedad o imprecisión es inmediatamente notable. El lenguaje ha de ser directo; cada verso y cada palabra en particular han de ajustarse por completo a la disciplina que impone el conjunto del poema; y cuando se están empleando palabras y frases simples, cualquier repetición del modismo más corriente o de la palabra más necesaria se convierte en el más notorio de los defectos. No digo que la *terza rima* debería descartarse para una composición original en inglés, aunque creo que, para el oído moderno —es decir, para el oído educado en este siglo y acostumbrado, por tanto, al aprovechamiento de las posibilidades del verso sin rima— un largo poema moderno en una forma rimada cualquiera tiene más posibilidades de sonar monótono y artificial de lo que habría parecido hace cien años. Estoy seguro de que, tratándose de un poema largo, la *terza rima* solo es posible si el poeta se limita a tomar prestada la forma, sin pretender traer a Dante a la memoria del lector en cada verso o frase. Existe un poema del siglo XIX que, por momentos, parece contradecir lo

---

del amanecer —T. S. Eliot, por cierto, siguiendo a Dante, es un maestro en la descripción de las modulaciones lumínicas— y aseguraba: 'Estoy todavía luchando contra el demonio de ese preciso matiz de luz a esa precisa hora del día (...) Lo que es realmente interesante es descubrir que ese austero estilo dantesco es más difícil y ofrece más escollos que ningún otro', carta a John Hayward, citada en Helen Gardner, *The Composition of Four Quartets* (*La composición de Cuatro cuartetos*; Londres, Faber & Faber, 1978, p. 63). Para ese pasaje tuvo también muy en cuenta la escena inicial de *Hamlet* en la que se aparece el espectro del rey.

anterior. Me refiero a «El triunfo de la vida». En cualquier caso, hoy habría estado obligado a hablar de Shelley, puesto que Shelley es, con diferencia, el poeta inglés en el que la influencia de Dante resulta más notoria. Por otra parte, me parece que Shelley confirma mi impresión de que la influencia de Dante, cuando es realmente poderosa, es acumulativa; esto es, que cuanto más envejece uno, más intensa se hace. «El triunfo de la vida», el poema que supone el mayor tributo de Shelley a Dante, fue el último de sus grandes poemas. Me parece que fue, incluso, el mejor de ellos. Quedó inacabado: termina abruptamente en mitad de un verso y uno se pregunta si, incluso tratándose de Shelley, hubiese sido capaz de completarlo con éxito. Ahora bien, la influencia de Dante es notoria en poemas anteriores; de un modo evidente en la «Oda al viento del oeste», en cuyo mismo principio, la imagen de las hojas arremolinándose al viento

Como afligidos fantasmas de un hechicero que huye

habría sido imposible de no ser por el *Inferno*, en el cual las distintas manifestaciones del viento y las variadas sensaciones del aire son tan importantes como los aspectos de la luz en el *Paradiso.* Sin embargo, no creo que en «El triunfo de la vida», Shelley se fijara como objetivo acercarse lo más posible a la sobriedad de Dante, como yo mismo me propuse, sino que dejó abierta para sí la posibilidad de echar mano de los copiosos recursos del lenguaje poético inglés. Y a pesar de todo, a causa de su natural afinidad con la imaginación poética de Dante y de una saturación de poesía (y no necesito recordar aquí que Shelley conocía bien el italiano, además de tener un amplio y profundo conocimiento de la poesía italiana hasta su época), tuvo inspiración para escribir algunos de los más bellos y más dantescos versos ingleses. Me siento obligado a citar aquí un pasaje que, hace cuarenta y cinco años, dejó en mí una impresión indeleble:

Mi corazón se acongojó con esa
comitiva tan triste, y dije entonces,
hablando casi para mí: «¿Qué es esto?

¿Quién está en la carroza y por qué todo…
—y pensaba añadir— aquí es deforme?»,
pero una voz me contestó: «¡La Vida!».

Y descubrí al volverme (¡Piedad, Cielos,
para miseria y desventura tantas!)
que lo que yo creí en mi desvío

retorcida raíz de la vertiente,
alguien del grupo extraviado era,
y la hierba colgante y blanquecina

eran lacios cabellos desteñidos,
y aquellos agujeros que quería
ocultar a mi vista fueron ojos.

«Desiste, si es que aún puedes; no te unas
a la danza, que yo ya he desistido
—dijo, lúgubre, al ver mi pensamiento—.

Te mostraré lo que al profundo escarnio
nos arrastró, para explicarte luego
la marcha del cortejo desde el alba.

Si tu sed de saber no se saciara,
síguelo hasta la noche, que cansado
me encuentro ya.» Y luego, como alguien

A quien el peso cruel de sus palabras
hiciera vacilar, hizo una pausa…
Y sin dejar que proseguir pudiera,

grité: «Primero, dime: tú ¿quién eres?».
«En tiempos más allá de tu memoria,
tuve miedo y amé y sentí odio,

actué y padecí y morí luego.
Si la chispa divina de mi alma
con material más puro se nutriera,

de lo que fue Rousseau no heredara
la corrupción que ves, ni el disfraz torpe
que rehusar debió ponerse nunca …»[11]

Sin duda, esto es mejor de lo que pude haber logrado yo. Lo cito, sin embargo, como uno de los supremos homenajes a Dante en inglés, puesto que atestigua lo que Dante supuso tanto para el es-

11. Shelley, «The Triumph of Life» («El triunfo de la vida», 1822).

tilo como para el alma de un gran poeta inglés. Y contiene también, por cierto, un interesante comentario sobre Rousseau. Sería interesante, aunque ocioso, seguir buscando evidencias de la deuda de Shelley con Dante; es suficiente, para quienes conocen su origen, citar los tres primeros versos del prólogo de «Epipsiquidión»:

> *Que encuentres pocos, temo, Canto mío,*
> *que rectamente entiendan tus razones:*
> *tan dura es la materia que contienes...*[12]

En cualquier caso, me parece que he aclarado ya que la importancia de la deuda que los poetas tienen con Dante no radica en lo que se ha tomado de él o en las adaptaciones que se han hecho de sus versos, ni es una de esas deudas en las que un poeta incurre en una u otra etapa de su desarrollo. Ni está en esos pasajes en los que se le ha tomado como modelo. La importancia de esa deuda no puede establecerse en relación con la cantidad de pasajes de la propia escritura que un crítico pueda señalar diciendo: aquí o allí hay algo que este poeta no habría podido escribir sin haber tenido en mente a Dante. Tampoco quiero hablar ahora de la deuda que uno pudiera tener con el pensamiento de Dante, con su perspectiva de la vida o con la filosofía y teología que dieron forma y contenido a la *Divina comedia*. Esa es otra cuestión, aunque no por ello deje de estar relacionada. Sobre lo que uno aprende y continúa aprendiendo de Dante, me gustaría señalar tres aspectos.

12. Shelley, «Epipsychidion» («Epipsiquidión», 1821).

El primero es que, entre los poquísimos poetas de similar estatura, no hay ninguno, ni siquiera Virgilio, que haya sido un estudioso más atento del arte poética o un practicante más escrupuloso, entregado y consciente del oficio. Ciertamente, ningún poeta inglés puede compararse con él en este aspecto, porque los artífices más conscientes —y pienso aquí principalmente en Milton— han sido poetas mucho más limitados y, en ese sentido, han estado también limitados en su oficio. Comprender cada vez mejor lo que esto significa, en el transcurso de la propia vida, es en sí mismo una lección moral; yo, sin embargo, extraigo una lección más profunda, igualmente moral: todo el estudio y la práctica de Dante, en mi opinión, nos enseña que un poeta debe ponerse al servicio de su lengua, en vez de intentar dominarla. Este sentido de la responsabilidad es uno de los distintivos del poeta clásico, entendiendo «clásico» en el sentido que he intentado definir en otro lugar haciendo referencia a Virgilio.[13] De algunos grandes poetas y, especialmente, de algunos grandes poetas ingleses, puede decirse que su genio les daba el privilegio de abusar de la lengua inglesa, de desarrollar un lenguaje tan peculiar e incluso tan excéntrico que resultó inutilizable para los poetas posteriores. Desde mi punto de vista, Dante ocupa un lugar en la literatura italiana solo comparable al que Shakespeare ocupa en la lengua inglesa; esto es, ambos dan cuerpo al alma del idioma, ateniéndose, uno más conscientemente que el otro, a lo que adivinan como sus posibilidades. Y el propio Shakespeare se toma libertades que solo su genio justifica, libertades que Dante, con un genio comparable, no se to-

13. En el ensayo «Qué es un clásico», incluido en este volumen, pp. 361-390.

ma. Transmitir a la posteridad la propia lengua, más altamente desarrollada, más refinada y más precisa de lo que era antes de que uno empezara a escribir es el mayor logro de un poeta como tal. Desde luego, un poeta realmente supremo hace la poesía aún más compleja para sus sucesores por el simple hecho de su supremacía, y el precio que una literatura tiene que pagar por tener un Dante o un Shakespeare es que solo puede tener uno. Los poetas posteriores deben hallar algo que hacer y contentarse con que las cosas que quedan por hacer sean menos importantes. Pero no me refiero a lo que un poeta supremo —uno de esos pocos sin los cuales el habla corriente de los hablantes de una gran lengua no sería la misma— hace por los poetas posteriores o de lo que les impide que hagan, sino de lo que este poeta hace por cualquiera que, después de él, hable su mismo idioma como lengua materna, sin importar si es poeta, filósofo, estadista o mozo de estación.

Esa es la lección número uno: que el gran señor de un idioma ha de ser también su mayor siervo. La segunda lección de Dante —y es una lección que ningún poeta, en ninguna lengua que yo conozca, está en condiciones de enseñar— es la lección de la amplitud del rango emotivo. Quizá podría expresarse mejor acudiendo a la figura del espectro luminoso o de la escala musical. Con esas metáforas intento señalar que un gran poeta no solo ha de percibir y distinguir más claramente que cualquier otro hombre los colores y sonidos que componen el rango ordinario de la visión o audición, sino que ha de percibir vibraciones que exceden el rango del hombre común y ser capaz de hacer que otros hombres vean y escuchen, a cada extremo de la escala, lo que jamás habrían podido ver y escuchar sin su ayuda. En la literatura inglesa tenemos grandes poetas religiosos, por ejemplo, pero en comparación con Dante son meros especialistas. No pueden hacer más. Y Dante, en cambio, porque podía hacer todo lo demás, es el más grande poeta «religioso», aunque describirlo como tal sin duda va en detrimento de su universalidad. La *Divina comedia* expresa todo lo que el hombre es capaz de experimentar en lo que a emociones se refiere, desde la desesperación del depravado hasta la visión beatífica. Por consiguiente supone, para el poeta, un recordatorio constante de su obligación de explorar, de encontrar palabras para lo no dicho, de captar aquellos sentimientos que la gente difícilmente puede siquiera sentir, puesto que no tiene palabras para ello; y, al mismo tiempo, un recordatorio de que aquel que se aventura más allá de las fronteras de la conciencia ordinaria solo será capaz de volver y contar su experiencia a sus conciudadanos si se aferra constantemente a las realidades con las que las personas están familiarizadas.

Estos dos logros de Dante no pueden verse como separados o separables. La tarea del poeta, hacer que la gente comprenda lo incomprensible, demanda inmensos recursos de lenguaje y al desarrollar el idioma, enriquecer el significado de las palabras y mostrar todo lo que puede conseguirse con las palabras, el poeta está haciendo posible para los otros un mayor rango de emoción y percepción, porque les ofrece un habla en la que más cosas pueden expresarse. Simplemente sugiero como ejemplo lo que Dante ofreció a su propio idioma —y al nuestro, puesto que hemos adoptado esa palabra y la hemos adaptado al inglés— con el verbo «trasumanar».[14]

14. «Trasumanar» ('transhumanar') es un neologismo inventado por Dante para tratar de expresar lo que siente al ascender con Beatriz del paraíso terrenal a las esferas celestes: «Nel suo aspetto tal dentro mi fei, / qual si fé Glauco nel

Lo dicho hasta ahora no es ajeno al hecho —para mí incontestable— de que Dante es, entre todos los poetas de nuestro continente, el más europeo. Es el menos provinciano, aunque hay que añadir de inmediato que, para lograrlo, no se vio obligado a dejar de ser local. Nadie es más local: es imposible olvidar que hay mucho en la poesía de Dante que escapa a cualquier lector cuya lengua materna no sea el italiano; sin embargo, creo que el extranjero es, en el caso de Dante, menos consciente del residuo que se le escapa que al leer a cualquier otro gran maestro de un idioma que no es el propio. El italiano de Dante es de algún modo nuestro idioma desde el momento en que empezamos a tratar de leerlo; y las lecciones de oficio, de modo de expresión y de exploración de la sensibilidad son lecciones que cualquier europeo puede tomar muy en serio y tratar de aplicar en su propia lengua.

[1950]

---

gustar de l'erba / che'l fé consorto in mar de li altri dèi. / Trasumanar significar *per verba* / non si poria; però l'essemplo basti / a cui esperienza grazia serba», *Paradiso*, I, vv. 67-72 ('Al contemplarla, en mi interior sentía / lo que Glauco al comer la hierba, cuando / de los dioses del mar socio se hacía. / Transhumanar significar hablando / no se podría; y el ejemplo baste / a quien lo esté la gracia demostrando').

Poesía y drama

I

Cuando repaso mi producción crítica de los últimos treinta y tantos años, me sorprende la asiduidad con que he vuelto sobre el drama, ya sea examinando la obra de los contemporáneos de Shakespeare o reflexionando sobre sus posibilidades futuras. Puede incluso que la gente se haya cansado de escucharme hablar sobre el asunto. Sin embargo, aunque reconozco que he estado componiendo variaciones sobre este tema a lo largo de toda mi vida, también es cierto que la experiencia ha ido modificando continuamente y renovando mis puntos de vista, de modo que, en cada nueva etapa de mi experimentación, me siento movido a reconsiderar el asunto.

A medida que iba aprendiendo cada vez más sobre los problemas del drama poético y las condiciones que este debe cumplir para justificarse a sí mismo, he ido aclarándome poco a poco no solo las razones que me han llevado a querer escribir con esa forma, sino sobre aquellas, más generales, que me llevan a querer ver el drama de nuevo en el lugar que le corresponde.[1] Y me parece

1. A la altura de 1951, T. S. Eliot tenía ya una considerable experiencia como dramaturgo. Además de su primer trabajo en el género, el apropósito tea-

que si digo algo acerca de esos problemas y situaciones podría ayudar a mucha gente a tener más claro si —y si es así, por qué— el drama poético tiene, potencialmente, algo que ofrecer al aficionado al teatro que el drama en prosa no posee. Parto del supuesto de que si la poesía es un mero ornamento, un adorno, si sencillamente da a la gente con gusto literario el placer de escuchar poesía al mismo tiempo que presencian una obra de teatro, entonces es superflua. El drama poético debe justificarse a sí mismo desde el punto de vista dramático y no ser solo bella poesía adaptada a la forma dramática. De esto se sigue que ninguna obra para la cual la prosa sea dramáticamente apropiada debería escribirse en verso. Y también que el público, captada su atención por la acción dramática, encendidas sus emociones por la situación en la que se encuentran los personajes, debería intentar también, además de atender a la obra, ser absolutamente consciente del medio por el cual esta llega a sus oídos.

En el escenario, prosa o verso no son sino medios para un fin. La diferencia, desde cierto punto de vista, no es tan grande como podríamos pensar. En aquellas obras en prosa que sobreviven, que se leen y montan para las generaciones subsecuentes, la prosa en la que los personajes hablan está tan alejada, en su mayor parte, del vocabulario, sintaxis y ritmo de nuestra habla cotidiana —con su torpeza verbal, su constante recurso a la aproximación, su desorden y sus frases inconclusas— como lo está el verso. Igual que el verso, ha sido escrita y reescrita. Nuestros dos mayores estilistas en prosa

---

tral *La roca* (1934), había estrenado ya *Asesinato en la catedral* (1935), *La reunión familiar* (1939) y *El cóctel* (1949). Todavía escribiría dos obras más: *El secretario particular* (1953) y *El viejo estadista* (1958). Todas fueron compuestas en verso.

dramática —aparte de Shakespeare y los demás isabelinos que mezclaron prosa y verso en la misma obra— son, en mi opinión, Congreve y Bernard Shaw.[2] El modo de hablar de un personaje de Congreve o de Shaw tiene —sin importar lo claramente que los personajes puedan diferenciarse entre sí— ese inequívoco ritmo personal que es la marca de un estilo en prosa y del cual solo los más logrados conversadores —que, para el caso, usualmente son monologuistas— muestran alguna traza al hablar. Todos hemos oído (¡demasiado a menudo!) del personaje de Molière que se sorprendía cuando se le informaba de que hablaba en prosa. Sin embargo, era monsieur Jourdain quien estaba en lo correcto y no su mentor o su creador: no hablaba en prosa; hablaba, simplemente.[3] Lo que pretendo es plantear una triple distinción: entre prosa, verso y nuestra habla cotidiana, que está muy por debajo del nivel tanto de la prosa como del verso. De modo que, si uno lo ve de esta manera, descubrirá que la prosa, sobre el escenario, es tan artificial como el verso; o por el contrario, que el verso puede ser tan natural como la prosa.

Pero mientras el individuo sensible de la audiencia apreciará, cuando escuche hablar bella prosa en una obra, que esta es mejor que la conversación ordinaria, no la verá como un lenguaje completamente diferente de aquel en que él mismo habla, porque tal cosa interpondría una barrera entre él y los personajes imaginarios que están sobre el escenario. Demasiada gente, por otro lado, se acerca a una obra que sabe en verso con la conciencia de la dife-

2. William Congreve (1670-1729) es un dramaturgo de la Restauración cuya obra más conocida y lograda es *The Way of the World* (*Así va el mundo*, 1700).

3. Monsieur Jourdain es el protagonista de la comedia en prosa de Molière *El burgués gentilhombre* (1670).

rencia. Es desafortunado cuando se sienten repelidos por el verso, pero también puede ser deplorable cuando se sienten atraídos por este, si eso significa que están preparados para disfrutar la obra y el lenguaje de la obra como dos cosas separadas. El principal efecto del estilo y el ritmo en el discurso dramático, ya sea en prosa o en verso, debe ser inconsciente.

De esto se deduce que una mezcla de prosa y verso en la misma obra debe generalmente evitarse: cada transición, como una sacudida, hace al espectador consciente del medio. Podríamos decir que esta sacudida es justificable si el autor busca producirla: esto es, cuando desea transportar a la audiencia con brusquedad de un plano de la realidad a otro. Por mi parte, sospecho que este tipo de transición resultaba fácilmente aceptable para la audiencia isabelina, a cuyos oídos prosa y verso llegaban con igual naturalidad, a la que gustaba la combinación de lenguaje pretencioso y comedia burda en la misma obra y para la que parecía quizá más propio que los más humildes y rústicos personajes hablaran en lengua ordinaria y que aquellos de rango más exaltado desvariaran en verso. Pero incluso en las obras de Shakespeare, algunos de los pasajes en prosa parecen diseñados para producir un efecto de contraste que, cuando se logra, es algo que jamás pasará de moda. La llamada a la puerta en *Macbeth* es un ejemplo que viene a la mente de todos; sin embargo, me ha parecido durante mucho tiempo que la alternancia de escenas en prosa con escenas en verso en *Enrique IV* se destina a producir un irónico contraste entre el mundo de la alta política y el de la vida cotidiana.[4] Quizá la

4. La llamada a la puerta en *Macbeth* tiene lugar en la transición entre las escenas segunda y tercera del segundo acto de la obra, justo cuando Macbeth acaba de matar a Duncan y habla del hecho con su esposa, lady Macbeth. En esa transi-

audicncia pensara que asistía a la acostumbrada crónica teatral adornada con divertidas escenas de vida ordinaria, pero las escenas en prosa, tanto de la primera como de la segunda parte, aportan un comentario sardónico a las apresuradas ambiciones de los jefes partidarios de la insurrección de los Percy.

Hoy en día, sin embargo, a causa de la desventaja que sufre el drama en verso, creo que en él la prosa debería de hecho usarse muy dosificadamente, que debemos aspirar a una forma versificada en la que todo lo que haya que decir pueda ser dicho y que aquello que parece intratable en verso se debe solo a que la forma de verso que hemos escogido no es suficientemente flexible. Y si se demuestra que hay escenas que no podemos poner en verso, debemos, o bien desarrollar nuestro verso, o evitar introducir tales escenas. Porque tenemos que acostumbrar a nuestras audiencias al verso hasta el punto de que dejen de ser conscientes de este, e introducir diálogos en prosa solo serviría para distraer su atención de la obra misma en favor de su medio de expresión. Pero si nuestro verso consigue tener un rango de tal modo amplio que sea capaz de decir todo lo que ha de ser dicho, esto implica que no será «poesía» todo el tiempo. Solo será «poesía» cuando la situación dramática haya alcanzado tal nivel de intensidad que la poesía se convierta en la expresión natural, porque es entonces cuando las emociones humanas no pueden expresarse con otro lenguaje.

---

ción se produce un cambio de verso a prosa que contrasta con la sublimada tensión entre los siniestros esposos. ¶ Por otra parte, en *Enrique IV*, el verso se reserva para las escenas de la corte y la prosa para las de las tabernas frecuentadas por Falstaff y el príncipe Hal. ¶ Más adelante, T. S. Eliot hace referencia a la conspiración de Henry Percy, Hotspur, contra Enrique IV y a favor de Edmund Mortimer, conjura que fue derrotada en la batalla de Shrewsbury, donde Hotspur murió.

De hecho, es necesario que cualquier poema largo, si quiere escapar de la monotonía, sea capaz de decir cosas familiares sin llegar a ser trivial, que pueda volar muy alto sin sonar exagerado. Y aún es más importante si se trata de una pieza teatral, especialmente cuando esta se ocupa de la vida contemporánea. Sin embargo, la razón de escribir en verso incluso las partes más pedestres de una obra en verso, en vez de hacerlo en prosa, no es solamente evitar llamar la atención de la audiencia sobre el hecho de que en otros momentos ha estado escuchando poesía. Es, además, que el ritmo del verso cause su efecto sobre los oyentes sin que sean conscientes de ello. Un breve análisis de una escena de Shakespeare puede ilustrar este punto. La escena inicial de *Hamlet* —compuesta de un modo tan logrado como ninguna otra escena inicial jamás escrita— tiene la ventaja de ser conocida por todos.[5]

Lo que no notamos, cuando presenciamos esta escena en el teatro, es la gran variación del estilo. Nada es superfluo y no hay verso alguno que no esté justificado por su valor dramático. Los primeros veintidós versos están construidos con las palabras más sencillas del lenguaje cotidiano. Shakespeare había trabajado lar-

5. T. S. Eliot tuvo muy presente esta escena a la hora de elaborar el complejo segundo movimiento de «Little Gidding», el último de los cuartetos, especialmente en lo que respecta a ese ambiente al filo de la madrugada en el que desaparecen tanto el fantasma del padre de Hamlet como su propio y enigmático espectro. De hecho, el último verso de ese movimiento —referido a la desaparición en la luz incipiente del «maestro muerto»—, «and faded on the blowing of the horn» ('y se esfumó al son de la sirena'), es una reelaboración muy deliberada del verso con que Shakespeare describe, en boca de Marcelo, el desvanecimiento del espíritu del rey, «it faded on the crowing of the cock» ('con el canto del gallo se ha esfumado'), *Hamlet*, I, I. Para más información, véase el prólogo, «El rey del bosque», pp. 9-43.

go tiempo en el teatro y había escrito una buena cantidad de comedias, antes de estar en condiciones de escribir esos veintidós versos. No hay nada tan simplificado y seguro en su obra anterior. Primero desarrolló el verso conversacional, coloquial, en los monólogos de los personajes: Faulconbridge en *El rey Juan* y, posteriormente, el Aya de *Romeo y Julieta*. Llevarlo discretamente al diálogo de réplicas breves fue un paso más aventurado. Ningún poeta ha empezado a dominar el verso dramático hasta conseguir escribir versos que, como estas líneas de *Hamlet*, son transparentes. Uno atiende conscientemente no a la poesía, sino al significado de la poesía. Si uno estuviera oyendo *Hamlet* por primera vez sin saber nada sobre la pieza, no creo que se le ocurriera preguntar si los actores están hablando en verso o en prosa. El verso tendría sobre nosotros un efecto diferente al que tendría la prosa pero, en el momento de oírlo, de lo que somos conscientes es de la fría noche, de los oficiales vigilando en las almenas y del presagio de la acción trágica. Por mi parte, no diría que no hay cabida para la situación en la cual parte del propio placer proviene del goce de oír bella poesía: la condición es que el autor dé cabida, a la vez, a la inevitabilidad dramática. Y por supuesto, cuando hemos visto la obra muchas veces y, entre representaciones, la hemos leído, empezamos a analizar los medios con los cuales el autor ha producido esos efectos. Pero cuando estamos bajo el impacto inmediato de aquella escena no tenemos conciencia de su medio de expresión.

De las breves, bruscas formulaciones del principio, adecuadas a la situación y al carácter de los guardias —pero que no expresan más carácter que el que requiere su función en la obra— el verso se desliza hacia un movimiento más lento con la aparición de los cortesanos Horacio y Marcelo:

Según Horacio, es solo nuestra fantasía

y el movimiento cambia otra vez con la aparición de la realeza, el fantasma del rey, con el solemne y sonoro

¿Quién eres tú que usurpas las horas de la noche?

(y notemos, de paso, esta anticipación de la trama que conlleva el uso del verbo «usurpar») y la majestad se sugiere con una referencia que nos recuerda de quién es este fantasma:

Así fruncía el ceño aquella vez
que en una airada plática
hirió con su maciza hacha el hielo…

Hay un abrupto cambio al *stacatto* en las palabras que Horacio dirige al espectro la segunda vez que este aparece, este ritmo cambia de nuevo con las palabras

Hacemos mal, siendo tan majestuoso,
en oponerle muestras de violencia,
pues él es como el aire, invulnerable,
y nuestros vanos golpes una maldita burla…[6]

La escena llega a su resolución con las palabras de Marcelo:

Con el canto del gallo se ha esfumado.
Dicen algunos que al venir la época

6. Shakespeare, *Hamlet*, I, I.

en la que el nacimiento del Salvador festejan,
el pájaro del alba canta toda la noche...[7]

Y la respuesta de Horacio:

Eso me han dicho, y yo lo creo en parte.
Pero mirad: el alba, en rojo manto ataviada,
marcha sobre el rocío de aquel cerro hacia el este;
rompamos nuestra guardia...[8]

Esto es gran poesía y es dramática; pero, además de drama y poesía, es algo más. Si analizamos bien, allí emerge una especie de diseño musical que se aúna al movimiento dramático y lo refuerza. Sin que lo notásemos, este ha dominado y acelerado el pulso de nuestra emoción. Nótese que en las últimas palabras de Marcelo hay una ascensión deliberadamente breve de lo poético a la esfera consciente. Cuando escuchamos los versos

Pero mirad: el alba, en rojo manto ataviada,
marcha sobre el rocío de aquel cerro hacia el este

se nos alza por un momento por encima del personaje, pero sin que las palabras que surgen de boca de Horacio, ahora o después, nos resulten impropias. Las transiciones de la escena obedecen a las leyes de la música de la poesía dramática. Nótese que los dos versos de Horacio que he citado en dos ocasiones vienen precedi-

7. Véase al respecto la nota 5.
8. Shakespeare, *Hamlet*, I, I.

dos de un verso escrito en el registro más simple, y que lo mismo podría ser prosa que poesía:

Eso me han dicho, y yo lo creo en parte

y seguidas de media línea que es poco más que un apunte escénico:

Rompamos nuestra guardia...

Sería interesante ahondar, a partir de un análisis similar, en el problema del patrón doble en el gran drama poético: el patrón que puede examinarse desde el punto de vista de la técnica teatral o de la música. Sin embargo, creo que el examen de esta sola escena basta para mostrarnos que el verso no es meramente una formalización o un adorno añadido, sino que intensifica el drama. Debería indicarnos, además, la importancia del efecto inconsciente que los versos tienen en nosotros. Y, por último, no creo que solamente acusen este efecto los miembros del público a quienes «les gusta la poesía», sino también aquellos a quienes les interesa la obra y nada más. La poesía de una pieza teatral en verso debería afectar incluso a aquellos a quienes no les gusta la poesía, es decir, a quienes son incapaces de sentarse con un libro de poemas entre las manos y disfrutar leyéndolo. Y estas son las audiencias que el escritor de una obra tal debería tener siempre en mente.

En este punto debería decir unas cuantas palabras sobre las obras a las que solemos llamar «poéticas», a pesar de estar escritas en prosa. Las obras de John Millington Synge constituyen un caso especial porque se basan en el habla de la gente de campo, cuyo lenguaje es naturalmente poético, lo mismo en las imágenes que en el ritmo.[9] Me parece que incluso incorpora frases oídas directamente de los campesinos de Irlanda. El lenguaje de Synge solo puede entenderse en obras que tengan a esa clase de personas como protagonistas. Podemos extraer conclusiones más generales de las obras en prosa (tan admiradas en mi juventud, pero que ahora apenas se leen) de Maeterlinck.[10] El tema de estas obras es limitado de un modo distinto y decir que adolecen de una caracterización torpe constituye un malentendido. No niego que tengan cierta cualidad poética, pero, para conseguir ser poético en prosa, un dramaturgo tiene que ser tan consistentemente poético que su alcance resulta muy limitado. Synge escribía piezas sobre personajes cuyos referentes concretos hablaban de un modo poético, así que estaba en condiciones de hacerlos hablar poéticamente sin que dejaran de parecer personas reales. El dramaturgo poético en prosa que no posee esta ventaja se ve obligado a ser demasiado poético. El drama poético en prosa está más limitado por la convención poética, o por nuestras convenciones sobre qué clase de asuntos pueden considerarse poéticos, de lo que lo está el drama poético en verso. Un verso realmente dramático puede emplearse, como lo hizo Shakespeare, para decir las cosas más prosaicas.

Yeats constituye un caso muy diferente de Maeterlinck o Synge. Un estudio de su desarrollo como dramaturgo mostraría, en mi opinión, cuán lejos llegó y el logro que suponen sus últi-

9. John Millington Synge (1871-1909) fue un dramaturgo irlandés, amigo de Yeats e intérprete de la vida de los campesinos.

10. Maurice Maeterlinck (1862-1949), escritor belga de expresión francesa, fue el máximo representante del simbolismo en el teatro, con obras como *Peleas y Melisanda* (1892).

mas obras. En su primer periodo, escribió piezas en verso, sobre asuntos aceptados convencionalmente como apropiados para la versificación, en una métrica que —aunque poseía ya, desde una etapa muy temprana, su personal ritmo— daba en un habla impropia de cualquiera que no fuera un rey o una reina míticos. Sus *Obras para baile*, que marcan una etapa intermedia, son muy bellas, pero no resuelven ningún problema a los dramaturgos en verso: se trata de obras poéticas en prosa con importantes interludios en verso. Fue solo en su última obra, *Purgatorio*, donde resolvió el problema del habla en verso, dejando en deuda a sus sucesores.[11]

II

Ahora voy a aventurarme a hacer algunas observaciones basadas en mi propia experiencia, lo que implicará comentar las intenciones, yerros y éxitos parciales de mis propias obras. Lo hago en la creencia de que cualquier explorador o experimentador de un nuevo territorio puede, si lleva un registro o alguna clase de bitácora de sus exploraciones, comunicar algo útil a aquellos que van a la zaga por las mismas regiones y que probablemente conseguirán llegar más lejos.

La primera cosa de cierta importancia que descubrí fue que un escritor que ha trabajado durante años y alcanzado algún éxito escribiendo otros tipos de poesía debe aproximarse a la escritu-

11. Sobre el Yeats dramaturgo, véase en este volumen el ensayo «Yeats», pp. 313-333.

ra de una obra en verso con una disposición mental diferente de la que ha cultivado en sus anteriores obras. Me parece que, cuando escribe otra clase de poesía, uno escribe, por decirlo así, en términos de su propia voz: el modo en que suena cuando te lees a ti mismo es la clave. Porque es uno mismo el que habla. La cuestión de la comunicación, de lo que el lector captará, no es lo fundamental: si el poema está bien para uno mismo, los lectores acabarán por aceptarlo. Los poemas pueden esperar un tiempo: la aprobación de unos pocos simpatizantes y críticos juiciosos es suficiente para empezar y son los lectores futuros quienes tendrán que llegar a un acuerdo con el poeta. En el teatro, sin embargo, el problema de la comunicación se presenta de inmediato. Uno está deliberadamente escribiendo versos para otras voces, no para la propia, y no sabe qué voces serán estas. Uno está buscando escribir versos que tengan un efecto inmediato sobre una audiencia desconocida y desprevenida al ser interpretados para esa audiencia por actores desconocidos adiestrados por un desconocido director. Y no puede esperarse que la audiencia sea indulgente con el poeta. El poeta no puede permitirse escribir su obra meramente para sus admiradores, para aquellos que conocen su trabajo no dramático y están preparados a recibir de un modo favorable cualquier cosa que lleve su nombre. Debe escribir teniendo en mente a una audiencia a la que no le importa y nada sabe de sus posibles éxitos del pasado, antes de que se atreviera con el teatro. Así, uno descubre que muchas de las cosas que le gusta hacer y que sabe cómo hacer están fuera de lugar y que cualquier verso ha de ser juzgado de acuerdo con una nueva ley, la de la relevancia dramática.

Cuando escribí *Asesinato en la catedral*, contaba con algo que resulta una ventaja para cualquier principiante: una ocasión que pedía a gritos un tema universalmente admitido como apropiado para una obra en verso. Se ha dicho con frecuencia que las obras en verso deben tomar su asunto de la mitología o bien de algún periodo histórico remoto, suficientemente alejado del presente para que los personajes no necesiten ser reconocibles como seres humanos y, por lo tanto, tengan licencia para hablar en verso. El pintoresco vestuario del periodo hace el verso aún más aceptable. Además, mi obra iba a representarse para una audiencia muy especial, conformada por la clase de personas que van a «festivales» y están preparadas para lidiar con poesía, aunque quizá en esa ocasión no estuviesen del todo preparados para lo que iban a presenciar. Por último, se trataba de una obra religiosa y la gente que asiste deliberadamente a una obra religiosa en un festival religioso espera con paciencia aburrirse y contentarse luego con la sensación de que han hecho algo meritorio. Eso me facilitaba el camino.[12]

Fue solamente en el momento en que me dispuse a pensar qué clase de obra quería escribir a continuación cuando me di cuenta de que *Asesinato en la catedral* no había resuelto ningún problema general y que, por el contrario, desde mi punto de vis-

12. *Asesinato en la catedral* fue una obra de encargo para el festival de Canterbury, en junio de 1935. T. S. Eliot eligió la historia del santo Thomas Becket (1118-1170), canciller de Enrique II y arzobispo de Canterbury que acabó enfrentándose al rey por defender la independencia de la Iglesia frente a la monarquía. Finalmente y tras haber regresado de un exilio de siete años en Francia, fue ejecutado en la catedral de Canterbury. *Asesinato en la catedral* prácticamente no tiene trama y se centra en los últimos días de vida de Becket, en espera de la muerte. De unos versos descartados de esa obra, por cierto, surgió el movimiento liminar de «Burnt Norton», el primero de los *Cuatro cuartetos*.

ta era un callejón sin salida. En primer lugar, el problema de lenguaje que aquella obra me había planteado era muy especial. Afortunadamente, no tuve que escribirla en la jerga del siglo XII, porque aquel modo de hablar, aun de haber sabido yo francés de Normandía y anglosajón, habría resultado ininteligible. Pero el vocabulario y el estilo no podían corresponder exactamente a los del habla moderna —como algunas piezas modernas francesas que usan la trama y los personajes del teatro griego— porque yo debía transportar a mi audiencia a un evento histórico del pasado; y no podía ser arcaico, en primer lugar porque los arcaísmos solo podían sugerir un periodo erróneo y en segundo porque me proponía trasladar a los ojos de la audiencia la relevancia contemporánea de la situación. El estilo, entonces, tenía que ser neutral, independiente del pasado y del presente. En lo tocante a la versificación, en esa etapa solo era consciente de que lo esencial era evitar todo eco de Shakespeare, porque estaba convencido de que la principal falta de los poetas decimonónicos que escribieron teatro (y muchos de los mayores poetas ingleses probaron su mano en la dramaturgia) no debía buscarse en su técnica teatral, sino en su lenguaje dramático y que esto, en gran parte, se debía a que se limitaron al verso blanco estricto que, después de un amplio uso por parte de la poesía no dramática, había perdido la flexibilidad que el verso blanco ha de tener para dar el efecto de una conversación. El ritmo del verso blanco común se ha alejado demasiado de la dinámica del habla moderna. En consecuencia, lo que tenía en mente era el estilo de versificación de *Everyman*, con la esperanza de que lo que de insólito pudiera tener la música de esa obra resultara al cabo ventajoso para el conjunto. La precaución frente al exceso de yambos, cierto uso de la aliteración y una ocasional rima inesperada ayudaban a distinguir esta forma de versificar de la del siglo XIX.[13]

La versificación de los diálogos en *Asesinato en la catedral* tiene así, en mi opinión, solamente un mérito negativo: consiguió evitar lo que había de evitarse, pero sin arribar, positivamente, a ninguna innovación: en resumen, resolvía el problema del habla en verso en la escritura actual, pero solo en relación con las necesidades de aquella obra y no me aportaba la menor pista del verso que había de usar en otra clase de obra. Aquí, pues, había dos problemas que quedaban irresueltos: el del tono y el de la métrica (problemas que son, en realidad, uno y el mismo) que había que emplear en general en cualquier obra que quisiera escribir en el futuro. Enseguida me di cuenta de las razones que, en aquella obra, me hicieron depender de tal manera de la participación del coro. Había dos razones para ello que lo justificaban, dadas las circunstancias. La primera era que la acción esencial de la obra —tanto los hechos históricos como los detalles inventados por mí— era, de algún modo, limitada. Un hombre vuelve a casa previendo que será asesinado y es asesinado. No quería aumentar el número de los personajes, no quería escribir una crónica política del siglo XII ni quería manipular inescrupulosamente las magras fuentes, como en su momento hizo Tennyson (introduciendo a la bella Rosamunda y sugiriendo que Becket vivió una decepción amorosa en su juventud).[14] Quería concentrarme en la muerte y el martirio. La introducción de un coro de mujeres exaltadas y a veces histéricas que reflejaban en su emo-

13. Sobre *Everyman*, véase en este volumen la nota 4, pp. 122-123, del ensayo «Cuatro dramaturgos isabelinos».

14. Se refiere a la obra *Becket* (1893) de Alfred Tennyson donde aparece Rosamund Cliford, «la bella Rosamunda», amante de Enrique II.

ción la importancia de la acción resultó de gran ayuda. En cuanto a la segunda razón, era esta: que un poeta que escribe por primera vez para el escenario se siente más cómodo con el verso coral que con el diálogo dramático. Estaba seguro de que aquello era posible para mí y las debilidades dramáticas probablemente resultarían de algún modo ahogadas por los gritos de aquellas mujeres. El uso de un coro incrementó la fuerza y disimuló los defectos de mi técnica teatral. Por esta razón decidí que la próxima vez intentaría integrar mejor el coro a la obra.

También buscaba descubrir si era capaz de aprender a combinar verso y prosa. Los dos pasajes en prosa de *Asesinato en la catedral* no habrían podido escribirse en verso. Ciertamente, con la clase de diálogo en verso que empleé en aquella obra, la audiencia habría sido incómodamente consciente de que lo que escuchaba eran versos. Un sermón pronunciado en verso es una experiencia demasiado inusual incluso para los más asiduos asistentes a la iglesia: nadie sabría ver un sermón en aquello. Y en los discursos de los caballeros, que son perfectamente conscientes de que están dirigiéndose a una audiencia que vive ocho siglos después de su muerte, el uso de la prosa tiene, desde luego, la intención de producir determinado efecto: impresionar a la audiencia más allá de su voluntad. Pero esto de algún modo es un truco. Es decir, un procedimiento tolerable solo en una obra determinada, inútil para cualquier otra. Hasta donde sé, quizá haya estado ligeramente influido por *Santa Juana*.[15]

15. *Saint Joan* (1923), basada en la vida de Juana de Arco, fue una de las obras más populares de George Bernard Shaw. En *Asesinato en la catedral*, cuando los cuatro caballeros encargados de asesinar a Becket han terminado su tra-

No quisiera dar la impresión de que pretendo excluir de la poesía dramática estas tres cosas: el asunto histórico o mitológico, el coro y el verso blanco tradicional. No busco postular ninguna ley que diga que los únicos personajes y situaciones apropiados corresponden a la vida moderna, o que una obra en verso ha de consistir solamente en diálogos, o que es imprescindible una versificación completamente nueva. Tan solo estoy dibujando la ruta de las exploraciones de un escritor: yo mismo. Si el drama poético busca reconquistar su sitio debe, en mi opinión, entrar en abierta competencia con el teatro en prosa. Como he dicho ya, el público está dispuesto a aceptar versos de boca de personajes ataviados con ropas que corresponden a épocas distantes; luego debe acostumbrársele a escucharlos en boca de gente que lleva ropa parecida a la nuestra, que vive en casas y apartamentos como los nuestros y utiliza teléfonos, automóviles y radios. Los públicos están dispuestos a escuchar poesía recitada por un coro, puesto que eso evoca algún tipo de recital poético, lo que les autoriza a disfrutarla. Y los públicos (aquellos que asisten a una obra en verso justamente porque está en verso) están habituados a escuchar poesía cuyo ritmo ha perdido todo contacto con el habla coloquial. Lo que hemos de hacer es traer la poesía al mundo en que el público vive y al que regresará una vez finalizada la obra, no transportar al público a un mundo imaginario totalmente distinto del suyo, un mundo irreal en el que la poesía es tolerable. Lo que espero que una generación que se beneficie de nuestra experiencia sea capaz de alcanzar es que el público descubra «soy capaz de ha-

---

bajo, se dirigen al público en un largo parlamento en prosa para dar explicación de sus hechos.

blar así», siendo consciente de que lo que está escuchando es poesía. De ese modo, no habrá necesidad de que se nos transporte a un mundo artificial; por el contrario, nuestro propio mundo sórdido, temible y cotidiano se verá súbitamente iluminado y transformado.

Por tanto, en mi caso estaba determinado a abordar un tema de la vida contemporánea en mi próxima obra, con personajes de nuestra época, que habitaran el mismo mundo que nosotros. El resultado fue *La reunión familiar*. Allí, mi preocupación principal era el problema de la versificación: hallar un ritmo cercano al habla contemporánea en el que pudiera distribuir los acentos en cualquier lugar en que lo haríamos naturalmente, cuando pronunciamos una frase particular en una situación particular. Lo que descubrí entonces es, en sustancia, lo que he venido empleando desde entonces: un verso de variable longitud y número de sílabas, con una cesura y tres acentos.[16]

La cesura y los acentos pueden disponerse en lugares distintos, prácticamente en cualquier parte del verso; los acentos pueden es-

16. *La reunión familiar* es una obra mucho más dramáticamente elaborada. Cuenta el regreso de un hombre a su casa familiar tras ocho años de ausencia y un año después de que su mujer muriera ahogada en alta mar, no se sabe si por accidente, suicidio o incluso empujada por su marido. La difícil relación con la familia y la sombra de la mujer difunta acorralan al protagonista, que acaba por abandonar de nuevo la casa y provoca de alguna manera la muerte de su madre. Es evidente que la obra está inspirada en el drama íntimo que T. S. Eliot vivió con su primera mujer, Vivien High-Wood, experiencia que también había nutrido *La tierra baldía*, así como en su época de conversión al anglicanismo y en su visita, en 1933, tras más de diez años de ausencia, a Estados Unidos. Pero más allá de consideraciones biográficas, *La reunión familiar* constituye un notable logro técnico, gracias a esa invención métrica de la que habla Eliot y que terminó por propiciar el desarrollo de *Cuatro cuartetos*.

tar muy juntos o bien separados por sílabas átonas, con la única regla de que debe haber un acento antes de la cesura y dos después de esta. Recapacitando, muy pronto descubrí que había dedicado toda mi atención a la versificación a expensas de la trama y los personajes. Sin duda, había conseguido hacer progresos con el coro, pero el recurso de emplear cuatro personajes secundarios, que representaban a la familia, unas veces en papeles individuales y otras colectivamente, como coro, no me parecía demasiado satisfactoria. En primer lugar, la transición inmediata del papel individual, correspondiente a cada personaje, al de miembro del coro exige demasiado a los actores: se trata de una transición muy difícil de lograr. Por otra parte, me parecía otro truco que, aun en caso de resultar, no habría podido aplicarse en otras obras. Además, en dos pasajes distintos había acudido al recurso de un dúo lírico que se distinguía del resto del diálogo por estar escrito en versos más cortos, con solo dos acentos. En cierto sentido, estos pasajes están «más allá del personaje»: es preciso presentar a quien los dice como cayendo en una especie de estado de trance. Pero están tan alejados de las necesidades de la acción que difícilmente son algo más que pasajes poéticos que podrían ser dichos por cualquiera: se parecen demasiado a las arias de ópera. Si le agradan este tipo de cosas, el público ha de aceptar que la acción se suspenda para dar paso al disfrute de una fantasía poética: estos pasajes están aún menos vinculados a la acción que los del coro de *Asesinato en la catedral.*

He observado que cuando Shakespeare, en una de sus obras de madurez, introduce lo que puede parecer un verso o un pasaje puramente poético, este nunca interrumpe la acción o desentona con el personaje, sino al contrario: de un modo misterioso sostiene lo mismo la acción que al personaje. Cuando Macbeth pronuncia los versos frecuentemente citados que comienzan:

Mañana y mañana y mañana,[17]

o cuando Otelo, enfrentándose de noche con la ira de su suegro y amigos, pronuncia el hermoso verso

Envainad las relucientes espadas, pues las corroerá el rocío[18]

no sentimos que a Shakespeare se le hayan ocurrido versos que son bella poesía y que haya buscado acomodarlos de algún modo o que haya llegado momentáneamente al límite de su inspiración dramática y haya acudido a la poesía como una especie de relleno. Aquellos versos resultan sorprendentes y, sin embargo, casan perfectamente con los personajes que los pronuncian; o bien nos vemos obligados a ajustar nuestro concepto del personaje de tal modo que los versos resulten apropiados para él. Los versos pronunciados por Macbeth revelan el hastío del hombre débil cuya esposa lo ha forzado a reconocer sus deseos ocultos y las ambiciones de ella y que, cuando ella muere, pierde toda motivación para continuar. El verso de Otelo expresa ironía, dignidad y arrojo y de paso nos recuerda la hora de la noche en que la escena tiene lugar. Solo la poesía puede lograr algo así, pero se trata de poesía dramática, esto es: no interrumpe la acción dramática, sino que la intensifica.

17. Shakespeare, *Macbeth*, V, v.
18. Shakespeare, *Otelo*, I, II.

No solo a causa de la introducción de pasajes que, sin justificación dramática, llamaban demasiado la atención sobre sí mismos en cuanto poéticos, que *La reunión familiar* me pareció fallida: hubo dos fallos que me parecieron todavía más serios. El primero era que había empleado mucho más tiempo del estrictamente permitido a un dramaturgo para presentar la situación y no me había dejado tiempo suficiente o provisto de suficiente material para el desarrollo de las acciones. Había escrito lo que era, en general, un buen primer acto, excepto porque era demasiado largo para ser un primer acto. Cuando el telón vuelve a levantarse, el público está ansioso —y tiene derecho a estarlo— de que algo suceda. En vez de eso, se le ofrece una exploración mayor del trasfondo: en otras palabras, algo que habría que haberle dado antes. El principio del segundo acto supone un problema muy difícil de resolver para el director y el elenco, porque la atención del público ha comenzado ya a dispersarse. Y entonces, después de lo que debe de parecer un interminable tiempo de preparación para el público, la conclusión llega tan rápidamente que, al fin y al cabo, nos toma desprevenidos. Se trataba de una falla elemental en la mecánica de la obra.

Pero el peor defecto es el deficiente ajuste entre la historia griega y la situación moderna. Habría debido apegarme más a Esquilo o bien tomarme mayores libertades. Esto se hace evidente en la funesta figura de las Furias.[19] En el futuro, deberían omitir-

19. *La reunión familiar* está inspirada en la *Orestíada* de Esquilo y, sobre todo, en la última obra de esa trilogía, *Las Euménides.* Las Furias —equivalente latino de las griegas Erinias o Euménides— son la representación femenina de la venganza por crímenes consanguíneos en la mitología clásica. T. S. Eliot hace que se le aparezcan al protagonista de su obra como personificación de su sentimiento de culpa por la muerte de su esposa.

se del reparto y plantearse como visibles solamente para ciertos personajes, no para la audiencia. En su momento, intentamos todas las maneras posibles de presentarlas. Sobre el escenario, parecían huéspedes inesperados vestidos para una fiesta de disfraces. Las ocultamos detrás de un velo y aun así parecían salidas de una película de Walt Disney. Las iluminamos tenuemente y se veían como arbustos a través de la ventana. Más tarde he visto otros intentos: las he visto aparecer cruzando el jardín u hormigueando por el escenario como un equipo de fútbol y no son nunca plausibles. No consiguen jamás ni ser diosas griegas ni fantasmas modernos. Pero su falla es meramente un síntoma del defecto mayor: el desajuste entre lo moderno y lo antiguo.

Una evidencia aún más importante es que quedamos interiormente divididos, incapaces de decidir si hemos de entender la obra como la tragedia de la madre o la salvación del hijo. Ambas situaciones no se reconcilian. Encuentro una confirmación de esto último en el hecho de que ahora mis simpatías están completamente del lado de la madre, que se parece a mí, con excepción quizá del chófer, el único ser completamente humano de la obra, mientras que mi héroe ha acabado por resultarme un mojigato insufrible.

Sea como fuere, había hecho algunos progresos en lo que se refiere a aprender cómo debe redactarse el primer acto de una obra de teatro y también —y esto es lo único de lo que estoy seguro— progresado en lo referente a encontrar una forma de versificación y un lenguaje que, sin recurrir a la prosa, pudiera servir a mis propósitos y permitir transiciones sin fisuras entre el discurso más intenso y el diálogo más relajado. Después de mi crítica a *La reunión familiar*, estarán ustedes en condiciones de entender algunos de los errores que me propuse evitar mientras componía *El cóctel*. Para empezar, nada de coro y de fantasmas. Seguía sintiéndome inclinado a acudir a un trágico griego en busca de mi tema, pero estaba determinado a hacerlo meramente como punto de partida y a ocultar tan bien este referente que nadie pudiera identificarlo antes de que yo mismo lo señalara. En esto último, cuando menos, he tenido éxito, porque nadie que yo conozca (y ningún crítico literario) fue capaz de reconocer la fuente de mi historia: el *Alcestis* de Eurípides. De hecho, he tenido que dar amplias explicaciones para convencerlos —me refiero, desde luego, a quienes conocen la trama de aquella obra— de la autenticidad de mi inspiración. Sin embargo, aquellos que se sintieron en principio incómodos con la excéntrica conducta de mi desconocido huésped, sus hábitos aparentemente inmoderados y su tendencia a romper a cantar, han hallado algún consuelo después de haber llamado su atención hacia el comportamiento de Heracles en la obra de Eurípides.[20]

En segundo lugar, aposté por la norma ascética de evitar toda poesía que no pasara la prueba de la utilidad dramática: con tal éxito, de hecho, que la cuestión de si hay alguna poesía en aquella obra permanece aún abierta. Y, finalmente, busqué no perder de vista que, en una obra de teatro, algo debe ocurrir de vez en

20. *El cóctel* es una obra, a medio camino entre la típica comedia social inglesa y el drama moral, sobre un matrimonio en crisis que acaba por reconciliarse gracias a la intervención de un enigmático psicoanalista y al sacrificio de la amante del marido, que huye a África para encontrar la muerte. En la tragedia de Eurípides, Alcestis se ofrece ante los dioses a morir en lugar de su marido, Admeto, pero un amigo de este, Heracles, llega para impedirlo y regresar a la mujer a la vida. En la obra de T. S. Eliot, Heracles sería, pues, el psicoanalista.

cuando, de que debe mantenerse entre el público la expectativa constante de que algo está a punto de ocurrir, y que, cuando ocurre, debe ser distinto, aunque no demasiado, de lo que el público ha sido inducido a esperar.

No he conseguido aún llevar a término la investigación de los defectos de esta última obra, pero confío en descubrir muchos más de los que advierto por ahora. Y si hablo de «confiar» es porque, mientras que es imposible repetir una estrategia exitosa y en ese sentido uno está forzado a intentar descubrir algo diferente, aun a riesgo de tener menos fortuna frente al público, el deseo de escribir algo que esté libre de los defectos de anteriores trabajos es un incentivo tan poderoso como útil. Soy consciente de que el último acto de mi obra se libra por los pelos, si es que lo hace en absoluto, de la acusación de que no se trata en absoluto de un último acto, sino de un epílogo y estoy determinado a hacer, en lo posible, algo distinto a este respecto. Creo además que, si bien la autoeducación de un poeta que busca escribir teatro parece requerir un largo periodo de modulación de su poesía —lo que implica, por decirlo de algún modo, someterla a una dieta estricta para adaptarla a las necesidades del escenario—, es posible que este poeta descubra más tarde, cuando (si acaso) su comprensión de la técnica teatral se haya convertido para él en una especie de segunda naturaleza, que puede atreverse a usar la poesía de un modo más libre y tomarse mayores licencias con el habla coloquial. Mi creencia está fundada en la evolución de Shakespeare y en cierto estudio del lenguaje de sus obras tardías.

Lo que me ha animado a dedicar tanto tiempo al examen de mis propias obras ha sido, creo yo, algo más noble que el puro egotismo. Me parece que, si ha de existir un drama poético, es más probable que este provenga de poetas que hayan aprendido a escribir teatro que de prosistas que aprendan a escribir poesía. Quizá no sea sino una esperanza que ciertos poetas sean capaces de aprender a escribir piezas de teatro y buenas piezas de teatro; pero en mi opinión es una esperanza razonable. Sin embargo, que alguien que empezó a escribir prosa exitosamente pueda aprender a escribir buena poesía me parece extremadamente improbable. Y en las condiciones presentes —y hasta que el verso no sea reconocido por el público como una posible fuente de entretenimiento—, no parece que un poeta tenga oportunidad de escribir para la escena si antes no se ha forjado una reputación como escritor de otros tipos de poesía. En consecuencia, he querido poner por escrito, por la utilidad que pudiera tener para otros, un recuento de las dificultades con las que me he encontrado, de los errores que he cometido y de las debilidades que he intentado superar.

No me gustaría concluir sin exponer, aunque sea a través de un torpe boceto, el ideal hacia el que el drama poético debería intentar orientarse. Se trata de una meta inalcanzable y por eso me interesa: porque provee de un incentivo para la exploración y experimentación ulterior, con independencia de cualquier meta que pudiera alcanzarse. Una de las funciones del arte es proveernos, mediante la imposición de cierto orden a la vida, de cierta percepción de un orden implícito en ella. El pintor procede, entre los elementos del mundo visible, mediante selección, combinación y énfasis y lo mismo hace el músico con los elementos del mundo sonoro. Me parece que, más allá de las emociones y motivos, nombrables y clasificables, de nuestra vida consciente que se dirigen a la acción —la parte de nuestra vida que es más adecuada para expresarse en un drama en prosa— existe un margen de amplitud indefinida de sentimientos que solo pueden detectarse, por así decirlo, con el rabillo del ojo y que nunca son completamente visibles; de sentimientos de los que solo somos conscientes cuando nos distanciamos por un momento de lo que ocurre. Hay grandes dramaturgos en prosa —como Ibsen y Chéjov— que han conseguido hacer cosas que parecían imposibles para la escritura prosaica, pero que, a pesar del logro que suponen, se han visto entorpecidos por los límites de la propia escritura prosística. En sus momentos de mayor intensidad, el verso es capaz de expresar este peculiar rango de sensibilidad. Son momentos en que tocamos a la frontera de aquellos sentimientos que solo la música puede expresar. Y si bien no podemos jamás emular la música, porque alcanzar la condición de música supondría la aniquilación de la poesía, no obstante tengo ante los ojos una especie de ensueño de la perfección del drama en verso, que sería un modelo de acciones humanas y de palabras capaz de presentar, a la vez, los dos aspectos del orden dramático y el musical. Me parece que Shakespeare logró algo así, cuando menos en algunas escenas —incluso muy tempranamente, teniendo en cuenta la escena del balcón de *Romeo y Julieta*— y que esto era lo que buscaba conseguir en sus últimas obras. Avanzar lo más lejos posible en esta dirección sin que la obra pierda contacto con el mundo cotidiano con el que debe reconciliarse, me parece la aspiración más legítima del drama poético, puesto que la más importante entre las funciones del arte es imponer un orden creíble a la realidad ordinaria y propiciar así la percepción de un orden de la realidad que nos lleve a la serenidad, la paz y la reconciliación; y luego conducirnos, como Virgilio condujo a Dante, a un punto en que esa guía ya no sea necesaria.

Como he explicado en mi prefacio, el pasaje de este ensayo en que analizo la primera escena de *Hamlet* corresponde a una conferencia dictada hace algunos años en la Universidad de Edimburgo.[21] De esa misma conferencia he extraído la siguiente nota sobre la escena del balcón de *Romeo y Julieta*:

Al principio de la parte de Romeo hay aún cierta artificialidad:

> *Los dos más bellos astros que en el cielo relucen,*
> *ocupados en algo, le ruegan a sus ojos*
> *que en sus esferas brillen mientras están ausentes...*[22]

Puesto que no parece probable que un hombre que está de pie abajo, en medio del jardín, incluso en una noche de esplendorosa luna llena, pueda ver los ojos de su dama, que está arriba, resplandecer con un brillo tal que justifique la comparación. Aun así, uno es consciente, desde el comienzo de esta escena, de que hay un patrón musical que busca establecerse, tan sorprendente en su clase como los que caracterizan la obra temprana de Beethoven. La disposición de las voces —Julieta tiene tres versos simples, seguidos del tercero, cuarto y quinto, que corresponden a Romeo,

21. En el prefacio a *Sobre poesía y poetas*, donde este ensayo fue recopilado, T. S. Eliot comentaba que ese pasaje había sido rescatado de unas conferencias que había dado «antes de la guerra» en Edimburgo con el título de «The Development of Shakespeare Verse» («El desarrollo del verso de Shakespeare»), que finalmente desechó por considerarlas mal escritas y poco meditadas.

22. Shakespeare, *Romeo y Julieta*, II, I.

seguidos del largo discurso de ella— es muy notable. En este patrón, uno siente que la voz principal es la de Julieta, a su voz se asigna la frase dominante de todo el dúo:

Mi botín, como el mar, no conoce confines.
Igualmente profundo es mi amor: cuanto más
te entrego más poseo; ambos son infinitos...

Y es a Julieta a quien se otorga la palabra clave «rayo», que reaparece una y otra vez en la obra y que apunta al súbito y desastroso poder de la pasión de la joven, cuando dice:

como el rayo que cesa de ser, apenas uno
puede decir que ha sido...[23]

En esta escena, el verso de Shakespeare alcanza una perfección poética que, siendo tal, ni él mismo ni ningún otro podría superar... persiguiendo los mismos propósitos. La rigidez, la artificialidad, los adornos poéticos de sus versos tempranos finalmente ha cedido su lugar a la simplificación del lenguaje del habla común y este lenguaje de la conversación cotidiana se ha elevado a las alturas de la gran poesía, y a una gran poesía que es esencialmente dramática, puesto que la escena posee una estructura en la cual cada verso es una parte fundamental.

[1951]

23. *Ibidem*, II, I.

Las tres voces de la poesía

La primera voz es la del poeta que habla consigo mismo o con nadie. La segunda es la voz del poeta que se dirige a una audiencia, ya sea grande o pequeña. La tercera es la voz del poeta cuando busca crear un personaje dramático que se exprese en verso, cuando no habla por sí mismo, sino que se ciñe a los límites de un personaje imaginario que habla con otro personaje imaginario. La distinción entre la primera y la segunda voz, entre el poeta que habla para sí y el que lo hace para otras personas, remite al problema de la comunicación poética; la distinción entre el poeta que habla para otros, ya sea con su propia voz o con una voz asumida, y el poeta que inventa un discurso en el que ciertos personajes imaginarios conversan entre sí, remite al problema de la diferencia entre la poesía dramática, cuasi dramática y no dramática.

Quisiera anticiparme a una pregunta que alguno de ustedes muy bien podría formular. ¿No puede un poema escribirse para los oídos o para los ojos de una única persona? O quizá digan, sencillamente: «¿No es la poesía amorosa, en ocasiones, una forma de comunicación entre una persona y otra, sin pensar en otra audiencia?».

Hay cuando menos dos personas que no disentirían de mí en

este punto: Robert Browning y su esposa. En el poema «Una palabra más», escrito como epílogo para *Hombres y mujeres* y dedicado a la señora Browning, su marido hace un sorprendente juicio de valor:

Rafael hizo un ciento de sonetos,
los hizo y escribió en cierto volumen,
utilizando la punta de plata
con la que solo dibujaba vírgenes:
estas eran para el mundo; no el volumen.
¿Para quién era?, dices. Tu corazón responde…

¿No es cierto que tú y yo preferiríamos
leer aquel volumen, que admirar las vírgenes?…

Dante se dispuso una vez a pintar un ángel:
¿para complacer a quién? «A Beatriz», susurras…
Tú y yo preferiríamos ver ese ángel,
pintado por la ternura de Dante,
¿no es cierto?, que leer un nuevo Inferno.[1]

1. Robert Browning, «One Word More» («Una palabra más»), perteneciente al libro *Men and Women* (*Hombres y mujeres*, 1855). Browning había contraído matrimonio clandestinamente con Elizabeth Barret, seis años mayor que él e hija de una familia muy conservadora. Desafiando la autoridad paterna, Barret se casó con Browning y se escapó con él a Florencia, donde ella escribió su famoso poema narrativo *Aurora Leigh* (1856) y él su libro hoy día más conocido: *Hombres y mujeres*, donde se encuentran algunos de sus más felices monólogos dramáticos, como «Fra Lippo Lippi» o «Andrea del Sarto». Aquí T. S. Eliot deja clara la escasa simpatía que sentía por Browning.

Estoy de acuerdo en que un solo *Inferno* basta, aunque sea de Dante; y tal vez no haya nada que lamentar en el hecho de que Rafael no multiplicara sus vírgenes; debo decir, sin embargo, que no siento curiosidad alguna ni por los sonetos de Rafael ni por el ángel de Dante. Si Rafael escribió o Dante pintó para los ojos de una única persona, su privacidad debería respetarse. Sabemos que al señor y la señora Browning les gustaba enviarse poemas mutuamente porque ellos mismos los publicaron después y algunos de ellos son buenos poemas. Sabemos que Rossetti había escrito su *Casa de la vida* para una sola persona y que solo sus amigos lograron persuadirle de que debía darlo a conocer.[2] No niego que un poema pueda dirigirse a una sola persona: pensemos en esa forma bien conocida, de contenido no siempre amoroso, llamada «Epístola». Ahora bien, sobre las pretensiones de los poetas al escribir un poema no tendremos jamás evidencia concluyente, puesto que su testimonio no puede asumirse sin más. En todo caso, mi opinión es que un poema de amor, aunque vaya dirigido a una persona en particular, está siempre destinado a la escucha de otras personas. Sin duda, el lenguaje apropiado para el amor —esto es, para comunicarse en exclusiva con la persona amada— es la prosa.

Habiendo descartado, por ilusoria, la voz del poeta que se dirige a una única persona, creo que la mejor manera de intentar

2. *The House of Life* (*La casa de la vida*) es una secuencia de sonetos escrita por Rossetti entre 1847 y 1881, una larga meditación —en su tiempo muy escandalosa por sus explícitas referencias sexuales— sobre el amor y la muerte, dedicada a su difunta esposa, Elizabeth Siddal, aunque hay quien dice que cuando escribió los poemas también estaba pensando en Jane Morris, la mujer de su amigo William Morris.

hacer audibles mis tres voces es rastrear la génesis de esa distinción en mi propia mente. Me parece probable que una distinción como esa tenga más posibilidades de ocurrir en la mente de un escritor que, como yo, haya escrito poesía durante muchos años antes de intentar siquiera escribir para el escenario. No niego que es posible, como he leído en algún lugar, que en gran parte de mi obra temprana haya un elemento dramático: quizá aspiré desde un principio, inconscientemente, a escribir para el teatro —o como dirían los críticos menos amistosos, para Shaftesbury Avenue y Broadway—.[3] El caso es que paulatinamente he llegado a la conclusión de que escribir poesía para el escenario es, tanto por el proceso como por el resultado, muy distinto que escribir poesía para ser leída o recitada. Hace veinte años me encargaron escribir un apropósito teatral que llevaría por título *La roca*.[4] La invitación a escribir el texto de aquel espectáculo —destinado a recaudar fondos para la construcción de iglesias en barrios de reciente construcción— llegó en un momento en que tenía la impresión de que mis magras dotes poéticas se habían agotado y no tenía nada más que decir. Quizá en un momento como aquel, un

3. Es verdad que algunos de sus poemas más tempranos son espléndidos monólogos dramáticos —aunque con una distancia irónica, a diferencia de lo que ocurre con los de Browning—, como por ejemplo «The Love Song of J. Alfred Prufrock» («La canción de amor de J. Alfred Prufrock», 1917), durante mucho tiempo considerado el primer poema «moderno» del siglo XX.

4. *The Rock* (*La roca*) fue una obra colectiva escrita en 1934 en la que a T. S. Eliot se le encargó la composición de unas pocas escenas y, sobre todo, de los coros, una tarea que dio una segunda vida a su poesía. Esos coros —siempre incluidos en su obra poética completa— están muy influidos por el ritmo de la Biblia del rey Jacobo —la llamada «versión autorizada» de 1611— y por el libro de los Salmos.

encargo que, bueno o malo, debía entregarse en una fecha precisa haya tenido el mismo efecto que un vigoroso giro de manivela suele tener, en ocasiones, sobre el motor de un coche al que se le ha agotado la batería. La tarea estaba claramente delineada: tan solo tenía que escribir los diálogos en prosa para algunas escenas que seguirían los patrones históricos usuales en esta clase de obras y de los cuales se me proporcionaba un guión y aportar, además, cierto número de pasajes corales en verso cuyo contenido se dejaba a mi criterio, excepto por la razonable cláusula de que todos esos coros debían tener cierta relevancia para la celebración y durar un número preciso de minutos. Es curioso que, mientras me ocupaba de esta segunda parte de mi tarea, no hubiera nada que llamara mi atención sobre la tercera de las voces a las que me he referido, la voz dramática: era la segunda voz, la mía dirigiéndome —de hecho, arengando— a una audiencia, la que resultaba más audible. Aparte del hecho evidente de que escribir por encargo no es lo mismo que hacerlo por placer, en aquella ocasión solo aprendí que la poesía destinada a un coro debe ser distinta a la que se ha de ser recitada por una sola persona y que cuantas más voces tenga ese coro, más simple y más directo ha de ser el vocabulario, la sintaxis y el contenido de los versos. El coro de *La roca* no era una voz dramática: aunque se repartían muchos versos, los personajes no estaban individualizados. En vez de decir cosas que representaran a distintos personajes, sus miembros hablaban por mí.

En contraste, el coro de *Asesinato en la catedral* supone, a mi entender, cierto avance en lo referente al desarrollo dramático. Es decir: me impuse la tarea de escribir versos no para un coro anónimo, sino para un coro de mujeres de Canterbury —casi podría decirse de criadas de Canterbury—.[5] Tuve que hacer un esfuerzo para identificarme con estas mujeres, en vez de meramente identificarlas conmigo mismo. En lo tocante a los diálogos de la obra, sin embargo, la trama tenía la desventaja (desde el punto de vista de mi propia formación dramática) de presentar un único personaje dominante, en cuya mente tiene lugar todo conflicto dramático posible. La tercera voz —o voz dramática— no se hizo audible para mí hasta que abordé por vez primera la posibilidad de presentar dos (o más) personajes engarzados en alguna clase de conflicto, malentendido o intento de entenderse entre sí, personajes con cada uno de los cuales yo mismo tenía que tratar de identificarme mientras escribía sus parlamentos. Quizá recuerden que, en el juicio de Bardell contra Pickwick, la señora Cluppins declaraba: «Hablaban en voz muy alta, señoría, y aquellas voces se abrieron paso hasta mis oídos». «Bien, señora Cluppins —respondía el sargento Buzfuz—, de modo que usted no estaba escuchando y, sin embargo, oyó las voces.» Pues bien, en 1938 la tercera voz empezó a abrirse paso hasta mis oídos.

En este punto, puedo imaginarme al lector murmurando para sí: «Estoy seguro de haberle oído decir esto mismo en otra ocasión». Ayudaré a su memoria aportando la referencia. En una conferencia sobre «Poesía y drama», dictada hace exactamente tres años y publicada poco después, decía:

Me parece que, cuando escribe otra clase de poesía, uno escribe, por decirlo así, en términos de su propia voz: el modo en que suena cuan-

5. Sobre *Asesinato en la catedral*, véase en este volumen la nota 12, p. 450, del ensayo «Poesía y drama».

do te lees a ti mismo es la clave. Porque es uno mismo el que habla. La cuestión de la comunicación, de lo que el lector captará, no es lo fundamental...[6]

Hay alguna confusión de pronombres en este pasaje, pero creo que su significado es claro, tan claro como para considerarlo un atisbo de lo obvio: en aquella etapa solamente podía notar la diferencia entre hablar por mí mismo y hacerlo por un personaje imaginario y pasaba por alto otras consideraciones sobre la naturaleza del drama poético. Empezaba a ser consciente de la diferencia entre la primera voz y la tercera, pero no prestaba atención a la segunda, de la cual he de decir algo más enseguida. Pero me gustaría adentrarme un poco más en el problema. Antes de hacer consideraciones sobre las demás voces, me gustaría centrarme un momento en las complejidades de la tercera voz.

Tratándose de una obra en verso, es probable que uno se vea obligado a escribir parlamentos para muchos personajes que difieren ampliamente entre sí en origen, temperamento, educación e inteligencia. El autor no puede permitirse identificarse a sí mismo con uno de los personajes y concederle a este (o a esta) toda la «poesía». La poesía (es decir, el lenguaje en sus momentos de mayor intensidad en la obra) debe distribuirse tanto como la caracterización lo permita; y a cada uno de los personajes, cuando su parlamento es poesía y no meramente verso, hay que darle los versos apropiados. Cuando la poesía hace su aparición, el personaje que está en el escenario no debe dar la impresión de que es solo un portavoz del autor. El autor, por su parte, está limitado por la cla-

6. Véase en este volumen la p. 449.

se de poesía y el grado de intensidad que puede atribuirle a cada uno de los personajes de su obra de un modo plausible. Y estas líneas poéticas deben, además, estar justificadas por el desarrollo de la situación en la que se enuncian. Aun cuando un estallido de grandiosa poesía sea adecuado para el personaje al que se le asigna, debe además convencernos de que es necesario para la acción, de que ayuda a extraer la intensidad emocional última de la situación. El poeta que escribe para el teatro puede, según he descubierto, cometer dos errores: asignarle a un personaje ciertas líneas poéticas inadecuadas para que sea este personaje quien las pronuncie y asignarle líneas que, aunque sean adecuadas para él, de alguna manera fracasen a la hora de hacer avanzar la acción de la obra. En algunos de los dramaturgos isabelinos menores, hay pasajes de grandiosa poesía que están, sin embargo, fuera de lugar en estos dos aspectos: que son suficientemente bellos para hacer que la pieza se conserve para siempre como literatura y resultan sin embargo tan inapropiados como para impedir que esta se convierta en una obra de arte teatral. Los ejemplos más conocidos pueden encontrarse en el *Tamerlán* de Marlowe.

¿Cómo consiguieron los más grandes poetas dramáticos —Sófocles, Shakespeare, Racine— lidiar con esta dificultad? El problema concierne, desde luego, a toda ficción imaginativa —novelas y piezas teatrales en prosa— en la que pueda decirse que los personajes viven. Por mi parte, no conozco otra manera de dar vida a un personaje que sentir una enorme simpatía por él. Idealmente, un dramaturgo —que por lo común ha de manejar menos personajes que un novelista y que solo puede permitirle a estos dos horas de vida— debe simpatizar profundamente con todos sus personajes, pero ese no es más que un consejo de perfeccionista, porque la trama de una obra, incluso cuando esta tiene solo un pequeño reparto, requiere de la presencia de uno o más personajes cuya realidad, con independencia del modo en que contribuyan a la acción, no nos interesa en absoluto. Me pregunto, sin embargo, si es posible hacer parecer real al personaje de un absoluto villano: alguien frente al cual ni el autor ni nadie más pueda sentir nada que no sea antipatía. Para hacer plausible un personaje, es preciso que la villanía diabólica —o la virtud del héroe— se mezcle con cierta debilidad. Yago me asusta más que Ricardo III y no estoy seguro si Paroles, en *Bien está lo que bien acaba*, no me asusta aún más que Yago. (Sin duda, la Rosamund Vincy de *Middlemarch* me asusta más que Goneril o Regan.) Mi impresión es que, cuando un autor crea un personaje auténticamente vital, ocurre una especie de toma y daca. Puede que el autor ponga en ese personaje, además de otros atributos, ciertos rasgos de sí mismo, cierta fortaleza o debilidad, cierta tendencia a la violencia o a la indecisión, cierta excentricidad incluso, que reconoce como propias. Quizá algo que no haya sido capaz de conseguir en su vida, que haya pasado desapercibido aun para quienes mejor le conocen y que no pueda solo transmitir a personajes del mismo temperamento, de la misma edad o del mismo sexo. Es posible que ese pedazo de sí mismo que el autor le otorga sea el germen del que proviene la vida del personaje. Por otro lado, un personaje que consigue interesar a su autor puede hacer aflorar potencialidades latentes en su propio ser. Estoy convencido de que el autor pone algo de sí mismo en sus personajes, pero también de que sus personajes influyen en él. Sería excesivamente fácil perderse en un laberinto de especulaciones sobre el proceso por el cual un personaje imaginario puede tornarse tan real como cualquier persona que hayamos conocido. Si me he adentrado hasta aquí ha sido solo para indicar las dificultades, las limitaciones, la fascinación que un poeta acostumbrado a escribir poesía en su propio nombre puede experimentar ante el problema de lograr que personajes imaginarios hablen poesía. Y la diferencia, el abismo que existe entre escribir para la primera y para la tercera voz.

La peculiaridad de mi tercera voz, la voz del drama poético, se manifiesta de otro modo si se compara con la voz del poeta que escribe poesía no dramática que sin embargo contiene elementos dramáticos —y notablemente en el monólogo dramático—. Browning, en un momento acrítico, se refiere a sí mismo como «Tú, Robert Browning, escritor de obras de teatro».[7] ¿Cuántos de nosotros hemos leído una obra de Browning más de una vez? Y en caso de haberlo hecho, ¿fue porque esperábamos disfrutarla? ¿Qué personaje de Browning permanece vivo en nuestras mentes? Por otro lado, ¿quién puede olvidar a fra Filippo Lippi, a Andrea del Sarto, al obispo Blougram o al otro obispo que mandó construir su sepulcro?[8] A primera vista, del contraste entre la maestría de Browning en el monólogo dramático y sus escasos logros en el drama, se desprende que las dos formas deben de ser esencialmente diferentes. ¿Habrá acaso otra voz que no he sido capaz de

7. Son los últimos versos del poema de Robert Browning «A Light Woman» ('Una mujer liviana'): «And Robert Browning, you writer of plays / Here's a subject made to you hand» ('Y Robert Browning, escritor de obras de teatro / ahí tienes un motivo hecho a tu medida').

8. Todos personajes de los mejores monólogos dramáticos no teatrales de Robert Browning. El obispo Blougram es el protagonista del largo poema «Bishop Blougram's Apology» («La apología del obispo Blougram», 1855). Y el otro obispo es el del poema «The Bishop Orders His Tomb at Saint Praxed's Church» ('El obispo encarga su sepulcro en la iglesia de Santa Práxedes').

oír, la voz del poeta dramático cuyas mejores dotes se ejerciten fuera del teatro? Y ciertamente, si un poeta merece ser caracterizado como «dramático» fuera de la escena, ese es Browning.

Como he dicho antes, en una obra de teatro el autor debe dividir lealtades: debe simpatizar con personajes que de ningún modo simpatizarían entre sí. Y debe repartir la «poesía» tanto como lo permitan las cualidades de cada personaje imaginario. Esta obligación de distribuir la poesía implica cierta variación del estilo poético de acuerdo con el personaje al que se atribuye cada parte. El hecho de que cierto número de personajes de una obra reclamen del autor una cuota de discurso poético obliga a este a buscar extraer la poesía de los personajes, más que a imponerles su propia poesía. Ahora bien, esa obligación no existe en el monólogo dramático. Ahí, el autor puede identificarse con el personaje o bien hacer que este se identifique con él, puesto que no hay ninguna obligación que se lo impida, y esa obligación no puede ser otra que la necesidad de identificarse con otro personaje que le conteste al primero. De hecho, lo que solemos escuchar en el monólogo dramático es la voz de poeta, vestido y maquillado como un personaje histórico o ficticio. Es necesario que ese personaje resulte identificable para nosotros —como individuo o al menos como tipo— incluso antes de que comience a hablar. Si, como es frecuente en Browning, el poeta asume el papel de un personaje histórico, como Filippo Lippi, o de un conocido personaje ficticio, como Calibán, es porque ha tomado posesión de ese personaje. Y la diferencia es más evidente en su «Calibán acerca de Setebos».[9]

9. Se trata del poema de Robert Browning «Caliban upon Setebos; Or, Natural Theology in the Island» ('Calibán acerca de Setebos; o teología natural en

En *La tempestad*, es Calibán el que habla; en «Calibán acerca de Setebos», lo que escuchamos es a Browning, que habla en voz alta por boca de Calibán. Fue el más grande discípulo de Browning, el señor Ezra Pound, quien adoptó el término «persona» para indicar los diversos caracteres históricos a través de los cuales ha hablado —y el término es exacto.[10]

Incluso me arriesgaría a generalizar —lo que probablemente implique intentar resolver las cosas de un plumazo— diciendo que el monólogo dramático es incapaz de crear un personaje. Un personaje solo gana realidad interactuando y comunicándose con otros personajes imaginarios. No es irrelevante que, cuando el monólogo dramático no se pone en boca de un personaje conocido —de la historia o de la ficción—, nos sintamos movidos a preguntar: «¿Quién era el personaje original?». La gente se ha preguntado siempre hasta qué punto el obispo Blougram pretendía ser un retrato del cardenal Manning o de algún otro eclesiástico.[11] Hablando con su propia voz, como solía hacer Browning, el poeta no puede dar vida a un personaje, solo imitar a un personaje previamente conocido. Y la gracia de la mímica, ¿no radica en el reconocimiento de la persona imitada y en lo incompleto de la ilusión? Es preciso que seamos conscientes de que el imitador y el

---

la isla'). Setebos es el dios de la bruja Sycorax, madre de Calibán, la criatura deforme que tiene presa Próspero en *La tempestad.*

10. Y *Personae* fue el título de dos poemarios de Ezra Pound, el primero de 1909 y el otro de 1926. El segundo, en realidad, es un libro recopilatorio de sus poemas breves, máscaras de sí mismo.

11. Henry Edward Manning (1808-1892) fue, junto al también cardenal John Henry Newman, miembro del Movimiento Oxford, formado por teólogos anglicanos que se convirtieron al catolicismo.

imitado son personas distintas: si sucumbimos al engaño, la mímica se torna personificación. Cuando escuchamos una obra de Shakespeare, no escuchamos a Shakespeare, sino a sus personajes; cuando leemos un monólogo dramático de Browning, nos resulta imposible suponer que escuchamos otra voz que no sea la de Browning.

Así pues, es la segunda voz, la del poeta dirigiéndose a la audiencia, la que domina en el monólogo dramático. El mero hecho de que asuma un papel, de que hable a través de una máscara, implica la presencia de un público: ¿por qué iba uno a ponerse un disfraz y una máscara para hablar consigo mismo?[12] La segunda voz es, de hecho, la que se escucha más clara y frecuentemente en la poesía que no está destinada al teatro; en cualquier poesía, por cierto, que tenga un propósito social consciente, que pretenda divertir o enseñar, que cuente una historia, que hable en favor de cierta actitud moral o que la satirice, lo que supone también hablar en favor de algo. Porque, ¿qué sentido tiene una historia sin audiencia, un sermón sin congregación? La voz del poeta dirigiéndose a otros es la voz dominante en la épica, aunque no sea la única voz. En Homero por ejemplo, se escucha también, de vez en cuando, la voz dramática: hay momentos en que escuchamos no a Homero hablando a través de un héroe, sino la voz misma del hé-

12. Acerca de esta pregunta, Jaime Gil de Biedma, en un ensayo sobre *Cuatro cuartetos*, escribía en 1984: «El arte de Eliot para casualmente insinuar obviedades capciosas, a falta de mejores argumentos, a veces resulta demasiado evidente. ¿Qué a qué la máscara y el disfraz, cuando solo se habla a uno mismo? Pues a ciencia cierta no se sabe, pero es el caso que más de un poeta, a solas, ha empleado uno y otro —él mismo, en *The Waste Land*», Jaime Gil de Biedma, «Four Quartets», *El pie de la letra*, Barcelona, Crítica, 1994, p. 359.

roe. La *Divina comedia* no es exactamente una épica, pero en ella, otra vez, hay mujeres y hombres que nos hablan. Y no tenemos razones para pensar que la simpatía de Milton por Satán fuera tan exclusiva como para adscribirlo al partido del diablo, pero la épica es esencialmente una historia que se cuenta a una audiencia, mientras que el drama es esencialmente una acción que se muestra a una audiencia.

Ahora bien, ¿qué hay de la poesía de la primera voz, esa que no es en principio un intento de comunicarse con nadie?

Debo subrayar que esta poesía no es necesariamente aquella que demasiado vagamente llamamos «poesía lírica». El propio término «lírica» resulta insatisfactorio. De inmediato nos hace pensar en versos para ser cantados: de las canciones de Campion, Shakespeare y Burns a las arias de W. S. Gilbert o la letra del último «número musical».[13] Pero lo aplicamos también a poemas que jamás estuvieron destinados a una partitura o que disociamos de su acompañamiento musical: hablamos del «verso lírico» de los poetas metafísicos, de Vaughan y Marvell lo mismo que de Donne y Herbert.[14] La definición misma de «lírica» en el *Oxford Dictionary* señala que la palabra no puede ser definida satisfactoriamente:

13. Sobre Thomas Campion, véase en este volumen la nota 5, p. 320, del ensayo «Yeats» y la nota 5, p. 339, del ensayo «La música de la poesía». ¶ Sobre Robert Burns, véase la nota 31, p. 307, del ensayo «Byron». ¶ William S. Gilbert (1836-1911) fue un dramaturgo victoriano, famoso por sus óperas cómicas, como *The Grand Duke* (*El gran duque*, 1896), musicadas por sir Arthur Sullivan. Los ingleses llaman *lyrics* a lo que en español se conoce como «letras de canciones».

14. Véase al respecto en este volumen el ensayo «Los poetas metafísicos», pp. 73-93.

Lírica: En la actualidad, nombre que reciben los poemas breves, usualmente divididos en estanzas o estrofas, que expresan directamente los pensamientos y sentimientos del poeta.[15]

¿Cuán breve tiene que ser un poema para se calificado de «lírico»? El énfasis en la brevedad y la sugerencia de dividir el poema en estrofas parecen ser un residuo de la asociación entre música y voz. Sin embargo, no necesariamente existe una relación entre brevedad y expresión de los pensamientos y sentimientos del poeta. «Come unto these yellow sands» o «Hark! Hark! the lark!» son lírica, ¿no es cierto?, pero ¿en qué sentido puede decirse que expresan directamente los pensamientos y sentimientos del poeta?[16] «Londres», «La vanidad de los deseos humanos» y «El pueblo desierto» son todos ellos poemas que parecen expresar los pensamientos y sentimientos del poeta, pero ¿alguna vez pensamos en ellos como «lí-

15. En el Diccionario de la RAE: «Lírica: Género literario al cual pertenecen las obras, normalmente en verso, que expresan sentimientos del autor y se proponen suscitar en el oyente o lector sentimientos análogos».

16. Shakespeare, *La tempestad*, I, II: «Vengan a las arenas doradas / con las manos bien tomadas; / y cuando tras muchos besos / hasta el mar haga silencio, / muevan los pies con donaire / al son de este alegre baile / ... / ¡Por aquí y por allá! / ¡Por aquí y por allá! / ¡Guau! ¡Guau! / Ladra el perro guardián. / ¡Guau! ¡Guau! / ¡Por allá y por aquí! / ¡Por allá y por aquí! / Oigo el canto baladí / del Chantecler, ¡quiquiriquí!», traducción de Marcelo Cohen y Graziella Speranza en William Shakespeare, *La tempestad*, Bogotá, Norma, 2000. La segunda cita es de Shakespeare, *Cimbelino*, II, III, v. 15: «Cantan / a las puertas del cielo / canta la alondra / y ya se alza Febo / a abrevar sus corceles / en el agua del cáliz / de las flores. / Se abren los ojos de oro / del clavelón. / Con todo lo que es bello / mi dulce dama asciende. / ¡Sube, sube!», traducción de César Aira en Shakespeare, *Cimbelino*, Bogotá, Norma, 2002. Las dos canciones han sido musicadas en muchas ocasiones, la primera, por ejemplo, por Arthur Sullivan y la segunda por Franz Schubert.

ricos»?[17] Ciertamente, no son breves. Todos y cada uno de los poemas que he mencionado parece no calificar como poema lírico, lo mismo que el señor Daddy Longlegs y el señor Floppy Fly no califican como cortesanos:

Uno ya no puede ir a la corte
porque las piernas se le acortaron demasiado.
El otro no puede cantar canciones
de tanto que las piernas se le han alargado...[18]

Evidentemente, es el tipo de poema lírico que «expresa directamente los pensamientos y sentimientos del poeta» y no el otro, breve y destinado a la música —y escasamente relacionado con mi asunto—, el que encuentro vinculado con la primera de mis voces: la del poeta que habla consigo mismo o con nadie. Este parece ser el sentido en que el poeta alemán Gottfried Benn, en una interesante conferencia titulada *Probleme der Lyrik*, entiende la lírica: como una poesía de la primera voz.[19] Sin embargo, estoy seguro de que Benn incluiría en su definición poemas como las *Elegías de Duino*, de Rilke, y *La joven parca*, de Valéry. Así pues, donde Benn habla de lírica, yo preferiría hacerlo de «poesía meditativa».

¿Por dónde empieza, pregunta Benn, quien escribe un poema

17. «London» («Londres») es un poema de William Blake, «The Vanity of Human Desires» («La vanidad de los deseos humanos») de Samuel Johnson y «The Deserted Village» («El pueblo desierto») de Oliver Goldsmith.

18. Edward Lear, «The Daddy Long-legs and the Fly» ('Daddy piernaslargas y la mosca').

19. El poeta alemán Gottfried Benn (1886-1956) publicó su conferencia *Probleme der Lyric* (*El problema de la lírica*) en 1951.

«que no va dirigido a nadie»? Por una parte, responde, hay un embrión o «germen creativo» («ein dumpfer schöpferischer Keim») y por otro, el lenguaje, los recursos verbales bajo el arbitrio del poeta. Algo comienza a germinar en él, para lo cual ha de buscar palabras; no puede saber, sin embargo, qué palabras necesita, hasta dar con ellas, no puede identificar el embrión hasta que este se ha transformado en un acomodo de las palabras correctas en el orden correcto. Cuando se tienen palabras para nombrarla, la «cosa» para la cual habían de hallarse las palabras desaparece, reemplazada por el poema. Se empieza con algo que no puede definirse, en ningún sentido ordinario, como una emoción y que, sobre todo, no es una idea: es —para emplear dos versos de Beddoes en otro sentido— una

> *descarnada criatura de la Vida, que en lo oscuro,*
> *con voz de rana, grita: «¿Qué es lo que habré de ser?».*[20]

Estoy de acuerdo con Gottfried Benn y aún iría más allá. En un poema que no es ni didáctico ni narrativo, ni está animado por ningún otro propósito social, el poeta solo ha de preocuparse de expresar en verso —utilizando todos sus recursos verbales, con su historia, sus connotaciones, su música— este oscuro impulso. No sabe qué es lo que tiene que decir hasta que lo ha dicho y en el esfuerzo por decirlo no le atañe buscar que otros entiendan. En esta etapa, la gente no le incumbe en ningún sentido: tan solo encontrar las palabras correctas o, en todo caso, las menos incorrectas.

20. Se trata de «Song by Isbrand» («Canción de Isbrand») del dramaturgo de principios del siglo XIX Thomas Lovell Beddoes (1803-1849).

No piensa si alguien las escuchará o no alguna vez o si alguien las entenderá alguna vez después de leerlas. Le oprime una carga que debe dar a luz para obtener algún alivio. O para emplear otra figura: se ve acechado por un demonio frente al cual se siente impotente, porque cuando este se manifiesta por primera vez no tiene cara ni nombre y las palabras, el poema, son una forma de exorcismo de ese demonio. Si se mete en todos esos problemas, no es con el propósito de comunicarse con alguien, sino para aliviarse de una profunda incomodidad y cuando las palabras finalmente se acomodan del modo correcto —o de un modo que él puede aceptar como el mejor acomodo posible— es probable que experimente un momento de profundo agotamiento, de sosiego, de absolución; y de algo muy parecido al aniquilamiento que es en sí mismo indescriptible. Y entonces puede decir al poema: «¡Vete! Encuentra tu lugar en un libro... y no esperes que vuelva jamás a interesarme por ti».

No creo que la relación de un poema con sus orígenes pueda trazarse más claramente. Quizá podrían leerse los ensayos de Paul Valéry, que estudió con más perseverancia que nadie el funcionamiento de su propia mente en la composición de un poema.[21] Ahora bien, si lo que intentamos es explicar el poema, ya sea a partir de lo que los propios poetas se esfuerzan en decirnos, o de una investigación biográfica, con o sin las herramientas de la psicología, lo más probable es que profundicemos más y más sin llegar jamás a buen puerto. El intento de explicar el poema rastreando sus orígenes distraerá la atención del poema mismo para dirigirlo ha-

21. En sus *Cahiers* (*Cuadernos*), Paul Valéry se dedicó a analizar, entre 1894 y 1945, su propia mente en relación con muchas disciplinas, entre ellas la poesía.

cia otra cosa que, en la forma en que puede ser aprehendida por el crítico y sus lectores, no tiene relación con este y no arroja la menor luz sobre él. No quisiera dar la impresión de estar buscando hacer de la escritura del poema un misterio mayor de lo que es. Solo intento decir que el poeta debe centrar sus esfuerzos en ganar claridad para sí mismo, en asegurarse de que el poema es el desenlace correcto del proceso que ha tenido lugar. La más chapucera forma de oscuridad es la del poeta que no ha conseguido dar cuenta de sí mismo frente a sí mismo, la más penosa, cuando busca persuadirse de que tiene algo que decir cuando no es así.

Por mor de la sencillez, hasta ahora he hablado de las tres voces como si fuesen mutuamente excluyentes, como si el poeta, en un poema cualquiera, hablara o bien para sí o bien para los otros y como si ninguna de las dos primeras voces fuera audible en un buen poema dramático. De hecho, tal es la conclusión a la que sus argumentos parecen conducir a herr Benn: este habla como si la poesía de la primera voz —que, por otra parte, en líneas generales considera un aporte de nuestra época— fuera totalmente distinta de la del poeta que se dirige a una audiencia. En mi opinión, sin embargo, esas dos voces —me refiero a la primera y la segunda— se encuentran con frecuencia juntas en la poesía no dramática y unidas con la tercera en la poesía dramática. Aun cuando, como he dicho ya, el autor de un poema pueda haberlo escrito inicialmente sin pensar en la audiencia, sin duda querrá saber qué tiene que decir ese poema, que a él le parece satisfactorio, al resto de la gente. Habrá, en primer lugar, unos pocos amigos a cuyo criterio le gustaría someterlo antes de considerarlo terminado: pueden resultar muy útiles a la hora de sugerir una palabra o una frase que el autor no ha sido capaz de encontrar por sí mismo, aunque su mayor servicio sea probablemente indicar, sin más: «Este o aquel pasaje no funcionan», confirmando así una sospecha que el autor ha estado suprimiendo de su propia conciencia. Ahora bien, no es en estos pocos amigos juiciosos, cuya opinión el autor valora, en quienes estoy pensando fundamentalmente, sino en una audiencia mucho más amplia y desconocida: gente para quienes el nombre del autor no significa nada más allá del poema que acaban de leer. La entrega definitiva del poema, por así decirlo, a una audiencia desconocida, por lo que este poema pueda significar para aquella, supone la consumación de un proceso que se gesta en soledad y sin tener en mente a ninguna audiencia: el largo proceso de gestación del poema. Esta entrega determina la separación final del poema y su autor. Que el autor, llegado este punto, descanse en paz.

Hasta aquí en lo referente al poema que es principalmente un poema de la primera voz. En mi opinión, en todo poema, desde la meditación privada hasta la épica o el drama, puede escucharse más de una voz. Si el autor no hablara nunca para sí mismo, el resultado no sería poesía, sino retórica grandilocuente, y parte de nuestro goce de la gran poesía nace de escuchar esas voces que se abren paso hasta nuestros oídos, que no iban dirigidas a nosotros en primer lugar.[22] Ahora bien, si el poema fuera exclusivamente para el autor, sería igual que un poema escrito en una lengua privada y desconocida y un poema así no sería en absoluto un poe-

22. Cuando T. S. Eliot estaba escribiendo el último de los *Cuatro cuartetos*, le confió a su amigo John Hayward una reflexión muy parecida a la que aquí esboza: 'El defecto de todo el poema, creo, es la falta de alguna reminiscencia personal, nunca explicitada, por supuesto, pero que dé fuerza desde las profundidades', carta de 5 de agosto de 1941, citada en Helen Gardner, *The Composition of Four Quartets* (*La composición de Cuatro cuartetos*; Londres, Faber & Faber, 1978, p. 24).

ma. Y en lo que toca al drama poético, me inclino a pensar que en este pueden escucharse las tres voces. Primero, la voz de cada personaje: una voz individual, diferente a la de cualquier otro personaje, de modo que de cada intervención pueda decirse si proviene de este personaje o de otro. De vez en cuando, sin embargo, y quizá inadvertidamente, es posible que las voces del autor y del personaje suenen al unísono: que digan algo apropiado para el personaje que el autor mismo podría haber dicho también, aunque las palabras puedan no significar lo mismo para ambos. Eso sería algo radicalmente distinto de la ventriloquia que hace del personaje un mero portavoz de las ideas y sentimientos del autor.

Y mañana, y mañana y mañana...[23]

¿No son la perpetua conmoción y sorpresa que producen estos manidos versos una evidencia de que Shakespeare y Macbeth los dicen al unísono, aunque sea con un significado algo distinto? Y finalmente, hay versos, en las piezas de uno de los supremos poetas dramáticos, en los que oímos una voz aún más impersonal que la del personaje o el autor.

Lo importante es estar preparado[24]

o

Simplemente lo que soy me dará de vivir...[25]

23. Shakespeare, *Macbeth*, V, v.
24. Shakespeare, *El rey Lear*, V, II.
25. Shakespeare, *Bien está lo que bien acaba*, IV, III.

Y ahora me gustaría volver por un momento a Gottfried Benn y a su ignoto y oscuro «material psíquico» —el pulpo o el ángel, podríamos decir, con el que el poeta combate—. Entiendo que entre las tres clases de poesía a las que corresponden mis tres voces hay cierta diferencia de proceso. En el poema en el que domina la primera voz, la del poeta que habla consigo mismo, el «material psíquico» tiende a crear su propia forma, la eventual forma del poema será, en mayor o menor grado, la forma de ese poema y de ningún otro. Es un error, desde luego, suponer que el material crea o impone su forma, lo que tiene lugar es un desarrollo simultáneo de la forma y el material, porque la forma va modificando el material en cada etapa y quizá todo lo que el material puede hacer es repetir: «¡Así no!, ¡así no!», frente a cada intento malogrado de organización formal, hasta que, finalmente, se identifica con su forma. Pero en la poesía de la segunda y de la tercera voz, la forma está hasta cierto punto dada. Por más transformaciones que sufra antes de que el poema se dé por terminado, puede representarse desde un principio mediante un esbozo o un guión. Si he elegido contar una historia, debo tener alguna noción de la trama o de la historia que quiero contar; si acudo a la sátira, la moraleja o la invectiva, existe algo ya dado que reconozco y que existe tanto para mí como para los demás. Cuando me pongo a escribir una obra de teatro, comienzo con una serie de decisiones, me sitúo ante cierta situación emocional de la que emergerán los personajes y la trama y puedo hacer un esbozo en prosa de la obra, aunque sea en el entendido de que, dependiendo del modo en que se desarrollen los personajes, ese esbozo se modificará muchas veces antes de que la obra esté terminada. Por supuesto, es probable que en el origen esté la presión de cierto «material psíquico» áspero y desconocido que lleva al poeta a contar una historia en particular, a desarrollar una situación particular. Y por otra parte, puede que una vez escogido el marco en el que el poeta habrá de moverse, este evoque otro material psíquico y así, ciertos versos provengan no del impulso original, sino de una estimulación secundaria de la mente inconsciente. Al final, lo único que importa es que las voces resuenen en armonía y, como he dicho antes, dudo de que en el caso de un poema auténtico solo se escuche una voz.

A estas alturas, es posible que el lector se pregunte adónde se dirigen todas estas especulaciones. ¿Me he afanado en tejer una compleja red de ingenios inútiles? Bueno, he intentado no hablar solo para mí mismo —como algunos de ustedes se habrán sentido tentados a pensar— sino a los lectores de poesía. Me gustaría pensar que puede interesarles poner a prueba mis afirmaciones en su propia lectura. ¿Pueden ustedes distinguir estas voces en la poesía que leen, que escuchan recitar o que presencian en el teatro? Si se quejan ustedes de la oscuridad de los poetas y de que estos parecieran ignorar a sus lectores o de que hablan solo a un limitado círculo de iniciados del cual ustedes están excluidos, recuerden que lo que he tratado de hacer es poner en palabras algo que no puede ser dicho de otro modo y que, por tanto, lo he hecho en un lenguaje que quizá valga la pena aprender. Si se quejan de que un poeta es demasiado retórico y de que se dirige a ustedes como si estuviera en un acto público, intenten percibir aquellos momentos en que no está hablando para ustedes, sino meramente permitiendo que «su voz se abra paso hasta nosotros». Puede tratarse de un Dryden, de un Pope o de un Byron. Y si han de escuchar una obra en verso, tómenla en primer lugar por lo que es: un entretenimiento en el que cada personaje habla de sí mismo con el grado de realidad con que el autor ha sido capaz de dotarle. Quizá, si se trata de una gran obra y no se concentran solamente en ello, puedan distinguir también las otras voces. Porque la obra de un gran poeta dramático, como Shakespeare, constituye un mundo. Cada personaje habla por sí mismo, pero ningún otro poeta podría haber encontrado las palabras con que lo hace. Si buscan a Shakespeare, solo podrán encontrarlo en los personajes que creó, porque lo único que hay en común entre todos esos personajes es que nadie sino Shakespeare podría haberlos creado, uno a uno. El mundo de un gran poeta dramático es un mundo en el que el creador está presente en todas partes y en todas partes oculto.

[1953]

Criticar al crítico

Para qué finalidad o finalidades sirve la crítica literaria es una pregunta que vale la pena hacerse una y otra vez, aunque no encontremos una respuesta satisfactoria. Puede que la crítica no sea sino aquello que F. H. Bradley dijo de la metafísica: «el hallazgo de malas razones para lo que creemos por instinto; si bien la búsqueda de esas razones es también un instinto».[1] En todo caso —y dado que me propongo hablar de mi propio trabajo crítico—, la elección de mi asunto precisa una justificación ulterior. Confío en que echar un vistazo a mi propia crítica literaria de los últimos cuarenta y tantos años me permita extraer algunas conclusiones, algunas generalizaciones plausibles y ampliamente válidas o, cuando menos, motivar a otros a que hagan lo propio, cosa que valdría aún más la pena. Por otra parte, espero dar pie a confesiones similares por parte de otros críticos. No encuentro justificación mejor para mi elección que el hecho de que no existe ningún otro crítico, vivo o muerto, sobre cuyo trabajo esté yo tan bien informado como sobre el mío propio. Conozco más de la génesis de

1. Sobre la importancia de F. H. Bradley en la vida y la obra de T. S. Eliot, véase en este volumen la nota 2, p. 267, del ensayo «Religión y literatura».

mis ensayos y reseñas que de los de cualquier otro crítico; conozco la cronología, las circunstancias bajo las que cada uno de mis ensayos fue escrito y qué motivó su redacción, lo mismo que los cambios de perspectiva, gusto, intereses y opinión que los años trajeron consigo. No dispongo de información tan completa ni siquiera en el caso de los maestros de la crítica inglesa que más admiro. Me refiero en especial a Samuel Johnson y a Coleridge, aunque sin demérito de Dryden o Arnold. Sea como fuere, llegado a este punto me siento obligado a hacer una distinción entre los distintos tipos de crítica literaria, con el propósito de recordarles a ustedes que las generalizaciones que pueden extraerse del estudio de la obra de un crítico pueden no ser aplicables en el caso de los demás.

En primer lugar, entre aquellos tipos de crítico distintos de mí mismo, debo situar al crítico profesional: el escritor cuya crítica literaria supone el puntal último, quizá incluso el único, de su fama. Este crítico podría también recibir el nombre de Súper Reseñista, porque con frecuencia es el crítico oficial de alguna revista o periódico y sus contribuciones suelen responder a la publicación de algún libro nuevo. El epítome de esta clase de crítico es, desde luego, el francés Sainte-Beuve, autor de dos libros importantes: *Port-Royal* y *Chateaubriand et ses amis*, pero cuya obra consiste, en su mayor parte, en un volumen tras otro de ensayos que previamente habían aparecido, semana, tras semana, en el *feuilleton* de un periódico. El crítico profesional puede ser, como ciertamente fue Sainte-Beuve, un fallido escritor creativo y, en el caso de Sainte-Beuve, sin duda vale la pena echar una mirada a sus poemas, si uno es capaz de conseguirlos, como un modo de entender por qué valoraba más a los escritores del pasado que a sus propios contemporáneos. El crítico profesional, sin embargo, no es necesariamente un poeta, dramaturgo o novelista fallido: hasta donde sé, mi viejo amigo el estadounidense Paul Elmer More, cuyos *Shelburne Essays* comparten algo de la monumental apariencia de las *Causeries du lundi*, nunca ensayó ningún tipo de escritura creativa.[2] Otro viejo amigo mío, que fue crítico profesional lo mismo de libros que de teatro, Desmond MacCarthy, limitó su actividad literaria a su artículo o reseña semanal y consagró su ocio al placer de la conversación, en vez de dedicarlo a los libros que jamás escribió.[3] Y Edmund Gosse es otro caso peculiar, porque no es su obra crítica, sino un libro autobiográfico, *Padre e hijo*, lo que se ha convertido en un clásico y habrá de perpetuar su nombre.[4]

En segundo lugar mencionaría al crítico de gusto. A este no ha de situársele en el banquillo del juez; se trata, más bien, del

2. Paul Elmer More (1864-1937) fue un crítico norteamericano, profesor en Princeton y amigo de T. S. Eliot, con quien compartía raíces en Saint Louis y una parecida trayectoria religiosa, pues también se convirtió al anglicanismo desde el calvinismo. Elmer More, postuló, junto a Irving Babbitt y siguiendo a Matthew Arnold, la necesidad de un Nuevo Humanismo, basado en los principios éticos y morales de la Antigüedad y en contra del naturalismo y el relativismo de Rousseau y su posterior eco en el romanticismo. En sus *Shelburne Essays* (*Ensayos de Shelburne*) se recogen sus escritos críticos y filosóficos entre 1904 y 1936. Las *Causeries du lundi* (*Charlas de lunes*, 1851) es el título de la magna compilación crítica de Charles-Augustin Sainte-Beuve.

3. Desmond MacCarthy (1877-1952), crítico literario, asociado al grupo de Bloomsbury. Fue editor literario del *New Statesman*, donde, entre 1920 y 1927, escribió una columna semanal titulada «Libros en general» y firmada con el seudónimo Affable Hawk ('Afable Halcón'). A partir de 1928 y hasta su muerte, pasó al *Sunday Times*.

4. Sir Edmund Gosse (1849-1928), poeta y crítico, traductor de Ibsen y recordado sobre todo por el libro en el que cuenta la relación con su padre, *Father and Son* (*Padre e hijo*, 1907).

abogado de los autores, cuyo trabajo comenta, y que son con frecuencia autores olvidados o menospreciados injustamente. Llama nuestra atención sobre esos autores, nos ayuda a descubrir méritos que hemos pasado por alto y a ver encanto allí donde habríamos esperado encontrar tan solo aburrimiento. A este tipo de críticos pertenecía George Saintsbury, un hombre erudito y brillante con un apetito insaciable de aquellas cosas que otros consideraban de segunda clase y una especial aptitud para descubrir la excelencia que frecuentemente se esconde en ese tipo de literatura.[5] ¿Quién sino Saintsbury, en un libro dedicado a la novela francesa, habría destinado muchas más páginas a Paul de Kock que a Flaubert?[6] Y a ese grupo pertenecía también mi viejo amigo Charles Whibley —léase, por ejemplo, lo que escribió sobre sir Thomas Urquhart o sobre Petronio— y también Quiller-Couch, que sin duda enseñó a muchos de los que asistían a sus conferencias en Cambridge a encontrar nuevas vetas de goce en la literatura inglesa.[7]

En tercer lugar, el académico y el teórico. Si los menciono a la

5. Sobre George Saintsbury, véase en este volumen la nota 3, p. 74, del ensayo «Los poetas metafísicos».

6. Charles Paul de Kock (1793-1871) fue uno de los novelistas franceses más vendidos, tanto en Francia como en el extranjero, en tiempos de Flaubert.

7. Charles Whibley (1859-1930) estudió clásicas en Cambridge y, a partir de 1883, se dedicó al periodismo, al trabajo editorial y a la vida social. Escribió para el *Scots Observer* y fue corresponsal en París del *Pall Mall Gazette*, lo que le permitió conocer a Mallarmé y a Valéry. En *Blackwood's Magazine* tuvo una columna, titulada «Musings without Methods» ('Meditaciones sin método'), muy apreciada por T. S. Eliot. ¶ Thomas Urquhart (1611-*c.* 1660) fue el traductor de *Gargantúa y Pantagruel* al inglés, cuya edición de 1900 Whibley prologó. ¶ Sir Arthur Quiller-Couch (1863-1944) fue «profesor rey Eduardo VII» de literatura inglesa en Cambridge (1912-1944) y el editor de *The Oxford Book of English Verse*, 1900, la popular antología de poesía inglesa.

vez es porque pueden perfectamente solaparse, pero esta categoría quizá resulte demasiado abarcadora, porque va del erudito puro, como W. P. Ker —que podía iluminar a un autor de una época o idioma proyectando un inesperado paralelo con otro de época e idioma distintos—, al crítico filosófico, como I. A. Richards y su discípulo, el crítico filosófico William Empson.[8] El señor Richards y el señor Empson son también poetas, pero no considero su obra crítica un producto derivado de su poesía. ¿Y dónde situaríamos a otros contemporáneos, como L. C. Knights o Wilson Knight, sino entre aquellos que han combinado la enseñanza con la obra crítica original? ¿Y dónde a otro importante crítico, el doctor F. R. Leavis, quien podría representar al crítico como moralista? Del crítico que posee, además, un puesto entre los académicos se espera que haya hecho algún estudio en especial sobre un periodo o autor, pero reputarlo de crítico especialista podría entenderse como un modo de disputar su derecho a examinar cualquier literatura que le plazca.[9]

8. Sobre W. P. Ker, véase en este volumen la nota 1, p. 336, del ensayo «La música de la poesía». Acerca de I. A. Richards, véase la nota 54, p. 230, del ensayo «Dante». ¶ William Empson (1906-1984), poeta y crítico, discípulo de Richards en Cambridge, es autor de uno de los ensayos capitales sobre poesía del siglo XX: *Seven Types of Ambiguity* (*Siete tipos de ambigüedad*; Londres, 1930).

9. Lionel Charles Knights (1906-1997) fue un crítico y erudito, «profesor rey Eduardo VII» de poesía en Cambridge y una de las máximas autoridades en Shakespeare, autor de un ensayo clásico, *How Many Children Had Lady Macbeth?* (*¿Cuántos hijos tuvo lady Macbeth?*; Cambridge, The Minority Press, 1933). ¶ Sobre G. Wilson Knight, véase en este volumen la nota 20, p. 355, del ensayo «La música de la poesía». ¶ F. R. Leavis (1895-1978), profesor de literatura en Cambridge, fue uno de los críticos más influyentes del siglo XX, tanto en Inglaterra como en Estados Unidos. Empezó su carrera como crítico de poesía, casi

Y finalmente llegamos al crítico cuya obra puede caracterizarse como un derivado de su actividad creativa. En particular, el crítico que es también poeta, ¿o deberíamos decir el poeta que también ha hecho crítica? La condición para pertenecer a esa categoría es que el candidato ha de ser conocido en primer lugar como poeta, pero su crítica debe destacar por sí misma y no meramente por la luz que pudiera arrojar sobre sus versos. Aquí debo citar a Samuel Johnson y a Coleridge; a Dryden y a Racine en sus prefacios; a Matthew Arnold, si bien con algunas reservas; y entre estos, tímidamente, me incluiría a mí mismo.[10] Espero que a estas alturas no sean necesarias mayores garantías de que no ha sido por mera holgazanería que he vuelto la vista hacia mis propios escritos como punto de partida. Ciertamente, tampoco fue por vanidad, porque para cuando comencé las lecturas necesarias para este texto había pasado ya tanto tiempo desde la última vez que había leído muchos de mis ensayos que, en vez de hacerlo con grandes expectativas, me aproximé a ellos con aprensión.

Me alegra decir que no encontré tanto de que avergonzarme como temía. Desde luego, hay afirmaciones con las que a estas alturas no estoy de acuerdo, posturas que mantengo con menos convicción que cuando las expresé por primera vez —o solo con grandes reservas— y afirmaciones cuyo significado ya no soy capaz de comprender. Puede que haya áreas en las que mi conocimiento haya cre-

---

poseído por las ideas de T. S. Eliot. Más adelante se concentró sobre todo en la novela y en ese campo, uno de sus trabajos más reconocidos fue *The Great Tradition* (*La gran tradición*; Londres, Chatto & Windus, 1948) sobre George Eliot, Henry James y Joseph Conrad.

10. Acerca de Matthew Arnold, véase en este volumen la nota 14, p. 71, del ensayo «William Blake».

cido, pero sin duda hay otras en las que se ha evaporado. Al releer mi ensayo sobre Pascal, me impresionó la amplitud de la información que aparentemente poseía cuando lo escribí.[11] Y hay asuntos acerca de los cuales simplemente he perdido todo interés, de manera que, si alguien me preguntara si aún mantengo el mismo parecer, solo podría responderle «no lo sé», o bien «me da lo mismo». Hay errores de juicio y, lo que lamento aún más, salidas de tono: la ocasional nota de arrogancia, de exagerada vehemencia, de presunción o descortesía, la bravuconería que el hombre normalmente pacífico lanza bien pertrechado tras su máquina de escribir. Con todo, puedo reconocer el lazo que me une a aquel que hizo tales afirmaciones y, pese a ciertas reservas, continúo identificándome con su autor.

Existe, sin embargo, un matiz: con frecuencia me irrita encontrar ciertas frases que escribí hace treinta o cuarenta años citadas como si las hubiera pronunciado ayer mismo. Hace algunos años, un inteligente comentarista de mi obra —que la mira, además, con buenos ojos— se dio a la tarea de rebatir mis textos críticos como si yo, al inicio de mi carrera como crítico literario, hubiera esbozado el diseño de una amplia estructura crítica y pasado el resto de mi vida completando los detalles. Por mi parte, cuando publico una colección de ensayos o autorizo que algún ensayo se reimprima aquí o allá, insisto en que se indique la fecha original de publicación como un recordatorio a los lectores de la distancia temporal que separa al escritor que escribió aquello del escritor en que se este se ha convertido hoy. Pero es raro el escritor que dice al citar-

11. Se trata de una introducción a una traducción de los *Pensées* de Pascal: *Pascal's Pensées* (*Los Pensées de Pascal*, traducción de W. F. Trotter; Nueva York, J. M. Dent, 1931), recopilada luego en *Ensayos selectos.*

me: «Esto es lo que el señor Eliot pensaba (o sentía) en 1933 (o en cualquier otra fecha)». Todo escritor está acostumbrado a ver sus palabras citadas fuera de contexto por polemistas sin escrúpulos, hasta el punto de hacerlas irreconocibles. Pero es aún más frecuente citar afirmaciones de hace muchos años como si hubiesen sido escritas ayer mismo, porque a menudo se hace sin la menor malicia. Permítanme dar un ejemplo de una afirmación que ha continuado persiguiendo a su autor mucho después de que, en su opinión, haya dejado de corresponder a sus ideas. Es una frase del prefacio a una pequeña colección de ensayos titulada *Para Lancelot Andrewes*, en el sentido de que yo era un clasicista en literatura, un monárquico en política y anglocatólico en religión.[12] Me habría gustado haber previsto que tan citada frase me seguiría de por vida tal como Shelley afirmaba que sus ideas lo perseguían:

y a lo largo
del áspero sendero lo seguían
sus propios pensamientos, cual rabiosos
perros, tortura y causa de su vida.[13]

La frase en cuestión fue motivada por una experiencia personal. Mi antiguo profesor y maestro, Irving Babbitt, a quien debo muchísimo, pasó por Londres mientras volvía a Harvard desde París, donde había estado impartiendo clases, y él y la señora Babbitt cenaron conmigo. No había visto a Babbitt en varios años, de modo

12. Véase al respecto en este volumen la nota 1, p. 133, del ensayo «Lancelot Andrewes».

13. Shelley, «Adonaïs. An Elegy on the Death of John Keats» («Adonais: elegía a la muerte de John Keats»), XXXI.

que me sentí obligado a informarle de un hecho hasta entonces desconocido para el pequeño círculo de mis lectores (porque esto, me parece, sucedió en 1927): que recientemente había sido bautizado y confirmado en la Iglesia anglicana. Sabía que podía resultarle chocante enterarse de que uno de sus discípulos había cambiado de bando de esa manera, aunque entonces Babbitt ya había sufrido lo que debió de ser un golpe aún mayor, cuando su íntimo amigo y aliado Paul Elmer More abandonó el humanismo para abrazar la doctrina cristiana.[14] Babbitt, sin embargo, solo me dijo: «Creo que deberías hacerlo público». Puede que aquel comentario me irritara un poco; la frase memorable apareció en el prefacio del libro de ensayos que preparaba entonces, se puso en órbita y ha estado rondando mi pequeño mundo desde entonces. Pues bien, mis creencias religiosas no han cambiado y estoy claramente a favor del mantenimiento de la monarquía en todos aquellos países que tengan un monarca; en lo referente al clasicismo y el romanticismo, descubro que esos términos no tienen ya la importancia que alguna vez tuvieron para mí. Pero aun en el caso de que la declaración de mis creencias no hubiera precisado matiz alguno con el paso de los años, no me sentiría inclinado a expresarlas del mismo modo.

14. Irving Babbitt (1865-1933) había sido profesor de francés de T. S. Eliot en Harvard. Como se ha dicho en la nota 2, Babbitt fue, junto con Paul Elmer More, el impulsor del Nuevo Humanismo, que tuvo una notable influencia en el joven T. S. Eliot. A diferencia de Elmer More, que acabó, como T. S. Eliot, por abrazar el anglicanismo, Babbitt siguió siendo protestante y en su libro *Democracy and Leadership* (*Democracia y liderazgo*, 1924) defendía un humanismo sin religión, o al menos así lo entendió T. S. Eliot en la reseña que le dedicó al libro en 1928, «The Humanism of Irving Babbitt» («El humanismo de Irving Babbitt»), donde se oponía firmemente a esa oposición.

Por lo que puedo deducir de referencias, citas y reimpresiones en antologías, son mis primeros ensayos los que han causado más profunda impresión. Lo atribuyo a dos causas. La primera es el dogmatismo de la juventud. Cuando somos jóvenes vemos las cosas como si estuvieran perfectamente definidas; con los años tendemos a mostrar más reservas, a matizar nuestras afirmaciones, a introducir más paréntesis. Vemos objeciones a nuestro propio punto de vista, miramos al enemigo con una tolerancia mayor y a veces incluso con simpatía. Cuando somos jóvenes confiamos en nuestro punto de vista, estamos seguros de que poseemos toda la verdad, nos mostramos entusiastas o indignados. Y los lectores, incluso los más maduros, se sienten atraídos por escritores de tal modo seguros de sí mismos. La segunda razón de la duradera popularidad de una parte de mi crítica temprana es menos fácilmente aprehensible, sobre todo por los lectores que pertenecen a generaciones más jóvenes. Tiene que ver con que, en mi crítica temprana, lo mismo en mis afirmaciones generales sobre la poesía que en los escritos que dediqué a autores que me habían influido, defendía implícitamente el tipo de poesía que mis amigos y yo escribíamos. Esto le daba a mis ensayos un aire de urgencia, el ardor de la súplica del abogado, a la que mis ensayos posteriores, más detallados —y espero que también más juiciosos—, no pueden apelar. En su momento reaccioné, no solo contra la poesía georgiana, sino contra la crítica georgiana; escribía así en un contexto que el lector actual ha olvidado o que no experimentó jamás.[15]

15. La poesía georgiana —así llamada por haberse dado a conocer en una serie de antologías durante la primera época del reinado de Jorge V, que ascendió al trono en 1910— era muy popular en Inglaterra cuando T. S. Eliot se estableció en Londres en 1914. Se trata de una poesía algo ingenua, con resabios ro-

En una conferencia sobre *Las vidas de los poetas* de Johnson, publicada en una de mis colecciones de ensayos y ponencias, subrayaba que, para comprender los juicios de cualquier crítico de otro tiempo, era necesario observarlo en su propio contexto, tratar de ponerse en su lugar y adoptar su punto de vista.[16] Se trata de un arduo esfuerzo de imaginación en el que, de hecho, no pueden esperarse más que éxitos parciales. No podemos desentendernos de la influencia que sobre nuestra formación han tenido las generaciones sucesivas, las inevitables modificaciones del gusto o nuestro mayor conocimiento o comprensión de la literatura que precedió a aquella que buscamos entender. Aun así, meramente hacer ese esfuerzo de imaginación y tener en cuenta las dificultades descritas vale la pena. Cuando vuelvo a mi crítica temprana, me sorprende descubrir hasta qué punto me hallaba condicionado por el estadio que la literatura atravesaba en la época en que estaba escribiendo, así como por el grado de madurez que había alcanzado yo mismo entonces, gracias a las influencias a las que me había expuesto y a la ocasión de cada uno de los ensayos. Soy incapaz de recordar todas aquellas circunstancias, de reconstruir enteramente las condiciones en las que escribía: ¡cuánto menos estará en condiciones de saber un crítico futuro de mis obras!, y

---

mánticos y formalmente conservadora. Algunos de sus miembros, como Rupert Brooke y James Elroy Flecker, murieron en las trincheras de la Primera Guerra Mundial. De todos modos, Eliot reaccionó sobre todo contra D. H. Lawrence, cuya temprana poesía se adscribe a los presupuestos de ese grupo. Hay otros «poetas de la guerra» como Siegfried Sassoon y Robert Graves que son difíciles de asociar a ese movimiento, puesto que, al sobrevivir a la guerra, tuvieron una trayectoria mucho más dilatada, elaborada y genuina.

16. En «Johnson as Critic and Poet» («Johnson como crítico y poeta»), recogido en *Sobre poesía y poetas*.

sabiendo, de poder entender —y en caso de saber y entender— de compartir el interés que estas revestían para quienes las leyeron con agrado cuando aparecían por vez primera. Ninguna crítica literaria puede despertar en futuras generaciones más que curiosidad, a menos de que continúe siendo útil por sí misma en el futuro, que posea un valor intrínseco fuera de su contexto histórico. Ahora bien, si posee este valor intemporal, cuando menos en parte, entonces comprenderemos mejor su auténtica importancia si intentamos ponernos en el lugar del crítico y de sus primeros lectores. Estudiar la crítica de Johnson o de Coleridge de este modo sin duda ofrece recompensa.

A grandes rasgos, puedo dividir mi propia obra crítica en tres periodos. El primero de ellos es el de *The Egoist*, aquella notable revista quincenal editada y publicada por la señorita Harriet Weaver. Cuando Richard Aldington, que fungía como subdirector, fue llamado a filas, en la Primera Guerra Mundial, Ezra Pound me recomendó a la señorita Weaver para ocupar su puesto. En *The Egoist* apareció un ensayo llamado «Tradición y talento individual», que aún goza de una inmensa popularidad entre los editores de antologías destinadas a utilizarse como libros de texto por los estudiantes de instituto de Estados Unidos.[17] Sobre mi trabajo

17. Harriet S. Weaver (1876-1961) fue una de las personalidades primordiales de la literatura del siglo XX. Editora y activista política, en 1912 ayudó económicamente a una revista radical llamada *Freewoman* (*Mujerlibre*) que en 1913 se convertiría en *The Egoist*, de la que Weaver sería directora y a la que convertiría en una de las más importantes plataformas de lanzamiento de la literatura de vanguardia. T. S. Eliot, a instancias de Ezra Pound, se convirtió en *assistant editor* —algo así como subdirector— en 1917, año en que Weaver, ante la imposibilidad de Joyce de publicar *Retrato del artista adolescente*, decidió crear un sello literario con el nombre The Egoist, donde también publicaría

pesaban entonces dos influencias, no tan incongruentes entre sí como podrían parecer en un primer momento: la de Irving Babbitt y la de Ezra Pound. La de Pound puede detectarse en las referencias a Remy de Gourmont, en mis ensayos sobre Henry James —autor que Pound admiraba muchísimo, pero por el cual mi entusiasmo de algún modo ha ido decayendo— y, en diversas alusiones a autores, como Gavin Douglas, cuya obra apenas conocía.[18] La influencia de Babbitt (con el añadido posterior de T. E. Hulme y de los ensayos más literarios de Charles Maurras) es evidente en mi insistencia sobre el asunto de la oposición entre clasicismo y romanticismo.[19] En mi segundo periodo, posterior a 1918, cuando *The Egoist* había llegado a su fin, redacté ensayos y reseñas para dos editores por quienes debo sentirme afortunado, puesto que ambos me encargaron siempre los libros más apropiados para reseñar. Me refiero a Middleton Murry, de la efímera *Athenæum*, y

---

Prufrock y otras observaciones de T. S. Eliot, además de libros de Ezra Pound, Wyndhan Lewis o Marianne Moore. Harriet Weaver fue una especie de madrina para James Joyce, por quien se desvivió. T. S. Eliot la tuvo en gran estima y le dedicó sus *Ensayos selectos*. ¶ Richard Aldington (1892-1962), poeta, traductor y novelista, amigo de Ezra Pound, fue uno de los fundadores del movimiento imaginista y estuvo casado, si bien por poco tiempo, con la poeta norteamericana H. D. (Hilda Doolittle). Tras la Primera Guerra Mundial, trabó amistad con T. S. Eliot y trabajó como su ayudante en la revista *The Criterion*. Más tarde, sería crítico de literatura francesa del *Times Literary Supplement*.

18. Sobre Remy de Gourmont, véase en este volumen la nota 59, p. 238, del ensayo «Dante». ¶ Gavin Douglas (*c*. 1475-1522) es un poeta de finales de la Edad Media, seguidor de Chaucer.

19. Sobre T. E. Hulme, véase en este volumen la nota 24, p. 263, del ensayo «Baudelaire». ¶ Charles Maurras (1868-1952), poeta, filósofo y periodista francés, fundador del periódico de ultraderecha *L'Action Française*. Tuvo mucha influencia en la configuración del pensamiento religioso y político de T. S. Eliot.

a Bruce Richmond, del *Times Literary Supplement.*[20] La mayoría de mis contribuciones permanecen sepultadas en los archivos de aquellos periódicos, pero las mejores, entre las que se cuentan mis principales ensayos, han sido reeditadas en las diversas antologías que se han publicado de mi trabajo crítico. Mi tercer periodo ha consistido, por una razón u otra, en conferencias públicas y ponencias, más que en reseñas y artículos.

Llegado a este punto, me gustaría trazar lo que entiendo como una importante línea divisoria entre los ensayos de generalización (como el mencionado «Tradición y talento individual») y los comentarios sobre autores individuales. Son aquellos que se engloban en esta última categoría los que, a mi parecer, tienen mejores posibilidades de conservar algún valor para los lectores futuros —y me pregunto si esta afirmación no implica en sí misma una generalización aplicable a otros críticos del mismo tipo que yo—. Sin embargo, debo establecer aquí una nueva distinción. Hace muchos años, mis editores de Nueva York publicaron una selección en bolsillo de mis ensayos sobre el teatro jacobino e isabelino.[21] Yo mismo elegí los textos y escribí un prefacio explicando el criterio que había seguido. Descubrí que los ensayos con los que me sentía satisfecho aún eran los que tratan de los contemporáneos de Shakespeare y no aquellos que abordan al propio Shake-

20. Sobre John Middleton Murry, véase la nota 1, p. 153, del ensayo «Shakespeare y el estoicismo de Séneca». En *Athenaeum*, se publicó uno de los ensayos más controvertidos de T. S. Eliot: «Hamlet y sus problemas», 1919. ¶ Bruce Richmond (1871-1964) fue, a partir de 1902, el director del *Times Literary Supplement*, cuyo prestigio creó y consolidó. Para T. S. Eliot fue un referente a la hora de afrontar su propia tarea como director de *The Criterion*.

21. Se trata de una edición norteamericana de bolsillo del libro *Elizabethan Essays* (*Ensayos isabelinos*; Londres, Faber & Faber, 1934).

speare. Fue de esos dramaturgos de quienes más me aproveché en mi propia formación poética; fueron ellos —y no Shakespeare— los que estimularon mi imaginación, educaron mi sentido del ritmo y nutrieron mis emociones. Los había leído en la época en que más se ajustaban a mi temperamento y al estadio de mi desarrollo y lo había hecho con apasionado disfrute, mucho antes de abrigar el menor proyecto o de tener la menor posibilidad de escribir sobre ellos. En el periodo en que un íntimo deseo de escribir se hacía cada vez más insistente, fue a ellos a quienes adopté como tutores. Del mismo modo que el poeta moderno que más influyó en mí fue Jules Laforgue y no Baudelaire, mis poetas dramáticos favoritos fueron Marlowe, Webster, Tourneur, Middleton y Ford y no Shakespeare.[22] Un poeta de la suprema grandeza de Shakespeare difícilmente puede constituir una influencia: tan solo puede imitársele. Y la diferencia principal entre influencia e imitación es que, mientras que la primera suele resultar fecunda, la última —en especial cuando es inconsciente— solo puede conducir a la esterilidad. (Cuando finalmente probé a hacer una breve imitación de Dante tenía cincuenta y cinco años y sabía exactamente lo que estaba haciendo. Por otro lado, la imitación de un poeta en lengua extranjera suele ser provechosa porque es sencillamente imposible.)[23]

22. Tanto sobre Jules Laforgue como sobre Tristan Corbière, citado más abajo, véase en este volumen la nota 32, p. 90, del ensayo «Los poetas metafísicos». ¶ Sobre Webster, Tourneur y Middleton, véase en este volumen el ensayo «Cuatro dramaturgos isabelinos», pp. 119-132. ¶ John Ford (1586-*c.* 1639) es el dramaturgo isabelino, autor de *Tis Pity She's a Whore* (*Lástima que sea una puta*, 1633), a quien T. S. Eliot dedicó un ensayo en 1932, «John Ford», recogido en *Ensayos selectos*.

23. En el segundo movimiento de «Little Gidding», el último cuarteto. Véase en este volumen el ensayo «Lo que Dante significa para mí», pp. 419-435.

Hasta aquí lo que se refiere a aquellos de mis ensayos de crítica literaria que tienen, en mi opinión, más posibilidades de sobrevivir, en el sentido de que cuentan con más opciones de agradar y aun de ampliar el conocimiento futuro de los autores criticados. ¿Y qué decir de las generalizaciones y las frases que han echado raíces, como «disociación de la sensibilidad» y «correlato objetivo» que, me parece, provienen de otro artículo, sobre «la función de la crítica», escrito para *The Criterion*?[24] Pasado todo este tiempo, no estoy seguro de hasta qué punto son válidas esas dos fórmulas: me veo en un compromiso cada vez que algún estudiante aplicado o un simple colegial me escriben solicitándome una explicación. El término «correlato objetivo» aparece en el ensayo «Hamlet y sus problemas» donde quizá se me pueda achacar no haber sido más cuidadoso a la hora de no resultar deliberadamente provocador. En aquel tiempo me sentía extraordinariamente próximo a aquel valiente polemista, J. M. Robertson, a raíz de sus estudios críticos sobre el drama de las épocas Estuardo y Tudor.[25] Pero sea cual sea el futuro de estas frases y aunque sea incapaz de defenderlas ahora con plausibilidad forense, creo que en su momento resultaron útiles. Han sido aceptadas y rechazadas, quizá pronto pasen definitivamente de moda, pero a su vez han servido de estímulo al pensamiento crítico de otras personas. Y la crítica literaria, como

24. La expresión «disociación de la sensibilidad» la formuló en el ensayo «Los poetas metafísicos». Véase el texto en este volumen, la nota 24, p. 86. El «correlato objetivo» lo acuñó en «Hamlet y sus problemas» (1919), para sintetizar la idea de que el poeta debe proyectar sus emociones sobre un objeto externo, para conseguir así una despersonalización eficaz.

25. Sobre J. M. Robertson, véase en este volumen la nota 5, p. 52, del ensayo «Christopher Marlowe».

he sugerido al principio, es una actividad instintiva de la mente civilizada. Vaticino, sin embargo, que de merecer esas fórmulas alguna consideración de aquí a un siglo será solo en su contexto histórico, para estudiosos interesados en el pensamiento de mi generación.

Me gustaría sugerir, sin embargo, que aquellas fórmulas podrían entenderse como símbolos conceptuales de ciertas preferencias emocionales. Así, mi énfasis en la tradición procedía, me parece, de mi reacción contra la poesía inglesa de los siglos XIX y principios del XX y de mi profundo interés en la poesía, lo mismo dramática que lírica, de finales del siglo XVI y principios del XVII. En cuanto al «correlato objetivo» del ensayo sobre Hamlet, puede que haya surgido de mis prejuicios contra las obras maduras de Shakespeare —sobre todo *Timón*, *Antonio y Cleopatra* y *Coriolano*— y contra aquellas obras tardías de Shakespeare acerca de las cuales el señor Wilson Knight escribió iluminadoramente. Y la «disociación de la sensibilidad» puede que represente mi devoción por Donne y los poetas metafísicos y mi reacción contra Milton.[26]

De hecho, me parece que tales conceptos y generalizaciones tienen su origen en mi sensibilidad. Surgen de mi sentimiento de afinidad con cierto poeta o con cierta clase de poesía en vez de otra. No me atrevo a asegurar que esto que digo es igualmente válido en el caso de otros tipos de crítico distintos de mí mismo, o incluso en el caso de otros críticos parecidos a mí, es decir, poetas que también escriben ensayos críticos. Sin embargo, cuando se trata de autores del ámbito de la estética, me siento siempre inclinado a preguntar: «¿Qué obras literarias, pinturas, esculturas, arquitectura y música son las que este teórico realmente disfruta?». Pode-

26. Véase en este volumen el ensayo «Milton», pp. 391-418.

mos, desde luego —y este es uno de los peligros a los que se expone el crítico filosófico de arte—, adoptar una teoría y después persuadirnos de que nos gustan las obras de arte que casan con esa teoría. Sin embargo, estoy seguro de que en mi caso la teorización ha sido un epifenómeno de mis gustos y, con independencia de su validez, procede de mi experiencia directa de aquellos autores que influyeron profundamente en mi propia escritura. Por supuesto, soy consciente de que mi «correlato objetivo» y mi «disociación de la sensibilidad» tienen que ser rebatidos o apoyados en su propio nivel de abstracción y de que aquí no he hecho otra cosa que indicar cual podría haber sido su génesis. También sé que dando cuenta de ellas de este modo no hago sino generalizar sobre mis generalizaciones. Pero estoy seguro de una cosa: que he escrito mejor cuando me he ocupado de escritores que han influido en mi propia poesía. Y si digo «escritores» y no solo «poetas» es porque incluyo entre ellos a F. H. Bradley, cuya obra —debería decir: cuya personalidad, tal como se manifiesta en sus obras— me afectó profundamente, y al obispo Lancelot Andrewes, de uno de cuyos sermones, dedicado a la Natividad, tomé muchos versos de mi «El viaje de los magos» y de cuya prosa puede que haya un pálido reflejo en mi *Asesinato en la catedral.*[27] De hecho, incluyo a todos aquellos escritores, ya sea en verso o en prosa, cuyo estilo me ha afectado profundamente. Tengo esperanzas de que estos ensayos sobre escritores que han influido en mí conserven algún valor incluso para futuras generaciones que rechacen o ridiculicen mis teorías. De joven, pasé tres años estudiando filosofía. ¿Qué me que-

27. Véase en este volumen la nota 19, p. 147, del ensayo «Lancelot Andrewes».

da de aquellos estudios? El estilo de tres filósofos: el inglés de Bradley, el latín de Spinoza y el griego de Platón.

A causa de los ensayos dedicados a poetas particulares he empezado a considerar la cuestión: ¿hasta qué punto puede el crítico incidir en el gusto del público en relación con uno u otro poeta, con uno u otro periodo de la literatura del pasado? ¿Hasta qué punto he sido yo mismo responsable de despertar el interés y promover la valoración de los poetas dramáticos del XVI o de los poetas metafísicos? En tanto crítico, estoy obligado a responder: muy poco. Desde luego, debemos distinguir entre gusto y moda. La moda, el amor al cambio por el cambio mismo, el deseo de novedad, son pasajeros; el gusto procede de una veta más profunda. En cualquier idioma en el que, como en el nuestro, se haya escrito poesía a lo largo de muchas generaciones, las preferencias de cada generación con respecto a sus clásicos sin duda variarán. Algunos escritores del pasado estarán más próximos al gusto de las generaciones vivas que otros, y es probable que nuestra época sienta mayor afinidad con determinados periodos del pasado que con otros. A un lector joven o a un crítico de gusto poco cultivado, los favoritos de su generación le parecerán mejores que los de la generación anterior; un crítico más consciente es capaz de reconocer que se trata de un asunto de simpatía, no de mérito. Una de las funciones del crítico es ayudar a que el público letrado de su época consiga reconocer su afinidad con cierto poeta, con cierto tipo de poesía o con la poesía de cierta época en vez de otra.

El crítico, sin embargo, no crea el gusto. Con frecuencia se me ha atribuido haber puesto en boga a Donne y a otros poetas metafísicos, lo mismo que a los poetas menores isabelinos y jacobinos. Sin embargo, no fui yo quien descubrió a ninguno de ellos.

Coleridge y Browning, en su momento, admiraron a Donne; en lo referente al resto, se lo debemos a Lamb; y los entusiastas elogios de Swinburne no carecen de mérito crítico. A Donne no le ha faltado jamás publicidad en nuestra época: los dos volúmenes de *Life and Letters*, de Gosse, aparecieron en 1899 y recuerdo que siendo estudiante de primero en Harvard, el profesor Briggs, un ardiente admirador del poeta, me introdujo en la poesía de Donne, que Grierson publicó en dos volúmenes en 1912.[28] Poco después, una reseña de *Metaphysical Poetry*, de Grierson, me dio la ocasión de escribir mi primer texto sobre Donne.[29] Creo que, si he escrito algo que valga la pena sobre los poetas metafísicos, ha sido a causa de su profunda influencia sobre mí. Y si de algún modo he motivado un interés mayor por ellos se debe a que ningún poeta que los haya elogiado antes que yo ha estado más influido por su poesía que yo mismo. Al tiempo que se difundía el gusto por mi poesía, se difundía también el gusto por la de los poetas a los que debo más y sobre los cuales he escrito. El gusto de una época hizo afines su poesía y la mía por un momento. Y en ocasiones me pregunto si ese momento no está llegando a su fin.

Ciertamente, tengo también una deuda enorme —que siempre he reconocido— con algunos poetas franceses de finales del siglo XIX sobre los que no he escrito jamás. He escrito sobre Baudelaire, pero no sobre Jules Laforgue, a quien debo más que a cualquier otro poeta, sin distinción de idioma; ni sobre Tristan Corbière, a quien también debo algunas cosas. No se me ocurre otra

28. Edmund Gosse, *The Life and Letters of John Donne* (*Vida y cartas de John Donne*, 1899).

29. Véase en este volumen la nota 1, p. 73, del ensayo «Los poetas metafísicos».

razón para esas omisiones que la ausencia de un encargo. Porque todos aquellos primeros ensayos los escribí a cambio de dinero —un dinero que sin duda necesitaba— y con ocasión de la aparición de un nuevo libro sobre determinado autor, una nueva edición de sus obras o un aniversario.

He respondido la pregunta por el grado de influencia que un crítico puede tener sobre el gusto de su época hablando solo por mí, diciendo que no me parece que mi propia crítica haya tenido —o pudiera haber tenido—, ninguna influencia, de no haber sido por mis poemas. Me gustaría volver ahora a la cuestión: ¿hasta qué punto y de qué manera cambian los gustos y perspectivas del crítico en el curso de su propia vida? ¿Hasta dónde ciertos cambios indican madurez o decadencia y cuándo pueden considerarse meros cambios, sin que sean para bien o para mal? Hablando de nuevo tan solo por mí, me atrevería a decir que mi opinión sobre los poetas que me influyeron en la época de mi formación permanece inalterada y mi estima por ellos no ha disminuido en lo más mínimo. Ciertamente, ya no me producen la misma emoción intensa, la misma sensación de amplitud y liberación que nace de un descubrimiento que es, a un tiempo, descubrimiento de uno mismo. Aquella experiencia solo puede tener lugar una vez. De hecho, con frecuencia vuelvo a otros poetas y no a estos, buscando deleite. Suelo releer a Mallarmé, más que Laforgue, a George Herbert, más que a Donne, a Shakespeare, más que a sus contemporáneos y epígonos.[30] Esto implica por necesidad mayor estima

30. La información no es exacta. Es verdad que no había publicado nada sobre Laforgue y Corbière pero sí había escrito una conferencia, pronunciada en 1933 en la Universidad de Harvard y que se publicó póstumamente y donde aseguraba: 'Dudo que, sin los nombres que he mencionado —Baudelaire, Corbiè-

de unos en detrimento de los otros: meramente se trata de que aquello que mejor responde a mis necesidades actuales, las de la edad mediana y la madurez, es distinto a lo que me nutría en mi juventud. Shakespeare es tan enorme, sin embargo, que la duración de una vida no basta para alcanzar la madurez necesaria para apreciarlo en su justo valor. En todo caso, hay un poeta que me impresionó muchísimo a los veintidós años, cuando comencé a escrutar sus versos pese a tener un conocimiento bastante rudimentario de su idioma. Se trata de un poeta que aún hoy me sorprende y reconforta, incluso a pesar de que mi manejo del idioma en que escribió continúa siendo rudimentario: me refiero a Dante. Creo que en mi juventud la asombrosa economía y claridad de la lengua de Dante —una flecha que se dirige infalible a su blanco— funcionó como un saludable correctivo para las extravagancias de los poetas isabelinos, jacobinos y carolinos que tanto me gustaban.[31]

Quizá lo que intento decir sea verdad para toda crítica literaria; estoy seguro de que lo es en mi caso: mis mejores escritos son aquellos que tratan de los autores que en su momento admiraba más. Y enseguida, aquellos que tratan de autores que, si bien admiro, poseen cualidades con las que otros críticos podrían discrepar. No necesito que nadie confirme lo que he dicho sobre los isabelinos menores; en cambio, siempre me interesa saber qué piensan otros críticos de poesía de lo que escribí sobre Tennyson o sobre

re, Verlaine, Laforgue, Mallarmé, Rimbaud— hubiera sido capaz de escribir poesía', T. S. Eliot, «The Turnbull Lectures», *The Varieties of Metaphysical Poetry* (*Las variedades de la poesía metafísica*; Londres, Faber & Faber, 1993, p. 287).

31. Véase en este volumen el ensayo «Lo que Dante significa para mí», pp. 419-435.

Byron. En cuanto a mis críticas sobre escritores menos relevantes, es difícil que sobrevivan, porque la gente no estará interesada en los autores sobre los que tratan. Y la censura a un gran escritor —uno cuyas obras han superado la prueba del tiempo— suele estar influenciada por consideraciones distintas a las literarias. La personalidad de Milton, así como sus ideas políticas y teológicas, le resultaba profundamente antipática a Samuel Johnson, tanto como a mí. (A pesar de todo, cuando escribí mi primer ensayo sobre Milton, consideré su poesía como tal poesía y en relación con lo que entonces consideraba las necesidades de mi época; y cuando escribí el segundo no pretendía que fuera una retractación de mis opiniones iniciales —tal como asumió, entre otros, Desmond MacCarthy—, sino un desarrollo de estas a la luz del hecho de que no existía ya ninguna posibilidad de que alguien lo imitara, lo que hacía posible estudiarle provechosamente. Esta referencia a Milton es un mero paréntesis.)[32] No me arrepiento de lo que alguna vez escribí sobre Milton, pero cuando la mentalidad de un autor me resulta tan antipática como la de Thomas Hardy me pregunto si no hubiese sido mejor no haber escrito jamás sobre él.

Quizá mi juicio sea menos fiable cuando se trata de escritores que son contemporáneos o casi contemporáneos que sobre escritores del pasado. Lo cierto es que mi estima por el trabajo de mis contemporáneos y el de los más jóvenes con los que siento afinidad no se ha modificado en absoluto. Solo hay una figura contemporánea frente a la cual, me temo, mi mente oscilará siempre

32. Véanse en este volumen el ensayo «Milton», pp. 391-418, y la información sobre el mismo en el apéndice «Procedencia de los textos», p. 527.

entre la antipatía, la exasperación, el aburrimiento y la admiración: me refiero a D. H. Lawrence.[33]

Mis opiniones sobre Lawrence parecen formar una trama de elogios y execraciones. Mis más vehementes censuras se han preservado, como las moscas en el ámbar o las avispas en la miel, gracias a la diligencia del doctor Leavis.[34] Los dos pasajes que él cita corresponden a 1927 y 1933; pero recuerdo que, en 1931, dirigí mi dedo acusador —un tanto pomposamente— a los obispos reunidos en asamblea en la Lambeth Conference, reprochándoles que «perdieran la oportunidad de deslindarse de la condena a dos muy serios y propositivos escritores»; me refería al señor James Joyce y el señor D. H. Lawrence.[35] No soy capaz de responder a esas aparentes contradicciones. El año pasado, en el caso *Lady Chatterley*, expresé mi disposición a declarar como testigo de la defensa. Quizá el abogado defensor obró de manera juiciosa al no citarme entre los testigos, teniendo en cuenta que probablemente me habría resultado difícil explicar mi punto de vista al jurado en un interrogatorio como ese y un fiscal convenientemente astuto podría sin duda haber conseguido arrinconarme. Igual que hoy, pensaba entonces que la persecución de un libro como aquel —de serias e irreprochables intenciones morales— suponía un desatino cuyas consecuencias no podían ser sino desafortunadas, con inde-

33. Véase al respecto en este volumen la nota 8, p. 278, del ensayo «Religión y literatura».

34. En el estudio de F. R. Leavis sobre Lawrence: *D. H. Lawrence, Novelist* (*D. H. Lawrence, novelista*; Londres, Chatto & Windus, 1955).

35. T. S. Eliot, «Thoughts after Lambeth» («Reflexiones a propósito de Lambeth»), en *Selected Essays* (*Ensayos selectos*; Londres, Faber & Faber, 1999, p. 366).

pendencia de cuál fuera el veredicto, puesto que implicaban que se diera al libro una clase de publicidad completamente detestable para su autor. Sin embargo, sigo sintiendo antipatía por Lawrence a causa de su conducta, que considero egoísta, a una veta de crueldad que descubro en su temperamento y a un defecto que comparte con Thomas Hardy: la falta de sentido del humor.

Si he hecho referencia a mis opiniones sobre la obra de Lawrence es porque creo conveniente recordar que, en lo referente a la crítica literaria, es imposible permanecer completamente imparciales y que existen otros patrones, aparte del «mérito literario», que debemos tener en cuenta. Volviendo al caso *Chatterley*, es muy llamativo que algunos testigos de la defensa respaldaran el libro apelando a las intenciones morales de su autor, en vez de aludir a su importancia como obra literaria.

En la mayor parte de lo dicho hasta ahora, sin embargo, me he empeñado en limitarme a esa parte de mi propia prosa crítica que resulta más claramente definible como «crítica literaria». ¿Cuáles serían, en resumen, las conclusiones a las que he llegado después de releer la parte de mi trabajo que se ajusta a esa etiqueta? He descubierto que mis mejores trabajos caen en un territorio muy estrecho: mis mejores ensayos son aquellos que se ocupan de escritores que han influido en mí como poeta y que, naturalmente, son poetas también. Y es de esa parte de mi crítica, dedicada a escritores con los que tengo alguna deuda y que puedo elogiar sin reservas, de la que estoy más seguro con el paso de los años. Con respecto a las fórmulas que con tanta frecuencia se han citado, solo puedo decir que estoy convencido de que su fuerza proviene del hecho de que representan intentos de resumir, conceptualmente, la intensa experiencia que he vivido con la poesía que me es más afín.

Sé que es arriesgado —y quizá también presuntuoso— generalizar a partir de mi propia experiencia, aunque me refiera a críticos del mismo tipo que yo, esto es: escritores fundamentalmente creativos que, sin embargo, reflexionan sobre su propia vocación y sobre el trabajo de otros. Admito que estoy mucho más interesado en lo que otros poetas han escrito sobre la poesía que en lo que sobre ese asunto han escrito otros críticos que no son poetas. He sugerido, además, que es imposible separar la crítica literaria de la crítica de otro tipo de asuntos y que las opiniones morales, religiosas y sociales no pueden excluirse por completo. La posibilidad de que el mérito literario pueda valorarse aisladamente no es más que una ilusión de aquellos que creen que ese mérito es suficiente para justificar la publicación de un libro moralmente condenable. Sin embargo, lo más aproximado a la crítica literaria pura que podemos alcanzar es la crítica de los artistas que escriben sobre su propio arte, por eso vuelvo con frecuencia los ojos a Johnson, a Wordsworth y a Coleridge. (Paul Valéry es un caso especial.)[36] Puede que en otros tipos de crítica el historiador, el filósofo, el moralista, el sociólogo o el gramático tengan un importante papel, pero en lo tocante a la crítica estrictamente literaria,

36. A T. S. Eliot le unió, a partir de 1923, una buena amistad con Paul Valéry (1871-1943), como demuestra la correspondencia conservada y hasta ahora tan solo publicada en parte. En 1924, Eliot escribió un prefacio a la traducción inglesa del poemario de Valéry *Le Serpent*, «A Brief Introduction to the Method of Paul Valéry» («Una breve introducción al método de Paul Valéry», Paul Valéry, *Le Serpent*, Londres, Criterion, 1924). Eliot admiraba sobre todo sus escritos sobre poesía. De él dejó dicho: 'Es él quien quedará para la posteridad como el poeta representativo, el símbolo del poeta en la primera mitad del siglo XX. Ni Yeats ni Rilke ni nadie más', «Paul Valéry», *Quarterly Review of Literature*, 3, 1946.

no tengo duda de que aquello que los artistas dicen de su propio arte posee la mayor intensidad y el mayor crédito, aunque su área de competencia sea más estrecha. Creo que, en mi propio caso, solo he hablado con autoridad (si la frase no sugiere arrogancia) de aquellos autores —sobre todo poetas, y unos cuantos escritores en prosa— que han influido en mí, que en el caso de otros autores que no me han influido, mis opiniones pueden tomarse en serio y que aquellas que he vertido sobre autores que no me gustan en absoluto pueden que sean —en el mejor de los casos— bastante discutibles. Para terminar quisiera insistir en que he dirigido mi atención a mi crítica literaria *qua* literaria y que un estudio de mis creencias religiosas, sociales, políticas o morales y de aquella extensa porción de mi prosa directamente vinculada con estas sería un ejercicio bien distinto de autoexamen. En todo caso, espero que lo dicho hoy sugiera algunas razones por las cuales, conforme un crítico se va haciendo mayor, sus escritos pueden mostrar un entusiasmo menos vivo y, sin embargo, ganar en interés y —así lo espero— también en sabiduría y humildad.

[1961]

Apéndices

Procedencia de los textos

Christopher Marlowe

Publicado por primera vez en la revista *Arts & Letters* (II, 4, otoño de 1919) con el título de «Some Notes on the Blank Verse of Christopher Marlowe» («Algunas notas sobre el verso blanco de Christopher Marlowe»). Recogido en *El bosque sagrado* (1920) como «Notas sobre el verso blanco de Christopher Marlowe» y luego en *Ensayos Selectos* (1932) como «Christopher Marlowe».

William Blake

Publicado por primera vez en la revista *Athenaeum* (febrero de 1920) con el título de «The Naked Man» («El hombre desnudo»), reseña del libro *William Blake the Man* de Charles Gardner, Londres, J. M. Dent, 1919. Recogido en *El bosque sagrado* como «Blake» y en *Ensayos selectos* como «William Blake».

Los poetas metafísicos

Publicado por primera vez en el *Times Literary Supplement* (20 de octubre de 1921) como reseña del libro de Herbert J. C. Grierson, *Metaphysical Lyrics and Poems of the Seventeenth Century* (*Poemas y canciones metafísicos del siglo* XVII; Oxford, Clarendon Press, 1921). Fue primero recogido en el opúsculo *Homage to John Dryden. Three Essays on Poetry of the Seventeenth Century* (*Homenaje a John Dryden. Tres ensayos sobre la poesía del siglo* XVII; Londres, Hogarth Press, 1924) junto a los ensayos «John Dryden» y «Andrew Marvell» y luego en *Ensayos selectos* (1932).

Eliot tenía en proyecto escribir un estudio sobre John Donne que iba a titularse *The School of Donne* (*La escuela de Donne*) y que iba a formar parte de una trilogía agrupada bajo el título de *The Desintegration of the Intellect* (*La desintegración del intelecto*), que finalmente no llegó a escribir. Quedó tan solo un esbozo del proyecto en unas conferencias que dio en Cambridge en 1926 y en la Universidad Johns Hopkins de Baltimore en 1933. El manuscrito de esas conferencias permaneció inédito en vida de Eliot y aun muchos años después de su muerte, ya que consideraba que el material no estaba ultimado y necesitaba una profunda revisión. Finalmente vio la luz en 1993 con el título de *The Varieties of Metaphysical Poetry. The Clark Lectures and The Turnbull Lectures. Edited and Introduced by Ronald Schuchard* (*Las variedades de la poesía metafísica. Las conferencias Clark y Turnbull. Editadas y prologadas por Ronald Schuchard*; Londres, Faber & Faber, 1993).

Andrew Marvell

Publicado por primera vez en el *Times Literary Supplement* el 31 de marzo de 1921, el día en que se cumplían trescientos años del nacimiento de Marvell. Recogido luego en *Homenaje a John Dryden* (véase en p. 522 información sobre «Los poetas metafísicos») y en *Ensayos Selectos* (1932).

Cuatro dramaturgos isabelinos

Publicado por primera vez en *The Criterion* (febrero de 1924) con el título de «Four Elizabethan Essays I: A Preface» («Cuatro ensayos isabelinos I: un prefacio»), pero los anunciados ensayos sobre Webster, Middleton, Chapman y Tourneur nunca se escribieron. De ahí el subtítulo «Prefacio a un libro no escrito».

Eliot escribió numerosos ensayos sobre dramaturgos isabelinos y jacobinos como «Christopher Marlowe» (1919), «Ben Jonson» en el *Times Literary Supplement* (13 de noviembre de 1919), «Philip Massinger» en el *TLS* (27 de mayo de 1920), «Mr. Thomas Middleton» en el *TLS* (30 de junio de 1927), «Luca's Webster» en *New Criterion* (junio de 1928), «The Sources of Chapman» («Las fuentes de Chapman»; *TLS*, 12 de febrero de 1927), «Cyril Tourneur» en el *TLS* (13 de noviembre de 1930), «Thomas Heywood» en el *TLS* (30 de julio de 1931), «John Ford» en el *TLS* (5 de mayo de 1932) y «John Marston» en el *TLS* (26 de julio de 1934). Todos fueron recogidos en *Ensayos selectos* (1932, 1934, 1951) y en *Ensayos isabelinos* (1934), que incluía «Cuatro dramaturgos isabelinos», «Christopher Marlowe», «Shakespeare y el estoicismo de Séneca» (1927), «Hamlet» (publicado por primera vez como «Hamlet y sus problemas» en la revista *Athenaeum* el 19 de septiembre de 1919), «Ben Jonson», «Thomas Middleton», «Thomas

Heywood», «Cyril Tourneur», «John Ford», «Philip Massinger» y «John Marston».

Lancelot Andrewes

Publicado por primera vez en el *Times Literary Supplement* (23 de septiembre de 1926) y recopilado primero en *Para Lancelot Andrewes* (1928), luego en *Ensayos selectos* (1932) y también en *Ensayos antiguos y modernos* (1936).

Shakespeare y el estoicismo de Séneca

Conferencia leída ante la Asociación Shakespeare el 18 de marzo de 1927 y publicada como opúsculo: *Shakespeare and the Stoicism of Seneca*, Londres, Oxford University Press, 1927. Recogido luego en *Ensayos selectos* (1932) y en *Ensayos isabelinos* (1934).

Sobre Shakespeare, Eliot escribió también los siguientes artículos: «Shakespeare and Montaigne» en el *Times Literary Supplement* (24 de diciembre de 1925), «A Popular Shakespeare» («Un Shakespeare popular»; en el *Times Literary Supplement*, 4 de febrero de 1926), «The Problems of Shakespeare Sonnets» («Los problemas de los sonetos de Shakespeare»; en *Nation & Athenaeum*, 12 de febrero de 1927) y «Mr. Murry's Shakespeare» («El Shakespeare de Mr. Murry»; en *The Criterion*, julio de 1936). Ninguno de estos artículos ha sido todavía recopilado en libro.

En el prefacio a *Sobre poesía y poetas*, Eliot comentó que «antes de la guerra», sin precisar exactamente cuándo, había dado unas conferencias tituladas *The Development of Shakespeare's Verse* (*El desarrollo del verso de Shakespeare*) que no quiso publicar y de las que rescató unos fragmentos sobre *Hamlet* y *Romeo y Julieta* en su ensayo «Poesía y drama», incluido en este volumen.

Dante

Publicado por primera vez como opúsculo en una serie titulada «Poetas sobre poetas»: *Dante*, Londres, Faber & Faber, 1929. Recogido luego en *Ensayos selectos* (1932).

Algunos años antes, Eliot había escrito un artículo sobre Dante: «Dante as a Spiritual Leader» («Dante como líder espiritual»; *Athenæum*, 2 de abril de 1920), que, con un añadido inicial sobre Paul Valéry, fue recogido en *El bosque sagrado* (1920) con el título «Dante». En 1950, Eliot daría una conferencia sobre su relación con Dante titulada «Lo que Dante significa para mí» (1950), recogida en este volumen.

Baudelaire

Introducción a una traducción de Christopher Isherwood de los *Diarios íntimos* de Baudelaire: *Intimate Journals*, Londres, The Blackmore Press, 1930, y Nueva York, Random House, 1930. Recogido en *Ensayos selectos* (1932).

Eliot escribió otros dos artículos sobre Baudelaire: «Poet and Saint» («Poeta y santo»; *The Dial*, mayo de 1927) y «Baudelaire and the Symbolists» («Baudelaire y los simbolistas»; *The Criterion*, enero de 1930). El primero fue recogido con el título «Baudelaire in Our Time» («Baudelaire en nuestro tiempo») en *Ensayos antiguos y modernos* (1936).

Religión y literatura

Contribución a la antología *Faith That Illuminates* (*Fe que ilumina*; editado y prologado por V. A. Demant, Londres, The Centenary Press, 1935). Recogido en *Ensayos antiguos y modernos* (1936) y en *Ensayos selectos* (1951).

Byron

Contribución al libro de ensayos *From Anne to Victoria* (*De Ana a Victoria*; Londres, Cassell, 1937). Recogido en *Sobre poesía y poetas* (1957).

Yeats

Primera conferencia anual Yeats, pronunciada ante los amigos de la Academia Irlandesa en el teatro Abbey, en junio de 1940. Publicada por primera vez con el título de «The Poetry of W. B. Yeats» («La poesía de W. B. Yeats»; en *Purpose*, julio-diciembre de 1940), reeditada en *Southern Review* (invierno de 1941) y recogida en *The Permanence of Yeats. Selected Criticism* (*La vigencia de Yeats. Ensayos selectos*; editados por James Hall y Martin Steinman, Nueva York, Macmillan, 1950). Recogido en *Sobre poesía y poetas* (1957).

Otros artículos escritos por Eliot sobre Yeats son «A Foreign Mind» («Una mente extranjera»; *Athenaeum*, 4 de julio de 1919) y «A Commentary» («Un comentario»; *The Criterion*, julio de 1935).

La música de la poesía

Tercera conferencia en memoria de W. P. Ker, pronunciada en la Universidad de Glasgow el 24 de febrero de 1942 y publicada como *The*

Music of Poetry, Glasgow, Jackson, Son & Company, 1942. Reeditada en *The Partisan Review* (noviembre-diciembre de 1942) y recopilada en *Sobre poesía y poetas* (1957).

¿Qué es un clásico?

Comunicación presidencial pronunciada ante la Sociedad Virgilio el 16 de octubre de 1944. Publicada en el opúsculo *What is a Classic?* (*¿Qué es un clásico?*; Londres, Faber & Faber, 1944). Recogido en *Sobre poesía y poetas* (1957).

Sobre Virgilio, Eliot también escribió el artículo «Vergil and the Christian World» («Virgilio y el mundo cristiano»; *Listener*, 14 de septiembre de 1951).

Milton

Publicado por primera vez en el opúsculo *Milton. Anual Lecture on a Master Mind* (*Milton. Conferencia annual sobre la mente de un maestro*; Londres, Henriette Hertz Trust of the British Academy, 1947). Reeditado en *Sewanee Review* (abril-junio de 1948) y en el volumen 33 de *Proceedings of the British Academy* (*Procedimientos de la British Academy*; Londres, Oxford University Press, 1951). Recogido en *Sobre poesía y poetas* (1957) como «Milton II», para diferenciarlo de otro ensayo, titulado «A Note on the Verse of John Milton» («Nota sobre el verso de John Milton») publicado en el libro colectivo *Essays and Studies* (*Ensayos y estudios*; Oxford, Clarendon Press, 1936) y recogido en *Sobre poesía y poetas* como «Milton I».

Lo que Dante significa para mí

Conferencia pronunciada en el Instituto Italiano de Londres el 4 de julio de 1950, publicada en *Italian News* (julio de 1950), reeditada en *The Adelphi* (XXVII, 1951) y recogida en *Criticar al crítico* (1965).

Poesía y drama

Conferencia en memoria de Theodore Spencer, pronunciada el 21 de noviembre de 1950 en la Universidad de Harvard, basada parcialmente en otra que había dado en Europa en 1949 y publicada en noviembre de ese año en la revista *Adam* con el título de «The Aims of Poetic Drama» («Los propósitos del drama poético»). Publicada por primera vez en el opúsculo *Poetry and Drama* (*Poesía y drama*; Cambridge, Harvard University Press, 1951). Recogida en *Sobre poesía y poetas* (1957).

Las tres voces de la poesía

Undécima conferencia anual de la Liga Nacional del Libro, pronunciada en 1953 y publicada en el opúsculo *The Three Voices of Poetry* (*Las tres voces de la poesía*; Cambridge, Cambridge University Press, 1953). Recogida en *Sobre poesía y poetas* (1957).

Criticar al crítico

La sexta conferencia «Convocation» pronunciada en la Universidad de Leeds en julio de 1961 y recogida en *Criticar al crítico* (1965).

Sobre las traducciones de versos y poemas citados

Al pie de los poemas o versos se indica el título del que provienen, la página en que aparecen en este volumen y la traducción que se ha utilizado.

Christopher Marlowe

Like to an almond tree y-mounted high
On top of green Selinis all alone,
With blossoms brave bedecked daintily;
Whose tender locks do tremble every one
At every little breath that under heaven is blown.

De *La reina de las hadas*, p. 53, traducción de Juan Antonio Montiel. Todas las traducciones de Juan Antonio Montiel se publican por primera vez en esta edición.

Like to an almond tree y-mounted high
Upon the lofty and celestial mount
Of evergreen Selinus, quaintly deck'd
With blooms more white than Erycina's brows,

Whose tender blossoms tremble every one
At every little breath that thorough heaven is blown.

De *Tamerlán*, p. 53, traducción de Juan G. Luaces, en C. Marlowe, *Tragedias*, Barcelona, Orbis, 1982.

Now walk the angels on the walls of heaven,
As sentinels to warn th' immortal souls
To entertain divine Zenocrate.

De *Tamerlán*, p. 54, traducción de Juan G. Luaces, en *op. cit.*

So looks my love, shadowing in her brows

De *Tamerlán*, p. 54, traducción de Juan Antonio Montiel.

Like to the shadows of Pyramides

De *Tamerlán*, p. 54, traducción de Juan G. Luaces, en *op. cit.*

Shadowing more beauty in their airy brows
Then have the white breasts of the queen of love

De *Doctor Fausto*, p. 55, traducción de Juan Antonio Montiel.

Upon her eyelids many graces sate
Under the shadow of her even brows

De *La reina de las hadas*, p. 55, traducción de Juan Antonio Montiel.

Zenocrate, lovlier than the love of Jove,
Brighter than is the silver Rhodope,

De *Tamerlán*, p. 55, trad. de Juan G. Luaces, en *op. cit.*

Zenocrate, the lovliest maid alive,
Fairier than rocks of pearl and precious stone.

De *Tamerlán*, p. 55, trad. de Juan G. Luaces, en *op. cit.*

And set black streamers in the firmament

De *Tamerlán*, p. 56, trad. de Juan G. Luaces, en *op. cit.*

See, see, where Christ's blood streams in the firmament!

De *Doctor Fausto*, p. 56, trad. de Juan G. Luaces, en *op. cit.*

The one took sanctuary, and, being sent for out,
Was murdered in Southwark as he passed
To Greenwich, where the Lord Protector lay.
Black Will was burned in Flushing on a stage:
Green was hanged at Osbridge in Kent…

De *Arden de Feversham*, pp. 56-57, traducción de Juan Antonio Montiel.

So these four abode
Within one house together; and as years
Went forward, Mary took another mate;
But Dora lived unmarried till her death.

De *Dora*, p. 57, traducción de Juan Antonio Montiel.

First, be thou void of these affections,
Compassion, love, vain hope, and heartless fear;
Be moved at nothing, see thou pity none…
As for myself, I walk abroad o' nights,
And kill sick people groaning under walls:
Sometimes I go about and poison wells…

De *El judío de Malta*, p. 58, traducción de Juan Antonio Montiel.

But now begins th' extremity of heat
To pinch me with intolerable pangs:
Die, life! fly, soul! tongue, curse thy fill, and die!

De *El judío de Malta*, p. 59, traducción de Juan Antonio Montiel.

The Grecian soldiers, tir'd with ten years war,
Began to cry, «Let us unto our ships,
Troy is invincible, why stay we here?».
...
By this, the camp was come unto the walls,
And through the breach did march into the streets,
Where, meeting with the rest, «Kill, kill!» they cried.
...
And after him, his band of Myrmidons,
With balls of wild-fire in their murdering paws...

At last, the soldiers pull'd her by the heels,
And swung her howling in the empty air.
...
We saw Cassandra sprawling in the streets

De *Dido*, p. 59, traducción de Juan Antonio Montiel.

...What scourge for perjury
Can this dark monarchy afford false Clarence?

De *Ricardo III*, p. 60, traducción de Tomás Segovia, en Harold Bloom, *Shakespeare. La invención de lo humano*, Barcelona, Anagrama, 2002.

If thou wilt stay,
Leap in minc arms; mine arms are open wide;
If not, turn from me, and I'll turn from thee;
For though thou hast the heart to say farewell,
I have not power to stay thee.

De *Dido*, p. 60, traducción Juan Antonio Montiel.

William Blake

The *languid* strings do scarcely move!

The sound is forc'd, the notes are few!

De «A las musas», p. 65, traducción de Pablo Mañé Garzón, en William Blake, *Poesía completa*, Barcelona, Ediciones 29, 1980.

But most, through midnight streets I hear.

How the youthful harlot's curse.

Blasts the new-born infant's tear,

And blights with plagues the marriage-hearse.

De «Londres», p. 68, traducción de Pablo Mañé Garzón, *op. cit.*

Love seeketh only self to please,

To bind another to its delight,

Joys in another's loss of ease,

And builds a Hell in Heaven's despite.

De «El terrón y el guijarro», p. 68, traducción de Pablo Mañé Garzón, *op. cit.*

He who would do good to another must do it in Minute Particulars.

General Good is the plea of the scoundrel, hypocrite, and flatterer;

For Art and Science cannot exist but in minutely organized particles...

De *Jerusalén*, p. 69, traducción de Xavier Campos Vilanova, en *Jerusalén, la emanación del gigante Albión*, Universidad Jaime I, 1997.

Los poetas metafísicos

On a round ball

A workeman that hath copies by, can lay

An Europe, Afrique, and an Asia,
And quickly make that, which was nothing, All,
So doth each teare,
Which thee doth weare,
A globe, yea world by that impression grow,
Till thy tears mixt with mine doe overflow
This world, by waters sent from thee, my heaven dissolved so.

De «Despedida», p. 77, traducción de Carlos Pujol, en John Donne, *Cien poemas*, Valencia, Pre-Textos, 2003.

A bracelet of bright hair about the bone,

De «La reliquia», p. 78, traducción de Juan Antonio Montiel.

His fate was destined to a barren strand,
A petty fortress, and a dubious hand;
He left the name at which the world grew pale,
To point a moral, or adorn a tale.

De «La vanidad de los deseos humanos», p. 79, traducción de Juan Antonio Montiel.

Stay for me there; I will not faile
To meet thee in that hollow Vale.
And think not much of my delay;
I am already on the way,
And follow thee with all the speed
Desire can make, or sorrows breed.
Each minute is a short degree,
And ev'ry houre a step towards thee.
At night when I betake to rest,
Next morn I rise neerer my West

Of life, almost by eight houres saile,
Then when sleep breath'd his drowsie gale.
…
But heark! My Pulse like a soft Drum
Beats my approach, tells Thee I come;
And slow howere my marches be,
I shall at last sit down by Thee.

De «Las exequias», p. 80, traducción de Enrique Caracciolo Trejo, en *Los poetas metafísicos ingleses del siglo XVII*, Caracas, El Perro y La Rana, 2007.

So when from hence we shall be gone,
And be no more, nor you, nor I,
As one anothers mystery,
Each shall be both, yet both but one.

This said, in her up-lifted face,
Her eyes which did that beauty crown,
Were like two stars, that having faln down,
Look up again to find their place:

While such a moveless silent peace
Did seize on their becalmed sense,
One would have thought some Influence
Their ravish'd spirits did possess.

De «Una oda sobre la cuestión…», p. 81, traducción de Juan Antonio Montiel.

Love, thou art absolute sole lord
Of life and death.

De «Himno a santa Teresa», p. 82, traducción de Juan Antonio Montiel.

in this one thing, all the discipline
Of manners and of manhood is contain'd: —
A man to joyne himselfe with th'Universe
In his maine sway, and make (in all things fit)
One with that all, and goe on round as it;
Not plucking from the whole his wretched part.
And into straites, or into nought revert.
Wishing the compleate Universe might be
Subject to such a ragge of it as hee;

But to consider great Necessitie.

De *La venganza de Bussy d'Ambois*, p. 84, traducción de Juan Antonio Montiel.

No, when the fight begins within himself,
A man's worth something. God stoops o'er his head,
Satan looks up between his feet —both tug—
He's left, himself, i' the middle: the soul wakes
And grows. Prolong that battle through his life!

De «La apología del obispo Blougram», p. 84, traducción de Carlos Pujol, en *La apología del obispo Blougram*, Valencia, Pre-Textos, 2011.

One walk'd between his wife and child,
With measur'd footfall firm and mild,
And now and then he gravely smiled.

The prudent partner of his blood
Lean'd on him, faithful, gentle, good,
Wearing the rose of womanhood.

And in their double love secure,
The little maiden walk'd demure,
Pacing with downward eyelids pure.

These three made unity so sweet,
My frozen heart began to beat,
Remembering its ancient heat.

De «Las dos voces», p. 85, traducción de Juan Antonio Montiel.

Andrew Marvell

Had we but world enough, and time,
This coyness, lady, were no crime.
… I would
Love you ten years before the Flood;
And you should, if you please, refuse
Till the conversion of the Jews.
My vegetable love should grow
Vaster than empires, and more slow…

De «A su recatada amante», pp. 101-102, traducción de Carlos Pujol, en Andrew Marvell, *Poemas*, Valencia, Pre-Textos, 2006.

But at my back I always hear
Time's winged chariot hurrying near;
And yonder all before us lie
Deserts of vast eternity.

De «A su recatada amante», p. 102, traducción de Carlos Pujol, *op. cit.*

then worms shall try
That long-preserved virginity…

The grave's a fine and private place,
But none, I think, do there embrace.

De «A su recatada amante», p. 103, traducción de Carlos Pujol, *op. cit.*

Let us roll all our strength and all
Our sweetness up into one ball,
And tear our pleasures with rough strife
Thorough the iron gates of life:
Thus, though we cannot make our sun
Stand still, yet we will make him run.

De «A su recatada amante», p. 102, traducción de Carlos Pujol, *op. cit.*

Cannot we deceive the eyes
Of a few por household spies?
'Tis no sin love's fruits to steal,
But that sweet sin to reveal,
To be taken, to be seen,
These have sins accounted been.

De «Canción a Celia», pp. 104-105, traducción de Juan Antonio Montiel.

Yet thus the leaden house does sweat,
And scarce endures the master great;
But, where he comes, the swelling hall
Stirs, and the Square grows spherical.

De «Sobre Appleton House», p. 106, traducción de Juan Antonio Montiel.

And now the salmon-fishers moist
Their leathern boats begin to hoist;

And, like Antipodes in shoes,
Have shod their heads in their canoes.

De «Sobre Appleton House», p. 106, traducción de Juan Antonio Montiel.

The tawny mowers enter next,
Who seem like Israelites to be
Walking onfoot through a green sea...

De «Sobre Appleton House», p. 107, traducción de Juan Antonio Montiel.

And now the meadows fresher dyed,
Whose grass, with moister colour dashed,
Seems as green silks but newly washed...

De «Sobre Appleton House», p. 107, traducción de Juan Antonio Montiel.

He hangs in shades the orange bright,
Like golden lamps in a green night...

De «Bermudas», p. 107, traducción de Carlos Pujol, *op. cit.*

Annihilating all that's made
To a green thought in a green shade...

De «El jardín», p. 107, traducción de Carlos Pujol, *op. cit.*

Had it lived long, it would have been
Lilies without, roses within.

De «El lamento...», p. 108, traducción de Carlos Pujol, *op. cit.*

I have a garden of my own
But so with roses overgrown
And lilies, that you would it guess

To be a little wilderness;
And all the spring-time of the year
It only loved to be there.

De «El lamento…», p. 108, traducción de Carlos Pujol, *op. cit.*

I know a little garden close
Set thick with lily and red rose.
Where I would wander if I might
From dewy dawn to dewy night,
And have one with me wandering.

De «La canción de la ninfa a Hilas», p. 108, traducción de Juan Antonio Montiel.

Yet tottering as I am, and weak,
Still have I left a little breath
To seek within the jaws of death
An entrance to that happy place;
To seek the unforgotten face
Once seen, once kissed, once reft from me
Anigh the murmuring of the sea.

De «La canción…», p. 109, traducción de Juan Antonio Montiel.

So weeps the wounded balsam; so
The holyfrankincense dothflow;
The brotherless Heliades
Melt in such amber tears as these.

De «El lamento…», p. 110, traducción de Carlos Pujol, *op. cit.*

CLORINDA: Near this, afountain's liquid bell
Tinkles within the concave shell.

DAMON: Might a soul bathe there and be clean,
Or slake its drought?

De «Clorinda y Damon», p. 111, traducción de Carlos Pujol, *op. cit.*

The midwife placed her hand on his thick skull,
With this prophetic blessing: Be thou dull…

A numerous host of dreaming saints succeed,
Of the true old enthusiastic breed.

De «Absalón y Aquitofel», p. 112, traducción de Juan Antonio Montiel.

Oft he seems to hide his face,
But unexpectedly returns,
And to his faithful champion hath in place
Bore witness gloriously: whence Gaza mourns,
And all that band them to resist
His uncontrollable intent.

De *Sansón agonista*, p. 113, traducción de Juan Antonio Montiel.

Who from his private gardens, where
He lived reserved and austere,
(As if his highest plot
To plant the bergamot)

Could by industrious valour climb
To ruin the great work of Time,
And cast the kingdoms old
Into another mold;
…

The Pict no shelter now shall find
Within his parti-coloured mind,
But, from this valour sad,
Shrink underneath the plaid.

De «Oda horaciana...», pp. 113-114, traducción de Juan Antonio Montiel.

Comely in thousand shapes appears;
Yonder we saw it plain; and here 'tis now,
Like spirits in a place, we know not how.

De «Oda: sobre el ingenio», p. 115, traducción de Juan Antonio Montiel.

In a true piece of Wit all things must be
Yet all things there agree;
As in the Ark, join'd without force or strife,
All creatures dwelt, all creatures that had life.
Or as the primitive forms of all
(If we compare great things with small)
Which, without discord or confusión, lie
In that strange mirror of the Deity.

De «Oda: sobre el ingenio», p. 115, traducción de Juan Antonio Montiel.

Art thou pale for weariness
Of climbing heaven and gazing on the earth,
Wandering companionless
Among the stars that have a different birth,
And ever changing, like a joyless eye,
That finds no object worth its constancy?

De «Estás pálida...», p. 116, traducción de Juan Antonio Montiel.

Soft you, a word or two before you go.
I have done the state some service, and they know't.
No more of that. I pray you, in your letters,
When you shall these unlucky deeds relate,
Speak of me as I am. Nothing extenuate,
Nor set down aught in malice. Then must you speak
Of one that loved not wisely, but too well;
Of one not easily jealous, but, being wrought,
Perplexed in the extreme; of one whose hand,
Like the base Indian, threw a pearl away
Richer than all his tribe; of one whose subdued eyes,
Albeit unused to the melting mood,
Drops tears as fast as the Arabian trees
Their med'cinable gum. Set you down this.
And say besides that in Aleppo once,
Where a malignant and a turbaned Turk
Beat a Venetian and traduced the state,
I took by th' throat the circumcised dog
And smote him-thus.

De *Otelo*, p. 161, traducción de Tomás Segovia en Harold Bloom, *op. cit.*, p. 557.

A man to join himself with the Universe
In his main sway, and make in all things fit...

De «La venganza...» p. 163, traducción de Juan Antonio Montiel.

... Horatio, I am dead;
Thou livest; report me and my cause aright

To the unsatisfied.

De *Hamlet*, p. 164, traducción de Tomás Segovia, *Hamlet*, México, Ediciones Sin Nombre, 2009.

As flies to wanton boys are we to th' gods,
They kill us for their sport.

De *El rey Lear*, p. 170, traducción de Nicanor Parra en *Lear*, UDP, 2004.

Dante

Para todas las citas de la *Divina comedia*, en todos los ensayos, se ha utilizado la traducción de Ángel Crespo, Barcelona, Seix-Barral, 1977, reeditada en 2005.

This castle hath a pleasant seat; the air
Nimbly and sweetly recommends itself
Unto our gentle senses.
This guest of summer
The temple-haunting martlet, does approve
By his loved masonry that the heaven's breath
Smells wooingly here: no jutty, frieze,
Buttress, nor coign of vantage, but this bird
Hath made his pendant bed and procreant cradle:
Where they most breed and haunt, I have observed
The air is delicate.

De *Macbeth*, p. 183, traducción de Armando Roa Vial, en *Macbeth*, Bogotá, Norma, 2001.

... she looks like sleep,
As she would catch another Antony

In her strong toil of grace.

De *Marco Antonio y Cleopatra*, p. 187, traducción de Tomás Segovia, en Harold Bloom, *op. cit.*, p. 667.

moans round with many voices

De «Ulises», p. 196, traducción de Juan Antonio Montiel.

Put up your bright swords or the dew will rust them.

De *Otelo*, p. 196, traducción de Juan Antonio Montiel.

Byron

I can't complain, whose ancestors are there,
Erneis, Radulphus — eight-and-forty manors
(If that my memory doth not greatly err)
Were their reward for following Billy's banners...

De *Don Juan*, p. 290, traducción de Juan Antonio Montiel.

Between two worlds life hovers like a star,
«Twixt night and morn, upon the horizon's verge.
How little do we know that which we are!
How less what we may be! The eternal surge
Of time and tide rolls on, and bears afar
Our bubbles; as the old burst, new emerge,
Lashed from the foam of ages; while the graves
Of empire heave but like some passing waves.

De *Don Juan*, p. 291, traducción de Juan Antonio Montiel.

Her eye's dark charm 'twere vain to tell,
But gaze on that of the Gazelle,

It will assist thy fancy well;
As large, as languishingly dark,
But Soul beam'd forth in every spark...

De *El Giaour*, p. 292, traducción de Juan Antonio Montiel.

Who thundering comes on blackest steed,
With slackened bit and hoof of speed?

De *El Giaour*, p. 293, traducción de Juan Antonio Montiel.

Though young and pale, that sallow front
Is scathed by fiery passion's brunt...

De *El Giaour*, p. 294, traducción de Juan Antonio Montiel.

Fall'n Hassan lies — his unclosed eye
Yet lowering on his enemy...

De *El Giaour*, p. 294, traducción de Juan Antonio Montiel.

The browsing camels' bells are tinkling:
His mother look'd from her lattice high—
She saw the dews of eve besprinkling
The pasture green beneath her eye,
She saw the planets faintly twinkling:
'Tis twilight — sure his train is nigh.

De *El Giaour*, p. 295, traducción de Juan Antonio Montiel.

And oh! to see the unburied heaps
On which the lonely moonlight sleeps —
The very vultures turn away,
And sicken at so foul a prey!
Only the fierce hydena stalks
Throughout the city's desolate walks

At midnight, and his carnage plies —
    Woe to the half-dead wretch, who meets
The glaring of those large blue eyes
    Amid the darkness of the streets!

De *Lalla Rookh*, p. 297, traducción de Juan Antonio Montiel.

Stop! for thy tread is on an Empire's dust!
An Eartquake's spoil is sepulchred below!
Is the spot mark'd with no colossal bust?
Nor column trophied for triumphal show?
None; but themoral's truth tells simpler so,
As the ground was before, so let it be; —
How that red rain hath made the harvest grow!
And is this all the world ha gained by thee,
Thou first and last of fields! king-maing victory?

De *Childe Harold*, p. 298, traducción de Juan Antonio Montiel.

And all went merry as a marriage bell...
On with the dance! let joy be unconfined...

De *Childe Harold*, p. 299, traducción de Juan Antonio Montiel.

And wild and high the «Cameron's gathering» rose!
The war-note of Lochiel, which Albyn's hills
Have heard, and heard, too, have her Saxon foes; —
How in the noon of night that pibroch thrills,
Savage and shrill! But with the breath which fills
Their mountain-pipe, so fill the mountaineers
With the fierce native daring which instils
The stirring memory of a thousand years,
And Evan's, Donald's fame rings in each clansman's ears!

De *Childe Harold*, p. 302, traducción de Juan Antonio Montiel.

Alas! They were so young, so beautiful,
So lonely, loving, helpless, and the hour
Was that in which the heart is always full,
And having o'er itself no further power,
Prompts deeds eternity cannot annul...

De *Don Juan*, p. 305, traducción de Juan Antonio Montiel.

He from the world had cut off a great man,
Who in his time had made heroic bustle.
Who in a row like Tom could lead the van,
Booze in the ken, or at the spellken hustle?
Who queer a flat? Who (spite of Bow-street's ban)
On the high toby-spice so flash the muzzle?
Who on a lark, with black-eyed Sal (his blowing)
So prime, so swell, so nutty, and so knowing?

De *Don Juan*, pp. 306-307, traducción de Juan Antonio Montiel.

Bob Southey! You're a poet — Poet Laureate,
And representative of all the race;
Although 'tis true that you turn'd out a Tory at
Last, yours has lately been a common case;
And now, my Epic Renegade! what are ye at?...

De *Don Juan*, pp. 309-310, traducción de Juan Antonio Montiel.

Lene larbar, loungeour, baith lowsy in lisk and lonye;
Fy! skolderit skyn, thow art both skyre and skrumple;
For he that rostit Lawrance had thy grunye,
And he that hid Sanct Johnis ene with ane womple,
And he that dang Sanct Augustine with ane rumple,
Thy fowll front had, and he that Bartilmo flaid;
The gallowis gaipis eftit thy graceles gruntill,

As thow wald for ane haggeis, hungry gled.

De la sátira de Dunbar, p. 310, traducción de Marcelo Cohen, en T. S. Eliot, *Sobre poesía y poetas*, Barcelona, Icaria, 1992.

Yeats

Pardon that for a barren passion's sake,
Although I have come close on forty-nine...

De «Perdón, viejos padres», p. 321, traducción de Daniel Aguirre para esta edición.

You think it horrible that lust and rage
Should dance attendance upon my old age;
They were not such a plague when I was young:
What else have I to spur me into song?

De «La espuela», p. 324, traducción de Daniel Aguirre para esta edición.

Two girls in silk kimonos, both
Beautiful, one a gazelle,

When withered, old and skeleton gaunt.

De «A la memoria de Eva Gore...», p. 326, traducción de Daniel Aguirre, en W. B. Yeats, *Antología poética*, Barcelona, Lumen, 2005.

I meditate upon a swallow's flight,
Upon an aged woman and her house.

De «Cool park, 1929», p. 326, traducción de Daniel Aguirre para esta edición.

Never, never, never, never, never.

De *El rey Lear*, p. 328, traducción de Juan Antonio Montiel.

Lo que Dante significa para mí

Like stricken ghosts of an enchanter fleeing.

De «Oda al viento del oeste», p. 428, traducción de Juan Antonio Montiel.

Struck to the heart by this sad pageantry,
Half to myself I said, «And what is this?
Whose shape is that within the car? & why»

I would have added — «is all here amiss?»
But a voice answered … «Life» … I turned & knew
(O Heaven have mercy on such wretchedness!)

That what I thought was an old root which grew
To strange distortion out of the hill side
Was indeed one of that deluded crew,

And that the grass which methought hung so wide
And white, was but his thin discoloured hair,
And that the holes it vainly sought to hide

Were or had been eyes. — «If thou canst forbear
To join the dance, which I had well forborne»,
Said the grim Feature, of my thought aware,

«I will now tell that which to this deep scorn
Led me & my companions, and relate
The progress of the pageant since the morn;

«If thirst of knowledge doth not thus abate,
Follow it even to the night, but I
Am weary» ... Then like one who with the weight

Of his own words is staggered, wearily
He paused, and ere he could resume, I cried,
«First who art thou?» ... «Before thy memory

«I feared, loved, hated, suffered, did, & died,
And if the spark with which Heaven lit my spirit
Earth had with purer nutriment supplied,

«Corruption would not now thus much inherit
Of what was once Rousseau-nor this disguise
Stained that within which still disdains to wear it...

De «El triunfo de la vida», pp. 429-430, traducción de Juan Antonio Montiel.

My Song, I fear that thou wilt find but few
Who fitly shall conceive thy reasoning,
Of such hard matter dost thou entertain.

De «Epipsiquidión», p. 431, traducción de Juan Antonio Montiel.

Poesía y drama

Horatio says s'tis but our fantasy,

De *Hamlet*, p. 444, traducción de Tomás Segovia, en *Hamlet*, México, Ediciones Sin Nombre, 2009.

What art thou, that usurp'st this time of night,

De *Hamlet*, p. 444, traducción de Tomás Segovia, *op. cit.*

So frown'd he once, when, in an angry parle,
He smote the sledded Polacks on the ice.

De *Hamlet*, p. 444, traducción de Tomás Segovia, *op. cit.*

We do it wrong, being so majestical,
To offer it the show of violence;
For it is, as the air, invulnerable,
And our vain blows malicious mockery.

De *Hamlet*, p. 444, traducción de Tomás Segovia, *op. cit.*

It faded on the crowing of the cock.
Some say that ever 'gainst that season comes
Wherein our Saviour's birth is celebrated,
The bird of dawning singeth all night long;

De *Hamlet*, p. 445, traducción de Tomás Segovia, *op. cit.*

So have I heard and do in part believe it.
But, look, the morn, in russet mantle clad,
Walks o'er the dew of yon high eastern hill.
Break we our watch up.

De *Hamlet*, p. 445-446, traducción de Tomás Segovia, *op. cit.*

Tomorrow and tomorrow and tomorrow.

De *Macbeth*, p. 457, traducción de Juan Antonio Montiel.

Keep up your bright swords, for the dew will rust them,

De *Otelo*, p. 457, traducción de Juan Antonio Montiel.

Two of the fairest stars in all the heaven,
Having some business, do intreat her eyes

To twinkle in their spheres till they return.

De *Romeo y Julieta*, p. 464, traducción de Martín Caparrós y Erna von der Walde, en *Romeo y Julieta*, Buenos Aires, Norma, 1999.

My bounty is as boundless as the sea,
My love as deep: the more I give to thee
The more I have, for both are infinite.

De *Romeo y Julieta*, p. 465, traducción de Martín Caparrós y Erna von der Walde, *op. cit.*

Tis like the lightning, which doth cease to be
Ere one can say «it lightens».

De *Romeo y Julieta*, p. 465, traducción de Martín Caparrós y Erna von der Walde, *op. cit.*

Las tres voces de la poesía

Rafael made a century of sonnets,
Made and wrote them in a certain volume,
Dinted with the silver-pointed pencil
Else he only used to draw Madonnas:
These, the world might view — but one, the volume.
Who that one, you ask? Your heart instructs you …

You and I would rather read that volume …
Would we not? than wonder at Madonnas …

Dante once prepared to paint an angel:
Whom to please? You whisper «Beatrice» …
You and I would rather see that angel,

Painted by the tenderness of Dante,
Would we not? — than read a fresh Inferno.

De «Una palabra más», p. 468, traducción de Juan Antonio Montiel.

One never more can go to court,
Because his legs have grown too short;
The other cannot sing a song,
Because his legs have grown too long!

De «Daddy piernaslargas...», p. 482, traducción de Juan Antonio Montiel.

bodiless childful of Life in the gloom
Crying with frog voice, «what shall I be?».

De «Canción de Isbrand», p. 483, traducción de Juan Antonio Montiel.

Ripeness is all

De *El rey Lear*, p. 487, traducción de Nicanor Parra en *Lear, rey mendigo*, Santiago de Chile, UDP, 2004.

...Simply the thing I am
Shall make me live.

De *Bien está lo que bien acaba*, p. 487, traducción de Montserrat Ordóñez, Bogotá, Norma, 2001.

Criticar al crítico

[And his own thoughts, along that rugged way,
Pursued, like raging hounds, their father and their prey.]

De «Adonais», p. 498, traducción de Manuel Altolaguirre, en *Poesías completas*, México, Fondo de Cultura Económica, 1960.

Bibliografía de T. S. Eliot

Poesía

Prufrock and Other Observations (*Prufrock y otras observaciones*), Londres, The Egoist Press, 1917.

Poems, Richmond, The Hogarth Press, 1919.

Ara Vos Prec, Londres, The Ovid Press, 1920.

The Waste Land (*La tierra baldía*), Nueva York, Boni Liveright, 1922. Primera edición inglesa: *The Waste Land*, Richmond, The Hogarth Press, 1923.

Poems 1909-1925, Londres, Faber & Gwyer, 1925

Ash Wednesday (*Miércoles de ceniza*), Nueva York, The Fountain Press, 1930. Primera edición inglesa: *Ash Wednesday*, Londres, Faber & Faber, 1930.

Traducción de *Anabasis* de Saint John Perse, Londres, Faber & Faber, 1930.

Sweeney Agonistes. Fragments of an Aristophanic Melodrama (*Sweeney Agonistes. Fragmentos de un melodrama aristofánico*), Londres, Faber & Faber, 1932.

The Rock (*La roca*), Londres, Faber & Faber, 1936.

Collected Poems 1909-1935 (*Poemas reunidos*), Londres, Faber & Faber, 1935. Aquí se publicó por primera vez el primero de los *Cuatro cuartetos*, «Burnt Norton».

Old Possum's Book of Practical Cats (*El libro de los gatos habilidosos del Viejo Possum*), Londres, Faber & Faber, 1939.

Four Quartets (*Cuatro cuartetos*), Nueva York, Harcourt Brace, 1943. Primera edición inglesa: *Four Quartets*, Londres, Faber & Faber, 1944.

Selected Poems (*Poemas selectos*), Londres, Penguin, 1948.

The Complete Poems and Plays 1909-1950 (*Poemas y obras de teatro completos*), Nueva York, Harcourt Brace, 1952.

Collected Poems (*Poemas reunidos*), Nueva York, Harcourt Brace, 1963.

The Waste Land: A Facsimile and Transcript of the Original Drafts Including the Annotations of Ezra Pound (*La tierra baldía. Facsímil y transcripción del manuscrito original con las anotaciones de Ezra Pound*), Londres, Faber & Faber, 1971.

Inventions of the March Hare. Poems 1909-1917 (*Invenciones de la liebre de marzo*), Londres, Faber & Faber, 1996.

Ensayo

Ezra Pound His Metric and Poetry (*Ezra Pound, métrica y poesía*), Nueva York, Knopf, 1917.

The Sacred Wood (*El bosque sagrado*), Londres, Methuen, 1920.

Homage to John Dryden. Three Essays on Poetry of the Seventeenth Century (*Homenaje a John Dryden. Tres ensayos sobre poesía del siglo XVII*), Londres, The Hogarth Press, 1924.

Dante, Londres, Faber & Faber, 1929.

Selected Essays (*Ensayos selectos*), Londres, Faber & Faber, 1932. Ampliada con nuevos ensayos en 1934 y 1951.

The Use of Poetry and the Use of Criticism (*Función de la poesía, función de la crítica*), Londres, Faber & Faber, 1933.

After Strange Gods (*En nombre de dioses extraños*), Londres, Faber & Faber, 1934.

Elizabethan Essays (*Ensayos isabelinos*), Londres, Faber & Faber, 1934.

Essays Ancient and Modern (*Ensayos antiguos y modernos*), Londres, Faber & Faber, 1936.

The Idea of a Christian Society (*La idea de una sociedad cristiana*), Londres, Faber & Faber, 1939.

Notes Towards the Definition of Culture (*Notas para la definición de una cultura*), Londres, Faber & Faber, 1948.

On Poetry and Poets (*Sobre poesía y poetas*), Nueva York, Farrar, Strauss & Giroux, 1957.

Knowledge and Experience in the Philosophy of F. H. Bradley (*Conocimiento y experiencia en la filosofía de F. H. Bradley*), Londres, Faber & Faber, 1964.

To Criticize the Critic (*Criticar al crítico*), Londres, Faber & Faber, 1965.

The Varieties of Metaphysical Poetry (*Las variedades de la poesía metafísica*), Londres, Faber & Faber, 1996.

Teatro

Murder in the Cathedral (*Asesinato en la catedral*), Londres, Faber & Faber, 1935.

The Family Reunion (*La reunión familiar*), Londres, Faber & Faber, 1939.

The Cocktail Party (*El cóctel*), Londres, Faber & Faber, 1950.

The Confidential Clerk (*El secretario particular*), Londres, Faber & Faber, 1954.

The Elder Statesman (*El viejo estadista*), Londres, Faber & Faber, 1959.

Correspondencia

The Letters of T. S. Eliot. Volume 1. 1898-1922, Valerie Eliot, ed., Londres, Faber & Faber, 1988.

The Letters of T. S. Eliot. Volume 2. 1923-1925, Valerie Eliot y Hugh Houghton eds., Londres, Faber & Faber, 2009.

Principales traducciones al castellano

Tierra baldía, traducción de Ángel Flores, Barcelona, Cervantes, 1930.

Poemas, México, Ediciones Taller, 1930. Incluye «La canción de amor de J. Alfred Prufrock», traducido por Rodolfo Usigli; «La figlia che Piange», traducido por Juan Ramón Jiménez; *La tierra baldía*, traducido por Ángel Flores; «Los hombres vacíos», traducido por León Felipe; «Marina», traducido por Juan Ramón Jiménez; «Una canción para Simeón», traducido por Octavio G. Barreda; *Miércoles de ceniza*, traducido por B. Ortiz de Montellano, y las «Notas» a *La tierra baldía*, traducidas por Ángel Flores.

Poemas, Madrid, Editorial Hispánica, 1946. Incluye «Preludios», traducido por Leopoldo Panero; «La Figlia che Piange», traducido por Dámaso Alonso; «Retrato de una dama», traducido por José Luis Cano; *Miércoles de ceniza*, traducido por Charles David Ley; «Marina», traducido por Leopoldo Panero; «El viaje de los magos», traducido por Dámaso Alonso; «Una canción para Simeón» y el coro IX de *La roca*, traducidos por José Luis Cano, y «East Coker», traducido por José A. Muñoz Rojas.

Cuatro cuartetos, traducción de Vicente Gaos, Madrid, Rialp, 1951.

Criticar al crítico, Madrid, Alianza, 1967.

Sobre poesía y poetas, traducción de Marcelo Cohen, Barcelona, Icaria, 1992.

Función de la poesía, función de la crítica, traducción, notas y prólogo de Jaime Gil de Biedma, Barcelona, Seix Barral, 1955 y reed. Barcelona, Tusquets, 1999.
Prufrock y otras observaciones, Valencia, Pre-Textos, 2000.
Poesías reunidas 1909-1962, traducción e introducción de José María Valverde, Madrid, Alianza, 1978.
Notas para la definición de una cultura, traducción de Félix de Azúa, Barcelona, Bruguera, 1983.
Cuatro cuartetos, traducción de José Emilio Pacheco, México, Fondo de Cultura Económica, 1989.
Asesinato en la catedral, Madrid, Encuentro, 1996.
Inventos de la liebre de marzo, Madrid, Visor, 2001.
El libro de los gatos habilidosos del viejo Possum, Valencia, Pre-Textos, 2001.
El bosque sagrado, San Lorenzo de El Escorial, Langre, 2004.

Cronología de T. S. Eliot

1669 Andrew Eliot parte desde East Coker (Somerset, Inglaterra) a Massachusetts durante la oleada migratoria de puritanos que colonizará Nueva Inglaterra. Andrew Eliot participó como juez en el proceso de las llamadas «brujas» de Salem.

1834 William Greenleaf Eliot, abuelo de T. S. Eliot, se gradúa en Harvard y se traslada a Saint Louis (Missouri), donde funda una Iglesia unitaria. El unitarismo niega la Trinidad y cree en la bondad de Dios, en oposición a la divinidad iracunda del Antiguo Testamento. William Eliot fundó también la Universidad de Washington, de la que fue rector.

1888 Thomas Stearns Eliot nace el 26 de septiembre en Saint Louis (Missouri), séptimo y último hijo de Henry Ware Eliot y de Charlotte Champe Stearns Eliot.

1898 Entra en la Smith Academy, una escuela fundada por su abuelo William.

1905 Publica sus primeros poemas en el *Smith Academy Record*. En otoño es enviado a la Milton Academy, en Nueva Inglaterra, para preparar el ingreso en la Universidad de Harvard.

1906 Comienza a estudiar en Harvard y se relaciona con la alta sociedad de Boston. Conoce a Conrad Aiken, quien años más tarde le presentará a Ezra Pound.

1907 Estudia francés y alemán. Empieza a leer a Dante y a los metafísicos ingleses. Publica poemas en el *Harvard Advocate*, la publicación literaria de la universidad.

1908 Descubre a los simbolistas franceses gracias al libro de Arthur Symons *El movimiento simbolista en literatura* (1899). Se interesa sobre todo por Jules Laforgue y Tristan Corbière.

1910 Recibe su primer grado universitario. Había estudiado griego, latín, alemán, francés, literatura inglesa, historia de la pintura y filosofía. Había tenido como profesores a Irving Babbitt, George Santayana y Paul Elmer More, con quien había estudiado también sánscrito. En octubre se va a París por un año, acude a la Sorbona, asiste a conferencias de Henri Bergson en el Collège de France y recibe clases particulares de Alain Fournier. Conoce a Jean Verdenal, a quien dedicará su primer libro.

1911 Regresa a Harvard para hacer el doctorado en filosofía. Hace unos cursos de filosofía hindú, de sánscrito y de pali. Escribe «Prufrock», «Retrato de una dama», «Preludios» y «Rapsodia en una noche de viento».

1912 Es nombrado profesor ayudante de filosofía.

1913 Lee *Appearance and Reality: A Metaphysical Essay* (1893) de F. H. Bradley y decide hacer su tesis sobre la epistemología del filósofo inglés. Estudia religiones primitivas y lee *La rama dorada* de Frazer. Asiste a un curso de Bertrand Russell, profesor visitante en Harvard.

1914 Obtiene una beca para estudiar filosofía en Oxford. Le sorprende el estallido de la Primera Guerra Mundial durante un curso en Alemania, en la Universidad de Marburgo. Se traslada a Londres y gracias a Conrad Aitken conoce a Ezra Pound, quien envía «Prufrock» a Harriet Monroe, directora de la revista *Poetry* en Chicago.

1915 El 26 de junio se casa con Vivien High-Wood. Se publica «Prufrock» en *Poetry*. En la revista *Blast*, aparecen los poemas «Preludio» y «Rapsodia en una noche de viento». Abandona Oxford y decide no regresar a Harvard. En Estados Unidos, sus padres le reprochan su matrimonio y que renuncie a la carrera académica. Le retiran la pensión. A su regreso a Londres, empieza a trabajar en la escuela High Wycombe. Se relaciona con el grupo de Bloomsbury.

1916 Da clases en la escuela Highgate Junior. Termina la tesis doctoral y la envía a Harvard, aunque, debido a la guerra, no puede viajar para defenderla.

1917 Empieza a trabajar en el departamento colonial y extranjero del Lloyd's Bank, en Londres. Es nombrado subdirector de *The Egoist*, que publica *Prufrock y otras observaciones*.

1919 Colabora en *The Athenaeum*, la revista de John Middleton Murry. En The Hogarth Press, la editorial fundada por Virginia y Leonard Woolf, publica *Poems*. En *The Egoist*, aparece uno de sus ensayos más significativos: «Tradición y talento individual». Empieza a escribir *La tierra baldía*.

1920 Publica *Ara Vos Prec* y *El bosque sagrado*. Conoce a James Joyce. Ezra Pound cambia Londres por París.

1921 Empeora la salud psíquica de Vivien. Sufre una crisis nerviosa y, en septiembre, pide tres meses de permiso en el banco para descansar, primero en Margate y luego a Lausana, donde termina el primer manuscrito de *La tierra baldía*.

1922 Crea, con Vivien, la revista *The Criterion*, cuyo primer número aparece en octubre y que durará hasta 1939. En diciembre se publica *La tierra baldía*, tras un severo proceso de edición a cargo de Ezra Pound.

1924 Deja el Lloyd's Bank para convertirse en editor de Faber & Gwyer que, a partir de 1929, se llamará Faber & Faber. Se publica *Poems 1919-1925*.

1926 Da en Cambridge las conferencias Clark sobre poesía metafísica. Publica en *The Criterion* el poema *Sweeney Agonistes.*

1927 Se bautiza en la Iglesia de Inglaterra y se convierte en súbdito británico. Publica «El viaje de los magos».

1928 Publica «Una canción para Simeón» y el libro de ensayos *Para Lancelot Andrewes.*

1929 Muere su madre. Publica el ensayo *Dante.*

1930 Publica *Miércoles de ceniza* y su traducción de la *Anábasis* de Saint John Perse. Grave deterioro de la salud de Vivien.

1932 Regresa por primera vez a Estados Unidos para impartir en Harvard las conferencias Charles Eliot Norton. Se publican los *Ensayos selectos.*

1933 Desde Harvard se separa de Vivien. Termina las conferencias Norton, que se publican bajo el título de *Función de la poesía, función de la crítica.* Imparte las conferencias Page-Barbour en la Universidad de Virginia, publicadas al año siguiente con el título de *En nombre de dioses extraños.*

1934 Escribe el apropósito teatral *La roca.* Por sugerencia del obispo de Winchester empieza a escribir su primera obra de teatro, *Asesinato en la catedral,* para ser representada en Canterbury.

1935 En junio, estreno de *Asesinato en la catedral* en la catedral de Canterbury. Escribe «Burnt Norton».

1936 Se publican los *Poemas reunidos 1909-1935*, donde aparece por primera vez «Burnt Norton».

1939 Publica *La idea de una sociedad cristiana*, edición de unas conferencias impartidas en Cambridge. Estrena en el Westminster Theatre *La reunión familiar.* Publica *El libro de los gatos habilidosos del viejo Possum*, que medio siglo después Andrew Lloyd Weber adaptaría en su musical *Cats.*

1940 Publica «East Coker». Durante el intenso bombardeo nazi de

Londres, sirve como vigilante de incendios en la azotea de la oficina de Faber & Faber en Russell Square.

1941 Publica «The Dry Salvages».

1942 Publica «Little Gidding».

1943 En mayo se publica en Estados Unidos *Cuatro cuartetos*, que aparecerá en octubre en Inglaterra

1946 Abandona la residencia para clérigos de Gloucester Road en la que había vivido desde su separación y acepta compartir piso con John Hayward, eminente bibliófilo, editor y erudito, confinado a una silla de ruedas por una distrofia muscular. El criterio de Hayward había sido muy importante durante la composición de los *Cuatro cuartetos.*

1947 Muere Vivien en un asilo. Doctor honoris causa por la Universidad de Harvard.

1948 Gana el Premio Nobel de Literatura. Penguin saca una edición de 50.000 ejemplares de una antología de su poesía: *Poemas selectos*. El rey Jorge VI le concede la Orden del Mérito. Publica *Notas para la definición de una cultura.*

1949 Estrena *El cóctel* en el festival de Edimburgo.

1952 Se publican en Estados Unidos los *Poemas y obras de teatro completos 1909-1950.*

1953 Estrena *El secretario particular* en el festival de Edimburgo.

1957 Se casa con su secretaria de Faber, Valerie Fletcher. Publica *Sobre poesía y poetas*.

1958 Estrena *El viejo estadista* en el festival de Edimburgo.

1963 Se publican sus *Poemas reunidos, 1909-1962.*

1964 Se publica su tesis doctoral sobre Bradley: *Conocimiento y experiencia en la filosofía de F. H. Bradley.* Se le concede en Estados Unidos la Medalla de la Libertad.

1965 Muere el 4 de enero. Sus cenizas se depositan en East Coker.

Índice onomástico

Índice

Apéndices

Compuesto en tipos de la familia Garamond,
La aventura sin fin
se terminó el 26 de septiembre de 2011,
cuando se cumplen ciento veintitrés años
del nacimiento de
Thomas Stearns Eliot.

«The end is where we start from»